**2ª edição**
Do 5º ao 10º milheiro
5.000 exemplares
Fevereiro/2020

© 2018-2020 by Associação Espírita Amigos dos Animais

**Capa e projeto gráfico**
Juliana Mollinari

**Diagramação**
Juliana Mollinari

**Revisão**
Maria de Lourdes da S. Moitinho
Roberto de Carvalho

**Assistente editorial**
Ana Maria Rael Gambarini

**Coordenação Editorial**
Ronaldo A. Sperdutti

**Impressão**
PlenaPrint Gráfica

Todos os direitos reservados.
Nenhuma parte desta obra pode ser reproduzida ou
transmitida por qualquer forma e/ou quaisquer meios
(eletrônico ou mecânico, incluindo fotocópia e gravação)
ou arquivada em qualquer sistema ou banco de dados sem
permissão escrita da Editora.

O produto da venda desta obra é
destinado à manutenção das
atividades assistenciais da Sociedade
Espírita Boa Nova, de Catanduva, SP.

1ª edição: Outubro de 2018 – 5.000 exemplares

# O evangelho dos animais

Sandra Denise Calado
ditado por Equipe Espiritual da Asseama

Associação Espírita Amigos dos Animais
www.asseama.org.br

**NOVA VISÃO**
EDITORA

Nova Visão Editora
Instituto Beneficente Boa Nova
Entidade coligada à Sociedade Espírita Boa Nova
Av. Porto Ferreira, 1.031 | Parque Iracema
Catanduva/SP | CEP 15809-020
www.boanova.net | boanova@boanova.net
Fone 17.3531-4444 | Fax 17.3531-4443

**Dados Internacionais de Catalogação na Publicação (CIP)**
**(Câmara Brasileira do Livro, SP, Brasil)**

Calado, Sandra Denise
  Evangelho dos animais / Sandra Denise Calado,
ditado por Equipe Espiritual da Asseama. --
Catanduva, SP : ASSEAMA, 2018.

  ISBN 978-85-92793-32-6

  1. Animais - Aspectos religiosos - Espiritismo
2. Espiritismo 3. Espiritualidade 4. Kardec, Allan,
1804-1869 5. Morte - Aspectos religiosos -
Espiritismo 6. Percepção extra-sensorial em animais
I. Asseama, Equipe Espiritual da. II. Título.

18-20404                                        CDD-133.259

**Índices para catálogo sistemático:**

  1. Evangelho dos animais : Espiritismo  133.259

  Maria Alice Ferreira - Bibliotecária - CRB-8/7964

# Sumário

Agradecimento ................................................................. 7
Apresentação ................................................................. 9
Prefácio ...................................................................... 11
Capítulo 1 – A querida companheira Fifi ....................... 16
Capítulo 2 – Visita a veterinária................................... 25
Capítulo 3 – Notícias de Fifi ....................................... 30
Capítulo 4 – O início do despertar............................... 37
Capítulo 5 – Tudo se renova....................................... 43
Capítulo 6 – Busca por respostas ............................... 52
Capítulo 7 – Velhos paradigmas.................................. 57
Capítulo 8 – Almas sagradas para Deus ...................... 64
Capítulo 9 – A força do amor....................................... 70
Capítulo 10 – Orientações essenciais .......................... 79
Capítulo 11 – Os primeiros passos .............................. 91
Capítulo 12 – A evolução espiritual da humanidade........ 102
Capítulo 13 – A evolução da ciência ............................ 123
Capítulo 14 – Que eu diminua para que o Cristo surja em esplendor ................................................................... 144
Capítulo 15 – Observações lógicas.............................. 161
Capítulo 16 – A medicina veterinária ............................ 171
Capítulo 17 – A palavra que vivifica............................. 179
Capítulo 18 – A família espiritual................................. 198
Capítulo 19 – Rompendo o véu das ilusões................... 216
Capítulo 20 – Animais no plano espiritual ..................... 239
Capítulo 21 – A alma como ela é................................. 266
Capítulo 22 – Admirável lei de harmonia....................... 284
Capítulo 23 – A magnífica viagem da consciência .......... 304
Capítulo 24 – Da teoria para a realidade....................... 329
Capítulo 25 – Presença de Deus em tudo e em todos ..... 335

Capítulo 26 – Novos rumos para a humanidade ............ 356
Capítulo 27 – Iluminando por dentro ................................. 367
Capítulo 28 – O que Jesus espera de nós ...................... 385
Capítulo 29 – Do insconsciente coletivo para a consciência individual ........................................................................ 400
Capítulo 30 – A verdade vos libertará ............................. 415
Capítulo 31 – Tudo tem seu tempo ................................... 432
Capítulo 32 – O facho da clemência divina ..................... 445
Capítulo 33 – Tudo que vive é teu próximo ..................... 465
Capítulo 34 – A geração da regeneração ......................... 483
Capítulo 35 – São chegados os tempos .......................... 499
Anexo 1 – A feijoada do Zé .............................................. 506

# AGRADECIMENTO

Agradecemos, em primeiro lugar, aos animais! Estes maravilhosos irmãos que tanto têm nos ensinado sobre o amor e a renúncia e que tanto têm dado em favor da humanidade. São eles a razão de existir do Centro Espírita Asseama, nossos irmãos mais jovens, os pequeninos de Jesus.

Em segundo lugar, agradecemos a Deus, Pai misericordioso, e a Jesus, governador do Planeta Terra – cujas mãos estão no leme que nos direciona à regeneração – por permitirem que as luzes das Verdades Espirituais cheguem às nossas almas aflitas, necessitadas de direção para caminhar rumo a própria paz.

Em terceiro lugar, agradecemos à Francisco de Assis, este iluminado Espírito, patrono da Asseama, e a equipe espiritual da Asseama, que trazem para todos esta obra de amor, representando o evangelho em toda sua pureza.

Em quarto lugar, agradecemos com especial carinho à nossa irmã Ana Gaspar, que abriu os campos com sua coragem e energia para se falar dos animais, trazendo à tona seus conhecimentos profundos sobre a evolução do espírito, falando por aqueles que não podem falar por si mesmos; e pelo especial carinho com que nos recebeu em seus últimos meses de vida, lendo com dedicação este livro e fazendo a apresentação do mesmo, dedicando-se como sempre a Doutrina Espírita e fazendo de sua última palavra pública nesta reencarnação um gesto de amor aos animais.

# APRESENTAÇÃO

Logo às primeiras páginas deste livro percebi, o quanto ele é importante para o estudo da alma dos animais. Mostra-nos um grupo de espíritas que resolvem reunir-se uma vez por semana para buscar na Doutrina Espírita todo assunto que aborde os animais, após o doloroso desencarne de Fifi, cadelinha amada por parte dos protagonistas.

Em constante observação dos fatos ao seu redor, o grupo anota todos os detalhes para posterior pesquisa nas obras de Allan Kardec, tal qual O Livro dos Espíritos, A Gênese, O Evangelho Segundo O Espiritismo, Obras Póstumas, Revista Espírita; nas obras de Emmanuel, tal qual Alvorada do Reino, O Consolador, A Caminho da Luz, o próprio livro Emmanuel; nas obras de André Luiz, como Nosso Lar, Os Mensageiros, Missionários da Luz, No Mundo Maior, Evolução Em Dois Mundos, Mecanismos da Mediunidade, Conduta Espírita; estudando Cairbar Schutel em Gênese da Alma, lendo Gabriel Dellane com Evolução Anímica, desdobrando Léon Denis com O Problema do Ser, do Destino e da Dor, consultando Joanna de Ângelis em O Homem Integral, Jesus e o Evangelho à Luz da Psicologia Profunda, Amor Imbatível Amor, Plenitude, Iluminação Interior, entre outros autores renomados, demonstrando, irrefutavelmente, que os animais têm consciência, inteligência e sentimentos.

Tomo a liberdade de citar um texto que não consta nesta obra, mas que muito me sensibilizou, demonstrando estas faculdades, dentro da própria Revista Espírita, em fato relatado pelo próprio codificador, no ano de 1867, mês de fevereiro, em artigo acerca do suicídio em animais.

Um ensinamento profundo sobre o amor ao próximo, estendendo o sentido superficial com que encaramos muitas vezes o Evangelho, o "Evangelho dos Animais" aborda a questão do vegetarianismo como uma extensão do maior mandamento, demonstrando que são, todos eles, os animais, nossos irmãos, criados por Deus, e que se tornar vegetariano é uma declaração de amor. Os animais, por ocasião do abate, sabem que vão morrer e sofrem por isso.

Leiam, estudem este livro com muita atenção. Façamos a nossa parte. Os animais são como crianças espirituais que precisam de nós para crescer, mas com respeito, muito amor e compreensão.

Que Jesus elucide nossas almas e proteja nossa tarefa de irmãos mais velhos neste Planeta Terra destinado à Regeneração.

*Ana Gaspar*

# PREFÁCIO

Sempre iniciamos novo dia. Sempre se ilumina com o sol a manhã, e nova oportunidade de vencer os desafios apresentados a nosso Espírito em evolução recomeça. É Jesus nos dizendo que a morada escola de todos nós, por ele elaborada, está a nossa espera para o porvir de maiores conquistas. A evolução é infinita, e mesmo que tenhamos a nítida sensação de que estamos parados, caminhamos a passos individuais e coletivos em nossas próprias conquistas, e servimos à obra divina.

Olhando o céu, vendo a renovação da natureza, olhando a história humana neste orbe que nos recebe como habitantes, a Terra, é que concluímos que, com nossa limitada visão do agora, restrita sempre aos últimos acontecimentos, não conseguimos ter a exata noção do progresso da humanidade. Quantos de nós não olhamos ao redor, no atual momento histórico e tecnológico em que vivemos, assustados com as ondas de violência e revolta que tomam conta da Terra, e temos a sensação de que estamos, pelo menos, estacionados? Alguns, em face da falta de entendimento da vida do Espírito e das reencarnações planejadas desde alguns séculos até agora, que mais se acentuaram nos últimos 100 anos, diriam mesmo que a humanidade se perdeu, e que não há caminho de retorno para a maldade humana, senão um milagre advindo dos céus, com a força mitológica de Deus, a varrer de uma só tacada o mal e a instituir somente o bem, ou, ainda, a condenar ao fogo do inferno a maioria da massa humana, estabelecendo a paz, ou, para algumas mentes mais pessimistas e afeitas às interpretações ao pé da letra do Apocalipse, será o fim dos tempos com a devastação da humanidade e do Planeta Terra.

Mas a preciosa Doutrina Espírita que se faz o Consolador Prometido, com suas lições imortais e o chamamento para revivermos os ensinamentos cristãos, nos chama a atenção para a renovação que se faz presente. E, com a lente da evolução em nossas avaliações, podemos retomar a história registrada e notaremos que, apesar da barbárie que hoje nos aborda, com a limpeza primordial para arrumar a casa, podemos notar os seres humanos e as criaturas que co-habitam conosco esta casa de luz e esperança, em melhor situação que há poucos séculos atrás. Afinal, nos reportando às épocas remotas de Moisés, encontraremos um povo indócil, com pouco ou nenhum entendimento a respeito do amor de Deus, e sofrendo pela insônia em que se encontrava. Em lento despertar, não podiam ir além de si mesmos, mal conseguindo compreender a existência de um Deus único. Pouco mais de mil e quinhentos anos depois, aportou na Terra o Anjo de Deus. A autoridade que rege os caminhos de nosso planeta desceu suas "asas" e se fez homem, para nos Fazer, um dia, arcanjos nos processos da evolução. Em sua doce figura, encontramos o mais sublime ensinamento de esperança e coragem, junto à dor instituída na Terra. Enquanto a humanidade fervilhava em suas incompreensões, enquanto o orgulho varria os corações, fazendo do homem, na grande maioria das situações, algoz de si mesmo e, consequentemente, do próximo, Ele vivenciava a doce e suave Verdade do amor, Fazendo de suas palavras e gestos a mais profunda melodia de esperança para a humanidade. No deserto das consciências terrenas, Jesus se fez a água cristalina a aliviar a sede do espírito. Com sua presença, passamos a viver, mesmo que por poucos anos, o futuro espiritual da Terra. Sentimos, através de nossa pouca sensibilidade, a aliança do amor a que todos estamos destinados. Desde que pisou na Terra, até seus momentos derradeiros na bela lição do calvário, construindo sua orquestrada canção de sublime encanto, na ressurreição, fazendo luz na vivência após a morte, pudemos presenciar o futuro no presente,

*O evangelho dos animais*

que hoje é passado. Em meio às tempestades furiosas do coração infantil dos homens, em meio à avassaladora falta de visão da verdadeira vida, em meio às mais amargas situações, junto a um povo de vivência sofrida e "noturna", sob o ângulo espiritual, o Mestre viveu a verdadeira vida. Enquanto nós outros vivíamos da pura ilusão, Ele vivia da pura verdade. Enquanto nós respirávamos o presente de sombras, Ele construía o futuro de luz. Enquanto só tínhamos fé com sua presença, Ele nos estimulava a confiar em Deus e a acreditar em nós próprios, ao nos dizer que somos deuses, e nos prometia estar ao nosso lado, mesmo que não O percebêssemos. Enquanto nós acordávamos lentamente, como acontece até hoje, Ele vivia a lucidez. Enquanto nós ainda construíamos a vida material, Ele abordava a vida espiritual de todos nós. Nós vivíamos no sono profundo, Ele viveu completamente acordado.

E hoje, em meio a já esperada construção presente, em pleno século XXI, vivemos uma das mais belas épocas da história na Terra. E dizer isto não é, em absoluto, ignorar as horrendas atitudes humanas, ou fazer apologia à ingenuidade. É reconhecer os movimentos que se fazem presentes. Muitos dirão que em paralelo aos tropeços humanos, ainda na ignorância e na dor, acontecem movimentos de paz. Tal colocação, embora pareça lógica, reflete o inverso da verdade. Diremos que em meio à implantação da paz, através dos diversos movimentos para a verdade renovadora do Evangelho, que se baseia no maior mandamento: *"Amar a Deus sobre todas as coisas e ao próximo como a si mesmo"*, com milhares de pessoas que decidiram Fazer a diferença, e tomar as rédeas por si mesmas da transformação necessária para que o bem se faça realidade, caminhando pela caridade renovadora, há ainda, distanciando-se do estabelecimento firme do futuro que começa já no presente, movimentos paralelos de violência e dor, causados por aqueles que resistem ao doce chamamento do Pai celestial, na busca do filho pródigo.

Do ponto de vista da história espiritual, não estamos vivendo o momento violento, mas o momento de trabalho de renovação. Nunca, em face da história humana, tivemos a chance de participar ativamente de uma mudança evolutiva de tais proporções. Nosso orbe terreno encontra-se atualmente na fase de provas e expiações. Houve um tempo em que éramos um planeta primitivo. Porém, quando da fase em que a vibração do planeta o fez atingir novo estágio, este em que nos encontramos, fomos automaticamente impelidos a continuar a história humana sem nos fazermos ativos nesta fase. Alguns dirão que parte da humanidade terrena é remanescente do sistema Capela, e, portanto, no que se refere àquele sistema solar, participou da mudança evolutiva do mesmo. Ponderando sob a luz da verdade, mesmo muitos de nós outros que vivenciamos a fase de transformação de Capela, não nos encontrávamos no número daqueles que buscaram as mudanças para a paz e a renovação de si mesmos, mas, ao contrário, estivemos entre aqueles que viveram, como outros hoje vivem na Terra, os movimentos paralelos, buscando resistir ao irresistível, criando dificuldades que, sob a ótica da obra espiritual, não tinham forças, e concluindo pelo próprio exílio. Assim é que, sendo cada um de nós um habitante nascido na Terra, ou um exilado de outro sistema solar, estamos na atualidade diante da oportunidade que nos é apresentada de fazermos, por nós mesmos e pela escola Terra que nos recebe, a transformação do amor, a começar por nosso próprio âmago, decidindo pela regeneração interior, e nos fazendo ativos e responsáveis, aderindo ao movimento da verdade pela evolução.

A dor, a escuridão, o ódio, o materialismo, o poder terreno, o orgulho, o egoísmo são os movimentos paralelos, perdidos da realidade, inseridos na ilusão e pertencentes a um passado de sombras que trabalhamos para mudar. O amor, a esperança, o bem, a caridade, a bondade, a fé, a prece, a vivência do Evangelho são a realidade que se faz presente, e que cria desde já o futuro inevitável da obra do Cristo.

Chegamos, meus irmãos, a um momento essencial. Eis que podemos participar, desta vez, do concerto do amor. Podemos começar a festejar, desde já, a luz se fazendo presente. Se na época em que o Cristo esteve entre nós, vivíamos na sombra da ilusão e do sono espiritual, podemos decidir neste momento a acordar, e Fazermos a nossa parte. Podemos participar ativamente para que a Terra, que hoje vive seus momentos cruciais, transbordando todo o fel do materialismo, atinja o patamar de regeneração. É para tanto que o Cordeiro

*O evangelho dos animais*

de Deus trabalha ativamente e nos deixou mais do que sua presença entre nós. Ele iluminou a Terra e deixou sua luz a cintilar até hoje, através do Evangelho.

E se apurarmos os ouvidos espirituais, seremos capazes de sentir as vibrações da orquestra renovadora da paz a nos convidar:

> *"...As grandes vozes do Céu ressoam como o toque da trombeta, e os coros dos anjos se reúnem. Homens, nós vos convidamos ao divino concerto. Que vossas mãos tomem a lira, que vossas vozes se unam, e num hino sagrado, se estendam e vibrem de um extremo do Universo ao outro.*
>
> *Homens, irmãos amados, estamos juntos de vós. Amai-vos também uns aos outros, e dizei do fundo de vosso coração, Fazendo a vontade do Pai que está no Céu: "Senhor, Senhor!" e podereis entrar no Reino dos Céus." O Espírito da Verdade (\*)*

Novo convite se faz, através desta obra, para a renovação no Planeta Terra, em que todas as criaturas estarão sob o manto do amor, da verdade e da vida a que se referia o Cristo. É a luz da paz se estendendo na regeneração, para que o Planeta se eleve, para que o homem se eleve, para que os animais se elevem, para que a natureza se eleve, e para que a harmonia se faça. Que nas próximas páginas encontremos o soneto do amor e da esperança para a implantação da luz e da paz, unindo-se ao movimento renovador de Jesus, em que as leis humanas caminham, definitivamente, na direção das Leis Divinas, através do coração humano.

**Equipe Espiritual da Asseama**

## Capítulo 1

# A QUERIDA COMPANHEIRA FIFI

Amanda tinha nas mãos um exemplar do livro "O Evangelho Segundo O Espiritismo". Após tantos anos na Doutrina Espírita, reconhecia que, sem a prece renovadora e a leitura constante do Evangelho, era impossível ver a mínima réstia de esperança nas mais diversas situações que se apresentam na vivência diária, no intuito de fornecer ao Espírito os necessários desafios para a evolução.

Tal qual criança após uma queda, tentava encontrar um caminho lúcido para o ocorrido, e entre lágrimas e desânimo, tentando se lembrar que o sofrimento é somente passagem na evolução, abriu o precioso livro, solicitando mentalmente a Deus ajuda. Seu coração estava oprimido. Leu, então, aquelas palavras que, embora já tenha visto tantas Vezes, pareceram a mais profunda fonte de consolação. Fora como se o próprio Cristo se dirigisse a ela e pousasse o olhar amoroso sobre suas dores:

> *"Vinde a mim, todos vós que estais aflitos e sobrecarregados, que eu vos aliviarei. Tomai sobre vós o meu julgo e aprendei de mim, que sou manso e humilde de coração e achareis repouso para as vossas*

*O evangelho dos animais*

*almas, pois é suave o meu julgo e leve o meu fardo".
(O Evangelho Segundo O Espiritismo, Cap. VI, item 1).*

Após sentida prece, já um pouco mais aliviada, deixou que as lágrimas vertessem livremente, sentindo-se no colo de Jesus. Diante de tudo o que aprendera no Espiritismo, e mesmo após longas conversas com queridos companheiros de Doutrina, pareciam como que despropositais os sentimentos que a invadiam. Por várias razões: primeira – como espírita, deveria ser mais tranquila sua relação com a morte; segunda, tratava-se da morte de um animal. Mas Amanda não conseguia deixar de sentir-se triste e deprimida.

Em todos os lugares, sentia a presença de sua cadelinha Fifi. Ao acordar pela manhã, ela era a primeira a vir ao seu encontro. Compartilhavam o momento do café da manhã e, junto de Amanda, ela respeitava a prece inicial do dia, para nova empreitada na reencarnação. Sua alegria era contagiante. Obediente, ela esperava ansiosa pelo passeio matinal.

Tudo ao redor a lembrava. Havia doado para uma Ong de proteção animal todas as suas coisas, e já contava mais de 15 dias de seu desencarne, mas Amanda não conseguia se livrar de todos estes sentimentos que pareciam, até certo ponto, sem sentido. É certo que Amanda a amava, mas havia aprendido que a alma do animal era diferente da alma do ser humano; assim, perguntava-se como podia sentir tanta dor.

O que mais a afligia era o fato de que talvez não mais fosse vê-la. O Espiritismo sempre foi para Amanda o consolo, a esperança. Com as informações trazidas pela Doutrina, aprendera que a morte não existe.

Lendo a Codificação Espírita, teve a certeza de que cada ente querido que partiu para a pátria espiritual havia apenas feito viagem fora da carne, caminhando para nova fase na evolução. Mas quanto a Fifi...

Não encontrava em parte alguma uma resposta que a consolasse. Em sua mente, perguntas se renovavam constantemente. E ao consultar os confrades espíritas da casa de esperança que frequentava, um centro espírita que contava mais de 75 anos, não obtinha respostas satisfatórias. Sentia como se o Consolador Prometido não se estendesse até sua dor. E, ao mesmo tempo, por estar na Doutrina Espírita há mais de 30 anos, se cobrava a necessidade da confiança e do equilíbrio, mas sem sucesso.

Para completar, ainda havia experimentado o olhar de desdém de alguns confrades da casa, que até então Amanda via como "pais" queridos. Em particular, o Sr. Antônio.

Logo após o desencarne de Fifi, que aconteceu de forma tão dolorosa, chegou ao centro com os olhos inchados de tanto chorar. Sr. Antônio estava logo no corredor de entrada. Olhou-a consternado, vindo ao seu encontro e abraçando-a carinhosamente. Conheciam-se desde que Amanda tinha sete anos de idade, fase em que iniciou naquele centro a evangelização infantil.

Sentia-se abraçada por um pai e, novamente, não pôde conter as lágrimas. Estava envergonhada pela falta de controle, mas...

Seu Antônio esperou que ela se acalmasse, adentrou com Amanda em sala reservada, colocou-a sentada em uma cadeira de vime e sentou-se em outra próxima. Segurando em sua mão, perguntou:

– Querida Amanda, o que se passa, minha filha? Por que tanta tristeza?

Amanda tentou falar, mas, novamente, os soluços sufocaram sua voz, as lágrimas vertiam descontroladamente, e chorou por cerca de quinze minutos sem parar.

Seu Antônio a olhava preocupado, mas respeitou sua dificuldade. Aos poucos foi se acalmando, e pôde, então, sentir-se segura para falar:

– Ah! Seu Antônio, sei que deveria me apresentar mais confiante e segura. Sei que a Doutrina Espírita nos traz todas as respostas. Mas, ainda assim, não consigo deixar de me sentir tão triste...

– Filha querida, fale logo, o que aconteceu? Como posso ajudá-la? – Perguntou Seu Antônio.

Amanda olhou para ele vendo seus olhos claros a cintilarem de compaixão. Suas rugas já denotavam a idade avançada, e seu corpo não negava os 82 anos que este amigo querido já trazia. Seu Antônio era filho do fundador da casa. Era visto no centro como uma espécie de mentor encarnado. Conhecedor da Doutrina, fora expositor de aula de inúmeros trabalhadores no curso de médiuns, e ainda era um dos mais

*O evangelho dos animais*

assíduos expositores de tribuna. Por sua fluência, também palestrava em outros centros espíritas. Amanda sentia-se confiante com ele, e para ela era quase como se consultasse um livro espírita ao falar com Seu Antônio. Respondeu então:
– Seu Antônio, aconteceu algo terrível. Há dois dias, eu viajei com minha cachorrinha Fifi para uma pequena cidade do interior paulista. Ela já não era jovem, tinha doze anos de idade. Brincávamos no quintal do sítio e, de repente, ela caiu, já desfalecida. Acorri a socorrê-la, sem sucesso. Já não respirava e sua boquinha estava branca. Peguei-a nos braços pedindo mentalmente para que não me deixasse. De repente, ela abriu os olhos e olhou no fundo dos meus olhos, como se estivesse despedindo-se. Pequeno brilho se passou em seu olhar. Eu, já aos prantos, senti seu coraçãozinho bater de forma lenta e irregular. A boca então começou a roxear. Desesperada, corri para o carro, chamando ao mesmo tempo meu marido, Edson, que veio rapidamente. Enquanto ele dirigia, eu a colocava junto ao peito e falava com ela:

*"Fifi, por favor, não me deixe... Ah! Fifi, eu amo tanto você... não me deixe... vamos, Fifi, aguente firme, logo estaremos no veterinário... aguente, por favor, aguente..."*

Em 3 minutos, contados no relógio, nos encontrávamos na clinica veterinária. Imediatamente, a recepcionista veio ao nosso encontro, e creio que, em menos de um minuto, o Doutor já estava atendendo a Fifi... mas era tarde demais. Fifi já chegara morta. Tudo fez o Dr. Pedro para socorrê-la. Até massagem cardíaca, porém sem sucesso. Fifi nos deixou...
– Eu não achava, Seu Antônio – disse Amanda entre palavras entrecortadas e choro – que amasse tanto a Fifi. O Edson até tentou disfarçar, mas quando o Dr. Pedro disse que Fifi estava morta, ele me abraçou e chorou como criança. Uma aranha havia sido a causa do desencarne. Com veneno mortal e de rápida ação, não havia muito o que Fazer. Um acidente fatal.
Ficamos ali, olhando para seu corpinho inerte. Em poucos minutos, lembrei os momentos compartilhados com ela. Aproximei-me devagarzinho, segurando nas mãos do Edson. Então me abaixei junto da mesa de atendimento e me dirigi ao corpo da Fifi, como se ela ainda pudesse me ouvir:

– Fifi, minha querida Fifi. Você foi minha filhinha do coração. Não sei como será sem você agora. Quem vai me acordar? E seus graciosos latidos pela casa... quem suportará o silêncio? E quem vai me receber nos dias difíceis, na porta de casa, me lembrando da alegria de amar? Ah, Fifi, Fifi, que pena, meu Deus, que pena!... Se eu soubesse, jamais teria vindo para cá... me perdoe, Fifi...

Edson chorava baixinho, tentando ser forte. Mantinha o silêncio, mas não saía do meu lado. Enquanto eu me encontrava abaixada, para poder ver melhor a Fifi, ele permanecia em pé, acariciando o corpo sem vida. Continuei:

– Ainda me lembro de quando te adotamos. Era uma noite fria de outono. Voltávamos de uma reunião de amigos, nós ainda éramos namorados. De repente, vi uma coisinha se mexendo no meio da rua. Gritei para que o Edson freasse. Descemos do carro e nos dirigimos até lá. Encontramos você, olhar assustado, pequenina, toda pretinha. Estava tão apavorada que a primeira tentativa foi fugir de nós. Mas foi amor à primeira vista. Peguei você no colo e te aconcheguei junto ao peito. Disse-lhe que tudo ia ficar bem. Você respirou aliviada, como se tivesse me entendido. Olhei para o Edson, que sorriu para mim, como que dizendo que também desejava aquilo. E desde então, Fifi... temos sido companheiras inseparáveis... Eu te socorri das ruas e do abandono, você me socorreu da depressão e da doença. Eu te dei um lar, você me deu o tipo de amor mais belo que já conheci... parecia sempre tão grata... ficava tão feliz por me ver... que forma mais profunda de amar, Fifi!... Muito obrigada por tudo Fifi, muito obrigada por me ensinar tanto... sentirei sua falta...

Já não mais conseguia falar, pois o choro me impedia. Então me levantei e a tomei nos braços. O Edson me abraçou também e ficamos ali, acho que mais de dez minutos, abraçados os dois com ela nos braços. Então, beijei sua face já gelada, recoloquei-a na mesa. Conversamos com o Dr. Pedro sobre o destino do corpo e fomos embora.

Ao chegar novamente no sítio, minha mãe nos aguardava com nosso filhinho Gabriel. Em seus seis anos de idade, toda sua vida ele convivera com a Fifi. Olhei para minha mãe, que já sabia do ocorrido, pois a avisamos pelo celular. Gabriel, então, me perguntou:

*O evangelho dos animais*

– Mamãe, cadê a Fifi?

Ah Seu Antônio, como lhe dizer?... Ele não tem irmãos, Fifi sempre o amara tanto! Quando ele nasceu, ela assumiu instintivamente a posição de protetora de Gabriel. Identificaram-se desde o início. Ela era sua companheira de brincadeiras. Até TV eles compartilhavam. E agora, ela havia partido... Respirei fundo e disse, tentando parecer forte e confiante:

– Filho, a Fifi foi para o céu. Você sabe, ela já estava velhinha...

Antes que eu continuasse, ele me interrompeu, já chorando:

– Não mamãe, eu quero a Fifi... traga ela de volta... diga para Deus que não quero que ela vá para o céu ainda... traga ela de volta... ela é minha melhor amiga...

Olhei para ele sem saber o que dizer. Minha mãe, então, disse, vindo em meu socorro:

– Gabriel, meu queridinho. A Fifi precisou ir para o céu. Tem umas crianças lá que precisam dela. Ela não o abandonou não, mas é que ela sabe que você tem seu papai e sua mamãe que o amam. As crianças que ela foi cuidar não têm ninguém. Agora venha comigo, vamos brincar.

Gabriel pareceu dar-se por satisfeito com a resposta e acompanhou minha mãe.

Desde então, eu só choro. Mal consigo comer ou dormir. Não me conformo... sei que sou espírita... mas não me conformo. Diga-me Seu Antônio, vou vê-la novamente? Onde ela está?

O tempo todo, Amanda estivera de cabeça baixa, enquanto relatava o ocorrido. Após as perguntas finais, que tanto a afligiam, levantou os olhos e olhou na face de Seu Antônio. Haviam desaparecido a compaixão e a caridade de seus olhos. Agora, embora ainda próximo de Amanda e segurando suas mãos, ele a olhava com se tivesse lhe contado algo fútil. Ela ainda chorava, e ele parecia não conseguir compreender a razão de tanta dor. De início, Amanda teve a sensação de que ele a condenava, de certa forma, por ser espírita e não conseguir superar a depressão causada pelo desencarne de Fifi... mas, então, ele finalmente falou:

– Amanda, Amanda... por que tudo isso? Tratava-se apenas de um animal... Entendo que sinta falta de sua cachorrinha... entendo que a amasse... mas você está reagindo como se fosse alguém de sua família...

Amanda o interrompeu, com um misto de vergonha e revolta em seu coração, e respondeu timidamente:

– Mas Fifi era parte da família... Seu Antônio, ela era como minha filha!...

Ele, então, soltou sua mão, a olhou nos olhos e continuou:

– Amanda, por Deus, isto que você disse não tem cabimento. Você pensa isso agora, porque está envolvida na inconformidade e perdeu, de certa forma, a fé... mas logo estará mais lúcida, e então compreenderá que isto que diz não é possível. Entendo sua dor, também tenho lá em casa dois cães dos quais gosto muito, mas não podemos nos esquecer do que ensina a Doutrina Espírita. É preciso acordar a própria memória para os ensinamentos da Codificação. Fifi ainda nem era um Espírito...

Aquilo a chocou... como assim Fifi não era um Espírito, pensou. Olhou para ele e disse:

–– Seu Antônio, está querendo me dizer que a Fifi não tinha alma?

Compreendendo sua indignação, ele respondeu:

– Amanda, veja, sei que é difícil para você, mas muitas vezes, em meio às situações de dor, acabamos por adaptar as verdades que a Doutrina Espírita nos mostra as nossas necessidades de resposta imediata. Mas, filha, isso será pior no futuro, porque a fará acreditar em algo que não existe, por isso me sinto na obrigação de esclarecê-la quanto ao equívoco, assim permitindo que se recupere mais rapidamente de sua depressão.

Amanda olhava amargurada, pensando nas coisas que a Fifi fazia. Lembrou-se do dia em que o Gabriel chegou em seu lar, após dois dias na maternidade. Amanda havia feito um preparo com Fifi para quando o Gabriel nascesse. Mas não sabia como a cachorrinha iria reagir. Tinha medo que ela o visse como uma ameaça. Trazia nos braços uma preciosidade na família; Gabriel era o primeiro filho, o primeiro neto, a criança querida que fora sonhada.

*Fifi a aguardava na porta da sala. Amanda entrou, Fifi se aproximou lentamente. O Gabriel se mexeu no colo e deu leve chorinho... ela, então, se afastou, um pouco assustada. Amanda sorriu e olhou para a Fifi, dizendo:*

*O evangelho dos animais*

*– Fifi, venha conhecer seu irmãozinho. Abaixou-se lentamente, abriu o xale, e o mostrou a ela, continuando a falar:*
*– Fifi, este é nosso novo companheiro. Precisarei muito de você para cuidar dele, e ele também precisará muito de você. Serão grandes amigos, tenho certeza. Você me ajuda com ele?*
*Ela o cheirou bem devagar. Começou pelos pezinhos, que ele mexia. Depois as perninhas, a barriguinha, enfim, a cabeça. Olhou para Amanda, depois novamente para Gabriel, sentou, respirou fundo, abanou o rabinho. Não subiu nele, não latiu. Então, novamente Amanda falou:*
*– Fifi, vamos levá-lo para o quarto que preparamos exclusivamente para ele? Ela subiu as escadas na frente de Amanda, parando, de vez em quando, para esperá-los. Esperta como sempre, abriu ela mesma a porta, ficando em pé e abaixando a fechadura com a pata, um ato de inteligência que sempre intrigou Amanda. Foi até o bercinho, já pronto, e sentou ao lado. Amanda colocou Gabriel no berço, e parou olhando para ele por alguns minutos. Disse então a Fifi:*
*– Fifi, cuida dele!*
*Ela, tentando não Fazer barulho, abanou o rabinho, deitou no chão ao lado do berço e ali permaneceu até que o Gabriel acordasse.*

Voltando para o momento atual, esperava a resposta de Seu Antônio, pensando como um ser que teve uma reação tão inteligente e sensível poderia não ter alma... Seu Antônio continuou:
– Segundo o Espírito da Verdade, em O Livro dos Espíritos, animais têm princípio inteligente, e o homem é que tem Espírito. E mais, estudando a Doutrina, concluímos que os animais pertencem a uma alma-grupo, e quando desencarnam voltam para essa espécie de alma coletiva, que só se tornará individual quando chegar na fase de ser humano, e então passa a ser Espírito.
Amanda, na verdade, não havia compreendido bem a explicação. Disse então:

– Não entendi bem, Seu Antônio, quer dizer que a alma da Fifi é diferente da nossa?

Ele respondeu:

– Exatamente. A Fifi era um princípio inteligente, nós já somos Espíritos. Além do quê, somos almas individuais, Fifi pertence a uma alma-grupo.

– Alma-grupo, como assim? – Perguntou, muito confusa.

– Quando ela desencarnou, se uniu a uma alma que abriga todos os animais. Ela deixou de ser a Fifi, para aderir a essa alma que absorve todas as almas dos animais – explicou ele mais detalhadamente.

Amanda achou aquilo a coisa mais estranha do mundo. Em seu coração, aquilo não condizia com a justiça de Deus, e em sua mente, não fazia sentido. Mas era Seu Antônio que falava. Seu Antônio tinha até uma coluna em uma famosa revista espírita. Não poderia estar enganado. Ele sabia muito mais do que ela, pensava. Perguntou então:

– E o que é princípio inteligente? Como o Senhor sabe que os animais perdem a individualidade quando desencarnam?

Ele a olhou satisfeito por acreditar tê-la convencido, e continuou:

– Não sabemos ainda com certeza como é este princípio inteligente. Na verdade, o Espírito da Verdade nos disse que ainda não é o momento de compreendermos isso. Mas, se quiser se informar melhor, leia a questão 607ª de O Livro dos Espíritos. Concluirá pela verdade. Agora, Amanda, pare com este choro e vamos ao trabalho. Era somente um animal...

Amanda olhou Seu Antônio entristecida. Para ela, Fifi não era somente mais um animal, pensava, nenhum deles é somente um animal. São tão lindos, tão belos, tão queridos. Eles nos olham com tanto amor, são tão amigos. Como aquele olhar poderia pertencer a este tal de princípio inteligente? Como poderia não denotar sentimentos? Isto não parecia lógico. Mas, afinal, era Seu Antônio que estava dizendo. Abraçou-o despedindo-se e foi para o trabalho voluntário intrigada com a dúvida.

Ao voltar para casa, seu peito doía fundamente. Segundo o que Seu Antônio lhe explicara, Fifi simplesmente deixara de existir, para Fazer parte de uma alma-grupo. Isto significava que não mais a veria, o que aumentou seu desespero.

## Capítulo 2

# VISITA À VETERINÁRIA

Amanda decidiu, então, procurar a veterinária da Fifi, doutora Ana Paula. Sempre conversaram muito, e Dra. Ana tratou da Fifi desde que ela veio para o lar, com poucos meses de vida. Já haviam se passado 15 dias do desencarne, e Amanda não tivera coragem de procurá-la, pois sabia que ela sentiria muito a partida de Fifi. Porém, ela também era espírita, e talvez a ajudasse de outra forma. Ligou para a clínica e conversou com a secretária, buscando saber a que horas a Dra. Ana poderia recebê-la. Chegou às 15 horas e aguardou na sala de espera. Encontrou ali, por coincidência, Sérgio, que frequentava o mesmo centro espírita que ela. Ele estava com seu gato Fred, que parecia não estar muito bem. Sérgio achava que ele estava um pouco deprimido. Iniciaram uma conversa.

– Como está você, Amanda? Não a tenho visto no centro.

– Ah! Sérgio, não estou muito bem, sabe como é, acho que poderá me entender. A Fifi, minha cachorrinha, desencarnou há 15 dias e fiquei muito triste. Sinto-me mal por não conseguir controlar ainda o choro, mas não consigo evitar. Aqueles que não têm animal, não sabem como nos sentimos em relação a eles.

Sérgio se mexeu um pouco na cadeira, como se estivesse desconfortável. Amanda continuou:

– Esperava encontrar na Doutrina Espírita consolo e refazimento. O problema é que, segundo todos com quem conversei, parece que simplesmente nunca mais vou ver a Fifi. Em conversa com Seu Antônio, ele me disse que a Fifi é parte de uma alma-grupo. Consultei outro amigo que é expositor em outra casa espírita muito grande, há cinco anos, conhecedor profundo da Doutrina, o Luiz, e ele foi categórico em me dizer: *"animais não têm inteligência, são somente instinto, assim é o que diz O Livro dos Espíritos, e mais, Amanda, não há animais no plano espiritual"*. Aquilo acabou por me deprimir mais, fiquei consternada. Não sei com quem falar e, simplesmente, não consigo me sentir melhor. Hoje, vim procurar a Dra. Ana, porque ainda não lhe contei o ocorrido, queria dividir com ela o que se passou.

Sérgio olhou-a nos olhos e disse:

– Sabe, cara amiga, já que falou a este respeito, quero lhe confessar algo. O Fred é meu companheiro fiel. Onde vou pela casa, ele me segue. Carinhoso, se joga a meus pés quando quer afago. Sempre vem me receber na porta quando chego. Seus olhos brilham quando falo com ele, atende pelo nome e se nega a me atender por alguns apelidos bobos quando o chamo. Ele sabe quem sou, conhece suas coisas, sabe onde está sua ração, e sabe que se chama Fred, demonstrando consciência de si mesmo, afinal, sempre que o chamo ele vem, a não ser que tenha aprontado alguma coisa...

Ele respirou, como que ganhando coragem, e continuou.

– Outro dia, eu estava no banho, com a porta trancada. Fechei o chuveiro e ouvi um barulho. Coloquei a cabeça para fora do box e vi a fechadura da porta mexendo como se alguém quisesse abrir. Meu coração disparou. Eu estava sozinho em casa, minha esposa estava viajando. Pensei: *"é um ladrão!"* Saí pé ante pé do box, enrolei a toalha na cintura. Peguei a única coisa que tinha no banheiro – um rodo. Abri bruscamente a porta do banheiro com o rodo nas mãos e... lá estava o Fred em cima da pia, do lado de fora do banheiro, tentando abrir a fechadura para entrar. Ri muito, sozinho...

Sérgio riu abaixando e cabeça e continuou:

– Em muitas situações; ele me consolou. Nunca esqueço o dia em que minha mãe desencarnou. Sentei-me desolado

*O evangelho dos animais*

no sofá. Ele se aproximou, deitou em meu colo, aninhando-se. De repente, miou, sentou-se, levantou a patinha e a passou em meu rosto. Fiquei tão emocionado que desatei a chorar tudo que tinha represado no peito. Ele parece me entender mais que qualquer um. Porém, ouvindo grande palestrante espírita, há 30 dias, uma mulher de profundo conhecimento da Doutrina, ela disse, ao lhe perguntarem sobre os animais: *"animais não têm consciência de si mesmos e não pensam, assim nos informa O Livro dos Espíritos"*. Perguntei-me então mentalmente: *"como o Fred não tem consciência de si mesmo se atende pelo nome?" Como é que ele não pensa se tentou abrir a porta do banheiro pela fechadura? Isto é tão estranho!"* Mas não tive coragem de me colocar publicamente. Quem sou eu diante desta palestrante? Ela sabe muito mais do que eu; silenciei, então, mas agora que você está me dizendo tudo isso... no fundo, não aceitei o que ela disse, não parecia lógico.

Ambos foram interrompidos pela secretária, que chamou Sérgio e Fred para a consulta.

Assim que saiu, Sérgio abraçou Amanda e disse baixinho:

– Eu sei como se sente, Amanda, não tenha vergonha, continue procurando as respostas. Lembre-se, Deus é amor e justiça, como poderíamos acreditar que amar os animais como se fossem nossos irmãos é errado perante a Lei Divina? Creio que o que acontece é que ainda não estávamos preparados para entendê-los, mas há uma resposta. Coragem, amiga, Jesus é bondade, tudo na vida passa, tenho certeza, porque meu coração me diz que a Fifi está bem e que você vai revê-la.

Aquelas palavras caíram como um bálsamo no coração de Amanda. Como ela precisava ter ouvido aquilo de alguém! Como precisava de alguém que entendesse que seu sofrimento tinha uma razão de ser, sem a recriminar, sem a condenar! Como precisava ouvir alguém que lhe dissesse, como fez Sérgio, que Deus é amor, e ama os animais. Sua alma se encheu de gratidão, mas não teve tempo de dizer mais nada, pois foi chamada pela Dra. Ana Paula e Sérgio foi embora sem saber o quanto a ajudou.

Amanda entrou no consultório apreensiva, sem saber como falar sobre Fifi para a veterinária.

Ana Paula iniciou a conversa, dizendo:

– Boa tarde, Amanda. Como está? E a Fifi, por que não veio com você?

Já chorando, Amanda olhou para Ana Paula, que imediatamente compreendeu que Fifi havia desencarnado. A veterinária respirou profundamente, meio que sem saber o que Fazer, e também controlando a emoção. Olhou para Amanda e disse:

– Quando e como tudo aconteceu?

Amanda tomou coragem e relatou à Ana Paula o ocorrido, entre muitas lágrimas. Concluiu dizendo:

– Dra. Ana, estou tão triste. Minha casa está tão vazia. Minhas manhãs ficaram tão sem sentido. Perdoe-me não ter vindo antes, mas não tinha coragem de lhe dizer. Dra. Ana, a senhora é espírita, será que tem algum conhecimento maior sobre o que acontece com os animais depois da morte?

Ana Paula a olhou surpresa com a pergunta e respondeu:

– Ah! Amanda, quem dera... Nada sei sobre a alma dos animais e tenho dificuldade, até hoje, de entender seu sofrimento em vida... compartilho de sua dor, mas, para todos que pergunto, as respostas são evasivas e não cogitam me refrescar a alma, sinto como se houvesse um vácuo nesta questão dos animais dentro da Doutrina Espírita. Tudo que me dizem é que Kardec disse que ainda não era o momento de entendê-los, mas isto foi há mais de 150 anos... quando será o momento? Se a Doutrina Espírita é progressiva, há de chegar o momento. Respirou, e continuou:

– Sabe, Amanda, como veterinária, leio muito sobre os animais. A ciência fez descobertas surpreendentes sobre a inteligência e até mesmo os sentimentos nos animais. Hoje há até cientistas que dizem que eles têm consciência, outros atribuem inteligência e vínculos familiares. O mundo questiona sobre os animais e nunca houve em outro tempo tantas reportagens de revista e TV falando sobre eles. No entanto... é como se a Doutrina Espírita não acompanhasse isso, o que me parece estranho, já que a Doutrina sempre esteve à frente da ciência. De duas uma, ou, neste campo, a Doutrina não tem as respostas, ou nós, espíritas, não as encontramos. Acho que é a segunda possibilidade, você não acha?

*O evangelho dos animais*

Amanda ficou olhando para a Dra. Ana e concluiu mentalmente que ela tinha razão. Abraçou-a com carinho, e disse-lhe:
– Em meu nome e da Fifi, queria lhe agradecer por tudo o que fez por nós, e em particular por ela. Obrigada por ter cuidado dela todos estes anos, muito obrigada.

Dra. Ana, que até então controlava bem o choro, não mais pôde se segurar. Abraçou Amanda sem nada dizer e, chorando, retribuiu o agradecimento com a cabeça.

Amanda deixou o consultório veterinário pensando em tudo que ouvira, concluindo que deveria mesmo haver uma resposta na própria Doutrina Espírita.

## *Capítulo 3*

# NOTÍCIAS DE FIFI

Amanda adentrou o lar, após a visita à veterinária, num misto de sentimentos. Ainda não tivera coragem de buscar a leitura indicada por Seu Antônio, afinal, pensava, para que comprovar algo que tanto a entristecera? Por outro lado, tinha esperança de que, de alguma forma, tanto ele quanto o Luiz estivessem errados.

Mal entrou em casa e Gabriel correu ao seu encontro, abraçando-a e se dizendo com saudades. Amanda sentou-se no sofá com ele, que lhe disse:

– Mamãe, a Fifi veio visitar a gente hoje Ela está tão bonita mamãe!...

Amanda surpreendeu-se com o que dizia Gabriel. Ele ainda era muito jovem e Amanda conhecia bem o filho, sabia que não inventaria aquilo. Também sabia, através da Doutrina Espírita, que até os sete anos as crianças mantêm uma percepção mais aguçada do plano espiritual. Após se refazer do susto, tentou parecer natural, e disse a ele:

– Filho, quando foi que você a viu?

– *Quando cheguei da escola – respondeu Gabriel –, ela estava me esperando no portão, como sempre. Veio até mim, fez festinha. Eu dei um abração "deste tamanho" nela. Depois falei: "Fifi, senti saudades... você voltou pra ficar com a gente de novo?" Foi quando um moço bonito, que eu nunca tinha visto, mamãe, veio até mim e falou:*

*O evangelho dos animais*

– *A Fifi precisa voltar para o céu. As crianças de lá a esperam, Gabriel. Mas ela sentia muitas saudades de você e pediu para vir visitá-lo.*

*Não fiquei com medo do moço, mamãe, ele parecia tão bom, sei que você disse para eu não falar com estranhos, mas ele parecia "com uma luz acesa dentro dele"... Então, eu disse assim para ele:*

– *Você é um anjo?*

*Ele respondeu:*

– *Sou o anjo da Fifi. Agora, precisamos voltar.*

*Depois, ele chamou a Fifi. Ela me deu um "beijo" e foi com ele, e acho que foram para o céu, porque eles sumiram do nada...*

– *Sabe, mamãe, eu fiquei muito feliz. E a Fifi também.*

Antes que Amanda pudesse ter qualquer reação, Gabriel pulou do seu colo e saiu correndo para o quintal. Ela ficou ali, parada, por cerca de quinze minutos. Pensava: *"Será possível?"* Fifi havia desencarnado havia quinze dias. Um misto de alegria e saudades a invadiu. Depois, lamentou não ter estado presente, mas o fato de ser o Gabriel a vivenciar a cena, sabendo que ele não mentiria, a fez questionar intimamente o que lhe disseram Seu Antônio e Luiz. Se fosse qualquer outra pessoa da casa ela duvidaria, mas para Gabriel aquelas visões eram praticamente naturais. Vez por outra ele brincava com seu "amiguinho imaginário".

Sentada no sofá, Amanda continuou pensando: *o Espiritismo nos informa claramente que a encarnação só se completa aos sete anos de idade, e que até então a criança ainda está mais ligada ao plano espiritual que ao plano físico, e este desligamento vai se efetuando aos poucos. Lembro-me de guardar muito bem estes ensinamentos, e de observá-los na prática com meu filho. Esquecemos-nos muitas vezes que a criança que reside em nosso lar e compartilha conosco a vida é um Espírito que, como nós, está em evolução, e já viveu muitas vidas até aqui chegar. Muito mais do que isto, a infância lhe proporciona período importante de aprendizado, porque sua personalidade enquanto Espírito fica, de certa forma, adormecida, dando ao mesmo, através da educação dos pais, a oportunidade de ser moldado, até certo ponto, segundo os ditames do Evangelho, angariando conhecimento para a reforma íntima nos caminhos do amor, a que todos estamos destinados.*

Como espírita, Amanda tinha consciência da responsabilidade que lhe impunha a maternidade, assim como Edson, seu marido, tinha consciência da importância da paternidade.

Desde a gravidez, Amanda conversava com Gabriel sobre Deus, o amor e a oportunidade da vida para todos. Ela lhe falava longamente do quanto estavam felizes em recebê-lo no lar e de quanto tanto eles quanto Deus o amavam. Sempre o incentivaram a realizar o Evangelho no Lar junto deles, buscando adequar a linguagem a Gabriel, e, assim que começou a entender melhor, Amanda e Edson compraram um exemplar de O Evangelho Segundo o Espiritismo para crianças.

Ainda se lembrava dos Evangelhos no lar realizados junto com a Fifi. Eram momentos de reunião íntima, de compartilharem os sentimentos, de estudarem o Evangelho, de tentarem trazer para o dia a dia a vivência tão importante dos exemplos deixados por Jesus. Fifi sempre os acompanhava nestes estudos, que aconteciam uma vez por semana, mesmo antes de Gabriel nascer. Todos os sábados, sentavam-se juntos, às 16 horas. Fifi era a primeira a se aconchegar no sofá, e ficava o tempo todo quieta. Começavam sempre com uma prece inicial, na qual pediam a Jesus e ao mentor do lar que amparassem seus propósitos de estudo, aprendizado e evolução. Fifi acompanhava tudo vigiando Gabriel. Ela demonstrava claramente que compreendia a necessidade de silêncio.

Em seguida à prece, iniciavam a leitura de um trecho de "O Evangelho Segundo O Espiritismo". Mas não abriam o livro ao acaso, pois, com o passar do tempo, compreenderam que o livro em questão tinha uma ordem, ou seja, um começo, um meio e um fim, que dava uma lógica impressionante aos ensinamentos cristãos. Até mesmo a introdução tinha importância essencial no entendimento de todo livro. Assim, após a leitura, cada um deles compartilhava sua opinião a respeito do texto e falava das dificuldades em viver aquelas recomendações no dia a dia e das necessidades individuais em aprender a amar e viver em harmonia.

Amanda lembrou-se de um dia específico, em que estudavam o Evangelho:

*O evangelho dos animais*

Determinado sábado, reuniram-se para a realização do Evangelho no Lar, como chamavam estes momentos de estudo. Após a prece inicial, começaram a leitura do capítulo XI de O Evangelho Segundo O Espiritismo, Amar ao próximo como a si mesmo, item 1:

"Mas os fariseus, quando ouviram que Jesus tinha feito calar os saduceus, juntaram-se em conselho. E um deles, que era doutor da lei, tentando-o, perguntou-lhe: Mestre, qual é o maior mandamento da lei? Jesus lhe disse: Amarás o Senhor teu Deus de todo o teu coração, e de toda a tua alma, e de todo o teu entendimento, este é o maior e o primeiro mandamento. E o segundo, semelhante a este é: Amarás ao teu próximo como a ti mesmo. Estes dois mandamentos contêm toda a lei e os profetas.(Mateus, XXII: 34-40)."

Em seguida, o Edson, que havia feito a leitura, comentou:

– Como é difícil compreender o significado do amor e a importância deste sentimento que todos trazemos dentro de nós.

Amanda deu continuidade, dizendo:

– E, se pensarmos bem, Deus está em nosso próximo, pois sabemos que Deus está em tudo. Assim, fica claro que é impossível amar a Deus sem amar ao próximo. E mais, amar a nós mesmos não é um ato de egoísmo como alguns podem pensar, de forma alguma. Precisamos pensar no Evangelho sempre do ponto de vista da evolução. Assim, compreendo que amar a si mesmo é permitir-se evoluir.

Edson, surpreendido com o comentário, arrematou:

– Então, estamos falando de amar a si mesmo enquanto Espírito. Assim, amar a si mesmo é contribuir com a própria evolução, é desenvolver o amor que temos dentro de nós. Fantástico! Nunca havia pensado por este ângulo.

Então, Gabriel, que tinha na época cinco anos, perguntou:

– Mamãe, quem é esse tal de próximo?

Amanda sorriu para ele, feliz por perceber que prestava atenção e até pensava a respeito, respondendo:

– *Próximo são todas as pessoas do mundo, começando pela família; por exemplo, eu e o papai somos seus próximos, depois a vovó, seus amiguinhos, a Lúcia, que é nossa secretária do lar, o tio Pedro, seu amiguinho Lucas, etc. Aí vêm todas as crianças que você não conhece e, por fim, todas as pessoas do mundo todo e do universo.*

*Gabriel a olhou por alguns segundos, depois seu semblante traduziu indescritível tristeza, e então ele lhe perguntou:*

*– Então, a Fifi, que não é nem uma criança, nem uma pessoa, não é meu próximo?*

*Amanda e Edson se entreolharam surpresos. Não haviam pensado nisso. Sempre que estudavam o Evangelho, o compreendiam para os seres humanos, nunca para os animais. Edson então sorriu, concluindo feliz:*

*– Sabe, Gabriel, você tem toda razão. Tudo que existe no mundo, toda a Natureza, todos os animais, são coisas de Deus. Ele fez tudo isso, e podemos vê-Lo nas mínimas coisas. Assim, isso me lembra Gandhi, que dizia, com seus amorosos exemplos: "Tudo que vive é teu próximo".*

*Amanda completou:*

*– Portanto, filho querido, os animais também são nosso próximo. Assim, o maior mandamento se aplica também a eles. Amar aos animais é também amar ao próximo.*

*Gabriel sorriu satisfeito. Em sua observação infantil, acordou os pais para uma realidade adormecida e os fez perceber que o Evangelho é muito mais profundo do que haviam pensado até então.*

*A família então iniciou as vibrações da tarde, próximo passo do Evangelho no Lar. Como Edson havia feito a prece inicial e a leitura, Amanda se candidatou para as vibrações e deixou a cargo dele a prece final. Antes que iniciasse, Gabriel de novo perguntou:*

*– Mamãe, você pode me explicar de novo o que são vibrações?*

*Amanda então respondeu:*

*– Vibrações, meu filho, é pedirmos para o papai do céu abençoar outros que não estão aqui e a nós*

*O evangelho dos animais*

mesmos, desejando com nosso coração que todos recebam o amor e fiquem felizes.

– *Ah!* mamãe, que bom, então é desejar que todos os nossos próximos fiquem alegres, não é? – *Disse Gabriel.*

Sorrindo com a colocação dele, Amanda continuou:
– Isto mesmo, meu filho, Quando fazemos vibrações, treinamos amar a todos.

Gabriel então pediu:
– Mamãe, então não se esqueça dos animais, que também são nossos próximos.

Novamente, Edson e Amanda ficaram surpresos, pois nunca se lembravam deste fato em suas preces. Assim, de olhos fechados, Amanda iniciou as vibrações, dizendo:

"Deus, Pai de amor. Que Tua luz de esperança e paz cubra toda a terra. Abençoa, Senhor, a todos os teus filhos, desde o pequeno grão de areia até o ser humano. Ampara o sofrimento de todos os seres, alcança com Tua misericórdia os seres humanos, os animais e toda natureza. Transforma o Teu Evangelho em fonte de luz e esperança para a harmonia em toda Terra, ensina-nos a sermos teus instrumentos na implantação do amor dentro de nós mesmos e ao nosso redor. Amparara-nos individualmente e abençoa-nos o lar."

Assim seja.

Edson, então, encerrou com a prece final:
– Obrigado, Deus, pelos ensinamentos desta tarde. Obrigado por Teu Evangelho e pela vida. Senhor, acompanha-nos durante toda a semana. Com tua licença, damos por encerrado o Evangelho no Lar desta tarde. Assim seja.

Ao terminarem, abriram os olhos e viram Gabriel abraçando a Fifi, que também estava de olhos fechados, mediante o carinho do menino para com ela. Ele os olhou com largo sorriso e lhes disse algo que nunca esqueceram:

– Que bom, mamãe, que o menino Jesus não se esqueceu dos animais. Tomara que a gente também não se esqueça!

Então, Gabriel soltou a Fifi e foi brincar.

Esta frase marcou Amanda profundamente. Uma criança tão jovem lhe ensinou algo tão profundo sobre a responsabilidade do amor que Jesus nos ensinou.

Com a morte de Fifi, esta lembrança pareceu tão importante para Amanda. Fifi e todos os animais são nossos próximos e se enquadram no maior mandamento. Naquela época, há um ano, parecia tão distante a possibilidade de se separarem de Fifi.

Lembrando-se de quanto o Gabriel os ensinava, percebeu como é importante mostrar às crianças o Evangelho. E como é importante para os adultos também o estudarem. Amanda sabia que lhe cabia falar a Gabriel sobre Deus e as Leis Divinas. Assim que o menino encontrou-se em condições de ficar um pouco sem a mãe, passou a Fazer evangelização infantil. Tanto Amanda quanto Edson dedicavam-se a observar-lhe o comportamento, e educá-lo desde já, direcionando sua personalidade para a luz. Sem negar-se a ver-lhe as tendências negativas, como pequenos traços de egoísmo e orgulho, trabalhavam com carinho para que Gabriel se libertasse e fosse mais feliz enquanto Espírito.

Assim, Amanda conhecia bem o filho e sabia que ele estava falando a verdade a respeito da visita de Fifi em seu lar após o desencarne. Levantou-se e decidiu ler O Livro dos Espíritos e encontrar por si mesma uma resposta para o fato ocorrido com Gabriel e Fifi e para a existência ou não da alma nos animais.

Pensou: *"Deus deve estar querendo me falar alguma coisa; talvez a Fifi, como o Gabriel, também tenha sido uma alma que Ele nos confiou para ajudar a entender o amor, talvez..."*.

## Capítulo 4

# O INÍCIO DO DESPERTAR

Amanda foi até a estante e pegou O Livro dos Espíritos. Já o havia lido duas vezes, mas nunca se ateve a observar qualquer fato relativo aos animais. Usando de sinceridade para consigo mesma, o Capítulo "Os Três Reinos", que contém o item "Os Animais e o Homem" foi o a que menos deu importância em sua leitura. Na segunda vez, até o pulou. Não que não gostasse de animais, mas tinha tanta coisa que queria saber, que considerou, na época, que a relação que os seres humanos mantém com os animais é secundária diante de todas as coisas que têm que aprender quanto ao Evangelho e a vida espiritual. Ainda antes do desencarne de Fifi, este pensamento lhe permeava a alma.

Mas, agora, quando da partida de sua querida companheira... novamente lágrimas lhe encheram os olhos... *"se ela realmente estiver no plano espiritual, Meu Deus, se eu ainda puder revê-la... ah, Fifi, Fifi, que saudades!..."* pensou.

Resolveu então iniciar o estudo e aprender por si mesma, afinal, a Doutrina está toda à disposição nos livros, toda a Codificação. Amanda aprendera que cada um deve por si mesmo ler, analisar, concluir. Cada qual tem seu entendimento, seu caminho. Embora dando extensa credibilidade para Seu Antônio e Luiz, mais credibilidade ainda tem a Doutrina Espírita e Kardec. Por mais que muitos nos falem a respeito do que acreditem, e tomem como verdade suas palavras e interpretações, muitas vezes, fechando-se para ouvir opiniões e interpretações diferentes, Amanda percebia que não podia deixar de moldar sua própria opinião e aprender a ouvir a Doutrina Espírita, acima de seus fiéis e queridos seguidores. Sentou-se na mesa do pequeno escritório que mantinham em casa. Olhou para a estante. Havia tantos livros, muitos ela nem sequer havia aberto, muitos apenas folheado, outros havia lido muito rapidamente. Pensou: *"dentre os que li, quanto será que realmente estudei?"*

Embora Amanda fosse espírita há muito tempo e tivesse realizado o curso de Doutrina Espírita, não, necessariamente, havia estudado a fundo a Doutrina. Os romances eram seus livros preferidos e, através de muitos deles, ela entendeu melhor a vida do espírito e as colônias espirituais. Os livros de estudo sempre lhe pareceram um pouco chatos, e mesmo os livros de André Luiz, Amanda havia lido como quem lê um romance, sem se aprofundar no significado. Então, quando tinha que obter uma resposta mais profunda a respeito da vida, ela consultava algum de seus confrades espíritas, em geral, aqueles em quem mais acreditava. Mas desta vez... a resposta recebida não ecoava em seu coração. Fora como se Seu Antônio tivesse lhe dito algo e seu coração lhe dissesse outra coisa. Além do quê, em seu convívio com Fifi, observava traços tão peculiares de sua personalidade que lhe parecia impossível ela não ter uma alma individual. Assim, abriu O Livro dos Espíritos e começou pela introdução, estudando a discussão sobre alma. Marcou o que mais a interessou, para seu estudo sobre a alma dos animais:

> *"Seja como for, há um fato incontestável, – pois resulta da observação – e é que os seres orgânicos possuem uma força íntima que produz o fenômeno da vida, enquanto essa força existe; que a vida material é comum a todos os seres orgânicos, e que ela independe da inteligência e do pensamento; que a inteligência e o pensamento são faculdades próprias de certas espécies orgânicas; enfim, que entre as espécies orgânicas dotadas de inteligência e pensamento há uma, dotada de senso moral especial que lhe dá incontestável superioridade perante as outras, e que é a espécie humana."*

*O evangelho dos animais*

*O Livro dos Espíritos, Introdução ao Estudo da Doutrina Espírita, item II, Alma, Princípio Vital e Fluido Vital.*

Amanda parou um pouco neste trecho, leu e releu muitas vezes. Resolveu, então, compreendê-lo através do contato que havia tido com Fifi, relembrando uma passagem de sua vida que, na época, lhe pareceu somente engraçadinha, mas que agora passava a ter outro contexto:

*Determinado dia, lá pelas duas horas da manhã, o Gabriel começou a chorar sem parar. Nada o consolava. Não queria mamar nem ficava tranquilo no colo. Notando que estava muito quente, aferiu sua temperatura, que estava em torno de 39graus. Seu estado febril me preocupou. Enquanto eu procurava algo para lhe dar, buscando diminuir a temperatura, para então levá-lo ao pronto socorro, Fifi, que acordara comigo e acompanhava tudo silenciosa, saiu do quarto do Gabriel.*

*Em silêncio, caminhou até meu quarto, subiu na cama e com o focinho cutucou o Edson, que tinha sono muito pesado e não acordara com o choro do Gabriel. Vendo que sua sutileza não funcionara, ela insistiu. Ainda sem sucesso, latiu vigorosamente próximo ao seu ouvido. Édson levou um susto, ainda meio atordoado, saltou da cama. Bravo, seu primeiro passo foi dar uma bronca na Fifi:*

*— Saia para lá, Fifi, quer me matar do coração, cachorra atrevida, estou dormindo!*

*Ela o ignorou, latiu novamente, indo até ele e seguindo até a porta, várias e várias vezes, como que pedindo para que ele a seguisse. Terminando de acordar, Edson, então, ouviu de longe o choro do Gabriel. Fifi correu na frente e Edson seguiu atrás, adentrando o quarto. Surpreendi-me ao vê-lo, pois já pensava em acordá-lo para que se trocasse e nos levasse ao hospital. Disse-lhe:*

*— Que milagre! — você acordou com o choro do Gabriel? Estou preocupada.... ele está febril.*

*Ele respondeu:*
*– Não acordei com o choro dele, a Fifi foi me acordar.*
*Virando-se para ela, ele continuou:*
*– Boa garota, ainda levou uma bronca minha – disse afagando sua cabeça, agradecendo-a.*
*Fifi deitou de barriga, fazendo festinha.*

Agora, lendo este trecho de O Livro dos Espíritos e se reportando a este fato, ficou muito claro para Amanda que Fifi entendeu que o Gabriel precisava de ajuda; por conta própria, chamou o Edson, o que demonstrava inteligência e pensamento, insistiu em tirá-lo do quarto. Assim, ela se encaixava perfeitamente na descrição que Kardec fazia:

*"Seja como for, há um fato incontestável, – pois resulta da observação – ... que a inteligência e o pensamento são faculdades próprias de certas espécies orgânicas;*

Amanda começou a analisar e concluiu:
Observando a Fifi, ela apresentava inteligência e pensamento.
Nesta colocação, Kardec não diz que somente o ser humano tem inteligência e pensamento; ao contrário, ele fala a respeito de certas espécies orgânicas. Se fosse somente do homem, ele não o separaria em parte específica, como o fez, mostrando estar aí, muito provavelmente, a diferença entre os animais e o ser humano:

*... enfim, que entre as espécies orgânicas dotadas de inteligência e pensamento há uma, dotada de senso moral especial que lhe dá incontestável superioridade perante as outras, e que é a espécie humana."*

Assim, pareceu à Amanda que é esse *senso moral especial* que diferencia seres humanos e animais.

Amanda começou a achar fascinante o estudo. Mesmo já tendo lido aquilo, como foi que não se ateve àqueles detalhes? Nunca havia avaliado o estudo da Doutrina Espírita sobre

*O evangelho dos animais*

este prisma, o da observação. Quantas e quantas vezes não havia ouvido no curso de Doutrina Espírita a história do Espiritismo e como Kardec fora brilhante pedagogo e cientista, inovador para sua época, partindo sempre da observação e analisando tudo com a lógica e com o amor, partindo daí a fé raciocinada. Impressionante sua forma de Fazer as coisas. Amanda pensou: *"nós que pegamos a Codificação e a lemos, não analisamos, muitas vezes, o brilhantismo da inteligência de Kardec. Ele observava a Natureza e tudo que havia ao redor. Ele detalhava suas dúvidas observando a própria vida."* Assim é que a palavra Codificação passou a ter para Amanda outro significado e o estudo, outro fascínio. Agora, ela mesma observava, e concluía junto com a Doutrina... e olha que só havia começado.

De repente, uma coisa lhe veio à mente, fruto das aulas que teve no centro, e correu para pegar O Evangelho Segundo O Espiritismo:

> *"...fé inabalável é somente aquela que pode encarar a razão face a face em todas as épocas da Humanidade."* (O Evangelho Segundo O Espiritismo, capítulo XIX, item 7)

Ora, ora. Este pequeno fato demonstrava a inteligência da Fifi; segundo a pequena leitura que fizera, tudo indicava que ela tinha alma. Entendeu, então, porque o que Seu Antônio e Luiz lhe disseram não ecoava como verdade. Nada tinha a ver com eles ou com a dor e a saudade que sentia, mas com o que observara em seu convívio com a Fifi.

Concluiu, então, outra coisa. Sabia que o Espiritismo era o Consolador Prometido. Sabia que era progressivo e trazia as respostas para as dúvidas sobre a vida, por isso é considerado ciência, filosofia e religião. Percebeu que ouviu tantas teorias e conclusões preestabelecidas, que perdeu a base da Doutrina dentro do seu coração: a lógica, o raciocínio, a razão, advindos da observação. Lembrou-se de que Kardec mesmo dizia para que questionássemos tudo, segundo a lógica, e que a Doutrina jamais poderia contrariar aquilo que víamos em nosso dia a dia, porque a Doutrina Espírita é o Cristianismo primitivo e o estudo das leis da natureza. E as leis da natureza são as leis de Deus. Então, a Doutrina que respondia com lógica às observações quanto a vida e à Natureza não podia contrariar as observações humanas mais simples do dia a dia. De repente, uma felicidade a invadiu, um prazer mesmo, em concluir por ela mesma. Sentiu a oportunidade de aprender e crescer. Sentiu a oportunidade de encontrar por si o consolo que procurava. Decidiu que iria além, e estudaria a fundo a alma dos animais. O entusiasmo tomou conta de sua alma, ficou eufórica, pois, finalmente, encontrara um caminho.

## Capítulo 5

# TUDO SE RENOVA

Ao cair da tarde, Amanda ouviu o som do carro de Edson no portão de casa. Lembrou-se de que era rodízio do seu veículo. A prefeitura da cidade tem um programa que visa diminuir os congestionamentos, e restringe, assim, através do número das placas, o horário em que os veículos podem circular pela cidade. Edson abriu a porta de casa com algo nas mãos. Seu sorriso maroto, que Amanda conhecia há muito tempo, indicava que estava "aprontando" alguma coisa. Ele se aproximou devagarzinho dela e disse:

– Sei que ainda está muito sentida com o desencarne de Fifi. Mas hoje, voltando mais cedo para casa, me atrasei para sair do trabalho e, por conta disso, precisei fazer um caminho alternativo para não levar uma multa. Vim por dentro do bairro e, ao parar em um farol, ouvi um som vindo de um saco, que parecia se mexer. Parei imediatamente o veículo e desci. E ao abrir o saco de lixo...

Edson então estendeu as mãos e lhe mostrou um gato preto e rajado, ainda muito filhote, que dormia. Os olhos de Amanda se encheram de lágrimas:

– Ah, meu querido, ainda é tudo tão recente!...

Ele olhou fundo em seus olhos e comentou:

– Meu bem, alguém o abandonou ali, dentro de um saco, perto do lixo, para morrer. Não podia deixá-lo lá.

Amanda pegou de suas mãos o pequeno ser. Ele se aconchegou em seu peito, olhou diretamente nos seus olhos, miou baixinho. Parecia tão magrinho e sujo! Com as patas Fazendo movimentos cíclicos, como a "afofar" o colo de Amanda, aninhou-se. Seu coração se encheu de compaixão, lembrou da frase de Gabriel naquele Evangelho no Lar:

*"Que bom, mamãe, que o menino Jesus não se esqueceu dos animais. Tomara que a gente também não se esqueça..."*

*Amanda ficou ali, olhando o gatinho e pensando: "como deve ter ficado apavorado. Afastado da mãe tão jovem e preso em um saco de lixo, escuro e frio. Deve ter tentado sair inúmeras vezes, em vão, deve ter ficado desesperado... um bebê... uma criança... por que nós, seres humanos, ainda fazemos isso? De onde foi que tiramos que temos o direito de dispor da vida deles com tanta crueldade? Por que tratamos os animais assim? Que terá sentido esta pequena criatura? Ele é filho de Deus como nós. O que ele fez para quem o deixou ali, a não ser o fato de ter nascido? Como podemos condenar alguém simplesmente por existir? Onde foi parar nosso "senso moral", nossa ética para com nossos irmãos menores?"*

Em lágrimas, Amanda voltou-se para Edson:

– Você verificou se trata-se de uma gatinha ou um gatinho? Ele riu e lhe disse:

– Eu não faço a menor ideia de como saber isso.

Então, Amanda virou o bebê e constatou:

– É uma fêmea. Ela comeu algo?

Edson respondeu:

– Ao encontrá-la, parecia estar com muita fome. Fui a uma lanchonete próxima e providenciei um pouco de leite. Ela tomou e, então, dormiu. Que faremos meu bem?

– Bem, vamos dar-lhe um lar e muito amor, respondeu Amanda. Que tal ensinar a ela que há seres humanos que já estão conscientes em relação a seu papel de irmãos mais velhos para os animais? Podemos adotá-la.

Edson sorriu satisfeito, como se Amanda tivesse lido seus pensamentos. Então disse:

– Precisamos da opinião de outro membro da família.

*O evangelho dos animais*

Amanda e Edson se entreolharam e foram ao encontro de Gabriel, que estava brincando no quintal, junto com Lúcia, a secretária do lar desde que ele nasceu.

Ambos se dirigiram a Gabriel, dizendo:
– Gabriel, que acha de termos nova companheira em casa?

Gabriel olhou e correu na direção de Amanda. Ao ver a gatinha em seu colo, falou enquanto pulava:
– Viva, viva! Deus nos mandou outro irmãozinho pra gente amar! Viva, viva!

Novamente, ao vê-lo comemorar, em sua infantil inocência, um pensamento invadiu a mente de Amanda: *"que tal realizar um Evangelho no Lar para agradecer a Deus pela nossa irmãzinha?!"*

Convocou todos em casa, inclusive Lúcia, para um Evangelho no Lar não programado, e foram para a sala. Solicitou a Edson que, desta vez, abrisse o Evangelho Segundo O Espiritismo ao acaso. Após a prece inicial, que ele mesmo proferiu, abriu o livro e leu:

*"Os órfãos.*
*Meus irmãos, amai os órfãos. Se soubésseis quanto é triste ser só e abandonado, sobretudo na infância! Deus permite que haja órfãos, para exortá-los a servi--lhes de pais. Que divina caridade amparar uma pobre criaturinha abandonada, evitar que sofra fome e frio... assim pois, meus irmãos, todo sofredor é vosso irmão e tem direito a vossa caridade..."* (Evangelho Segundo *o Espiritismo, Cap. XIII, item 18.)*

Novamente, Amanda e Edson ficaram impressionados. Tantas vezes haviam lido aquele pequeno trecho, mas sempre pensaram em relação às crianças humanas, nunca compreenderam como se tal texto se referisse a qualquer criatura que sofra, embora assim esteja escrito. Antes que pudessem fazer qualquer comentário, foi Lúcia quem perguntou:
– Dona Amanda, hoje vocês adotaram, nesta casa, uma destas criaturas sofredoras a que se refere o Evangelho, uma criança abandonada. Lá perto de minha casa, tem uma

vizinha com mais de 50 cachorros e 30 gatos. Ela passa inúmeras necessidades, é conhecida como a protetora de animais do bairro. Vendo esta atitude de vocês, fico aqui pensando que, se cada família do mundo, menos ainda, do Brasil adotasse um animalzinho abandonado, não precisaria ter gente com tantos animais e passando até fome, como é o caso da Dona Denise. O que a senhora acha?

– É verdade, Lúcia – respondeu Amanda. – É preciso incentivar a adoção de animais, mas para tanto, há muito trabalho a fazer. Primeiro, é preciso que as pessoas repensem o fato de "comprarem" animais. Animais são seres vivos, trazidos ao mundo por Deus e, com certeza, devem ter um objetivo de existir, já que Deus não faz nada sem razão. Assim, como podemos colocar preço na vida? Como vender um ser dotado de consciência e sentimentos? E mais, há tantos animais abandonados precisando de um tutor.

– Puxa vida, acho que precisamos mesmo repensar tudo que consideramos até hoje sobre os animais – disse Edson. Nos últimos tempos, tenho pensado muito. Quase não temos falado sobre a Fifi, porque percebo-a tão sensível que evito tocar no assunto. Mas com o acontecido, abalaram-se minhas convicções sobre os animais e nós. Eu não imaginava que a Fifi fosse assim tão importante para mim. Havia inclusive decidido que não adotaria mais nenhum animal, porque sofri demais, e não desejo mais sofrer. Mas agora, ao socorrer esta gatinha tão pequena e bela, fico pensando, com tudo que aprendi no Espiritismo, que, ao desistir de adotar outro animal, estou equivocado em duas coisas – a primeira é que, estudando a Doutrina Espírita ou mesmo o Cristianismo, compreendemos que estamos aqui no mundo, falando de forma bem simples, para aprender a amar, portanto, se reservar meu amor para somente um animal, ou um único ser no mundo, e sabendo que estamos destinados a aprender a amar a tudo e a todos, estou apenas fugindo do aprendizado. Amar outro animal não é deixar de amar a Fifi, é amar também a Fifi e outro filho de Deus, como nossa nova companheira.

Respirou um pouco, e continuou:

– Segunda: se nós que temos tanto amor a dar para os animais, tanto carinho, vontade de cuidar bem e amparar,

*O evangelho dos animais*

sentindo-os mesmo como se fossem filhos que Deus nos confia, nos negamos a recebê-los em nosso lar por medo de sofrer, com tantos deles vivendo em situação de miséria e sofrendo maus-tratos, quem cuidará deles? Quem os adotará? Se quem ama se nega a amar, se quem tem noção de responsabilidade se nega a assumir uma alma, se quem pode olhar nos olhos dos animais e ver vida e sentimentos, no intuito de se proteger, se nega a abrir as portas a novo animal, como será? E se todos fizerem isso?

Então, Lúcia comentou:

– É, Seu Edson, o senhor tem toda razão; sem querer ofender, o senhor só estava pensando no senhor, e com quem Deus, então, irá contar para adotar os órfãos animais, se os filhos mais velhos, os humanos, que podem ensinar a eles o amor, se negam a fazê-lo?

Amanda completou:

– Digo mais. Se nós que nos colocamos como cristãos, conscientes que estamos aqui para auxiliar na obra de Jesus, nos negamos, por conveniência a sermos os obreiros, os trabalhadores do Mestre, com quem os animais vão contar em sua necessidade de amparo e educação? E, apesar de nosso sofrimento com o desencarne de Fifi, como ela nos fez felizes por tantos anos! Mesmo com o que tenho sofrido, jamais escolheria não conhecê-la.

Edson, então, a olhou com jeito de quem entendeu algo fantástico:

– Espere um pouco. O Evangelho não diz que devemos amar ao próximo como a nós mesmos? Então...

– Então o quê, meu bem? Fale logo, respondeu Amanda, curiosa.

– O que é amar a si mesmo? – Ele perguntou.

– Como assim seu Edson? – Perguntou Lúcia.

– É simples, Lúcia, pensemos juntos. Toda vez que estamos estudando o Evangelho, nos esquecemos de algo primordial neste estudo. Estamos conhecendo os caminhos que nos levarão à felicidade enquanto Espíritos que somos. Afinal, é primordial nos lembrar que nós somos Espíritos em evolução, ou seja, o corpo é apenas um instrumento do Espírito.

– Nossa, Seu Edson, assim o senhor me deixa confusa, explique melhor, pediu Lúcia, rindo.

Edson continuou:

– Bem, nós somos Espírito ou somos corpo? Quero dizer, quando morremos, Lúcia, que acontece com o corpo?

Lúcia respondeu:

– Ora, Seu Edson, o corpo apodrece, por isso é que a gente enterra ele, senão fica cheirando e apodrecendo... Lúcia fez cara de nojo. Então, Édson continuou:

– Muito bem, Lúcia, e o que acontece com nosso Espírito?

Lúcia sorriu e disse:

– Ora, Seu Edson, de tanto ouvir vocês falarem aqui, eu já sei. O Espírito vai para o mundo dos Espíritos, que pode ser um lugar melhor ou pior, de acordo com o jeito que a gente viveu, não é assim?

– Isso mesmo, Lúcia – continuou Edson. – Então vamos pensar juntos. O Espírito continua vivo, o corpo é que morre.

Lúcia arregalou os olhos e continuou:

– É verdade, por isso é que nós podemos afirmar que a morte não existe. É somente uma passagem para outro mundo.

– Exato, disse Édson. Assim, o corpo que "vestíamos" somente foi um instrumento do qual nos utilizamos enquanto estávamos na Terra para aprender a amar. Quando voltarmos ao mundo espiritual, nos valerá o quanto fomos capazes de compreender e praticar o Evangelho. O quanto aprendemos a perdoar, a sermos caridosos, a termos fé, a amparar o próximo, não é mesmo?

Desta vez, Amanda estava começando a acompanhar o raciocínio de Edson e completou:

– Isso mesmo. Portanto, a vida nos vale para conhecermos e praticarmos as Leis Divinas, para nos aprofundarmos no entendimento da verdadeira vida, que é a vida do Espírito.

– Assim – disse Édson – o Evangelho é fundamental para este entendimento. Quando estivermos no mundo espiritual, não importará o quanto acumulamos de dinheiro, que cargos ocupamos na Terra, que carro tivemos. Importará o quanto fomos capazes de viver o Evangelho e de despertar o amor que todos trazemos latente, esperando para ser desenvolvido, dentro de nós.

Amanda, então, pegou o Evangelho e procurou outro trecho que se encaixava perfeitamente na conversa que estávamos tendo, lendo pequena parte:

*O evangelho dos animais*

*"O amor é de essência divina e todos vós, do primeiro ao último, tendes, no fundo do coração, a centelha desse fogo sagrado..."* (O Evangelho Segundo o Espiritismo, cap. XI, item 9.)

– É isto – disse Edson – precisamos ler o Evangelho não como um romance, correndo, mas meditá-lo como se fosse o mapa do tesouro deixado por Jesus. É preciso ver este livro como a estrada a seguir, o único caminho que, se praticado, nos fará realmente felizes. Não com a felicidade efêmera e passageira do mundo, que só gera euforia e ansiedade, mas a felicidade eterna de que Jesus tanto falou.

Lúcia sorriu e falou:

– Por isso, Jesus disse: *"Eu Sou o caminho, a verdade e a vida, ninguém pode vir ao Pai senão por mim."*

– É isso mesmo Lúcia – completou Amanda. – O caminho a que Jesus se referiu, a verdade de que Ele falou é o Evangelho.

Edson, então, levantou-se e disse:

– Lembrei-me de algo, já volto.

Em pouco tempo, ele voltou com um exemplar do livro Mecanismos da Mediunidade, de autoria do Espírito André Luiz, psicografia de Francisco Cândido Xavier e Waldo Vieira. Abriu na última página e leu:

*"O Evangelho, assim, não é o livro de um povo apenas, mas o Código de Princípios Morais do Universo, adaptável a todas as pátrias, a todas as comunidades, a todas as raças e a todas as criaturas, porque representa, acima de tudo, a carta de conduta para ascensão da consciência à imortalidade..."*

Com os olhos brilhando, Amanda comentou:

– Então, efetivamente, se o Evangelho se aplica a todas as criaturas, tudo que nele se encontra escrito, todas as diretrizes, se estendem, sem dúvida, não somente aos seres humanos, mas também aos animais e a toda natureza. Abrir o coração para adotar um novo animalzinho é abrir a alma a continuar desenvolvendo o amor, a ampliar a família de Deus que existe em nossa alma.

Edson, então, disse:

– Talvez em O Livro dos Espíritos, na parte das leis morais, fale alguma coisa. Vamos verificar?

Amanda concordou com a cabeça. Lúcia parecia ansiosa em saber mais. Enquanto conversavam, Gabriel brincava e ria com a gatinha. Édson logo voltou com um exemplar de O Livro dos Espíritos:

– Vamos consultar a lei de Justiça, Amor e Caridade.

Abriu o índice e procurou. Na questão 888 encontrou:

*... Não olvideis jamais que o Espírito, qualquer que seja o grau de seu adiantamento, sua situação como encarnado ou na erraticidade, está sempre colocado entre um superior que o guia e aperfeiçoa e um inferior perante o qual tem deveres iguais a cumprir. Sede portanto caridosos... sede afáveis e benevolentes para todos os que vos são inferiores, sede mesmo com os mais ínfimos seres de Criação, e tereis obedecido à lei de Deus."*

– É isso mesmo meninas –, continuou Edson, eufórico – sem dúvida, o Evangelho e a Lei de amor se estendem a todas as criaturas de Deus.

– E isso inclui os animais, disse Lúcia, feliz com o aprendizado.

Amanda, então, comentou:

– Portanto, negar-se a adotar outro animalzinho, ou seja, um órfão abandonado, só para não sofrer mais, é não somente negar-se a viver o Evangelho, mas também negar-se a aprender a amar outras criaturas que vão além do nosso círculo de vivencias amorosas, um novo ser.

– Digo mais – completou Édson –, amar a si mesmo é amar a si mesmo enquanto Espírito, e dar-se a oportunidade de desenvolver o amor latente que todos temos em nós. E o amor, como estudamos, se espraia em luz para todos e para tudo.

Pela primeira vez, Gabriel falou:

– Novo membro na família. Que bom, papai, que você trouxe a Linda para casa.

Amanda, Édson e Lúcia se entreolharam rindo. Falaram juntos:

*O evangelho dos animais*

– Ela vai se chamar Linda?
Gabriel abraçou a querida Linda e disse:
– Claro, eu já decidi, vai ser Linda.
Amanda, emocionada, arrematou:
– Uma linda alma que Deus nos mandou para nos ensinar a viver o Evangelho, e aprender sobre o amor.
Edson, acompanhando a emoção da esposa, comentou:
– Uma linda alma que veio nos dizer que podemos aprender a viver a vida de acordo com as Leis Divinas.
Encerraram com a vibração e a prece final, agradecendo a Deus pela oportunidade.

## *Capítulo 6*

# BUSCA POR RESPOSTAS

Muito feliz com a chegada de novo membro na família, Amanda se preparou para visitar com Linda a veterinária. Ligou e marcou hora com a recepcionista.

Ao adentrar a clínica, ficou surpresa por encontrar novamente por lá seu amigo Sérgio. Ele, ao contrário de Amanda, parecia mais ansioso. Cumprimentaram-se rapidamente. Sérgio comentou:

– Vejo que está melhor, e decidiu por adotar outro animalzinho. Fico feliz por você, Amanda. Nada como nova vida para nos lembrar da luz da renovação.

Amanda sorriu amigavelmente, respondendo:

– O mais incrível, caro amigo, é que, de forma alguma, a Linda, nossa nova companheira, substitui a Fifi. No início tive mesmo a sensação de estar traindo a Fifi, mas depois de estudo apurado de um trecho do Evangelho, concluí que o amor deve ser expandido, e refreá-lo é não somente atraso de evolução, quanto não significa caminho de felicidade para o ser amado. Tenho certeza de que Fifi ficaria feliz por nos abrirmos a novas vivências, e mais, sei que ela sente, onde quer que esteja, que continuo amando-a e que ela sempre será especial para mim.

Sérgio, então, prosseguiu:

– Falando nisso, onde será que ela está? Tenho buscado respostas sobre a alma dos animais. Mas é muito difícil saber onde buscar. Acredito mesmo que eles devem ter um lugar

*O evangelho dos animais*

especial, já ouvi falar em colônias para animais, mas sempre que falo com algum confrade espírita, como lhe disse da última vez, as respostas são, ao mesmo tempo, evasivas e sistemáticas. Ou seja, ninguém responde nada, mas também não se abre a novas possibilidades.

Amanda, mais séria, lembrou-se da conversa com Seu Antônio. Foi exatamente assim que se sentiu. Comentou então:
– Tem razão, Sérgio. Lembro-me de que, quando perguntei ao Seu Antônio sobre o princípio inteligente ao qual eles fazem referência quando falam dos animais, ele me disse que ainda não era o momento de sabermos. Quando, então, considerei que a Fifi era tão importante para mim como uma filha, ele me disse que era bobagem.

Sérgio deu gostosa gargalhada e concluiu:
– É isso mesmo, Amanda, tenho ouvido a mesma coisa. Conversando com meu amigo Plínio, ele me disse que a alma dos animais é diferente da alma dos homens, que mal podemos ter certeza de que eles têm alma, pois que são princípio inteligente, Espírito somente o homem, e que muito pouco ainda sabemos sobre a alma dos animais. Então eu o questionei:

*"Ah, então quer dizer que, se sabemos pouco, é porque tem muita coisa a descobrir. Sobre este aspecto, se pensarmos como Kardec nos ensinou, com lógica e amor, deve haver muita coisa sobre a alma dos animais a considerar, e tirar conclusões tão enfáticas e acertadas sobre tema ainda tão pouco exposto no Espiritismo, pode significar condená-los a situação irreal e irremediável, unicamente por buscarmos concluir o que ainda é inconclusivo. Se é preciso mais estudo, como acontece com os princípios da Doutrina deixados por Kardec, tudo deve partir da observação. E a observação que faço a respeito dos animais me faz chegar a conclusões muito diferentes das que você me diz, Plínio. Vejo-os inteligentes, conscientes de si mesmos e do ambiente ao redor, com capacidade de pensar, com sentimentos... E você os classifica como seres quase sem alma; isso não tem lógica!"*

Sérgio respirou com alegria, e continuou:

– *Plínio me olhou indignado e respondeu: "na verdade, você precisa estudar O Livro dos Espíritos e verá que o que digo é verdade. Sérgio, você tem que parar de tentar adaptar a Doutrina para sua realidade, e aceitar a verdade, seja qual for. Os animais são somente instinto, não têm inteligência, não têm consciência, não pensam, e o tipo de alma que eles possuem é totalmente diferente da alma humana.*

Olhei para ele e continuei argumentando:

*"Caro amigo Plínio, não posso compreendê-lo. Você me foge à lógica. Primeiro, me diz que ainda não é a hora de entendermos os animais. Depois, me diz que já sabe tudo sobre eles, e que já podemos concluir, irremediavelmente, segundo a interpretação que* **nós fazemos** *de O Livro dos Espíritos, ainda que os próprios amigos espirituais nos tenham alertado que no momento exato teríamos informações mais precisas. Depois, ao falar de uma Doutrina que prima pela fé raciocinada, pela lógica e parte sempre da observação, você me diz que as observações que eu e todos aqueles que convivem com animais fazemos, não podem, de forma alguma, estar corretas. Então, ajude-me a entender, vou simplificar o que estamos dizendo:*

Você admite que ainda não é o momento de compreendermos a alma dos animais, de obtermos a resposta acerca de tema tão controverso, pois assim foi orientado por Kardec e pela espiritualidade superior na época da Codificação, certo?

Plínio sorriu satisfeito, e concordou com a cabeça.

Continuei:

Assim sendo, me parece que o tema exigirá mais estudo, mais lógica, mais observação, e mais informação trazida pela espiritualidade, correto?

Plínio continuou me olhando como se tivesse me convencido, e concordou com a cabeça.

Dei continuidade a meu raciocínio, falando:

*O evangelho dos animais*

Portanto, é óbvio que devemos continuar observando, e a observação me faz concluir, pela lógica, ao verificar o comportamento de meu gato e de muitos animais na natureza e outros de amigos, que eles, os animais, são muito mais do que aquilo que concluímos estudando as informações que o próprio Espírito da Verdade disse serem ainda superficiais e adaptadas à época. Então, responda-me, Plínio! Pode, em qualquer fase da humanidade, a Doutrina Espírita contrariar a lógica e o amor? Foi isso que Kardec disse? Essa é a herança deixada pelo codificador? Ficarmos intransigentes com o conhecimento que achamos já ter, não admitirmos pensar e observar, nos distanciarmos da lógica e nos fecharmos, ainda que em se tratando de tema que a própria espiritualidade não concluiu na época, é seguir a orientação de Allan Kardec? Isto não vai contra o caráter progressivo e lógico da Doutrina Espírita? Isso não depõe, inclusive, contra o próprio espírita diante da sociedade? Sim, meu amigo, porque, para qualquer ser humano que compartilhe seu lar com um animal, ou que com eles conviva de qualquer forma, fica óbvio que os animais têm características que lhes atribuem inteligência e sensibilidade, consciência e sentimentos. Não seria ilógico que a Doutrina que deve trazer as respostas para o íntimo do homem, que caminha para o arcanjo, através da moralidade e da intelectualidade, simplesmente contrarie suas mais simples observações e deponha contra seres tão maravilhosos como os animais, somente por nossa mania de concluir o que ainda foi deixado como inconclusivo?

Plínio, desta vez, me olhou sem resposta. Abaixou a cabeça, tossiu e por fim argumentou:

*– É, caro Sérgio, me parece que, desta vez, você me pegou. Talvez devamos realmente buscar os caminhos mais acertados do Espiritismo, segundo a verdade da Criação Divina, pelo constante aprendizado, não segundo aquilo que, em nossos valores parciais, concluímos precocemente. Admito não ter me aberto para ouvir os novos processos progressivos a respeitos dos animais, e perder, com isso, a oportunidade de aprender. Que lição caro amigo... que lição!*
*– Para todos nós, Plínio, para todos nós – respondi".*

Amanda olhava para Sérgio feliz com as conclusões, comentando:

– Devíamos nós, que já partimos da observação, primeiro passo deixado por Kardec para os estudiosos da Doutrina, estudar novamente O Livro dos Espíritos, e confrontar as informações ali presentes com o que observamos no dia a dia. Já somos amantes dos animais, já sentimos, já percebemos o quanto são inteligentes. Acho mesmo que o Espírito da Verdade, por menos informações que tenha deixado, não iria dizer algo que não fosse condizente com a realidade. Talvez o que falte é estudar a fundo, buscar em outras fontes da Doutrina que desdobrem a Codificação, como André Luiz, Emmanuel, Joanna de Ângelis...

Sérgio continuou:

– Gabriel Delanne, Cairbar Schutel, Léon Denis, etc.

Amanda sorriu e convidou:

– Por que não montamos um grupo de estudos, e começamos pelo que observamos convivendo com os animais que nos fazem companhia, buscando em fontes doutrinárias seguras as respostas? É preciso buscar a verdade, e a verdade sempre ecoa na alma, porque trazemos inscrita em nosso eu profundo, a verdade a ser desvendada por nós mesmos.

Sérgio concluiu feliz:

– Eu topo, Amanda; que excelente oportunidade! Puxa! Estou empolgado.

A conversa foi interrompida pela Doutora Ana Paula, que chamou Sérgio para entrar.

## *Capítulo 7*

# VELHOS PARADIGMAS

Ao sair, Sérgio despediu-se de Amanda ansioso, com um sorriso nos lábios pela oportunidade de desvendar os "mistérios" a respeito da alma dos animais. Comentou:
– Amanda, aguardo ansioso nosso primeiro encontro de estudos. Como faremos, eu ligo ou você me liga?
Amanda respondeu, após ponderar um pouco:
– Melhor eu ligar para você, pois pretendo falar com Edson. Tenho quase certeza de que ele irá aprovar a ideia, e eu gostaria muito de realizar o estudo lá em casa.
Ainda sorrindo, Sérgio disse:
– Perfeito, aguardo então sua ligação. Aliás, falando em convite, queria saber se posso chamar meu amigo Plínio. Ele é um estudioso da Doutrina, e, em nossa conversa, notei que ficou até mesmo curioso em aprender mais, demonstrando humildade ao admitir que talvez não tenha mesmo todas as respostas.
– Claro que pode – respondeu Amanda. – Quanto mais gente interessada em saber sobre os animais, melhor.
Doutora Ana Paula apareceu na sala de espera para receber Amanda, interrompendo a conversa. Após as despedidas naturais entre Amanda e Sérgio, Amanda adentrou o consultório. Dra. Ana Paula disse, afagando a cabeça de Linda, que parecia feliz com o carinho:
– Essa é Linda – respondeu Amanda. – Edson, meu marido, a encontrou em um saco de lixo. Trouxe-a para casa e

decidimos adotá-la. Estamos muito felizes com sua presença no lar; apesar das saudades da Fifi, ela deu novo sopro de vida e renovação.

Dra. Ana Paula sorriu e disse:
– É sempre uma alegria quando sei que alguém socorreu e adotou um animal abandonado. Há tantos precisando de um lar. Quando algum cliente me pergunta sobre onde pode comprar um animal, eu sempre procuro incentivá-lo a adotar. E o faço por dois motivos básicos: primeiro – são muitos animais sem lar, abandonados em abrigos ou transitando pela rua. Segundo – como podemos colocar preço em uma vida?

Amanda surpreendeu-se ao verificar que os pensamentos e sentimentos de ambas em relação aos animais eram tão parecidos. Com a morte da Fifi, acabou por descobrir um lado da Dra. Ana Paula que não teve a oportunidade antes. Comentou então:
– Ainda me pergunto Dra. Ana Paula, como foi que aprendemos, enquanto sociedade humana, que podemos dispor dos animais assim? Nós os vemos como objetos de nosso uso, a própria lei os declara como propriedade humana. Assim, não sei como nos tornamos indiferentes à sorte desses seres a ponto de os jogarmos no lixo como algum objeto que não mais desejamos.

Dra. Ana Paula respondeu, suspirando:
– Isso acontece por causa do pensamento cartesiano.

Amanda a olhou intrigada, reconhecendo a palavra cartesiano dos tempos de escola. Argumentou:
– Mas, aprendi sobre o pensamento cartesiano na escola, nas aulas de matemática; o que isso tem a ver com os animais?

Dra. Ana Paula continuou:

– Todos nós relacionamos o pensamento cartesiano às aulas de matemática. Mas poucas escolas ensinam que se trata do pensamento de René Descartes. Ele foi um filósofo que viveu entre 1596 e 1650. Homem profundamente inteligente, em sua época lutou bravamente para libertar o pensamento científico da igreja, pois estavam em plena inquisição, e como sabemos, foi a época negra da humanidade, na idade média. Qualquer um que discordasse da igreja morria queimado

*O evangelho dos animais*

ou apedrejado, sem perdão. Assim, por ver uma instituição que, segundo a concepção humana, ainda restrita e infantil, representava Deus...

Dra. Ana Paula foi interrompida por Amanda, que tinha uma pergunta:

– Perdoe-me Dra. Ana Paula, mas percebo que me traz minuciosa informação. Antes de continuar, pode me esclarecer por que classifica como restrita e infantil a ideia humana da época de Descartes, acreditando que a igreja representava Deus?

– Porque – continuou Dra. Ana Paula. – Do ponto de vista da evolução espiritual que nos ensina a Doutrina Espírita, sabemos que Deus não pode ser representado pelo homem, ainda distante da realidade divina. Acreditava-se que as Leis Divinas eram as leis da igreja e, como podemos observar pelos atos da inquisição, isto representava um absurdo.

– Obrigada Dra. Ana – respondeu Amanda, satisfeita. – Por favor, continue.

Dra. Ana Paula sorriu e deu continuidade ao raciocínio:

– Descartes, ao testemunhar o horror da inquisição, que na verdade contrariava profundamente os ditames deixados pelo Cristo, cujos exemplos pregam o amor, a caridade, a humildade, o desapego a matéria, o perdão e a fé, criou uma linha paralela de raciocínio e passou a questionar tudo o que aprendera na igreja. De devoto, este grande filósofo passou a ser um questionador, um cientista que pensava além de seu tempo, mas tomando todos os cuidados para não morrer condenado pela igreja.

Dra. Ana Paula respirou um pouco e continuou:

– Assim sendo, ele chegou a duvidar até mesmo que tivesse alma, ou que Deus existisse. Concluiu, por exemplo, que Deus existe não porque a igreja dizia, mas porque observava que trazíamos em nosso íntimo a concepção de Deus, assim, Ele existe. Em seguida concluiu que não somente ele, Descartes, mas todos os homens, têm alma, uma vez que pensavam. É dele a frase: *"penso, logo existo"*. Para tanto, desenvolveu um método baseado em observação e matemática. Esta época coincide também com a época das máquinas, como locomotiva e relógio de cordas. Ao observar os animais, Descartes concluiu que tratavam-se de máquinas super complicadas, pois não conseguia comprovar pensamento nos mesmos, já que os animais não falam. E sem poder comprovar a alma nos animais, concluiu por aceitar que eles eram máquinas. Ele não descartava que os animais pudessem ter alma, mas não tinha como provar, portanto, acabou por fechar temporariamente a questão.

Amanda respondeu:

– Então, a culpa é toda dele, de vermos os animais como máquinas.

Dra. Ana Paula respondeu, com seriedade:

– Não, Amanda, não é bem assim. É preciso considerar muitas coisas ao falar de Descartes. Em primeiro lugar, a época em que ele vivia foi em plena inquisição. Fora preciso coragem, inteligência e força de vontade para desvencilhar o pensamento da igreja. A consequência infeliz de tudo isso foi o materialismo, tão exacerbado na sociedade, e que Kardec trabalhou tanto para combater com lógica, conseguindo atingir seu objetivo através das colocações do Espírito Verdade.

Continuou Dra. Ana Paula:

– Além disso, Descartes vislumbrou muito da realidade que trouxe o Espiritismo, cerca de 200 anos depois, como por exemplo: ele concluiu que não existia vácuo, e que tudo era preenchido por um éter.

Amanda, então, apressadamente conclui:

– Ora, é o fluido cósmico universal de que fala o Espiritismo.

– Isso mesmo Amanda, respondeu Ana Paula, continuando a conversa:

– Ao dizer que Deus existia, ele também concluiu que Deus criou tudo o que existe: Espírito e matéria.

Novamente Amanda interrompeu:

– É a tríade universal a que se refere o Espiritismo – Deus, espírito e matéria. Mas continue, Dra. Ana.

– Descarte também foi o fundador da filosofia e da matemática modernas – continuou Ana Paula – ele instituiu novo pensamento filosófico no mundo. E mais, ele teve um sonho com cálculos matemáticos e acabou por unir a geometria e a aritmética. Foi um grande homem, mas, infelizmente, não pôde, devido a pouca tecnologia da época, concluir efetivamente o que podemos ver hoje e o que a ciência vem comprovando – que os animais pensam, são inteligentes e têm consciência.

*O evangelho dos animais*

Amanda olhou espantada para Dra. Ana Paula e comentou:
– Então, a ciência vem comprovando mesmo que os animais têm consciência?

Ana Paula respondeu:
– Sim, há uma linha de cientistas que, embora a resistência dos mais conservadores, têm alcançado grandes progressos em relação à descoberta da consciência nos animais e, portanto, de sua percepção do meio ambiente e da ação humana para com eles.

Impressionada, Amanda comentou:
– Ah! Dra. Ana Paula, não é possível que a Doutrina Espírita não contenha conclusões acertadas a respeito. Deve estar em algum lugar que nós não vimos. Com certeza, sendo o Espiritismo o estudo das leis da natureza, não pode estar tão distante da realidade.

Dra. Ana Paula concordou:
– Tenho absoluta certeza disso, Amanda, só não sei onde e como procurar.

Amanda convidou:
– Dra. Ana Paula, estamos começando um grupo de estudos, lá em casa, sobre a alma dos animais. A senhora não gostaria de participar conosco?

Ana Paula sorriu feliz e respondeu:
– Com uma condição, Amanda:
– Qual? – Perguntou Amanda, curiosa:
– A de que me chame de Ana Paula, pois, se vamos ser colegas de estudo da Doutrina, é preciso acabar com as formalidades.

Amanda não resistiu, levantou-se e abraçou Ana Paula. Sentia mesmo que o grupo de estudos estava praticamente formado. Ainda lembrando Descartes, comentou:
– Sabe, depois de tudo o que me falou, admiro Descartes, mas ainda não consigo deixar de responsabilizá-lo por considerarmos os animais como máquinas. Isso teve graves consequências.

– Concordo que teve e tem graves consequências – respondeu Ana Paula – porque isso nos faz acreditar que, sendo máquinas, os animais não sentem, não sofrem, não têm dor, nem frio, nem medo, nem percebem o que acontece ao redor, e nos faz vê-los como objetos e fazer deles o que quisermos.

E justificar nossos atos por um paradigma estabelecido em meados de 1650, apenas questionado de pouco tempo para cá.

Amanda perguntou:

– Mas, afinal de contas, o que é paradigma? Ouço tanto falar nisso, mas nunca pergunto, porque todo mundo parece saber o que é, menos eu.

Ana Paula respondeu:

– Paradigma é um modelo padrão estabelecido que se torna cultural. Assim sendo, no caso dos animais, estabeleceu-se que são máquinas e pronto. Aceitamos como sociedade, porque era confortável, justificava e justifica as atrocidades cometidas contra os animais. Quebrar paradigmas é muito difícil. É importante termos a noção de nossa responsabilidade como sociedade. Observe, Descartes veio e concluiu, segundo suas possibilidades e seu pensamento na época, que os animais eram máquinas, mas nós enquanto sociedade, por conveniência, adotamos isto como verdade, e somente há pouco tempo, alguns tiveram coragem de questionar, sendo considerados loucos ou fanáticos. Já Jesus estabeleceu com seu pensamento divino o amor, o perdão, a fé. Disse-nos para que aprendêssemos a amar e vivêssemos suas lições. Nós o renegamos e O condenamos à morte na cruz. E mesmo hoje, sendo a bíblia o livro mais vendido do mundo, conhecemos o pensamento cristão, mas muito pouco o praticamos, porque exige renúncia, sacrifício e dedicação. Exige que tenhamos coragem de abandonar o convencional estabelecido pela sociedade e passemos a viver os caminhos da paz. É preciso a coragem de sermos os trabalhadores da última hora e passarmos pela porta estreita da reforma íntima, com sinceridade.

Amanda respondeu:

– Então, por este argumento, Ana Paula, é muito fácil responsabilizarmos Descartes por tudo, sem aferir com sinceridade nossa parte. Podíamos, simplesmente, não ter aceito as colocações dele, como o fizemos com Jesus, mas isso não nos era conveniente, enquanto sociedade. Meu Deus, que responsabilidade!

Ana Paula então concluiu:

– Mas, agora, tenho a sensação, segundo o que a ciência vem descobrindo e segundo a necessidade espiritual do momento, que é chegada a hora de mudarmos isso, e nos

*O evangelho dos animais*

redimirmos perante Deus e perante os animais, estas criaturas maravilhosas que tanto têm sofrido nas mãos humanas. E respirar novo ar no mundo, onde a paz se estende a todas as criaturas de Deus, no planeta de regeneração. Portanto, pergunto ansiosamente, quando começaremos nosso estudo? Amanda, com os olhos brilhando, respondeu:
– Por mim, logo no começo da próxima semana, falarei com o Edson. Ana Paula, será uma alegria ouvir o Espírito da Verdade e outros grandes Espíritos sobre a realidade dos animais. Será um prazer!
Ana Paula levantou-se, então, e iniciou o exame de Linda, que permaneceu durante todo tempo, quieta nos braços de Amanda, como que ouvindo a conversa. Amanda pensou: *o quanto será que ela pode entender? Logo teremos a resposta.*

## Capítulo 8

# ALMAS SAGRADAS PARA DEUS

Ao sair do consultório, Ana Paula ainda sentia a emoção da conversa que desenvolvera com Amanda. Há muito tempo, não só enquanto veterinária, mas também como amante dos animais, vinha buscando respostas além das próprias vivências do dia a dia.

Era difícil conseguir conviver com a turbulência e a alegria da vida profissional, e conciliar os sentimentos com as observações que fazia dos animais.

Lembrou-se, então, de um episódio que lhe marcou a alma, acontecido logo no início de sua carreira.

*"Com pouco mais de dois meses de formada, conseguira seu primeiro trabalho em um hospital 24 horas de São Paulo. Como todo iniciante, fazia plantões e cobria os horários mais inusitados, acrescentando datas festivas, como natal e ano novo. Em uma noite, encontrava-se já cansada pelo domingo movimentado na clinica, quando o interfone tocou. Ao atender, ouviu do outro lado do aparelho:*

*– Por favor, vocês estão atendendo?*

*– Sim, você está falando com a veterinária – respondeu...*

*O evangelho dos animais*

*– Ah. Graças a Deus, Jesus seja louvado! Meu cão está muito mal, parece que foi envenenado. A senhora pode nos ajudar?!*
*– Estou indo – respondeu Ana Paula –, aguarde que irei abrir a porta.*
Ao chegar até a porta, Ana Paula se assustou com a quantidade de pessoas que viu. Logo de cara, uma senhora com roupa simples e cabelos levemente desgrenhados encontrava-se com um cão de cerca de 15 kg nos braços, que respirava rápido e tremia todo corpo. Dra. Ana abriu a porta e auxiliou a senhora a entrar com o animal. Pediu para que o colocasse sobre a mesa de atendimento, no primeiro consultório da clinica. O restante dos acompanhantes aguardou na sala de espera. Eram cerca de seis pessoas, entre homens, mulheres e crianças.

Enquanto examinava o animal, ouvia a senhora, que, aflita, falava com a veterinária e, ao mesmo tempo pedia em solícita prece o amparo de Francisco de Assis:

*– Doutora, ele vai ficar bom? Soltamos ele para o passeio noturno, e voltou assim. Espumando e tremendo; vomitou assim que adentrou a casa, caiu e começou a ter uma espécie de ataque. Procuramos nosso vizinho, que é farmacêutico. Ele nos disse que parecia envenenamento. Como não temos carro, ele se ofereceu para nos trazer. Somos família simples, não temos quase recursos e tudo que ganhamos gastamos nas despesas diárias, com contas básicas, comida e transporte. Tenho mais 3 filhos que estão na sala de espera, junto com meu marido, o vizinho e sua esposa, Rex vive conosco há cerca de 4 anos; chegou na porta de casa um dia e simplesmente ficou. No começo, não demos muita atenção, mas, com o passar dos dias, ele conquistava um a um, fazia festa do lado de fora, comia o que dávamos, e começou a tomar conta da casa – Ah! Senhor Meu Deus, abençoe o Rex, derrama suas luzes de amor sobre ele, Francisco de Assis, protetor dos animais, venha em nosso socorro, abençoe as mãos da doutora, que o conhecimento dela, junto com sua luz, possam salvar meu Rex...*

*Enquanto isso, Dra. Ana Paula continuou o rápido exame. Constatou envenenamento por estricnina, e o estado do Rex era gravíssimo. Começou o preparo da medicação, enquanto se dirigiu à tutora do cão:*
*– Como a senhora se chama?*
*Dona Carmosina, então, respondeu:*
*– Meu nome é Carmosina. Como já lhe disse, este é o Rex – enquanto falava, seu coração disparava, pela expectativa de ouvir o que a veterinária iria dizer, Rex era parte da família – desculpe apressá-la doutora, mas qual o estado dele? Por favor, não me esconda nada!*
*Dra. Ana colocou o animal no soro e começou a ministrar as medicações. O tremor era intenso e a língua começava a ficar cianótica (arroxeada), a respiração era difícil e a boca espumava. Rex parecia indiferente a tudo que o rodeava, e dava a impressão de sentir dor. A veterinária, então, explicou a Dona Carmosina:*
*– Dona Carmosina, o estado do Rex é muito grave. Está realmente envenenado por uma substância chamada estricnina. Deve ter ingerido ao passear sozinho pelas ruas. Não sei se conseguiremos salvá-lo, as chances são remotas.*
*Dona Carmosina, que já estava chorosa, deixou verter o pranto e se dirigiu para a veterinária nestes termos:*
*– A senhora faça o que for possível, doutora. Deus é que sabe, não desmerecendo seu trabalho; é Ele quem decide pela vida ou pela morte. Faça o que puder, e não se preocupe com os gastos. Se for preciso, vendemos alguma coisa lá de casa, arrumamos um empréstimo, mas ajude o Rex...*
*Chorando sem parar, Dona Carmosina não mais conseguia falar. Enquanto isso, Dra. Ana Paula entubava o animal (colocava um tubo na traqueia) para permitir o fornecimento de oxigênio. Após os primeiros socorros instituídos, colocou as mãos no ombro da Dona Carmosina. As duas se entreolharam. Rex parecia inconsciente e, embora a medicação ministrada, seu estado parecia piorar minuto a minuto. Dra. Ana Paula já havia procedido a lavagem estomacal, e seus recursos se esgotavam. Dirigiu-se à Dona Carmosina e disse:*

*O evangelho dos animais*

– *Agora só podemos esperar, tudo que podíamos fazer, já fizemos. Agora é com o Rex e com Deus.*
Ainda chorando muito, Dona Carmosina se dirigiu ao cão, como se este pudesse ouvi-la e entendê-la, e disse:
– *Rex, meu companheiro de tantas horas, em muitos dias, você é o único que me acompanha. Não sei se posso lhe pedir isso, mas queria dizer que faça o que puder para ficar ainda mais algum tempo conosco. Se não for possível, ficarei bem. Sei que um dia voltará. Mas lute, lute para sobreviver, faça o seu melhor, porque você é importante, você é meu amigo, meu irmão, meu filho querido. Você está lá em casa há alguns anos, e tem dividido conosco muita coisa. Você esteve ao meu lado quando o Luiz, meu filho mais velho, partiu para o céu. Você viu nossa tristeza. Foi ao enterro, esteve conosco ao nos despedirmos do corpo...*
Dona Carmosina continuou:
– *Nos dias subsequentes à morte do Luiz, sentia como se minha vida estivesse vazia. Lembro-me de inúmeras vezes me levantar obrigada da cama e só fazer o café, varrer a casa, mandar as crianças para a escola, e sentar desolada no sofá. Então, você se aproximava. Deitava a cabeça em meu joelho. E lambia as lágrimas que caíam em minhas mãos. Não queria, Rex, que você fosse embora tão cedo. Desculpe por não ter ido com você para o passeio, sei que você é minha responsabilidade e, se pudesse, voltaria atrás e você só passearia junto de mim. Você foi um grande amigo nas horas difíceis; agora, estou aqui para lembrar o que me ensinou: que quem ama cuida, ajuda, ampara...*
Dra. Ana Paula não podia conter as lágrimas. Rex, que, desde que chegou, estava impassível a tudo ao redor, moveu a cabeça e olhou nos olhos de Dona Carmosina. Seu rabo mexeu-se levemente, como que fazendo grande esforço para demonstrar que podia entendê-la. Ela percebeu o gesto e continuou:
– *Lute, amigo, faça o seu melhor, eu estou do seu lado, e seja o que for que acontecer, saiba que o amo, e onde você estiver, comigo ou não, jamais o esquecerei.*

*Então, dona Carmosina orou:*

*– Francisco de Assis, peço novamente, abrande o sofrimento do meu Rex, ajude-nos neste momento de aflição, que seus remédios espirituais possam aliviar-lhe os sintomas. E se algo eu puder pedir, se for o melhor para ele e para nós, deixe-o ficar ainda algum tempo conosco. Ajude-nos.*

*Passados alguns minutos, o tremor do Rex diminuiu. A salivação foi cessando. A língua foi voltando à cor norma, e após 30 minutos, todos os sintomas haviam desaparecido. Ele estava muito melhor, e o que parecia impossível, no início, aconteceu: Rex salvou-se.*

*Dona Carmosina pegou as mãos da veterinária e disse:*

*– Minha filha, que Jesus a abençoe em seus caminhos Você parece ainda jovem, eu sou somente uma dona de casa, que vive a vida como pode. Tenho muita fé e amo tudo que tenho. E aprendi uma coisa em minha simplicidade. Jesus nunca nos abandona, e tudo o que acontece tem seu aval. Tanto na vida quanto na morte, ele está conosco. Você tem uma grande tarefa, porque lhe cabe representar os animais. Não se engane na vida do mundo, que é passageira, lembre-se de que como médica dos animais, é o socorro para eles, e suas mãos representam as mãos do Cristo para estas criaturas. Como humanos nada somos, mas somando as técnicas e conhecimentos dos homens à luz do Médico de todas as almas, Jesus, com o coração voltado ao bem e Deus na alma, você poderá ajudar muito mais. Muito obrigada, minha filha, desculpe-me chamar-lhe assim, mas tem idade para ser minha filha, muito obrigada por ter salvado o Rex. Ele é muito importante. Assim como todos nós, Rex é uma alma sagrada para Deus!"*

Aquelas palavras marcaram profundamente Ana Paula. Toda vez que atendia um animal, lembrava-se de dona Carmosina e dizia mentalmente: *"esta alma é sagrada para Deus."*

Agora, com a possibilidade de adentrar o estudo da Doutrina Espírita e compreender realmente o significado da existência de cada animal no mundo e da importância que eles

*O evangelho dos animais*

têm para a espiritualidade superior, sua alma é que se enchia de esperanças. Até hoje, Ana Paula não sabe se o Rex melhorou por conta dos medicamentos ministrados, pela prece e o socorro de Francisco de Assis ou pelas duas coisas, mas aprendeu preciosa lição, que repetiu em voz alta para ouvir-se:

– Os animais têm um objetivo maior do que viver para os homens, eles existem porque Deus os ama, e Jesus conta conosco para ajudá-los.

E pensou, repetindo mentalmente as perguntas que faz há anos:

*"De onde os animais vêm?Para onde vão? Por que estão aqui? Qual nosso papel para com eles? Certamente, tudo que encontrarmos como resposta, deve estar condizente com a justiça Divina, que é imparcial e perfeita Ajude-nos, Senhor, a ajudá-los, ajude-nos a amparar os animais. Faça-nos instrumentos de Sua paz para eles e, com certeza, começo a perceber, também para nós ao descobrirmos quem são os animais."*

Foi interrompida pelo toque do celular, ouvindo do outro lado da linha:

– Olá, Ana Paula, sou eu, Amanda. Queria dizer que combinamos o estudo para domingo pela manhã, às 9 horas. Está bom para você?

Eufórica, Ana Paula respondeu, sentindo uma emoção que não sabia de onde vinha:

– Não vejo a hora. Estarei lá, às 9 horas. Um abraço.

Prosseguiu pensando e planejando, com a nítida sensação de que novas portas se abriam, e portas muito importantes, portas de evolução!

## Capítulo 9

# A FORÇA DO AMOR

Plínio acordou ansioso. Finalmente, era domingo. Quando o amigo Sérgio lhe relatou a respeito do grupo de estudos que se formava visando estudar espiritualidade dos animais, sentiu que poderia finalmente ter respostas que, segundo a Codificação e mesmo a revista espírita de 1865, não eram possíveis de se obter antes. Após a conversa que tivera com Sérgio, falando a respeito dos animais, novo horizonte de pensamentos lhe invadiu a alma.

Sempre aprendera que ainda não era o momento de entender os animais. Como expositor espírita, tornou-se um estudioso da Doutrina Espírita, em particular da base – Codificação Espírita e Revista Espírita. Sempre empolgado ao referir-se a literatura, riu sozinho ao lembrar-se de conversa interessante que teve com sua mãe há 03 anos:

*"Mãezinha querida, não fosse pelo Espiritismo, este seu filho teria se perdido nas drogas, sem vazão para a verdadeira razão de existir. Sei que o período que passou tentando me auxiliar, enquanto eu me enfurnava nos becos da cidade, utilizando drogas pesadas e correndo atrás de traficantes, chegando ao ponto de vender meu corpo por alguns trocados, foi imensamente difícil para você.*

*O evangelho dos animais*

*Sua mãe, Dona Luzia, sorriu e olhou nos olhos do filho. Tudo aquilo se passara há mais de 10 anos, mas fora de profundo sofrimento. Lembrou-se das noites em claro, dos choros, das preces para nossa senhora, mãe de Jesus, Maria de Nazaré. Sempre fora devota da mesma, e acreditava, em seu entendimento católico, mas, particularmente, em seu coração de mãe, que Maria de Nazaré era a luz para as mães do mundo, por ter sido também mãe, e mãe que perdeu o filho ainda jovem vítima da injustiça e empáfia dos homens, perdidos em seu orgulho infantil.*

*Recordava-se de trilhar caminhos escuros nas madrugadas, perseguindo Plínio onde os amigos mais lúcidos diziam que ele podia ser encontrado. Tentara de tudo, internações sem fim, prendê-lo em casa, conversar, brigar... e ele se afundava cada vez mais no vicio. Até o momento em que Dona Luzia teve a sensação desesperada de que o filho iria morrer. Ajoelhou-se em momento crucial, numa fria madrugada de maio, na calçada do centro da cidade, enquanto procurava mais uma vez o filho que já não comia, quase nem tomava água, drogava-se dia e noite, consequentemente permanecendo alucinado todo o tempo. Ele estava magro, com escoriações e manchas na pele, olhos avermelhados e parados... já não era mais seu filho...*

*Cansada de tanto andar, às 3h30, sem noticias, com o coração apertado, Dona Luzia ajoelhou-se e orou fervorosamente, nestes termos:*

*– Nossa senhora, mãe de Jesus, ouça o grito desesperado desta mãe que não sabe mais a quem apelar – quase não podia conter o pranto – venho falar-lhe ao coração materno pedindo que, assim como sua luz não faltou ao Seu filho nos momentos derradeiros na cruz, que não nos falte nesta hora de escuridão. Maria Santíssima, meu Plínio está perdido, não sei mais o que Fazer. Os recursos se esgotam, e parece que a droga vai vencer. Mas há de haver uma saída, ilumine-me os caminhos, desejo salvar meu filho, não luto contra a morte do corpo, que me parece tão provável, mas contra a morte da consciência deste menino, que parece viver*

*em um mundo que só existe para ele. Ajude-me nossa senhora!."*

*Neste momento, Dona Luzia sentiu uma mão amiga pousar em seu ombro. Olhou para cima e percebeu que um moço de vestes alinhadas a levantava da calçada, com olhar amigo e acolhedor. Dirigiu-se a ela: – Senhora, boa noite. Desculpe se a assustei. Sou do Centro Espírita Maria de Nazaré, e trabalho com um grupo de amigos servindo sopa quente e Evangelho de amor a tantos que encontramos nas ruas da cidade, bem como cobertores. A senhora não me parece uma moradora de rua, mas me preocupei ao vê-la ajoelhada na calçada e chorando tanto... posso ajudá-la?*

*O nome do centro chamou a atenção de Dona Luzia. Seu coração disparou, parecia que Maria de Nazaré havia enviado um de seus trabalhadores para atendê-la. Sempre relacionou a mãe do Mestre ao Catolicismo, e ficou surpresa ao ouvir-lhe o nome certificado em uma casa espírita. Relatou, então, de coração aberto, tudo o que se passava com Plínio, e seus anos de peregrinação. Disse já não mais saber o que Fazer. Utilizara de todos os recursos da família; o esposo e pai do rapaz havia ido embora quando a colocou contra a parede, cansado do filho drogado. Pediu que Dona Luzia escolhesse, ou ele ou o filho. Mãe é mãe – disse ela ao trabalhador do centro espírita – como deixar meu filho, embora já moço? É meu menino do coração – prossigo então sozinha, já que meus outros filhos encontram-se morando em cidade do interior, com família constituída. Mas não mais suporto a dor. Ajude-me meu querido, se o puder.*

*Carlos, o trabalhador do Centro Espírita Maria de Nazaré, abraçou Dona Luzia e sorriu, meigo, dizendo-lhe: – Ah! Cara irmã, saiba que não está só. Tem ao seu lado imensa equipe de anjos que amparam os corações maternos. E Maria de Nazaré mantém nos céus toda uma fraternidade de irmãos luminosos que socorrem as preces maternas, acalentando os corações e auxiliando as almas, trazendo soluções para os problemas mais insolúveis aos olhos humanos. Ah, qual não é o*

*O evangelho dos animais*

poder da prece! Assim nos diz o Evangelho: "pedi e recebereis, buscai e achareis, ajuda-te que o céu te ajudará!" Estamos aqui como simples trabalhadores da equipe do Mestre Jesus, mas, na casa espírita que frequentamos, temos um programa para auxilio de drogados e suas famílias. O tratamento espiritual, unido ao Evangelho, e o tratamento material, com psicólogos, psiquiatras e cuidados hospitalares têm dado grandes resultados.

Os olhos de Dona Luzia brilharam. Uma luz, Senhor Deus, uma Luz. Desvencilhou-se dos braços de Carlos por um momento e voltou a ajoelhar-se na calçada, orando fervorosamente em agradecimento:

– Obrigada, Mãe Santíssima, tu me atendeste. Obrigada. Levarei meu Plínio a esta casa de amor, que, se leva teu nome, deve ter também de tua força e de tua luz, e farei de tudo para que esta alma que amo tanto, volte a viver na claridade da lucidez e no esclarecimento do Evangelho. Se ainda puder pedir, venho solicitar que prossiga junto de nós, clareando nossos caminhos e fortalecendo nossos corações.

Levantou-se e dirigiu-se a Carlos, que a olhava enternecido:

– Caro irmão, como você mesmo me chamou, quero levar meu filho até o centro a que se refere. Diga-me como proceder.

Carlos, então, explicou-lhe todos os processos. Encontraram juntos Plínio nas ruas, totalmente alucinado, mas meio desfalecido. Levado para casa, tomou um banho e dormiu. No final da manhã, Dona Luzia o tirava da cama e o preparava para ir ao centro. Ao chegar, sentiu como que um abraço querido de conforto e paz, não sabia de quem...

Desde este dia, Plínio só melhorou. Algum tempo depois, estava livre do vicio. Mergulhou na Doutrina Espírita, assim como Dona Luzia, porém, tornou-se dedicado estudioso, grato pelos caminhos abertos. Dona Luzia, semianalfabeta, praticamente não sabia ler.

Passado algum tempo, ao conversar com a mãe, falava alegremente de suas leituras a respeito da Codificação, quando esta perguntou:

*– Meu filho, o que é esta Codificação de que tanto fala?*
*Plínio respondeu:*
*– São os livros que Fazem a base da Doutrina Espírita. Foram todos codificados, ou seja, organizados por Allan Kardec, através das respostas dadas pelo Espírito Verdade. Neles se encontra todo um mundo de informações preciosas para nossa evolução enquanto Espíritos, mãe. Vou lhe dizer quais são:*
*O Livro dos Espíritos, cuja primeira edição saiu em 1857.*
*O Livro dos Médiuns, de 1861.*
*O Evangelho Segundo O Espiritismo, de 1863.*
*O Céu e o Inferno, de 1865*
*A Gênese, de 1868.*

Dona Luzia ficou impressionada com as datas, tanto tempo assim. Perguntou ao filho:
– Mas mesmo sendo livros tão antigos, trazem assim coisas tão importantes?
– Sim mãe – respondeu Plínio –, são cada vez mais atuais. Em todo seu conteúdo, encontramos direcionamentos surpreendentes para nossa vida. Em O Livro dos Espíritos, por exemplo, encontramos a resposta para todas as dúvidas no que se refere a todos os aspectos da vida. É uma profunda reflexão filosófica que abrange o passado da humanidade e do Espírito, o presente e o futuro. Nenhum livro escrito por qualquer ser humano é tão profundo, a não ser os ditames do Evangelho, porque são os relatos a respeito dos dizeres cristãos, mesmo a bíblia tendo sido tão modificada pelos interesses humanos. O Livro dos Espíritos traz, em verdade, os seguintes ensinamentos:
Criação Divina e Deus,
A vida do Espírito, tanto no que tange à vida de encarnado, neste e em outros planetas, quanto à vida espiritual, incluindo os sonhos e vida do Espírito durante o sono físico,
A relação entre os homens encarnados e os Espíritos
Os diversos reinos da natureza e a relação entre animais e homens
As Leis Divinas que regem o universo.

*O evangelho dos animais*

O futuro do Espírito de acordo com a vida que viveu na terra, discutindo penas e gozos futuros:

*Ah! Mãezinha, pudéssemos nos aperceber a quantidade de informações contidas neste livro de ouro que elucida a própria vida. Pudéssemos, por um minuto, deixar de lado as facilidades e encontrar no estudo profundo aquilo que nos servirá de ajuda inestimável para o futuro. Não que não seja bom uma leitura mais tranquila, um romance, as vezes, relatos de vidas de outras pessoas, mesmo quando contém muitas vidas em um só livro, que nos servem de alerta e esclarecimento. Mas jamais tais leituras devem substituir a base, o caminho para a vida do Espírito. Já li muitos livros de estudo que contam que O Livro dos Espíritos é um dos mais estudados no plano espiritual. Espíritos mais esclarecidos e iluminados o têm como "livro de cabeceira" e consultas constantes. Há 150 anos o Espírito de Verdade permanece conosco, aquele prometido pelo Cristo que, quando esteve entre nós com sua luz intensa de amor inalcançável ainda para nossa pequenez, nos disse:*

*"Se me amais, guardai os meus mandamentos. E eu rogarei ao Pai, e Ele vos dará outro consolador, para que fique eternamente convosco, O Espírito de Verdade, a quem o mundo não pode receber, porque não o vê, nem o conhece. Mas vós o conhecereis, porque Ele ficará convosco e estará em vós – Mas o consolador, que é o Espírito Santo, a quem o Pai enviará em meu nome, vos ensinará todas as coisas, e vos fará lembrar de tudo que vos tenho dito." João, XIV: 15 a 17; 26 (O Evangelho Segundo O Espiritismo, cap. VI, item 3.)*

*Ele está conosco, mãe, e resume-se de maneira brilhante em O Livro dos Espíritos. Jesus cumpriu sua promessa e nos mandou o Espírito de Verdade, o consolador. Mas nós nos perdemos nas facilidades, buscando somente os romances e deixando de lado o estudo primordial para alcançarmos a felicidade individual enquanto Espíritos, e a felicidade da humanidade e de todo planeta. Jesus está conosco no estudo das*

*Leis Divinas, no estudo do entendimento da verdadeira vida. Há 150 anos, Ele cumpriu a promessa. E nós, por quanto tempo nos negaremos a abrir os livros de luz que nos esclarecem a alma e ouvir Jesus, abandonado a costumeira acomodação e decidindo pelos caminhos da felicidade eterna?*

*Ah! Allan Kardec desdobrou O Livro dos Espíritos em outros 5 livros:*

*O Livro dos Médiuns, que fala da relação entre Espíritos encarnados e desencarnados; tratando-se de profunda ciência, é o primeiro compêndio sobre mediunidade, o primeiro livro que se propôs a ver o fenômeno mediúnico como uma ciência, um caminho de luz para a humanidade, abandonando o misticismo e adentrando os caminhos da lógica.*

*O Evangelho Segundo O Espiritismo, que trata das Leis Divinas, da moral propriamente dita. Aliás, este é um aspecto a parte sobre a Codificação. Veja que interessante, mãe. Ao estudar a Bíblia, mais especificamente o novo testamento, vemos ali um relato da vida de Jesus, desde o nascimento até a morte, sob aspecto cronológico. Há todos os aspectos históricos e sociais, bem como a moral. Kardec separou as partes morais da bíblia, que é o que nos interessa realmente para vivenciar o caminho da paz para nós mesmos. Bem, continuando, ele saiu do aspecto cronológico e colocou os ensinamentos numa ordem lógica, com começo, meio e fim. Por entender a dificuldade de compreendermos os versículos bíblicos, devido ao tempo que se passou e ao linguajar da época, ele os trouxe com explicações de diversos Espíritos iluminados, de forma que o Evangelho tomasse aspecto claro e pungente, a conduzir-nos pela lógica e pelo amor, permitindo, assim, entendimento a todas as classes sociais e para qualquer cultura. Ele é um desdobramento das Leis Morais contidas também em O Livro dos Espíritos.*

*Ah, aí vem o livro O Céu e O Inferno. Livro impressionante, desdobra a parte de O Livro dos Espíritos que fala de gozos e penas futuras. Trata da questão do céu e o inferno sobre outro prisma, mãezinha, trazendo relatos de Espíritos desencarnados que contam como se*

*O evangelho dos animais*

sentiram após o desencarne e onde se encontravam. O mais interessante é que fica claro que céu e inferno são, em verdade, estados da alma. Vivemos intimamente no céu quando aprendemos a viver segundo as Leis Divinas e a despertar o amor que todos trazemos ínsito dentro de nós, vivendo o Evangelho do Cristo. Mas, ao seguirmos direção contrária, vivemos no íntimo o inferno da consciência que nos cobra, em tormenta. Mas ainda assim, mamãe, o melhor é que descobrimos que, com as muitas reencarnações, ou seja, com a pluralidade das existências, não há erro que não possa ser corrigido, nem oportunidade que não nos seja dada para reconstruirmos nossa esperança e fé. Mãe, Deus não castiga ninguém, Ele é amor, só deseja que sejamos felizes. Fomos criados para sermos felizes, mas não a felicidade imaginada pelo homem, ainda muito ligado à vida material, mas a felicidade de Deus, a felicidade do arcanjo, que todos seremos um dia, e que só é possível alcançar despertando a luz latente em nossa alma. Por isso, disse Jesus:

*"Eu sou o caminho, a verdade e a vida."*
Por fim, mamãe, temos o livro A Gênese, o verdadeiro aspecto cientifico: discute Deus, a Criação Divina, a formação da terra, os períodos de formação da Terra, e os milagre e predições do Cristo.

Temos na Codificação, portanto, todo um tratado filosófico com O Livro dos Espíritos. Cientifico, com O Livro dos Médiuns e A Gênese, e religioso, com O Evangelho Segundo o Espiritismo e O Céu e o Inferno. Assim mamãe é que a Doutrina Espírita é:

Ciência, filosofia e religião.

E mais, Dona Luzia, e mais, Kardec estudou e experimentou todo o tempo, saindo daí a Revista Espírita, que engloba 12 livros, de 1858 até 1869; Obras Póstumas, que muitos consideram parte da Codificação, e que são as conclusões de Kardec publicadas após sua morte, contendo, inclusive, as recomendações primordiais para o futuro do Espiritismo.

*Dona Luzia estava impressionada, olhava para o filho com intensa alegria por vê-lo assim. Comentou:*

*– Meu Deus, como eu queria saber ler para conhecer tudo isso. E tanta gente sabe ler e despreza estas leituras tão importantes para a própria felicidade e para se aproximarem de Deus, só porque não compreendem ou não querem compreender a profundidade.*

*Plínio compadeceu-se da dificuldade da mãe e prometeu:*

*– Cara mãezinha, eu posso ler para você e estudamos juntos. Estes são livros para estudar por muitas vidas, e assim terei a oportunidade de aprofundar o estudo.*

*Lágrimas correram dos olhos de Dona Luzia; beijou a face do filho e respondeu:*

*– Filho de meu coração, ficarei feliz com sua companhia, obrigada."*

Plínio estudou junto de sua mãe desde então. Alegre por ter chegado o dia do estudo a respeito da alma dos animais, lembrou-se de levar a Revista Espírita de 1865, que continha interessante colocação sobre os animais, bem como toda a Codificação e Obras Póstumas. Antes de sair, fez sua prece matinal, desta forma:

*"– Senhor, abençoe-nos os propósitos no bem e auxilie-nos a compreender a alma dos animais e a aprender mais sobre toda a criação. Permita-nos Mestre aprendermos a ser realmente os trabalhadores da última hora, segundo os seus ensinamentos, para que, servindo junto a Ti, único a quem a obra pertence, impulsionemos o planeta de regeneração. Assim seja."*

Partiu assim, para a casa de Amanda.

## Capítulo 10

# ORIENTAÇÕES ESSENCIAIS

Respirando profundamente, Sérgio fazia suas costumeiras meditações antes de dormir. Relaxava com exercícios noturnos, que lhe permitiam desligar-se do dia intenso de trabalho, assim podendo conectar-se a si mesmo. Sérgio considerava o momento do sono tão importante como o dia a dia e o acordar. Em sua concepção, era o momento em que se desligava do corpo físico parcialmente, e galgava os caminhos do plano espiritual. Aprendera estudando a Doutrina Espírita sobre emancipação da alma, ou seja, efetivamente, o adormecer do corpo e o transitar do Espírito no plano espiritual durante o sono físico. Este assunto sempre o intrigara. Lembrou-se de leituras interessantes, como no livro Nosso Lar, de psicografia de Francisco Cândido Xavier e autoria do Espírito André Luiz, quando este descreve os Espíritos que transitam na colônia Nosso Lar, durante as madrugadas, a trabalho ou a estudo, mostrando sobre a cabeça dos mesmos longos cordões de prata que os ligam ao corpo físico, que está ressonando na cama. *"Fantástico como o Espírito tem liberdade de ir e vir, segundo sua evolução..."* pensou Sérgio. Mas, ao longo do estudo da série André Luiz, que reúne vários livros deste Espírito, por psicografia de Francisco Cândido Xavier e, em alguns casos, do médium Waldo Vieira, também leu inúmeras descrições de Espíritos que, durante o sono físico, transitam pelas regiões umbralinas e trevosas, em companhia de

Espíritos desencarnados perversos, planejando atividades ligadas à dor, ao ódio e à vingança ou somente para tentar impedir o bem de expandir-se. Isto o fazia pensar que, enfim, somos o que somos enquanto Espíritos, e o momento do sono é de importância relevante, o que deveria nos Fazer considerar a necessidade de preparo para dormir, como desligar-se das atividades diárias e realizar a prece que nos permite a conexão com o plano espiritual superior.

Ciente, como espírita, de que todo o instante é oportunidade de aprendizado, com os estudos a respeito da série André Luiz, Sérgio decidiu por Fazer do seu momento de sono estudo e trabalho do Espírito, no plano espiritual, visando auxílio próprio no processo de evolução. Assim, pensava após os exercícios de relaxamento:

> *Noite de sábado; amanhã começa nosso estudo sobre espiritualidade dos animais. Com certeza, as informações que buscamos estão contidas na Doutrina Espírita. Afinal, o mundo, a parte dos espíritas, vem vivendo situações das mais diversas sobre os animais. Nunca se falou tanto sobre eles. Inúmeros programas de televisão vêm relatando a relação entre homens e animais. Temos visto respeitáveis programas jornalísticos que descrevem a vida dos animais na selva, nas cidades, com o homem; o Espiritismo, com certeza, se antecipou as necessidades do saber humano a respeito deste tema, em particular, tão ressaltado no século 21. Assim, nesta noite que antecede o estudo, vou pedir com sinceridade se podemos receber direcionamento de como obter informações a respeito da alma dos animais, afinal, a Doutrina Espírita é tão rica, há de haver um método, um caminho. Mas encontrar este caminho não é tarefa fácil, porque o tema não foi estudado de maneira tão profunda dentro da Doutrina até hoje, acredito mesmo que por falta de oportunidade, por não ser o momento.*

Assim procedendo, Sérgio, que já se encontrava no quarto, sentou-se na cama após os exercícios de relaxamento e pegou o Evangelho Segundo O Espiritismo, para fazer sua

*O evangelho dos animais*

prece antes de dormir. Notou que sua esposa, Fátima, que já se encontrava dormindo, mexeu-se e olhou para ele, convidou-a então para acompanhá-lo, o que ela concordou com a cabeça. Sérgio abriu o Evangelho ao acaso, e caiu no seguinte tema:

*"Dá-se com os homens em geral, o que se dá em particular com os indivíduos. As gerações têm sua infância, sua juventude e sua maturidade. Cada coisa tem de vir na época própria; a semente lançada a terra fora da estação não germina. Mas, o que a prudência manda calar, momentaneamente, cedo ou tarde será descoberto, porque, **chegados a certo grau de desenvolvimento, os homens procuram por si mesmos a luz viva; pesa-lhes a obscuridade.** Tendo-lhes Deus outorgado a inteligência para compreenderem e se guiarem por entre as coisas da Terra e do céu, eles tratam de raciocinar sobre sua fé. É então que não se deve por a candeia por baixo do alqueire, visto que, **sem a luz da razão, desfalece a fé.**" (grifo nosso) (O Evangelho Segundo O Espiritismo, cap. XXIV, item 4.)*

Sérgio e Fátima se entreolharam. Ele parecia impressionado, como se tivesse encontrado na Doutrina a primeira resposta a suas dúvidas. Fátima o olhava curiosa, conhecia bem o marido, sabia de seu jeito de pensar, mas não compreendia o que o havia fascinado tanto. Comentou então:

– Sérgio, por que parece tão impressionado? Quantas vezes já lemos este trecho? Refere-se ao momento em que a Doutrina Espírita começou seu trajeto pelo mundo. Só então a humanidade estava preparada para ouvir o Espírito de Verdade. Certo?

Sérgio sorriu e fez expressão de quem viu algo além. Respondeu:

– Não, meu bem, quero dizer, sim, mas não é só isso. Veja, sem dúvida, esta colocação do Evangelho refere-se ao momento em que a Doutrina Espírita aportou no mundo, em meados do século XIX, mais especificamente com o lançamento de O Livro dos Espíritos, em 1857. Mas, além disso, refere-se a todas as informações que a mesma espalhou ao longo do tempo, desde 1857 até hoje, século 21. Querida, você se lembra que amanhã começamos o estudo da espiritualidade dos animais na casa de Amanda?

Fátima anuiu com a cabeça e disse:

– Claro, pena que não possa participar, pois todas as manhãs de domingo estou comprometida, como você bem sabe, com meus amores, as crianças, na evangelização infantil do Centro Espírita que nos serve de casa há tanto tempo.

– É verdade – disse Sérgio – mas tudo o que estudarmos, lhe contarei. Agora mesmo, antes de realizar o Evangelho, pensava em como o mundo, em particular neste século que iniciamos, tem falado sobre os animais. Programas de TV, revistas, jornais. E nossa relação com eles também vem mudando.

Fátima então se pegou sentindo o mesmo que Sérgio, logo após a leitura:

– Claro, agora entendi. A humanidade vem falando sobre os animais, os cientistas vêm estudando sobre eles, a própria imprensa, percebendo esta necessidade, e compreendendo que isto dá ibope, fala constantemente sobre os animais e os inclui até mesmo em programas de auditório. Se pensarmos, portanto, além da vida material, e transportarmos isto para o tema do Evangelho que acabamos de ler...

Sérgio sorriu pela conclusão da esposa, e completou:

– Fica óbvio, querida, que é o momento de começarmos a compreender a alma dos animais. Afinal, diz o estudo que:

*"...cada coisa tem de vir na época própria; a semente lançada a terra fora da estação não germina.* ***Mas, o que a prudência manda calar, momentaneamente, cedo ou tarde será descoberto, porque chegados a certo grau de desenvolvimento, os homens procuram por si mesmos a luz viva; pesa-lhes a obscuridade...***"

Sérgio respirou e continuou:

– Então, a curiosidade humana sobre os animais, a ligação que o homem desenvolveu com eles, em particular, de forma mais intensa no último século, a vendagem quase imediata das revistas que tratam do tema, os altos índices de audiência alcançados pelos programas televisivos quando o tema é

*O evangelho dos animais*

desenvolvido, indicam que os homens chegaram a este certo grau de desenvolvimento de que fala o Evangelho, e procuram por si mesmos a luz viva.

Fátima continuou:

– E, abordando isto, sob o aspecto da evolução, podemos ir mais além, e verificar que a Doutrina Espírita sempre esteve à frente da ciência e da curiosidade humana, antecipando as respostas. Portanto, deve estar aí, na Doutrina, tais buscas que vocês vão começar a fazer em seu estudo. Parafraseando o Evangelho:

*"É então que não se deve pôr a candeia por baixo do alqueire, visto que, sem a luz da razão, desfalece a fé."*

Fátima sorriu e continuou:

– É hora de tirar o véu que separa os animais dos homens, Sérgio, e esclarecer a mente humana sobre estas criaturas tão belas. Momento de galgar mais um degrau na evolução do Planeta Terra e, com certeza, a Doutrina Espírita irá esclarecer esta lacuna deixada propositalmente por Kardec para a posteridade.

Ambos sorriram, o sono começava a pesar-lhes. Sérgio fechou o Evangelho e tomou a palavra para a prece:

– Senhor, Deus de amor e bondade, caros amigos espirituais, que nos auxiliam na evolução e nos protegem, abençoa-nos o sono; que, durante o descanso do corpo, possamos ter a alma esclarecida. Em particular, se eu algo puder pedir, anoto sentir a necessidade de direcionamento para nosso estudo de amanhã, a respeito da espiritualidade dos animais. Sinto que ele é importante, e que seremos, de alguma forma, seus instrumentos de amor. Ampare-nos nesta noite Pai. Assim Seja.

Beijou a esposa, e juntos deitaram, abraçados, para os caminhos do Espírito durante o sono.

Sérgio, após algum tempo de sono, não tinha como precisar quanto, acordou. Olhou o relógio, eram seis horas da manhã. Ainda sonolento, lembrou-se de ter sonhado de forma tão colorida, precisa e profundamente real. Fechou os olhos sem levantar-se da cama, e procurou relembrar. Assim, veio-lhe novamente à mente, de forma nítida, seu sonho, em que encontrou com um frei da ordem franciscana. Ambos iniciaram a seguinte conversa:

– *Sérgio, meu nome é Frei Luiz. Sou da Fraternidade de Francisco de Assis. Trabalhamos aqui no plano espiritual para auxílio aos animais de toda espécie, desde as menores criaturas do Cristo até os maiores que vocês conhecem. Nossa tarefa é servir aos animais, auxiliando-os na evolução. Vim em resposta a seu pedido feito em prece antes da emancipação durante o sono físico.*

– *Fico-lhe muito grato, Frei Luiz – respondeu Sérgio –, como bem sabe, pela manhã, após o retorno ao corpo físico, me reunirei com amigos para estudarmos, dentro da Doutrina Espírita, o tema relativo à alma dos animais. Sou apaixonado por animais, e meu gato Fred é parte da família, sendo um filho para mim e para Fátima, minha esposa. Mas, pensando a respeito do estudo e do trecho do Evangelho que li antes de descansar o corpo no sono, noto a dificuldade de direcionar o estudo. Por onde começar?*

*Frei Luiz sorriu tenuemente e, com imenso clarão saindo de suas mãos, apontou um painel localizado à frente de Sérgio, com um quadro dourado, que trazia a inscrição em relevo: CODIFICAÇÃO ESPÍRITA.*

*Mais abaixo, os 5 livros que compõem a Codificação encontravam-se dispostos.*

*Ainda um nível abaixo, todas as revistas espíritas, que pareciam ter colorido especial, brilhavam com luzes que Sérgio não podia definir. Olhou para Frei Luiz e disse:*

– *Então, encontraremos nossas respostas na Codificação e na revista espírita?*

*Frei Luiz, ainda com um sorriso nos lábios, pediu para que Sérgio observasse a inscrição acima do painel em questão.*

*Observando atentamente, Sérgio viu que estava inscrito em letras prateadas acima do painel: EVOLUÇÃO ANÍMICA.*

*Com ar de dúvida, resolveu perguntar:*

*O evangelho dos animais*

– Evolução Anímica quer dizer evolução da alma?
– Isto mesmo caro filho – respondeu Frei Luiz –, e é exatamente disto que se trata o estudo da espiritualidade dos animais. *Sérgio, sei que é um estudioso da Doutrina, fez curso de Doutrina Espírita e inúmeros cursos complementares. Responda-me, onde está a base da Doutrina Espírita?*

*Sérgio respondeu:*
– Na Codificação Espírita.
– *Continuando filho, diga-me, o que é a Revista Espírita?*
– Estudos que Kardec fez ao longo do período em que desenvolvia a Codificação, iniciados após a publicação da primeira edição de O Livro dos Espíritos, tendo suposições e informações complementares, além das publicadas na Codificação Espírita, respondeu Sérgio.
– Isto mesmo – continuou Frei Luiz. – Agora, responda-me; – quais foram os autores que vieram logo depois, estudando e aprofundando a Doutrina Espírita, com questionamentos lógicos, desdobrando as colocações de Kardec?
– Bem – respondeu Sérgio –, os mais conhecidos são Gabriel Delanne, Léon Denis, Cairbar Schutel...
*Frei Luiz, feliz com a resposta, continuou estimulando Sérgio:*
– Pois bem, Sérgio, e, logo depois deles, quem desdobrou com maestria as informações contidas na Codificação?

*Sérgio pareceu feliz com a pergunta:*
– Ora, caro Frei, encontramos, então, preciosos livros de estudo trazidos através do médium Francisco Cândido Xavier, sob autoria de Espíritos de renome como André Luiz, Emmanuel e outros. Tais livros desdobram de forma magnífica a Codificação, esclarecendo pontos que pareciam obscuros a nosso pouco entendimento, ou mesmo aprofundando o que parecia simples, demonstrando que cada colocação do Espírito Verdade dá ampla gama de detalhes, e que nosso

*entendimento a respeito de determinados temas, quando apenas tomamos como referência nosso conhecimento, é, no mínimo, superficial.*

*– Pois bem – disse Frei Luiz – e, nos últimos 20 anos, contados no tempo da Terra, quem foi que nos trouxe de maneira bela e iluminada a psicologia profunda, elevando o entendimento do Cristo na Terra e esclarecendo o homem a respeito do desenvolvimento da consciência cósmica, auxiliando-nos profundamente no entendimento da evolução do Espírito?*

*– O Frei deve estar se referindo ao Espírito Joanna de Ângelis, que escreve através das mãos do médium Divaldo Pereira Franco, certo? – Comentou Sérgio.*

*Frei Luiz, então, sorrindo, apontou o painel, que se desdobrou aos olhos de Sérgio, que estava estupefato com tamanha luminosidade e beleza. Acima da inscrição Evolução Anímica, viu colocado, em letras luminosas, Doutrina Espírita e, à frente, Consolador Prometido. Acima, viu a imagem de Jesus, com a inscrição:*

*"Eu sou o Caminho, a Verdade e a Vida"*

*Então, olhando abaixo dos livros da Codificação, viu surgirem numerosas obras de Gabriel Dellane, Léon Denis e Cairbar Schutel. Em seguida, surgiu sob seus olhos, as obras de André Luiz, Emmanuel e Irmão X; abaixo destas, brilhou Joanna de Ângelis e a série sobre psicologia do Espírito. Sérgio emocionou-se com tanta beleza. Tentou, mesmo em sonho, gravar tudo que via, simplificando o que testemunhava assim:*

**Jesus – Eu sou o caminho, a verdade e a vida;**
**Doutrina Espírita – Consolador prometido;**
**Evolução Anímica**
**Codificação Espírita**
**Revista Espírita**

**Gabriel Dellane, Leon Denis, Cairbar Shchutel, Emmanuel, André Luiz, Irmão X, Joanna de Ângelis**

*Sérgio pareceu ter compreendido a mensagem do Frei, mas comentou:*

*O evangelho dos animais*

*– Frei, esta é a ordem progressiva que os Espíritos abordaram para a Doutrina Espírita, à medida que a humanidade evoluiu?*

*Frei Luiz respondeu:*
*– É uma versão simplificada; claro que há muitas obras e muitos autores espirituais a se acrescentar, mas estes são os mais conhecidos. A Doutrina é ampla e profunda, mas segue ordem progressiva.*

*– Pois bem – continuou Sérgio –, mas, pensando no pedido de minha prece, posso considerar a mesma ordem no que tange à espiritualidade dos animais?*

*Frei Luiz pareceu satisfeito, e concluiu:*
*– Sem dúvida, meu caro. Tudo o que se refere a espiritualidade, em geral, tem a mesma ordem progressiva, e com os animais não podia ser diferente. Comece pelo começo, pela base; a partir de então, busque os desdobramentos enviados pela espiritualidade nos mesmos livros que estudou até hoje, siga em frente até a atualidade, e nova luz o esclarecerá em relação à alma dos animais.*

*Sérgio pareceu intrigado e comentou:*
*– Mas eu li todos estes autores, e, à exceção do item os Animais e O Homem, em O Livro dos Espíritos, não encontrei mais nada sobre a alma dos animais.*

*– Caro Sérgio, sei que leu todos estes autores, mas quanto foi que estudou a fundo suas obras? Quanto captou da mensagem profunda contida nestes livros? Releia, observando em detalhes a evolução da alma, e ficará perplexo com tudo que leu, mas não estudou, e portanto, deixou passar. Encontrará, então, os animais, e perceberá o quanto eles são criaturas belas e luminosas, nossos irmãos menores, aguardando nosso despertar para a fraternidade cósmica. Perceberá a responsabilidade do homem no que tange a estas criaturas, e sentirá horizontes magníficos se abrirem dentro de você para verdades universais, dentro da Lei de Justiça, Amor e Caridade. Então, Sérgio, você perceberá que estar na fase de humanidade é muito mais do que o homem compreendeu até então. Reconhecerá a si mesmo nestas belas almas, os animais, e perceberá a*

*necessidade de ampará-los e amá-los, acima de tudo, por si mesmo. Filho, começará nova frente de trabalho para o Cristo, e deve ter, junto a seus irmãos de aprendizagem, parâmetros que não pode perder.*

*Sérgio percebeu que o Frei lhe fazia preciosas observações. Anuiu com a cabeça e disse:*

*– Quais Frei Luiz?*

*– Sérgio, a Doutrina Espírita é o Consolador Prometido. Acima de tudo no mundo, mesmo das descobertas da ciência, está o Cristo de Deus. Ele é o governador do Planeta Terra, e o Evangelho é o guia máster para a humanidade sofrida em busca de alívio, consolo e esperança. Tenham o Evangelho como guia, a Doutrina como linha de estudo, Kardec como exemplo, a humildade como força, a fé como escada, o amor como foco. Jamais duvide da presença de Jesus junto aos corações amorosos e desejosos de aprender. Não acredite em tudo que lê, busque perceber se as informações estão condizentes com a universalidade de todas as mensagens trazidas pelo plano espiritual, e estude profundamente a Doutrina Espírita. Não a abandone, lembre-se, é o Consolador Prometido, aquele que esclareceria todas as coisas, como nos disse Jesus. Acima de tudo, não menospreze o estudo, e procura passar isto a quem quer que esteja junto com vocês.*

*Frei Luiz, então, percebeu belo pássaro vindo nos ares, e estendeu o braço, permitindo que a ave colorida lhe pousasse no ombro. Sorriu e concluiu:*

*– Olhe, Sérgio, ao seu redor, veja além do que viu até agora.*

*Sérgio apurou os olhos e viu cena inusitada, bela e esplêndida:*

Inúmeros animais de diferentes espécies transitavam por entre flores, árvores e arbustos ao seu redor. Surpreso, viu entre eles animais considerados como nada pela humanidade, como bovinos, suínos, cabras e galinhas. Animais selvagens e domésticos, cães gatos e aves, todos convivendo pacificamente, junto de incontáveis homens, Freis, homens de branco que pareciam veterinários e tantos outros, que os

*O evangelho dos animais*

acarinhavam e alegremente cantavam. Ouviu, então, suave e bela canção que o emocionou. Era a Oração de Francisco de Assis. Do alto derramavam-se luzes cintilantes, e pétalas como que beijavam a fronte dos homens e dos animais. Olhou emocionado para Frei Luiz, que encerrou o diálogo assim:

– O futuro da humanidade já existe aqui, onde a fraternidade reina para todos os filhos de Deus, nosso Pai Criador. Aqui, Sérgio, vivemos o verdadeiro amor ao próximo. Mas para que este futuro chegue, é primordial que o homem se conscientize, e a única forma para isso, qual é?

– *Frei Luiz – disse Sérgio entre lágrimas – é o estudo das informações trazidas pela espiritualidade, que fará a transformação real. É a luz que é retirada debaixo do alqueire, acordando o homem para a realidade espiritual.*

– *Pois, então, filho, novo véu é retirado para a humanidade, e você perceberá conforme estudar, que retirar este véu é perceber a universalidade de si mesmo e de todas as criaturas; é o caminho para cessar o sofrimento humano, do planeta e de todos os filhos de Deus. Prossiga Sérgio junto a seu grupo, lembre-se de que vocês são uma equipe. E como em tudo que se faz para o bem, Jesus, junto a seus trabalhadores de amor, estará com vocês. Sempre que precisar, encontrará, na fraternidade de Francisco de Assis, o consolo e o amor, o auxílio e a esperança. Não há atividade de implantação do Evangelho que exista sem a participação dos dois lados da vida, os encarnados com o desejo de aprender e os desencarnados com o desejo de iluminar, aprendendo e evoluindo também, todos trabalhando para Jesus.*

*Sérgio olhou grato para o Frei, voltou os olhos para os animais e, ao buscar novamente a figura de Frei Luiz, acordou, encontrando-se em seu quarto.*

Compreendeu, portanto, a necessidade do estudo, lembrou-se da ordem passada para que encontrassem as respostas, sentou-se na cama e pronunciou sentida prece:

– Deus, Pai amoroso, Jesus, nosso irmão, Francisco de Assis, obrigado pelo auxílio. Abençoe-nos as esperanças e auxilie-nos no entendimento a que nos propomos.

Levantou-se emocionado com o sonho e foi para o banho, ansioso por reencontrar os amigos e prosseguir com o propósito de entender a alma dos animais e, agora percebia, a evolução anímica.

*Capítulo 11*

# OS PRIMEIROS PASSOS

A campainha da casa de Amanda tocou pela primeira vez às 8h35, anunciando o primeiro integrante do grupo de estudos, Plínio.

Amanda, que cuidava de Linda nas dependências internas da casa, solicitou ao esposo, Edson, que recebesse os amigos e os acomodasse adequadamente na sala de estar.

Edson recebeu Plínio com um sorriso e apresentou-se:

– Olá, você deve ser Plínio. Eu sou Edson, esposo de Amanda. Seja bem-vindo à nossa casa. É um prazer recebê-lo, por favor, fique à vontade.

Plínio, pouco à vontade, por ser tímido com estranhos e não conhecer Edson e a esposa, sentou-se em um sofá em frente a uma parede de vidro, com um desenho de Jesus ao fundo, gravado, dando a impressão de o vidro ter sido assim talhado.

A gravura, no entanto, serve de ensejo para o início de uma conversa:

– Que belo exemplo de arte coligada ao amor! Sinto-me mesmo até próximo do Mestre, ao vê-lo caminhando, em tamanho natural, gravado neste vidro – disse Plínio.

Edson, sorrindo, respondeu:

– Ideia de Amanda, logo que nos casamos. Quando a pedi em casamento, ela me relatou que tudo que desejava era esta figura em sua sala. Como tenho um amigo que trabalha com arte em vidro, encomendei a ele o trabalho e solicitei que o fizesse como presente de casamento para Amanda. Enquanto a conversa rolou solta e elevada, porque tudo que falamos do Mestre eleva o padrão energético do local e do pensamento em que nos encontramos, os convidados foram chegando um a um. Mal acabara de comer, Linda, muito antes de Amanda, já se encontrava na sala. Saltando de colo em colo, encantou Sérgio e Ana Paula, que já a conheciam, porém, na clinica veterinária, ela parecia um pouco tímida. Logo que adentrou o ambiente, Amanda abraçou a todos, sentindo profunda emoção, sem saber descrever por quê. Sorriu e apresentou-se a Plínio, que ainda não conhecia, fazendo também as apresentações de Lúcia, sua secretária do lar.

Sentou-se no sofá e contou o número de integrantes do recente grupo de estudos que se iniciava naquela manhã de domingo:

– Deixe-me ver: Plínio, Sérgio, Edson, eu (Amanda), Ana Paula, Lúcia. Acho melhor nos sentarmos em torno da mesa de jantar, pois então teremos mais liberdade para abrir livros, ou escrever, sem precisar apoiar no colo. Também preparei um chá com biscoitos, e gostaria de saber se gostariam de lanchar agora ou ao final do estudo.

Sérgio, então, tomou a iniciativa:

– Bem, será que todos tomaram café da manhã?

Todos do grupo responderam que sim, Sérgio concluiu:

– Acredito que será, então, melhor lancharmos ao final do estudo. Por sinal, quanto tempo levará?

Foi então que Edson tomou a palavra:

– Acredito que 2 horas sejam suficientes. Mais tempo do que isso, fica cansativo e menos, em minha opinião, fica curto demais para que todos possamos conversar com liberdade.

Sorrindo, Amanda concordou com a cabeça, como todos.

Sentaram-se à mesa e Amanda proferiu prece inicial, por compreender que tudo que fazemos com os propósitos de amar e servir, aprender e evoluir, tem o amparo da espiritualidade superior, que, por fim, faz também parte da equipe junto a nós, sendo o cumprimento a eles a prece inicial, bem como a solicitação de auxilio para nossas dificuldades. Assim iniciou:

*O evangelho dos animais*

– Pai, Senhor de toda vida, Luz dos caminhos do universo. Aqui nos reunimos em Teu nome, nós, que somos almas em busca de respostas de Tuas Verdades de amor, dos caminhos da evolução, solicitando que nos ilumine os passos. Que Teus trabalhadores do espaço, responsáveis por expandir a sabedoria de Tuas Leis pelo Planeta Terra, possam vir em nosso auxilio, guiando-nos os passos nesta empreitada que, tenho a sensação, Pai, está muito além da simples satisfação de nossa curiosidade. Por não compreender a profundidade de Teus desígnios, nem mesmo, por enquanto, a necessidade de nossos irmãos animais, é que lhe solicitamos guiar nossos passos segundo a Tua vontade, de forma que, além de conhecedores iniciais da alma dos animais, possamos nos tornar teus instrumentos no alivio a cada um deles. Assim seja.

Todos se sentiam emocionados e felizes. A figura de Jesus caminhando, talhada no vidro, em local especial da parede da sala, ganhou uma luminosidade estranha e misteriosa. Era como se o Cristo brindasse a iniciativa. Felizes, o grupo começou a conversa sobre o assunto, a partir de Ana Paula:

– Fiquei pensando por estes dias, desde que recebi o convite, e estou muito feliz de estar aqui e fazer parte deste grupo de estudos. Mas, ainda assim, não sei por onde começar, e, para ser sincera, também não sei em que local é que se determinou que não era ainda o momento de compreendermos a alma dos animais.

Plínio, então, tomou a palavra e disse:

– Ana Paula, encontramos esta colocação no Livro dos Espíritos, na segunda edição, no ano de 1860, em algumas questões do item Os Animais e o Homem, e também na Revista Espírita de 1865.

Sergio então falou:

– Sabe, Ana Paula, também este questionamento me ocupou por muito tempo. Ontem, então, antes de dormir, fiz uma prece e pedi ajuda. Sonhei que um Frei franciscano chamado Luiz veio até mim e me orientou.

Sérgio, então, relatou todos os detalhes do sonho, o que deixou a todos emocionados e impressionados, compreendendo os caminhos que deviam seguir. Em especial, a

última parte do sonho chamou a atenção de Amanda, que confirmou a sensação que tinha que o grupo de estudos teria outro propósito no futuro. Servir ao Mestre e aos animais. Compreenderam que Frei Luiz seria o mentor do grupo que começava a se formar, e alegres ficaram por poder contar com a espiritualidade superior a orientá-los, cientes de que sozinhos nada realizariam de concreto. Resolveram, então, estabelecer algumas normas que permitiriam que, no futuro, o grupo não se perdesse. Edson então falou:
– Acredito ser importante, portanto, que iniciemos e terminemos com uma prece, o que nos dá ensejo ao acompanhamento de Frei Luiz e sua equipe. Além do quê, é preciso cumprir horários, já que a espiritualidade também se dispõe a nos auxiliar, mas eles têm a própria programação e, com certeza, outras tarefas.

Plínio então continuou:
– Também é importante não abandonarmos as diretrizes deixadas por Kardec, e seguirmos os passos firmados, nestes 150 anos, pela Doutrina Espírita. Estudo, experimentação, lógica e amor e, principalmente, entender que é na Doutrina que encontraremos as respostas que buscamos, em informações que se encaixem no controle universal dos ensinamentos dos Espíritos, conforme diretriz muito bem elucidada por Kardec na introdução de O Evangelho Segundo o Espiritismo, no item II, Autoridade da Doutrina Espírita. Assim é que, pelo que Frei Luiz nos orientou, em renomados autores espirituais, encontraremos, as informações que buscamos.
Foi então que Sérgio deu continuidade:
– Sem nos esquecer, contudo, do ponto primordial que nos levou a este estudo: a observação e a conclusão lógica. Estudemos, inclusive, as descobertas da ciência nestes últimos 150 anos, após o estabelecimento inicial da Doutrina Espírita no mundo, digo estabelecimento inicial porque sabemos que a Doutrina Espírita é progressiva e, portanto, constantemente está sendo iluminada pelas informações trazidas pela espiritualidade superior, à medida que nós, enquanto humanidade, estejamos aptos a recebê-las, compreendê-las e, principalmente, colocá-las em prática.
– Ah – disse Ana Paula –, agora você tocou em um ponto crucial! Conhecer a fundo a espiritualidade, ou melhor, o que

*O evangelho dos animais*

a espiritualidade até hoje derramou sobre a humanidade é muito bom, mas deixar tudo na cabeça e no papel, sem vivermos o que estamos estudando, não tem validade.

– Ana Paula – falou Sérgio –, você disse tudo. Pensemos. Sendo a Doutrina Espírita o Consolador Prometido, sendo escola de almas, esta Doutrina maravilhosa, o impulso a novo patamar evolutivo para o planeta, que passa de planeta de provas e expiações para planeta de regeneração, mudando, portanto, seu padrão vibratório, de um planeta onde imperou até hoje o mal e a sombra, predominando sobre a luz, embora com muitos discípulos da verdade deixando seu rastro de amor e esperança, começamos a viver os tempos que precedem a predominância do bem e da paz, mas isso será impossível sem a vivencia do Evangelho e o entendimento profundo das Leis Divinas.

Amanda sorriu e completou:

– Durante estes dois milênios, após a vinda do Cristo, nós, enquanto humanidade, em sua maioria, admiramos e aclamamos os exemplos e palavras de Jesus, porém, sem os compreender de fato, nos tornamos quase que como os fariseus da época do Cristo, ou seja, achamos tudo lindo, mas passamos a acreditar que pequenos gestos de caridade e trabalho, com a confissão de nossas imperfeições, seria o suficiente para galgarmos degraus mais elevados de amor e evolução.

– Mas Jesus nos alertou – disse Plínio –, o próprio Mestre nos deixou claro quando disse:

*"Entrai pela porta estreita, porque larga é a porta da perdição."*

Plínio respirou e continuou:

– E a Doutrina Espírita nos pontua em tudo que conhecer sem viver é perda de tempo. Como desejarmos nos elevar se não sentimos aquilo que pregamos? Como nos fazermos luzes, despertando pouco a pouco o Arcanjo que existe em nós, se não nos regeneramos, não nos transformamos, não trazemos para dentro de nós, com sinceridade e conhecimento de causa, aquilo que conhecemos por fora? Pois é, se conhecer, sem a prática sincera dos sentimentos e pensamentos e, portanto, ações, bastasse, todos os grandes teólogos e religiosos de todos os tempos já teriam encontrado o reino dos céus.

– Que está dentro de nós mesmos – completou Sérgio.
Lucia que até então se mantivera quieta, perguntou:
– Entendi tudo que disseram, gostaria somente que esclarecessem para mim o que significa exatamente esta história de planeta de expiação e regeneração.
Edson então explicou:
– Oh, Lúcia, desculpe! Vamos lá: você já leu sobre a nova era?
– Ah, não precisa ser um gênio para saber sobre isso! Todo mundo diz que a Terra está mudando. Alguns dizem que vai acabar, que Jesus vai voltar e que aqueles que acreditavam nele e morreram vão ressuscitar. Outros dizem que estamos caminhando para uma nova era, em que viveremos mais em paz. E, mesmo o mundo parecendo pior, ele está mudando.
– Então, Lúcia – continuou Edson –, o mundo não está assim pior, a não ser em uma primeira análise. Vamos entender melhor a fase que o mundo está passando. Sei que você reformou sua casinha há pouco tempo.
Lúcia suspirou e respondeu:
– Nem me diga, Seu Edson, porque deu um trabalho danado. Achei que era só derrubar uma parede e construir um novo cômodo lá em casa, mas olhe, foi um monte de entulho, material, tempo, e dinheiro.
Edson continuou:
– Diga-me, Lúcia, quando derrubou a parede, você imediatamente fez a outra?
Lúcia sorriu e disse:
– Claro que não, Seu Edson, afinal, tinha um monte de entulho. Precisava tirar o entulho, para depois começar a construção do outro cômodo. Por isso é que disse que deu um trabalhão: desocupamos o quarto, tirando todas as nossas coisas e também tivemos que dormir em outro quarto por uns 3 meses, o que foi muito incômodo. Nos sentimos enlatados, toda a família num só quarto, minhas coisas todas em caixas. Bem, depois, contratamos uma caçamba, colocamos todo o entulho, e daí começou a construção.
Edson sorriu e comentou:
– Tijolo a tijolo, não é mesmo? Parte por parte, e depois de erguida a parede, foi preciso revestir, então passar massa corrida, pintar; teve também a laje, o chão...

*O evangelho dos animais*

– Pois é, continuou Lúcia, só sei que parecia que nunca ia acabar. No meio do caminho, me arrependi, não aguentava mais. Minha casa parecia muito pior, cheia de poeira; o pedreiro não limpava nada, a comida com gosto de terra, as crianças com pouco espaço, o cachorro ficou agitado, meu marido reclamava... não foi fácil...

– Mas depois de tudo pronto e limpo, como foi?

Então, Lúcia sorriu e disse:

– Parecia que eu tinha ganhado uma casa nova; meu quarto ficou maior, mais confortável. Meu filho ganhou quarto separado das meninas e todos se acomodaram. Até o Rex ficou mais feliz, com mais espaço. Foi muito melhor, só durante a reforma é que foi difícil. Mas valeu a pena. Agora, vivemos muito melhor que antes.

– Pois é, Lúcia, assim é com o Planeta Terra. Há vários tipos de classificação para os planetas, do ponto de vista da evolução espiritual, ou seja, principalmente moral: planetas primitivos, planetas de provas e expiações, planetas de regeneração, planetas felizes e planetas divinos. Como vê, todos os planetas são habitados, não somente os de nosso sistema solar, mas todos os planetas do Universo, afinal, Deus não cria nada inútil, e seria muita pretensão de nossa parte acreditar que somente a Terra tem finalidade útil. Eis a explicação para a colocação do Cristo *"há muitas moradas na casa de Meu Pai"*. Quanto mais evoluído o Espírito, melhor o planeta que ele habita, tanto do ponto de vista material quanto do ponto de vista moral.

Edson parou alguns segundos dando tempo para que Lúcia absorvesse as informações. Continuou então:

– A Terra, atualmente, é um planeta de provas e expiações, onde o sofrimento ainda é muito forte e o mal muito presente, devido à ignorância espiritual dos homens, ainda muito primitivos. Mas chegamos em uma nova fase, em que o planeta passará para planeta de regeneração, ou seja, significa o amadurecimento da humanidade, significa o homem mais lúcido do ponto de vista espiritual, mais próximo de sua realidade enquanto Espírito, em evolução para Arcanjo. Assim, o bem que traz ínsito dentro de si mesmo, aí colocado por Deus em forma de amor latente a se desenvolver pouco a pouco, estará mais apurado, mais ativo e, consequentemente, o homem e a humanidade, bem como o planeta, mais felizes.

Veja Lúcia, assim sendo, o planeta vibrará mais intensamente o amor, a paz, consequência da vivência do Evangelho de Jesus que estará mais presente, e o homem mais desperto para suas responsabilidades enquanto Espírito. Mas, para isso, precisamos passar pela transição da reforma.

Lúcia deu gostosa gargalhada e disse:

– Ih! Seu Edson, nós derrubamos a "parede" no Planeta Terra, agora estamos limpando o entulho da maldade, da ignorância, do orgulho, do fanatismo, do egoísmo; só que para limpar, tem que achar o que e onde está sujo, a sujeira tem que aparecer, para ser colocada na caçamba do Deus de amor, que levará o entulho a destino adequado, para ser reciclado, não é isso?

Todos riram, e foi Sérgio quem tomou a palavra:

– É isso mesmo, Lúcia, por isso parece que o Planeta Terra está pior, mas está somente em reforma. Derrubamos a parede, agora estamos juntando a sujeira e o entulho para vivermos melhor depois.

– No futuro – disse Edson –, como planeta de regeneração, teremos a sensação que você tem agora em sua casa, um lugar melhor, mais limpo, mais confortável, mais tranquilo. Um lugar onde conheceremos a alegria de existir como Espíritos e nos sentiremos mais próximos de Deus, mais felizes, mais em harmonia conosco e com o próprio planeta.

– Ah! Minha nossa – continuou Lúcia –, e quando é que chegaremos neste planeta de regeneração?

– Lúcia – disse Plínio –, chegaremos lá ao fazermos a reforma que está sendo feita no planeta por dentro de nós mesmos. Derrubando a parede do orgulho, do egoísmo, do egocentrismo, da arrogância, da ignorância, limpando nossa alma dos entulhos da comodidade, do sofrimento sem sentido, das facilidades, do materialismo, da porta larga, criando o cômodo para desenvolver o bem, o amor, a esperança, a humildade. Então, nossa casa interna vai estar arrumada, e viveremos, dentro de nós, a reforma, o planeta de regeneração. E muitos de nós vivendo dentro de si mesmos a regeneração, o que acontecerá no planeta Terra?

– O planeta como um todo estará regenerado – respondeu Amanda –, as luzes individuais que o compõem, que somos

*O evangelho dos animais*

cada um de nós, como células de um corpo, terão luz para, juntas, iluminar o planeta.

Lúcia olhou a todos intrigada e concluiu:
– Então, não bastam as reformas de Deus na casa Terra, derrubando paredes e retirando entulhos, há de haver a reforma iniciada por nós mesmos em nossa alma, derrubando estas paredes que você falou, Plínio, e vivendo em nós o que Jesus ensinou. Assim, pelo que entendi, nós seremos a regeneração.

Edson então completou:
– Puxa, hoje entendi a regeneração como nunca! O conhecimento espírita não é, por si só, passaporte para a evolução, mas sua aplicação e o esforço de cada um para transformar os conhecimentos em sentimentos e ações é que promoverão a nova era, o planeta de regeneração, o Cristo que ressuscita dentro de nós. Que bela lição!

Ana Paula, então, sugeriu:
– Parece-me que o tempo todo estamos falando de evolução. E acredito que chegamos ao momento de entender a alma dos animais. Mas sugiro um estudo sobre a época histórica da codificação e a evolução histórica da humanidade, desde a codificação até hoje, para entendermos porque agora é o momento de ouvirmos sobre os animais e o que isso tem a ver, com a transição do planeta, de provas e expiações para mundo de regeneração.

Amanda completou:
– Acho mesmo que, paralelamente, devemos fazer um rápido retrospecto da evolução espiritual da humanidade desde a codificação até hoje.

Plínio então concordou:
– Perfeito, acho que é um bom pontapé inicial para nos localizarmos e então compreendermos porque agora a espiritualidade sugere o estudo da alma dos animais.

Sérgio, então, sugeriu:
– Acho que o melhor aqui é que somos um grupo. Assim, podemos trabalhar em pares e dividir as tarefas; cada um realiza uma parte das pesquisas e, na próxima semana, quando nos reunirmos, já podemos dar continuidade do ponto histórico para frente.

Edson concordou:
– Perfeito. Bem, vou dar uma sugestão: podemos trabalhar, para facilitar, eu (Edson) e Amanda, o Sérgio e o Plínio, e a Ana Paula e a Lúcia, que acham?
– Para mim está ótimo – respondeu Amanda – afinal, moramos na mesma casa, o que nos facilita. Sérgio e Plínio já se conhecem há algum tempo e a clínica da Ana Paula é próxima daqui, o que permite que tenha facilidade de se encontrar com Lúcia, além do quê, se for necessário pesquisar pela Internet, ou comunicação por e-mail, Lúcia pode perfeitamente usar nosso computador. Mas como dividiremos os temas?
Sérgio tomou a palavra:
– Sugiro que Ana Paula e Lúcia pesquisem a evolução da ciência; eu e Plínio, podemos pesquisar a fase histórica da codificação até hoje, e você e Edson podem pesquisar a evolução espiritual da humanidade.

Ana Paula então manifestou-se:
– Para mim está ótimo. E para você, Lúcia?
Lúcia respondeu:
– Para mim tudo bem. Não sei muito sobre ciência, muito menos sobre a codificação ou a evolução espiritual da humanidade. Será ótimo aprender sobre isso.
Sérgio concluiu:
– Penso que encontramos um caminho. Amanda, esta ideia do grupo de estudos foi excelente.
– Caro amigo – respondeu Amanda – acredito que tenha sido uma inspiração. Estamos então resolvidos, e já temos o tema para o próximo dia de estudos.
Edson foi quem tomou a iniciativa:
– Pessoal, nosso horário está terminando. Como se esgotou rápido, não é mesmo? Peço para Lúcia que faça a prece de encerramento por todos nós.
– Eu? – perguntou Lúcia, mas eu não sei fazer oração como vocês.
Dessa vez, foi Plínio quem falou:
– Sabe Lúcia, minha mãezinha, dona Luzia, é analfabeta. Sempre que nos reunimos para realizar O Evangelho no lar, as preces mais profundas são as dela. E ela usa palavras

*O evangelho dos animais*

simples e preces curtas. Mas seu coração fala diretamente com Deus. É um engano milenar este de acreditar que a beleza das palavras ou o tempo da prece fazem alguma diferença para Jesus, para Deus, ou para os amigos espirituais. Assim nos orientou Jesus, dizendo que:

*"Não cuideis de pedir muito nas vossas preces, como fazem os pagãos, os quais imaginam que pela multiplicidade das palavras é que serão atendidos. Não vos torneis semelhantes a eles, porque vosso Pai sabe do que tendes necessidade, antes que lho peçais."*
*Mateus, 6:5 a 8 (Evangelho Segundo o Espiritismo, cap. 27, item 1)*

Com um sorriso, Plínio continuou:
– Jesus quis dizer que não é pela quantidade ou pela beleza das palavras que seremos ouvidos em nossas preces, mas pela sinceridade. Importante é que o que dizemos venha do coração, e que sejamos humildes ao realizar a prece, reconhecendo a necessidade que temos da misericórdia Divina.
– Bem, se for assim – respondeu Lúcia –, então posso perfeitamente fazer a prece de encerramento.
Todos fecharam os olhos e respiraram profundamente, e Lúcia tomou a frente para a prece:
– Senhor, Deus nosso Pai, obrigada pela oportunidade que nos deu de estarmos aqui, dedicando parte de nosso tempo ao aprendizado e à troca de experiências. Esteja conosco em nossas tarefas, guie nossa mente para que ela se ilumine por suas inspirações. Abençoe nossa vontade de fazer. Com sua licença, encerramos nosso estudo deste domingo. Assim seja.
Então, todos se levantaram, se abraçaram e foram tomar o chá com biscoitos que Amanda havia preparado.

## *Capítulo 12*

# A EVOLUÇÃO ESPIRITUAL DA HUMANIDADE

Amanda corria para terminar o bolo para servir aos companheiros de estudo. A semana passara tão rápido, mas o estudo e as pesquisas foram fascinantes. Edson e ela haviam se dedicado à parte que lhes cabia, e descobriram coisas que auxiliaram e muito a compreender as colocações feitas por Kardec na codificação. Entender a evolução espiritual da humanidade ajudou também a compreender a progressão da Doutrina Espírita e a evolução deles próprios. Interessantíssimo realmente. Mantiveram contato também com o restante do grupo durante a semana, pois algumas colocações que encontraram acabavam por casar com o estudo realizado pelas outras duplas. Amanda sentia que muito mais do que um simples grupo de estudos, eles estavam formando uma equipe do bem, seareiros do Mestre Jesus.

Acabou, também por ter de auxiliar Lúcia no computador, pois ela não entendia muito de informática. Em conversa com ela durante a semana, sorriu ao ouvir seus comentários:

*– Sabe, Dona Amanda, nunca fui muito afeita a esse negócio de computador. A molecada lá de casa é que entende mais disso, vivem frequentando uma tal de lan house. Mas eu sempre achei que isso não era coisa*

*O evangelho dos animais*

*para minha geração. Agora, me vi obrigada até a ter e-mail, e sabe que achei bom? Pela internet descobrimos muita coisa, e Doutora Ana Paula não tem muito tempo; os tempos modernos nos obrigam a achar meios de nos comunicar mais rápido. Imagine se dependêssemos só do correio ou de ter de ir a várias bibliotecas... Nossa! Esse estudo ia durar mais ou menos um mês, ao invés de uma semana.*

*– Bibliotecas são ótimas, Lúcia – respondeu Amanda –, mas precisamos de outras ferramentas. Engana-se quem acredita que livros e tempo de "degustá-los", por assim dizer, é coisa do passado; livros são fontes preciosas de informação. Mas a Internet, como ferramenta de pesquisa e agilidade, é essencial, pois permite economizar tempo e direcionar o estudo. Sem a Internet, assim como sem os livros que constassem nela, seria realmente muito mais difícil.*

Bem, enfim, já era domingo. Edson quase não dormira na noite anterior, por ansiedade de ver as pesquisas unidas. Conversara com Plínio durante a semana, e adicionara à pesquisa as fontes que ele havia citado no estudo anterior sobre porque ainda não era o momento de entender a alma dos animais, como O Livro dos Espíritos, a Revista Espírita, A Gênese. Tudo ganhou outra dimensão, e Edson acreditava que, reunindo as três pesquisas, eles compreenderiam exatamente o momento em que se inseriam, historicamente, do ponto de vista da ciência, da filosofia e da religião. A ciência ficara por conta de Ana Paula e Lúcia; a filosofia por conta de Plínio e Sérgio, afinal, pesquisar a história é pesquisar muito mais do que os acontecimentos da época, é pesquisar o pensamento em voga em uma época. E a religião, por conta dele e de Amanda, quando pesquisaram a evolução espiritual da humanidade. Novamente, enfim, via repetir-se a sua frente a ciência, a filosofia e a religião, ou seja, as três bases da Doutrina Espírita.

Quando Edson descia as escadas, ouviu a campainha tocar. Gritou para Lúcia:

– Deixe que eu atendo, Lúcia.

Abriu a porta e encontrou Plínio. Em seus braços, aconchegava um cão amarelo, tremendo de frio e com os olhos

assustados. Edson olhou para Plínio intrigado e preocupado, perguntando:
– Que aconteceu com este cão? É seu?

Plínio respondeu:
– Não. Na verdade, em minha casa, nós não dividimos a vida com nenhum animal desde minha infância. Mas, quando vinha para cá, quase o atropelei. Ele corria muito, mas já estava exausto. Perguntei ao redor, e parece que se perdeu há alguns dias. Não apareceu ninguém perguntando por ele. Sempre que alguém tenta se aproximar, ele foge sem parar. Porém, não sei por quê, ele deixou que eu chegasse perto dele. Não tive, então, coragem de deixá-lo por lá. Liguei para minha mãe que ficou feliz com a possibilidade de ter um cãozinho, não sem me recomendar que procure o tutor deste. Como já estava em cima da hora, achei que não se importariam se eu o deixasse aqui durante o estudo.

Edson respondeu:
– Claro que não, Plínio, fique tranquilo. Vamos, então, entrar e arrumar um lugar quentinho para ele, fornecendo-lhe água e comida.

Logo rumaram para os fundos da casa, onde Edson mantinha um quarto de cinema e escritório. Mas, ao colocar o cão no chão, Plínio o orientou de onde estava e foi saindo, prometendo voltar em pouco mais de duas horas para pegá-lo. Mas o animalzinho não largava de seu pé. E ao tentar se distanciar, viu que este se encolheu em um canto, ganindo baixinho, como que se sentindo abandonado. Então, ambos, Plínio e Edson se entreolharam. Edson comentou:
– Parece que ele se sente apreensivo demais sem você. Creio mesmo que não deva deixá-lo sozinho neste primeiro momento. Acredito que ficará calmo junto conosco, no estudo, desde que possa ficar próximo a você.

Plínio olhou para o cão. Agachou e estendeu a mão em sua direção. O animal aproximou-se, com o rabo estendido somente até o meio das pernas e abanou-o lentamente. Chegou perto e colocou a pata na mão de Plínio. Sorrindo, Plínio, então, lhe disse:
– Ok, amigão. Parece que você confia em mim. Vamos fazer o seguinte, você pode ficar conosco, mas precisa se comportar. Venha.

*O evangelho dos animais*

Levantou-se e seguiu na direção da casa, chamando o cãozinho, que o seguiu como quem segue a um mestre. Logo todos os membros do grupo estavam presentes. Após os cumprimentos iniciais, Plínio contou a história do cão. Todos o olharam, brincaram com ele. Plínio comentou:

– Ele parece me conhecer, fico impressionado de como já me obedece, e com sua perspicácia, sua forma de comunicação. Faz tempo que, em casa, não adotamos nenhum animal. Será que é assim com todos?

– Acreditamos durante muito tempo que os animais eram incapazes de pensar ou sentir – respondeu Ana Paula –, mas tanto a ciência quanto o convívio com eles nos provam irrefutavelmente o contrário. Só discordará disso alguém que se nega a observar.

– Ele até parece que me conhece. Alguém poderia argumentar que ele está junto de mim por instinto de sobrevivência, por ter sido eu a socorrê-lo, mas, então, eu pergunto: por que ele não aceitou que ninguém chegasse perto dele, a não ser eu, quando ainda estava na rua? Não é estranho?

– Acho mesmo que, de alguma forma, ele o conhece – comentou Amanda –, acredito que teremos respostas mais conclusivas a esse respeito ao longo de nosso estudo. Afinal, podemos nos perguntar: qual a relação que eles têm conosco? Será que se trata de outro cão que você teve em sua infância que reencarnou? Ele poderia ter ficado todo este tempo no plano espiritual ou terá reencarnado em outro lugar antes de aqui estar? E, se ele é seu conhecido, significa que os animais criam vínculos espirituais conosco, que vão além do corpo, como os seres humanos que conosco convivem, vínculos que permanecem, pelos laços do amor.

– Eu diria mais, se o estudo da Doutrina Espírita nos mostrar efetivamente isso, e acredito que mostrará, visto o que estamos observando, eles, então, são parte de nossa família espiritual por afinidade – continuou Sérgio.

– Uau! Que coisa séria. Se for mesmo assim, nossa responsabilidade com os animais é muito maior do que até hoje entendemos, enquanto seus donos e enquanto seres humanos – disse Plínio.

Edson continuou:

– E se isso valer para todos os tipos de animais? Quer dizer, e se for além do cão e do gato e se estender para todos os animais do planeta terra?

– Nossa Senhora, Seu Edson, isso é muito serio, significaria que nossa relação com eles está totalmente equivocada, significaria que teríamos de repensar nossas atitudes com os animais e, mais ainda, repensar sobre aquilo que Deus nos confia, disse Lúcia.

Ana Paula concluiu:

– Meus amigos, significa que, acima de tudo, não somos donos dos animais, mas tutores de seus processos de aprendizado.

– É – continuou Plínio –, acho que a Doutrina Espírita terá muita coisa para esclarecer.

Edson arrematou:

– Vamos, então, iniciar nosso estudo, porque já são 9:00 horas. Solicito a Amanda que faça por nós a prece inicial.

Proferida a prece inicial por Amanda, esta mesma iniciou o estudo da manhã, perguntando a todos:

– E aí, como foram as pesquisas? Todos conseguiram concluir? Como se sentiram?

Foi Plínio quem tomou a palavra:

– Foi fantástico. Li e reli a Codificação, bem como toda a coleção da Revista Espírita, muitas vezes ao longo deste tempo em que me tornei espírita. Mas nunca havia inserido tudo o que estava lendo à história de um modo geral. Sabia por cima, pelos comentários da própria Codificação ou de alguns espíritas, mas não havia pesquisado em que época vivia Kardec a fundo. É nossa velha mania de aceitar somente o que nos dizem, e nada mais.

Sérgio continuou:

– Usamos como fonte de pesquisa a Internet, o livro "A Caminho da Luz", psicografia de Francisco Candido Xavier, pelo espírito Emmanuel.

Foi então que Ana Paula tomou a palavra:

– Quanto a mim, fiquei impressionada com algumas coisas que descobri a respeito da evolução da ciência. Na época de Kardec, que era o século XIX, muito pouco se sabia em relação a ciência, a natureza e os animais, como sabemos hoje. A tecnologia era sonho. O século XX foi um "bum" em desenvolvimento tecnológico como nunca visto antes na humanidade. Simples recursos inventados no século XIX e início do século XX fizeram grande diferença no desenvolvimento intelectual da humanidade. Só então foi possível

*O evangelho dos animais*

estudar e entender melhor os animais. Seria impossível tal feito na época de Kardec.

Lúcia sorriu e disse:

– Fiquei chocada ao descobrir como os médicos tratavam as doenças no final do século XIX; tinha muita diferença dos dias de hoje. Quando Kardec trouxe a Codificação para o mundo, nem existiam RX e antibióticos. Algo que parece inconcebível hoje.

Edson então comentou:

– O entendimento humano acerca da espiritualidade e da própria mediunidade também sofreu radical transformação ao longo da história, mas particularmente após a vinda de Kardec. Fomos um pouco além e pesquisamos sobre a evolução espiritual da humanidade desde a época de Moisés ate hoje. Um livro muito importante neste processo foi A Caminho da Luz de psicografia de Francisco Candido Xavier e autoria do Espírito Emmanuel. Através dele, tivemos uma ideia mais profunda de como foi que nos tornamos capazes, enquanto humanidade, de receber o Consolador Prometido e saber por que a Doutrina Espírita é progressiva e deve continuar sendo, afinal, podemos analisar, observando um pouco, o quanto nós, enquanto humanidade, estamos distantes de vivermos em nosso âmago o Evangelho do Cristo. Ainda há muito, mas muito mesmo, a construir.

– Muito bem – disse Amanda –, então quem começa?

Edson continuou:

– Acho que as pesquisas se completam, podíamos então ir falando, e um vai completando o outro. Isso permitirá compreendermos como um todo os aspectos evolutivos que nos permitiram, enquanto planeta e humanidade, chegar até aqui.

Amanda continuou:

– Então, eu começo. Estudando de diversas formas, fomos concluindo como foi lento o despertar humano para a espiritualidade. Inicialmente, enquanto humanidade, na fase de homens primitivos, acreditávamos que tudo que nos parecesse grandioso e não compreendêssemos, pudesse ser considerado deuses, como o sol, a lua, os trovões.

– Ah! Disse Lúcia. Por isso é que a gente lê sobre o deus sol, o deus trovão, etc.?

– Isso mesmo – continuou Amanda – em seguida, diversos foram os Espíritos enviados por Cristo como precursores de sua Doutrina. Vejam só, como poderíamos entender o Deus de amor e bondade de que Jesus falou, se não compreendíamos nem que existia somente um Deus, e Ele não era nenhum dos fenômenos da natureza, mas Criador de todos eles? Além do quê, estávamos muito aferrados ao primitivismo, aos comportamentos territoriais, de posse. Podíamos dizer que, no início, muito mais próximos estávamos do comportamento dos animais; ao olhar de longe, nos veríamos em alguns casos, como "feras" que defendem seu território e protegem suas crias. De lá para cá, muito se passou. Amanda parou um pouco, dando tempo para que todos absorvessem a explicação. Tomou novamente a palavra:

– Muitos vieram preparando o terreno para que, no futuro, pudéssemos ouvir a Jesus. Dentre eles, tivemos, como fonte de fundamental importância para o mundo, Moisés. Importante profeta e médium, ele conduziu a bandeira do Deus único. Ao guiar todo o povo hebreu pelo deserto, viu-se obrigado a criar leis que mantivessem a ordem, leis que pudessem ser entendidas pelo povo da época. Mostrou que tínhamos somente um Deus, um Pai, Criador de todas as coisas, inclusive de todos nós. Mas este Deus foi por Moisés mostrado como severo, dominador. Aos erros mais graves, Deus castigaria sem perdão. Isto coibiu a maldade nos corações, como que domou a ferocidade do povo, e auxiliou a controlar a ignorância. Depois de Moisés, muitos vieram preparando o terreno para Jesus. A humanidade ainda era infantil, e precisava ser preparada para, pelo menos, tornar-se capaz de ouvir ao Cristo. Foi assim que tivemos entre nós Buda, Lao Tsé, Sócrates, e tantos outros. Todos com a tarefa de preparar a humanidade para ouvir a Jesus.

Amanda continuou:

– Então, no momento exato, 1500 anos após a vinda de Moisés, Jesus aportou na Terra. Ele foi uma estrela iluminada que clareou o mundo. Foi o estandarte do amor a acalentar os corações, foi o sol a iluminar toda a sombra humana, varrendo das almas ou, pelo menos, apresentando o caminho para varrer das almas a ilusão, e promover o encontro de cada Espírito consigo mesmo, reconhecendo a própria luz interior. Sua voz e suas atitudes ainda ecoam pelo mundo, hoje muito mais acentuadamente do que antes, pois a humanidade cresceu para compreendê-lo, e a necessidade de

## O evangelho dos animais

diminuir o sofrimento consciencial fez com que pudéssemos compreender sua frase tão famosa, mas também tão profunda: *"Eu sou o caminho, a verdade e a vida."*

– Na verdade – disse Edson –, nós pudemos apreender, estudando o passado, até o momento presente, que Jesus é a estrela maior, o ponto básico a partir do qual tudo eflui. Ele é a peça central. Tudo que veio antes dele foi para preparar sua vinda, tudo que veio depois dele foi para ensinar a viver sua Doutrina de amor. Jesus é o foco primordial, pois, através dele, desperta-se a verdade do mundo, dos seres, do Universo. Ele é a ligação entre o Planeta Terra, seus habitantes e as Leis Divinas que regem o Universo. Portanto, os caminhos para a felicidade suprema a que nos destinamos, e a plenificação e harmonia que conquistaremos se farão através dos ensinamentos do Cristo. Se pudéssemos resumir tudo em uma frase, diríamos que Jesus é a fonte preciosa de nossa própria alegria de existir, e mais, de nossa razão de existir enquanto Espíritos.

Lúcia, então, perguntou:

– Seu Edson, será que podemos dizer, então, que Jesus é Deus?

– Não, Lúcia – respondeu Edson –, mas Jesus é a maior fonte de ligação com Deus que já conhecemos, e, por incrível que pareça, é também a maior fonte de ligação com nós mesmos, pois sua Doutrina libertadora é a única capaz de nos levar a encontrar nossa dimensão espiritual, nosso eu interior, livre de todos os obstáculos existentes. É como se ainda não pudéssemos nos ver a fundo, nem conhecer nosso verdadeiro potencial, mas com o Evangelho como mapa para nossa libertação, poderemos nos encontrar, e em nos encontrando, enquanto Espíritos, podemos existir plenamente no Universo, inseridos em total harmonia a todas as Leis que o organizam, e, consequentemente, sem nenhum fator afligente que nos afaste do absoluto bem estar e da harmonia.

– Nossa! Seu Edson – continuou Lúcia –, parece bem mais profundo do que aprendi até hoje.

– Sob este aspecto – analisou Plínio –, podemos compreender o Cristo não somente como existindo para nos ajudar e nos consolar, muito menos como aquele que tudo realizará para nós, mas como um ser infinitamente superior a nós, cuja tarefa consiste em nos mostrar o caminho, nos auxiliar a encontrar a direção, e coabitar conosco em plenitude. Ele existe como Salvador no sentido de quem nos traz a fórmula para encontrarmos por nós mesmos a salvação para todos os obstáculos interiores que nos impedem de existir em plenitude com Deus e o Universo.

– É isso mesmo – continuou Amanda –, e houve, e continua havendo, todo um planejamento espiritual para que pudéssemos receber o Mestre e, pouco a pouco, como crianças que vão crescendo, compreender-lhe a mensagem como o mapa do tesouro da felicidade espiritual.

– Então – continuou Edson –, Jesus enviou precursores para preparar a humanidade, ainda criança, para receber o Mestre de todos os mestres. Ele enviou discípulos queridos, a quem nós chamamos de profetas, para prepararem o terreno até que ele pudesse ser compreendido, pelo menos, ouvido, mesmo que inicialmente. Foram os profetas que citamos anteriormente e muitos outros, como Elias e João Batista, aliás, o mesmo Espírito, como sabemos, que reencarnou primeiramente como Elias e, posteriormente, como João Batista.

– Mas – prosseguiu Amanda –, ainda assim, mesmo com a vinda de Jesus até nós, como não é ignorado por ninguém, sua Doutrina nos pareceu profundamente distante, e sua verdade soou para o ouvido de poucos. O povo, em geral, não conseguiu compreender os aspectos mais profundos de suas verdades, como já era previsto, e ele acabou no holocausto, entregando o corpo ao sacrifício, visando despertar nossa alma para a necessidade de desligarmo-nos da matéria, no intuito de libertar o Espírito, vivendo o reino dos céus em nós mesmos. Ele viveu todas as suas palavras, todas as suas lições, e, com certeza, há inúmeros aspectos a descobrir a respeito de Jesus que ainda não foram elucidados.

– Sem dúvida – continuou Sérgio –, um Espírito de tal magnitude, um Arcanjo, o governador do Planeta Terra... Cada uma de suas palavras, de suas atitudes deve dar ensejo a estudo de muitos anos e muitas vidas para todos nós.

– Jesus estava consciente da infantilidade espiritual da humanidade – prosseguiu Edson, por isso, como um professor do jardim da infância, não falou profundamente para o povo, mas deteve-se a explicar por meio de historinhas, que

*O evangelho dos animais*

são as parábolas, o conteúdo de sua mensagem de amor, para que todas as inteligências, do ponto de vista espiritual, pudessem apreender o sentido, alguns muito superficial-mente outros um pouco mais profundamente.

Amanda falou:

– Após seu desencarne, alguns continuaram sua obra, mas o homem foi, pouco a pouco, perdendo os aspectos mais importantes de sua Doutrina. Ainda muito presos as conveniências da matéria, fomos modificando suas lições e as adaptando aos nossos interesses, a ponto de perder boa parte da essência de seu Evangelho, seguindo, ainda, os parâmetros humanos para a verdade, dando mais valor ao poder, ao orgulho, à vaidade, do que à mensagem liber-tadora do Cristo.

Edson tomou a palavra:

– A tal ponto que, enquanto instituição maior que repre-sentou a mensagem Cristã no mundo, a igreja católica criou as cruzadas e a inquisição, em nome de Jesus, promovendo guerras fratricidas, mortes, ceifando milhares de vidas, de-fendendo mensagem de interesses pessoais em nome do Cristo de Deus.

– Seu Edson – perguntou Lúcia –, o que foram as cruzadas?

– As cruzadas, Lúcia, resumidamente, foram a luta pelo santo sepulcro, que a igreja católica promoveu com as Dou-trinas não católicas, acreditando que algo material pudesse representar Jesus, ao invés de lembrarem o perdão, o de-sapego, a humildade, o *"quem quiser ser o maior que seja o menor entre todos"*! Nós, enquanto humanidade, nos perde-mos no egoísmo e no orgulho, e interpretamos que bastaria possuir o externo para sermos salvos e, assim, justificando a luta pela matéria, perdidos de Jesus, promovemos nume-rosas guerras, que foram as cruzadas e, a cada vida cei-fada, uma parte da mensagem do Mestre era silenciada, porém, temporariamente. O homem acredita deter o poder, Lúcia, porque acredita-se, em sua ilusão, maior do que é. Mas o poder é de Deus, é de Jesus, que apenas nos aguardam, promovendo o crescimento, mesmo diante de nossos erros, aproveitando-os para nos ensinar, e trabalhando pela evolução espiritual de cada um de nós e do próprio planeta.

– Assim – continuou Amanda –, consciente do que se passava na Europa e em todo o oriente, Jesus enviou dois de seus mais confiáveis discípulos, Antônio de Pádua e Francisco de Assis. Destacamos o trabalho deste último por ter vivido um dos maiores exemplos de humildade e amor, trabalhando continuamente para retomar o Evangelho em sua feição mais sublime, e vivendo as lições cristãs em sua profundidade. Francisco de Assis se destacou por seu amor sublime por todos os que o cercavam, inclusive por toda a natureza, em particular, pelos animais, a quem devotava intensa dedicação e carinho, tratando-os como iguais. Podemos nos referir a ele como o exemplo do amor ao próximo, e sua vida e obra merecem destaque na humanidade. Tinha como tarefa buscar caminhos para interromper as cruzadas, e ele tudo fez, com suas palavras e gestos para tanto, mas a igreja não o ouviu. Assim é que, mesmo sem conseguir impedir que as cruzadas continuassem, Francisco é conhecido até hoje, e seu amor e sua bondade são exemplos constantemente citados. Viveu o Evangelho em plenitude e, com certeza, é um dos Espíritos mais iluminados que a Terra já recebeu.

– Acho interessante destacar – continuou Plínio – que pouco depois disso, o Espírito que seria, no futuro, Allan Kardec, em 1369, reencarna como Jan Huss, um teólogo importante para sua época, cujo feito foi exatamente questionar a igreja. Ele já reencarna na época da inquisição.

– Ah! Meu Deus, o que foi a inquisição? – perguntou Lúcia.

– Outra trágica parte da história humana. Foram tribunais montados pela igreja católica no intuito de coibir toda e qualquer manifestação que fosse contra o pensamento em voga na época, instituído pela própria igreja, que não somente detinha o poder sobre os conhecimentos espirituais, mas também o poder sobre os governos. Muitas pessoas morreram ao longo dos 600 anos que duraram a inquisição, e todo o pensamento humano e a capacidade de evoluir e questionar foram travados pelo terror. Jan Huss desencarna pelo julgamento na inquisição, morrendo queimado nas fogueiras, porque questionou a igreja. Por exemplo, ele era contra a cobrança de indulgências, achava que a igreja deveria abrir mão de toda a riqueza e poder político, e não via na figura do papa a divindade, mas em Jesus. Imagine!...

– Puxa! – prosseguiu Ana Paula –, o Espírito que, no futuro, seria o codificador da Doutrina Espírita, nesta reencarnação anterior, já demonstrava seu amor pela verdade e pelo Cristo.

*O evangelho dos animais*

– Vou lhe dizer mais – continuou Amanda –, na época de Jesus, ele era um sacerdote druida.

– Ah – continuou Sérgio –, sou apaixonado pelas seitas antigas, e o druidismo é uma das mais fascinantes. Eles centravam-se, sobretudo, nos poderes de observação, apercebendo-se dos efeitos que a natureza surte sobre a vida e matéria.

– É – falou Plínio – mas iniciar pela observação e estudar a causa dos efeitos foi exatamente o que fez Hippolyte para codificar as informações trazidas pelo Espírito da Verdade. Como podemos ver, estas características do Codificador da Doutrina Espírita vieram de sua reencarnação como sacerdote druida, na época de Jesus.

– Gente, espere aí – falou Lúcia –, estou confusa, afinal, quem é este tal de Hippolyte?

– Ok! Vamos simplificar, continuou Plínio –, por volta da época de Jesus, não se sabe exatamente o ano, viveu um sacerdote druida de nome Allan Kardec. Como já dito antes, os druidas baseavam seu conhecimento na observação. Além do mais, sua autoridade era fruto de sua profunda sabedoria. Eram grandes conhecedores das propriedades curativas das plantas, zelavam pela preservação do meio ambiente e aconselhavam seus líderes em momentos de crise. Veja como este Espírito já estava muito à frente da humanidade de sua época, com uma visão global do mundo, integrado à natureza, vivendo a espiritualidade que estamos aprendendo a viver agora.

– Este mesmo Espírito – continuou Edson –, reencarnou também como Jan Huss, em 1369, e foi um teólogo que questionou a maneira como a Doutrina cristã estava desviada dos princípios de seu Mestre, Jesus, e por isso morreu queimado na fogueira.

– E é o mesmo Espírito que reencarna, em 1804, com o nome de Hippolyte Léon Denizard Rivail, com a missão de codificar as informações trazidas pela espiritualidade superior, aliás, pelo Espírito Verdade. Ao iniciar sua obra, ele compreende que nenhuma das informações que estava organizando eram suas, mas da espiritualidade; então, decide que não queria colocar seu nome nos livros, sendo aconselhado pelos mentores para adotar o nome que tinha na época em que foi sacerdote druida, Allan Kardec.

– Ah, agora compreendi! Então Kardec foi o nome de outra reencarnação dele – disse Lúcia – que ele adotou como codinome para assinar os livros que começaram o Espiritismo.

– Isto mesmo – continuou Amanda – mas mesmo com a vinda de Francisco de Assis, Antônio de Pádua e, posteriormente, Lutero, com a inquisição, a ciência se viu obrigada a afastar-se da igreja para que o pensamento pudesse ser libertado.

– Exato – continuou Plínio – estudando a história vemos que a inquisição teve como efeito afastar o pensamento filosófico e científico da religião, que buscou caminhos alternativos para que novamente a humanidade pudesse se abrir para as belezas das Leis de Deus. Foi assim que vieram a Terra grandes Espíritos no intuito de redirecionar o pensamento. Temos aí o movimento ilusionista, renascentista e positivista. Tais movimentos ficaram marcados pela filosofia, pela ciência, pelas artes.

– A grande questão – disse Sérgio – é que exatamente por ser a igreja considerada pelos homens a representante de Deus na Terra, o que sabemos, hoje, ser um absurdo, uma vez que Deus não precisa de representantes, mas de colaboradores, afinal, Ele é o poder supremo, o Criador, Aquele a quem tudo se deve. Mas, enfim, em nossa infantilidade espiritual na época, acreditávamos o contrário. Bem, continuando, a igreja, com atitudes despóticas e distantes do amor, fez com que os pensadores da época desacreditassem de todos os seus preceitos e, consequentemente, dos preceitos cristãos, de forma tal que o materialismo marca profundamente esta fase, bem como o antropocentrismo.

– Gente, espere um pouquinho – disse Lúcia –, alguém pode me explicar o que é o materialismo e o antropocentrismo? Estou me sentindo perdida.

– Desculpe, Lúcia – respondeu Plínio –, o materialismo é uma doutrina que acredita que o homem não tem alma, assim como também não a têm os animais. Acredita que somos somente corpo, e que temos apenas uma vida; uma vez esta vida terminada com a morte do corpo, deixamos de existir.

– Nossa – disse Lúcia –, por esse pensamento, após a morte não haveria nem plano espiritual, nem céu, nem inferno, simplesmente seria o fim!

*O evangelho dos animais*

– Exato, mais do que isso – continuou Plínio –, com o materialismo se justifica que em tudo se tenha apenas prazer e ganhos durante a vida, já que não existe nada após ela; assim sendo, todas as nossas conquistas como pessoas estariam ligadas ao que pudéssemos adquirir e usufruir durante a vida. Portanto, justifica que "o mundo é dos espertos" e afasta completamente o homem das Leis Divinas.

– De certa forma – continuou Amanda –, ainda somos materialistas quando acreditamos que o homem tem alma, mas não os animais. Novamente, justificamos atitudes ligadas ao material e à forma como lidamos com a natureza por acreditarmos que somos os únicos que temos alma.

– Essa atitude, por incrível que pareça, disse Plínio – é reflexo do antropocentrismo – que está ligado ao materialismo. Somos culturalmente antropocentristas. O antropocentrismo é um movimento que coloca o homem e a Terra como centro do Universo. Sabemos hoje que a Terra não é o centro do universo, mas continuamos nos acreditando como sendo o centro do universo.

– Digamos assim – continuou Sérgio –, em nossa ilusão, nos vemos existindo na Terra e acreditamos que Deus criou toda a Natureza para nos servir, acreditamos que os animais e tudo que os cerca estão aqui para que possamos existir, para garantir nossa vida. Vemo-nos como foco central do mundo; o resto é resto.

– Que complexo – continuou Ana Paula –, isso fez com que estivéssemos hoje como estamos com a Natureza. Temos tido amostras gritantes que nossa atitude tem sido um erro de enormes proporções. Com o aquecimento global, estamos aprendendo a difícil, mas preciosa lição para o futuro, a de que, em algum momento, nos enganamos, e parece mesmo que nós estamos aqui para servir, para aprender com a natureza. Acho mais, acredito que seja uma troca, acredito que recebemos, mas também temos de dar.

– Com certeza, descobri, lendo a codificação esta semana, – disse Plínio –, que nosso erro tem sido imenso neste sentido. Mas tudo tem seu tempo, e parece que agora, com as catástrofes naturais que estamos enfrentando, começamos a estar abertos a ouvir outros parâmetros, outras formas de ver e assumir nossa vivência neste planeta que habitamos.

Mas podemos, de cara, ouvir algo que irá nos fazer rever toda nossa atitude, que está mesmo na própria codificação, e que, com certeza, nos dará ensejo a muitas considerações no futuro, quando mais profundamente tivermos compreendido a alma dos animais e nossa relação com eles. Gostaria de colocar neste momento, a trecho a que me refiro da codificação, pois nos permitirá continuar compreendendo a própria história, e veremos, desde já, que o Espírito da Verdade falou tudo, nós é que não tivemos ouvidos de ouvir e olhos de ver. Vejam o que encontrei no Livro A Gênese, cap. VII, Esboço Geológico da Terra, item 32, ano de 1868:

*"**O orgulho levou o homem a dizer que todos os animais foram criados por sua causa e para satisfação de suas necessidades.** Mas, qual o número dos que lhe servem diretamente, dos que lhe foi possível submeter, comparado com o número incalculável daqueles com os quais nunca teve ele, nem nunca terá, quaisquer relações? **Como se pode sustentar semelhante tese, em face das inúmeras espécies que exclusivamente povoaram a Terra por milhares e milhares de séculos, antes que ele aí surgisse, e que, afinal, desapareceram?** Poder-se-ia afirmar que elas foram criadas em seu proveito? Entretanto, tinham todas a sua razão de ser, a sua utilidade. Deus, decerto, não as criou por simples capricho da sua vontade, para dar a si mesmo, em seguida, o prazer de as aniquilar, pois que todas tinham vida, instinto, sensação de dor e bem-estar. Com que fim ele o fez? **Com um fim que há de ser soberanamente sábio, embora ainda não o compreendamos. Certamente, um dia será dado ao homem conhecê-lo, para confusão de seu orgulho...".***

– Uau! – disse Lúcia – então, este negócio de antropocentrismo está totalmente errado. Como podemos nos acreditar como centro do Universo, uma vez que o fim a que se destinam os animais é outro, diferente do que acreditávamos até então, que era nos servir?

– Digo mais – continuou Ana Paula – tal atitude criou no homem uma coisa chamada especismo. Especismo é uma espécie de "racismo" em relação a outras espécies que não

*O evangelho dos animais*

a nossa. O antropocentrismo fez com que acreditássemos que a espécie humana tem preponderância em relação a outras espécies, fez com que nos víssemos com mais direitos à vida, ao conforto e, pior, ao amor e aos cuidados de Deus. Mas, lendo este texto da Gênese, observamos que isto também é um equivoco, ligado ainda ao materialismo, pois tais atitudes apenas se justificam se compreendermos os animais como sendo diferentes de nós, como não tendo alma.

– Mas, como estávamos discutindo – continuou Sérgio –, ainda não era possível ver as coisas de forma diferente antes. Quando o Consolador Prometido iluminou o planeta e foi codificado por Kardec, o materialismo e o antropocentrismo eram firmes pensamentos em voga, os cientistas e todos os grandes pensadores, aqueles que faziam a filosofia e criavam a força de transformação da época, eram materialistas. Muitos acreditavam em Deus, mas o viam como à parte do mundo. Enxergavam uma realidade material e uma vida toda focada na matéria. Tal pensamento, inclusive, ensejou às transformações na forma de se concluir o pensamento científico e redirecionou a forma de se fazer ciência. Neste pensamento materialista, o homem se afastou da própria espiritualidade. Na verdade, o homem já havia se afastado da verdadeira espiritualidade ao promoverem a inquisição. Mas a consequência foi um completo desligamento do Espírito, da vida do Espírito, da razão de se promover as Leis Cristãs, de vivê-las. Assim sendo, Kardec tinha um grande desafio pela frente.

– Ele tinha que resgatar a espiritualidade do mundo – disse Amanda – através da Doutrina Espírita. Via-a como instrumento da espiritualidade para dizer ao homem que o desenvolvimento intelectual era muito importante, mas como instrumento da evolução do Espírito. Que a ciência nada mais era do que o estudo das Leis Divinas e da forma com que essas Leis se manifestam na Terra, e que o centro do Universo era Deus, e não o homem.

– Para tanto – disse Edson –, ele tinha que dizer aos materialistas que seu pensamento em relação à forma de ver o mundo, separado de Deus, os levaria ao caos, à perda da felicidade, da harmonia. O próprio homem estava perdido de si mesmo, de sua verdadeira face, a face espiritual.

– Ora, sob este ângulo – continuou Ana Paula –, uma vez que o homem não se acreditava dotado de alma, não acreditava que existisse outra vida além dessa, ou seja, não acreditava nem em reencarnação, nem em vida após a morte, Kardec tinha que mostrar, de forma lógica, com argumentos reais, que o homem possui alma, que há outra vida além desta, que é a verdadeira vida, a espiritual. Tinha que resgatar o Evangelho em sua feição pura. Demonstrar o amor a que todos nos destinamos. Justificar e provar a necessidade sublime da reencarnação para atingirmos estes propósitos.

– Eu diria mais, querida Ana – disse Plínio –, a espiritualidade tinha que fazer este caminho, e Kardec era o instrumento pelo qual eles o fariam. Sem duvida, um grande homem, um grande mestre, com uma inteligência única e peculiar, um Espírito preparado para assumir esta tarefa. Houve inclusive um preparo para que ele pudesse ser recebido na França e o Consolador Prometido pudesse ali pousar. Mas ele foi o magnífico instrumento dos caminhos divinos que direcionaram, pontualmente, a aproximação do homem da regeneração e da era do espírito. Começava, no século XIX, os processos para o século XXI, em que o Espírito ganha força e a vida do Espírito será a razão para todo o desenvolvimento material.

– E falando em França – prosseguiu Sérgio – antes do reencarne de Rivail, tivemos a revolução francesa, que libertou a França da política burguesa e miserável em que poucos viviam à custa de muitos, e a exploração do povo era gritante. Sob a bandeira da Liberdade, Igualdade e Fraternidade, Napoleão reencarna com a missão de libertar e preparar a França para receber a Doutrina Espírita.

– Ah! – Continuou Amanda –, é verdade. A humanidade, após os movimentos renascentistas e iluministas, graças ao preparo de Espíritos enviados pela espiritualidade, abriu-se novamente para poder ouvir as mensagens evangélicas. O Espírito de Verdade então permite a um Espírito romano, após os erros cometidos na época de Jesus, reencarnar como Napoleão, no intuito de resgatar seus débitos com o Cristo, o Evangelho e a humanidade, e ele cumpre parte de sua tarefa. Liberta a França, mas se perde, depois disso, no poder e na ambição, e por isso morre, sozinho, numa

*O evangelho dos animais*

ilha, em profundo sofrimento. Encontramos este relato no livro Cartas e Crônicas, de psicografia de Francisco Candido Xavier, de autoria espiritual de Irmão X. Mas, apesar de seus erros, a França estava preparada, e Rivail reencarna para se tornar o codificador da Doutrina Espírita.

— Ah! – disse Plínio –, magnífica Doutrina que nos faz reviver a era cristã. Iluminada Doutrina Espírita que nos faz ouvir novamente o Cristo de Deus, que retoma os caminhos perdidos e desviados da humanidade e que nos liga ao amor. Abençoada Doutrina, que nos faz sentir novamente a luz da caridade, da esperança, nos ensina a fé raciocinada, nos permite entender a evolução, nos faz compreender a liberdade enquanto Espíritos. Santo Deus, quão belo é ouvirmos em pureza a luz das esferas superiores através da poesia do Livro dos Espíritos, conhecendo os mistérios da Criação através da iluminada Gênese, compreendermos a magnitude da mediunidade e sua verdadeira razão de existir através do Livro do Médiuns, modificarmos nossas atitudes em vida, ao ouvirmos os relatos de Espíritos desencarnados em O céu e o Inferno e vermos, em plenitude, a presença do Cristo, sentindo o rabi da Galileia, ouvindo a voz de Jesus, através do Evangelho Segundo o Espiritismo. Obrigado, Senhor Meu Deus, por não nos deixar perdidos à própria sorte de nosso orgulho, obrigado, Senhor Meu Deus, por nos redirecionar os passos, obrigado, por seu amor, obrigado pela Doutrina Espírita, obrigado pelo Consolador Prometido!

Todos estavam com os olhos marejados de lágrimas ao ouvir Plínio, sentindo a vibração elevada de suas palavras e uma presença que não reconheciam e não sabiam qual era, apenas a percebiam. A figura do Cristo cravada no vidro da sala ganhou luminosidade diferenciada.

Após alguns minutos, Ana Paula toma a palavra:

— Bem, podemos então compreender que, se o homem não entendia nem a própria alma, nem a razão dele próprio existir, nem para onde ia após a morte, nem a reencarnação, como poderia compreender os animais? Se o codificador tivesse aprofundado no assunto, teria desacreditado a Doutrina Espírita.

— Sem dúvida – disse Plínio –, encontramos na revista espírita de 1865, no mês de setembro, a seguinte colocação:

*"Assim procedem os grandes Espíritos que dirigem o movimento espírita; em boa lógica, começam pelo começo e esperam que estejamos suficientemente instruídos num ponto antes de abordar outro. Ora, qual deveria ser o ponto de partida de seu ensino? A alma humana. Cabe a nós convencer-nos de sua existência e de sua imortalidade; a nós compete dar a conhecer seus verdadeiros atributos e o destino que, de início, era preciso a ela ligar. **Numa palavra, precisávamos compreender nossa alma, antes de procurar compreender a dos animais. O Espiritismo já nos ensinou bastante sobre a alma e suas faculdades; diariamente nos ensina mais e projeta luz sobre algum ponto. Mas quanto ainda resta a explorar!** ... Um outro motivo tinha feito adiar a solução relativa aos animais. Essa questão toca em preconceitos há muito enraizados, e que teria sido impudente chocar de frente, razão porque os Espíritos não o fizeram... e quando vier a solução definitiva, seja qual for o sentido em que ocorra, deverá apoiar-se sobre argumentos peremptórios, que não darão margem a qualquer duvida. ... O instinto, que está em todo seu vigor no animal, perpetuando-se no homem, onde se perde pouco a pouco, certamente é um traço de união entre as duas espécies... **contudo, nada concluais de maneira absoluta, mas observai atentamente os fatos, porque somente desta observação, a verdade brotará um dia para vós.**"*

– Nossa! – disse Edson – estávamos no ano de 1865, e O Livro dos Espíritos teve a primeira edição publicada em 1857, ou seja, 8 anos antes. E eis aí as observações. Embora o alerta para que aprendêssemos a observar, e nos falando a respeito de que o assunto ainda estaria por vir, nós acabamos por concluir tudo com as colocações feitas na época, fechando as portas para questão de suma importância, não seguindo os preceitos deixados pelo codificador para que observássemos. Sabemos que a Doutrina Espírita é progressiva, e o sabemos porque a própria Doutrina nos diz, mas, quanto aos animais, simplesmente não aceitamos

*O evangelho dos animais*

que haja novas informações, e não as estudamos, acreditamos que sejam secundárias, estamos ainda no antropocentrismo... Puxa vida!...

– Calma, Edson – disse Ana Paula – tudo a seu tempo. Veja, a primeira edição de O Livro dos Espíritos, de 1857, nada trazia diretamente sobre os animais. Mas eis que, em 1859, Charles Darwin lança o livro *"A Origem das Espécies"* em que trata da evolução do corpo físico e de como as características de determinadas espécies dão origem a outras espécies. Liga ele o corpo físico dos animais e suas características ao corpo físico do ser humano.

– Agora, sabendo – continuou Amanda –, que Kardec havia sido um sacerdote druida na época em que Jesus esteve encarnado entre nós, e compreendendo que ele esteve integrado com a natureza, imagino que, ao ler "A Origem das Espécies", despertou em si as características desta fase em que viveu e em que se integrou aos animais.

– Sem dúvida, isto aconteceu – disse Ana Paula –, pois na segunda edição de O Livro dos Espíritos, do ano de 1860, diga-se de passagem, a que adotamos atualmente, encontramos o Capítulo Os Três Reinos, e o item Os Animais e o Homem. Kardec considerou a questão tão importante que separou um capítulo em O Livro dos Espíritos somente para tratar da mesma. Mas como pudemos ver, na revista espírita de 1865, ainda não era possível aprofundar a questão, afinal, não estávamos aptos, enquanto humanidade, espiritualmente falando, para compreender a alma dos animais, porém, estava lançada a verdade, mesmo que codificada. O Espírito da Verdade nos falou sobre os animais, deixando para a complementação da Doutrina, que viria ao longo do século XX, com Emmanuel, André Luiz, etc., o desmembramento, ou seja, a decodificação da questão da alma dos animais e das questões de O Livro dos Espíritos a esse respeito. Era preciso que a humanidade evoluísse espiritualmente, compreendendo a si mesma, e que a ciência evoluísse para observar os animais, para hoje podermos estar aqui.

– Não havia como ser antes – considerou Plínio. Na época da codificação ainda havia escravidão no mundo, muitos ainda consideravam, tragicamente, que os negros não tinham alma, o que hoje nos soa como absurdo. Para terem uma ideia, o título da Revista Espírita de Janeiro de 1866 foi: "*As mulheres têm alma?*".

– Meu Deus, que loucura, não acredito nisso – disse Lúcia – mas isto foi 9 anos após a primeira edição do Livro dos Espíritos!

– Pois então, cara Lúcia – continuou Edson –, imagine se era possível discutir se os animais têm alma, numa época em que mulheres e negros eram tão discriminados!

– Certamente, em algum tempo – disse Ana Paula –, consideraremos o fato de não termos compreendido a alma dos animais terá sido também um grande absurdo. Estes fatos somente revelam o quanto ainda temos a aprender e os muitos preconceitos a vencer. A começar por abandonar de vez o antropocentrismo e o especismo, vivendo, em plenitude, o Evangelho de Jesus.

*Capítulo 13*

# A EVOLUÇÃO DA CIÊNCIA

– Diga-me, Ana Paula – continuou Amanda –, percebo que nosso entendimento a respeito da alma dos animais está diretamente ligado a capacidade de observação humana, ou seja, nossas conclusões a respeito dos animais, enquanto ciência, devem ter se modificado profundamente para que hoje sejamos capazes de compreender, do ponto de vista espiritual, estas belas criaturas.

– Ah! Sem duvida – respondeu Ana Paula –, estudando a evolução da ciência, tanto do ponto de vista do desenvolvimento tecnológico quanto do ponto de vista da capacidade de observação e conclusões, podemos ter a absoluta certeza de que seria impossível que víssemos os animais de maneira justa e precisa como, hoje, os recursos que temos às mãos nos permitem. Também era preciso que houvesse uma evolução moral, um crescimento quanto à interpretação do amor, uma perda das raízes que nos ligam ao materialismo. Resumidamente, precisávamos estar mais espiritualizados para, pelo menos, admitir que os animais sejam diferentes do que pensávamos.

– Se bem compreendi – continuou Edson –, precisávamos, em verdade, reconhecer nosso orgulho e nossa vaidade para, a partir de então, estudar onde e quanto eles se manifestam. Submeter-nos à vontade Divina e compreender que Deus tem propósitos que vão muito além de nosso entendimento. Assim, precisávamos, primeiro, perceber quantos erros cometemos enquanto espécie humana ao longo da história, inclusive no que tange aos ensinamentos derramados ao longo dos séculos pela espiritualidade superior através de diversos representantes do Cristo e, pessoalmente, pelo próprio Cristo, para, então, nos darmos a oportunidade de olhar dos lados, e enxergar algo além de nós mesmos enquanto humanos.

– Eu diria mais, Edson – disse Sérgio –, a Natureza precisava, pouco a pouco, chamar nossa atenção. Sempre, enquanto humanidade, ao longo de nossa evolução, nos utilizamos dos recursos naturais do Planeta Terra como se eles estivessem ali a nossa disposição. Sempre exploramos a natureza. E, quanto mais evoluímos intelectualmente, mais meios desenvolvemos para utilizar os recursos naturais em nosso benefício, como se eles fossem repostos automaticamente. E o respeito pela natureza que tínhamos, no início de nossos passos enquanto humanidade, foi desaparecendo, e nós fomos explorando-a, até que atingimos o ápice tecnológico em que nos encontramos.

– Eu diria ápice momentâneo – comentou Plínio –, afinal, nossa inteligência ainda tem muito a desenvolver. Mas, agora, é o momento de utilizá-la como forma de encontrar meios de aprendermos com nossos erros em relação à natureza, e corrigi-los, antes que a natureza acabe por exterminar a espécie humana, falando de forma mais radical.

– Bem – concluiu Amanda – isso tudo nos levou a admitir que nós, enquanto humanidade, erramos e continuamos errando gravemente. Ao entender que a natureza existe para permitir somente nossa subsistência, interpretamos equivocadamente nossa própria razão de existir no planeta e no universo.

– Exato – continuou Ana Paula –, isso nos tira drasticamente do antropocentrismo e nos indica que, de alguma forma, precisamos mudar nosso prisma, nossa visão, e olhar com os olhos do Espírito em evolução, e não com os olhos da vida material, tudo que nos cerca. Compreendermos o planeta como a casa criada por Deus para permitir a evolução do espírito. Olhemos ao redor e observemos que estamos inseridos nesta moradia temporária, durante a reencarnação, para aproveitá-la como escola do Espírito, mas que, por

*O evangelho dos animais*

mais estranho que possa parecer aos olhos dos materialistas, ela não nos pertence. O Planeta Terra não pertence ao homem, não é criação do homem, e está além dos limites de entendimento do homem, porque ainda somos limitados em nosso entendimento quanto à razão de existir vida além de nossa vida.

– Ah! – Disse Lúcia – na verdade, sabemos, enquanto religiosos que somos, que a Terra pertence a Deus. Mas fico aqui me perguntando: será que sentimos e vivemos conforme este entendimento? Será que aprendemos a gratidão efetiva, em nossos atos, pela casa que nos é emprestada para a evolução?

– Pois é, cara, Lúcia – continuou Plínio –, a natureza vem nos dizendo claramente que não, e vem nos pedindo um urgente repensar quanto a nossas atitudes, para não sucumbirmos em nosso próprio orgulho de espécie humana. E os animais são parte efetiva e importantíssima da natureza. É preciso um olhar segundo o amor para tudo isso, um olhar segundo a caridade cristã para tudo isso. É preciso a humildade de admitir o erro, o perdão para com nós mesmos, a coragem de repensar, de encontrar novos caminhos condizentes com o Evangelho do Cristo, para que nossa relação com o ambiente e com os animais, nos insira diretamente nas verdades cristãs e nas leis divinas.

– Pois então – disse Ana Paula –, tudo isso só é possível porque amadurecemos, intelectualmente falando. Nossa relação com os animais sempre foi, desde que a espécie humana iniciou a interação mais direta com eles, há milênios atrás, segundo dados históricos, pautada no entendimento de que eles, os animais, existem para nos servir. Ainda que os tenhamos domesticado e trazido para nosso convívio, sempre houve a intenção de nos utilizarmos deles para nossa defesa e sustento. Ainda assim, tínhamos uma relação de mais respeito do que hoje.

Ana Paula fez ligeira pausa, para observar se estava sendo entendida, e considerou:

– Como conversamos até agora, ficou mais fácil perceber o quanto o materialismo fez parte impressionante de nossa realidade a partir da idade média, e como isso reflete em inúmeros de nossos comportamentos até hoje. Somente o conhecimento da Doutrina Espírita, sem a aplicação de seus princípios de humildade, amor e evolução, não nos liberta desse materialismo. Assim é que, por volta de 1600, tivemos René Descarte como um importante pensador que bateu de frente com a realidade da igreja, questionando todos os preceitos colocados pelo catolicismo.

– Ah! – Disse Amanda – lembro-me de que me falou a respeito dele quando estive em seu consultório. Você me contou que ele foi muito importante para o pensamento filosófico, mas que, em relação aos animais, os poucos recursos que tinha na época fizeram com que os interpretasse como máquinas complicadas. Sem poder comprovar pelo pensamento científico da época que os animais pensavam, ele concluiu que os animais não tinham alma e, portanto, não tinham sentimentos, emoções, dor, fome, frio, etc. Assim, segundo as conclusões de Descartes, poderíamos nos utilizar deles como quiséssemos.

– Exatamente, Dona Amanda, – falou Lúcia – no começo, fiquei com raiva deste Descartes, mas depois a Ana Paula me fez compreender que ele fez o melhor que conseguiu, e que, comodamente, por ser "vantajoso" para nós enquanto humanidade, ou seja, por ser mais "fácil", adotamos suas colocações a esse respeito e as mantivemos até hoje, em muitas situações. É o tal do pensamento cartesiano em relação aos animais.

– Na fase da codificação – continuou Ana Paula – Kardec tinha, como primeiro e importante passo, combater o materialismo cravado na sociedade e elucidar sobre as verdades em relação a própria alma humana. Somente depois, seria possível falar sobre os animais. Lembram-se dos preconceitos a que se refere a Revista Espírita de 1865? Pois então, se os animais eram considerados máquinas e, portanto, objetos de uso natural do homem, existindo para nos servir, se interpretávamos, e ainda interpretamos, em muitos casos, que estas criaturas não sentem, seria realmente imprudente que se falasse abertamente sobre a alma dos animais antes de buscar fazer com que o homem visse a própria alma e o próprio orgulho.

– É, mas ainda assim – disse Plínio – O Espírito da Verdade não deixou de falar; mesmo sem ser tão aberto e direto, ele

*O evangelho dos animais*

nos deixou o alerta e os elementos para trabalharmos no futuro. Encontramos, por exemplo, no item Os Animais e O Homem, falando a respeito dos animais, no final da questão 607a de O Livro dos Espíritos, a seguinte colocação:

*"... Reconhecei a grandeza de Deus nessa admirável harmonia que a faz a solidariedade de todas as coisas da Natureza. Crer que Deus pudesse ter feito qualquer coisa sem objetivo e criar seres inteligentes sem futuro seria blasfemar contra sua bondade, que se estende sobre todas as suas criaturas."*

– Nós ainda não conseguíamos ouvir – disse Ana Paula – não tínhamos ouvidos de ouvir e olhos de ver nesta fase. O Espírito da Verdade disse, mas passamos direto, como se não fosse um alerta quanto à interpretação equivocada em relação aos animais. Nós os víamos e os vemos ainda hoje como objetos sem sentimentos, mas Ele nos disse:

*"...Crer que Deus pudesse ter feito qualquer coisa sem objetivo e criar seres inteligentes sem futuro seria blasfemar contra sua bondade..."*

Ana Paula continuou:
– Durante a fase da codificação, corria paralelamente outra forma de compreender os animais. Enquanto o Consolador Prometido se derramava sobre a humanidade, os homens cresciam pouco a pouco em relação à ciência, e os animais eram, como são até hoje, os principais objetos para experimentação, de forma que o homem pudesse criar melhores benefícios para si mesmo. Novamente, vemos o antropocentrismo e o especismo em atuação. O uso de animais na experimentação científica, em benefício do homem, garantindo formas de evolução da ciência a custa da dor e do sofrimento destes seres que, como diz o Espírito da Verdade, não foram criados sem propósitos, e, como vimos há pouco no capítulo VII da Gênese, não estão aqui exclusivamente para nos servir, embora nosso orgulho de espécie humana assim o diga, teve seu aval definitivo dado pelos cientistas Claude Bernard, que viveu no século XIX, entre

1813 e 1878 e por Louis Pasteur, que também viveu no mesmo século em que a Doutrina Espírita iniciava o raiar do sol da espiritualidade e da regeneração do futuro, entre 1822 e 1895. Não podemos nos esquecer de que atuou junto deles também o cientista François Magendie, que viveu entre 1783 e 1855. Sem deixar de lhes atribuir grandes descobertas científicas, não podemos, porém, deixar de olhar lucidamente que, em relação aos animais, adotaram o pensamento cartesiano e os viram, exclusivamente, como máquinas que Deus nos enviou para descobrirmos formas de viver melhor a vida material. Assim é que Claude Bernard recomendou aos cientistas da época uma postura fria em relação aos animais, inclusive deixando claro que não dessem, de forma alguma, nomes aos queridos animais dos quais se "utilizassem" para seus experimentos, postura essa mantida até hoje por parte da comunidade científica.

– Puxa vida – continuou Amanda – acho que teremos de nos aprofundar mais nesta questão da experimentação animal no futuro, à medida que nos aprofundarmos na Doutrina Espírita.

– O que mais me impressionou – disse Lúcia –, é que, embora tudo isso tenha acontecido no século XIX, na mesma época, tivemos Darwin publicando "A Origem das Espécies", em 1859, que foi uma revolução sem precedentes na ciência e na própria religião, por admitir uma linha de continuidade entre os animais e os homens.

– Podemos ir além – disse Ana Paula – e falar de um livro pouco conhecido de Charles Darwin fora do meio científico. Em 1872, ele publicou "A expressão das emoções nos homens e nos animais". Este livro relata muitas expressões semelhantes entre homens e animais. Para tanto, Darwin mobilizou grande número de cientistas e artistas, que lhes enviaram, após suas observações dos animais, fotos e desenhos. Darwin concluiu, inclusive, que as expressões das emoções são mais fáceis de observar nos animais, pois eles não tentam nos enganar.

– Espere um pouquinho aí – disse Sérgio –, se Darwin comprova em seu livro que animais têm expressões faciais e corporais de emoções, se traz inúmeros casos e demonstra que muitas destas expressões também se encontram na espécie humana, ele, cientificamente falando, não somente comprova

*O evangelho dos animais*

que há uma continuidade entre os animais e a espécie humana, como comprova também que os animais têm emoções. Isto é fantástico, e em 1872!

Plínio sorriu, empolgado e comentou:
– Exato, em pleno século XIX, 15 anos após a publicação de O Livro dos Espíritos, pouco depois do desencarne de Kardec, Darwin traz literatura impressionante demonstrando emoções nos animais. Acontece, caro amigo, que máquinas e objetos não têm emoções. Emoções são resultantes de sentimentos. Só expressa emoções quem é capaz de senti-las, e Darwin, com sua brilhante capacidade de observação científica, ainda mobilizando outros cientistas, conclui pela lógica a presença de emoções nos animais. A partir de então, se retomarmos o próprio pensamento de René Descartes...
– Uau! – Disse Edson – retomando o pensamento de René Descartes, Meu Deus... por que a humanidade não parou para observar?!
– Exato – continuou Ana Paula – retomando o pensamento de René Descartes, através de sua própria metodologia, cerca de 200 anos antes, ele não pôde comprovar pensamento nos animais, ele não conseguiu ver as emoções que Darwin observou e comprovou. Se os tivesse visto, teria concluído, por si só, que os animais não são máquinas, que são capazes de sentir; então pensam, e, portanto, têm alma!
– Minha nossa senhora! – Continuou Lúcia – não tinha visto por este ângulo. Isto teria mudado a história da humanidade quanto à relação que mantemos com os animais, com consequências positivas que nem conseguimos mensurar, do ponto de vista do Evangelho e da evolução.
– Isto, Lúcia, – considerou Amanda – se tivéssemos aceitado suas conclusões. Pois, como pode ver, este livro de Darwin foi pouco divulgado e, com certeza, ignorado pelos cientistas que mantiveram suas posturas em relação à experimentação animal e também ignorado pela humanidade, que continuou mantendo sua postura em relação à exploração dos animais como objetos. Acho mesmo que, se Kardec ainda estivesse encarnado, talvez lendo este livro de Darwin, teria buscado no Espírito da Verdade as respostas para as colocações do cientista.

– Falando em Espírito da Verdade – disse Plínio – isto elucida melhor uma colocação feita no início da resposta da questão 607a de O Livro dos Espírito, item *"Os Animais e o Homem"*:

*"...É nesses seres que estais longe de conhecer inteiramente..."*

Plínio respirou e continuou:

– Pensemos com atenção neste importante alerta do Espírito da Verdade: estais longe de conhecer inteiramente. Quanto ainda estará por vir?! Pensando nos animais como seres capacitados para expressar emoções, quanto ainda não se sabe sobre eles? Na própria Revista Espírita de 1865, há uma colocação sobre pensamento nos animais, no mês de setembro:

*"... É certo que o cão sonha; muitas vezes, durante o sono, já foram vistos fazendo movimentos que simulam a corrida; gemer ou manifestar contentamento. Seu pensamento está, pois, ativo, livre e independente do instinto propriamente dito. Que faz ele, o que pensa e o que vê nos seus sonhos? É o que, infelizmente, não nos pode dizer, mas o fato lá está."*

Ao terminar esta frase, Plínio sente algo tocar-lhe as pernas. Era o cãozinho amarelo que havia resgatado, dormindo e sonhando, fazendo movimento com as pernas. Seus olhos ficaram marejados e ele lhe afagou a cabeça. Observava ali, ao vivo e a cores, o que era colocado na Revista Espírita do ano de 1865, e ainda não tinha a resposta, mais de um século depois, sobre o que aquele pequeno cão via e pensava em seus sonhos. Pensou: *"quanto ainda não sabiam, em pleno início de século 21?!"* Bastava observar, mas era preciso não ignorar e encontrar as respostas.

Seu sorriso e sua emoção contagiaram a todos que também observaram o cãozinho sonhando. Como um pouco de estudo já os fez ter diferentes observações a respeito de fatos antes tão corriqueiros! Amanda pensava em quantas vezes vira Fifi e hoje a Linda fazer o mesmo; havia achado interessante, mas jamais tinha visto sob o prisma colocado na Revista Espírita de 1865. De repente, lembrou-se e perguntou:

*O evangelho dos animais*

– Plínio, você não vai dar um nome a ele?

– Ah! é verdade – respondeu Plínio – alguém tem alguma sugestão?

– Acho que poderíamos destacar o nome de um grande cientista – disse Sérgio – cuja contribuição fez-se essencial para a publicação em O Livro dos Espíritos do capítulo Os Três Reinos e do Item Os Animais e o Homem, bem como o despertar de acalorada discussão a respeito do tema na Revista Espírita, e deixou ângulos profundos para dar continuidade às conclusões da ciência e da própria Doutrina Espírita com o livro A Expressão das Emoções No Homem e Nos Animais.

– Excelente ideia, Sérgio – respondeu Edson – vamos chamá-lo de Darwin.

– Adorei – continuou Lúcia – afinal, que outro nome teria o mascote de nosso grupo?

Todos riram das palavras de Lúcia, e o pequeno Darwin acordou, espreguiçou-se, levantou levemente a cabeça. Olhou para Plínio e abanou o rabo, como a reconhecê-lo. Então, Plínio lhe afagou a cabeça. Darwin, o cão, levantou-se e sorriu para ele, mostrando todos os dentes e abanando o rabo num gesto de contentamento claro e impressionante.

– Veja só – disse Ana Paula – como dizer que um ato como esse, um sorriso, de um cãozinho que foi recolhido da rua, não é uma expressão da emoção? Qual canídeo na natureza sorri desta forma? Sabemos que, instintivamente, os cães somente mostram os dentes quando rosnam e vão atacar. Tal gesto vem acompanhado dos pelos arrepiados, orelhas para trás e olhos mais avermelhados.

– O que não deixa de ser também uma expressão de uma emoção – continuou Sérgio – neste caso, o cão pode expressar a raiva , que é uma emoção.

– Ana Paula – perguntou Amanda – por que é tão difícil admitirmos que os animais tenham emoções e pensem?

– Bem, Amanda – respondeu Ana Paula –, podemos analisar e responder sob dois aspectos. Primeiro, porque significaria admitir um erro grave em nossa relação com eles e, de simples cientistas e sobreviventes no mundo material, na casa Terra, por muitos de nossos atos, chegaríamos à conclusão aterradora de nossa perversidade e crueldade. De repente, dos seres mais inteligentes do planeta, dos mais sensíveis, dos únicos capazes de pensar, sentir, viver conscientemente, passaríamos a verdugos, algozes de seres mais inocentes e infantis espiritualmente; isso soa de maneira aterradora aos nossos ouvidos. Por outro lado, também significaria ter de reiniciar nossa forma de nos relacionarmos com os animais, com alteração em setores da economia e da vida prática jamais antes imaginados, significaria toda uma reestruturação no mundo, tanto para o ser humano, quanto para os animais.

– Bem – falou Sérgio –, mas isso não é exatamente o que propõe a Doutrina Espírita ao dizer que devemos nos transformar, nos regenerar, repensar todas as nossas atitudes e criar novo caminho para a nossa forma de viver no mundo? A partir de então, seria mais uma coisa a transformar, mas a transformação, embora muito trabalhosa, seria muito positiva. Quanto não aprenderíamos, enquanto humanidade?!

Sérgio mantinha expressão desafiadora e prosseguiu:

– É um engano nosso acreditar que a Doutrina Espírita não tenha falado deste equívoco. Falou claramente, não somente pelas colocações que vimos até agora, em O Livro dos Espíritos, na Gênese e na Revista Espírita de 1865; diga-se de passagem, os dois primeiros citados são parte da codificação, mas também, por exemplo, através do Espírito Emmanuel, pela psicografia de Francisco Candido Xavier, no Livro O Consolador, questão 136, quando diz:

> *"Existem seres agindo na Terra sob determinação absoluta?"*
>
> *– Os animais e os homens quase selvagens nos dão uma ideia dos seres que agem no planeta sob determinação absoluta.* **E essas criaturas servem para estabelecer a realidade triste da mentalidade do mundo, ainda distante da fórmula do amor, com que o homem deve ser o legítimo colaborador de Deus,** *ordenando com sua sabedoria paternal.*
>
> **Sem saberem amar os irracionais** *e os irmãos mais ignorantes colocados sob sua imediata proteção,* **os homens mais educados da Terra** *exterminam os primeiros para a sua alimentação, e escravizam os segundos para*

*O evangelho dos animais*

*objetos de explorações grosseiras, com exceções, de modo a mobilizá-los a serviço de seu egoísmo e da sua ambição."*

– Meu Deus! – Considerou Edson – já li e reli este livro muitas vezes. É tão belo e profundo! Como foi que não vi isto, ou melhor, como foi que passei batido quando li e não parei para prestar atenção?

– Simples – continuou Sérgio –, eu mesmo não prestei atenção, porque minha mente estava focada em outro ângulo. Acredito mesmo que toda a Doutrina Espírita deve ter inúmeros ângulos que não percebemos, por isso O Livro dos Espíritos, por exemplo, é tão profundo. E tem mais, caro amigo, no livro Alvorada do Reino, também de autoria espiritual de Emmanuel e psicografia de Francisco Candido Xavier, no capítulo15, *Na Senda de Ascensão*, encontramos colocação muito importante que complementa a anterior e vem ao encontro de nossa conversa:

*"Para o homem, o anjo é o gênio que representa a Providência Divina e para o animal, o homem é a força que representa a Divina Bondade"*
*"Recorda os elos sagrados que nos ligam uns aos outros na estrada evolutiva e colabora na extinção da crueldade com que até hoje pautamos as relações com nossos irmãos menores."*

– Meu Deus! – Disse Ana Paula, com os olhos marejados –, é preciso ouvirmos os alertas, é preciso nos dedicarmos a compreender e amar os animais. É preciso compreendermos nossa posição diante destas criaturas e repensar imediatamente nossas atitudes.

– O que mais me choca diante disto que estamos aprendendo – continuou Amanda –, é que, enquanto estamos adiando nosso entendimento como espíritas, eu diria mais, enquanto cristãos, eles estão sofrendo... são nossos irmãozinhos menores, e estão sofrendo...

– É, cara amiga, – complementou Plínio –, até há pouco, eu considerava que entender os animais fosse algo secundário dentro do estudo da Doutrina Espírita, pensava mesmo que, com tudo que tinha para aprender, ainda tinha mais isso, que depois veria como seria, e assim por diante. Mas, agora, lendo estes trechos dos livros de Emmanuel, compreendendo que é muito importante entender a alma dos animais e nosso papel para com eles, pois temos toda uma situação a recuperar, e milênios de erros humanos a corrigir, e, compreendendo o planeta de regeneração e o estabelecimento da paz e do amor no mundo, o entendimento do Evangelho e do amor ao próximo ficou muito claro para mim agora, com tão pouco tempo de estudo ainda, que não adentraremos o planeta de regeneração se não compreendermos que Deus não é Pai parcial, que jamais daria preferência para o bem e o amor, a paz e a esperança para uns em detrimento de outros, ou seja, não cabe na justiça divina, ensinada pelo Espiritismo, um Deus que favorece a diminuição do sofrimento da espécie humana, permitindo o sofrimento de outras espécies, e a Doutrina mesmo nos diz isto.

– Ah! Plínio – disse Edson -, para tanto, temos ninguém menos que o Espírito Joanna de Ângelis, pela psicografia do médium Divaldo Pereira Franco, em um livro que trata somente do sofrimento, de nome Plenitude, no capítulo Caminhos para a Cessação do Sofrimento – *veja bem o título do capítulo* – onde nossa querida irmã diz:

*"Da experiência de identificar a bondade nos seres em geral vem a extraordinária conquista de descobrir a presença de Deus em toda parte, em todas as criaturas...*

*... **Da mesma forma, ao ser identificado qualquer valor relevante, especialmente a bondade em pessoas e animais**, nos elevados objetivos da vida vegetal, é preciso planejar retribuir esse sentimento.*

*... A bondade é um pequeno esforço do dever **de retribuir** com alegria todas as dádivas que o homem frui, sem dar-se conta, sem nenhum esforço, por automatismo – como o sol, a lua e as estrelas, o firmamento, o ar, as paisagens, a água, os vegetais, **os animais** – e que, inadvertidamente, o homem vem consumindo, poluindo com alucinação, **matando com impiedade...***

*... A vida cobra aos seus agressores o preço da interferência negativa na sua ordem e estrutura."*

*O evangelho dos animais*

– Ora, por este trecho, podemos concluir – disse Ana Paula – que até mesmo para que possamos mudar o aspecto em que nossa evolução se pautou até hoje, ou seja, em muitos e muitos casos, na expiação de erros cometidos, no intuito de aprendermos e começarmos a viver segundo as Leis que regem o Universo, sendo todas elas derivadas da Lei de Justiça, Amor e Caridade, como nos diz o Livro dos Espíritos, é preciso que mudemos realmente nossa relação com os animais e a natureza, é preciso compreender nossa universalidade, enquanto criaturas inseridas na vontade divina.

– É, Ana Paula – continuou Plínio –, falando em expiação, isto só comprova o que estamos concluindo com nossos estudos. Ou seja, estamos mudando de planeta de provas e expiações para planeta de regeneração. O Espiritismo nos ensina que, no planeta de regeneração, teremos provas para nosso Espírito, de forma a dar continuidade à evolução, mas não mais teremos expiações. Dessa forma, sobre a colocação de Joanna de Ângelis, fica óbvio, vamos reler a última parte do trecho do livro Plenitude:

*" ... A bondade é um pequeno esforço do dever de retribuir com alegria todas as dádivas que o homem frui, sem dar-se conta, sem nenhum esforço, por automatismo – como o sol, a lua e as estrelas, o firmamento, o ar, as paisagens, a água, os vegetais, os animais – e que, inadvertidamente, o homem vem consumindo, poluindo com alucinação, matando com impiedade...*
*... A vida cobra aos seus agressores o preço da interferência negativa na sua ordem e estrutura."*

– Pois bem, continuando, podemos perceber que, como Joanna de Ângelis mesma fala, neste trecho, estamos inadvertidamente, consumindo e poluindo a natureza com alucinação, e esta colocação deve ficar bem clara e ecoar em nossas almas – COM ALUCINAÇÃO – indicando uma forma de loucura, ou seja, de inconsciência a respeito dos verdadeiros objetivos de nossa vida enquanto Espíritos e da vida que existe além da nossa, palpitando na natureza, alucinando enquanto distantes da harmonia que rege a lei de amor na qual estamos inseridos. E, uma parte do texto, me toca de forma profunda, de forma gritante e triste, doendo em minha alma e me fazendo perceber que tudo que até agora conversamos é uma realidade: MATANDO COM IMPIEDADE. Senhor, perdoe-nos! Como poderíamos imaginar, como poderíamos compreender antes... nossa ignorância não nos permitia, nossa falta de entendimento intelectual e moral, nossa falta de alcance em relação ao maior mandamento e ao significado do amor ao próximo não nos permitia ver de outra forma... Santo Deus, perdoe-nos!

– Caro amigo – disse Sérgio –, acho que além do perdão a Deus, devemos nos lembrar de que nos cabe o pedido de perdão a outras criaturas que vêm sofrendo com nossa ignorância espiritual, nossos irmãos menores, os animais.

– E como nos mostra o texto – disse Edson – ... *A vida cobra aos seus agressores o preço da interferência negativa na sua ordem e estrutura.*", ou seja, enquanto estivermos lesando a natureza e os animais, estamos também submetidos à lei de ação e reação e, portanto, sendo cobrados por ela, e vivendo sob expiação destes nossos atos. Se realmente desejamos caminhar para a regeneração, precisamos aprofundar nosso entendimento do amor ao próximo e nos tornar a luz do caminho do amor e da paz para estas criaturas, os animais.

– Isto me lembra outra colocação do livro O Consolador, citando novamente Emmanuel, na psicografia do querido Francisco Candido Xavier, na questão 62, onde nos diz:

*"O 'não matarás' alcança o caçador que mata por divertimento e o carrasco que extermina por obrigação?*

*– À medida que evolverdes no sentimento evangélico, compreendereis que todos os matadores se encontram em oposição ao texto sagrado.*

*No grau de vossos conhecimentos atuais, entendeis que somente os assassinos que matam por perversidade estão contra a Lei Divina. Quando avançardes mais no caminho, aperfeiçoando o aparelho social, não tolerareis o carrasco e, **quando estiverdes mais espiritualizados, enxergando nos animais os irmãos inferiores de vossa vida,** a classe dos caçadores não terá razão de ser.*

*O evangelho dos animais*

*Lendo os nossos conceitos, recordareis os animais daninhos e, no íntimo, haveis de ponderar sobre a necessidade do seu extermínio. É possível, porém, que não vos lembreis dos homens daninhos e ferozes. O caluniador não envenena mais que o toque de uma serpente? O armamentista, ou o político ambicioso, que montam com frieza a maquinaria da guerra incompreensível, não são mais impiedosos que o leão selvagem?...* **Ponderemos essas verdades e reconheceremos que o homem espiritual do futuro, com a luz do Evangelho na inteligência e no coração, terá modificado igualmente o seu ambiente de lutas, auxiliando igualmente os esforços evolutivos de seus companheiros do plano inferior, na vida terrestre."**

– Como pudemos nos enganar tanto? – Disse Plínio.

– Calma, Plínio – continuou Ana Paula –, a espiritualidade, como estamos estudando, tem o momento para tudo nos mostrar. Não tínhamos como compreender antes, não tínhamos condições intelectuais e morais para ver a luz desta forma, teríamos ficado cegos e andado como se não pudéssemos perceber. Mas a ciência, que é regida pelas mãos humanas, evoluiu, e a observação a respeito dos animais também. Depois de Darwin, tivemos outros cientistas que se ocuparam de observar os animais, mas destacamos figura renomada e dedicada, cujo amor aos animais, em especial aos chimpanzés, chamou a atenção do mundo. Seu nome é conhecido em todo o planeta e seu trabalho respeitado. Refiro-me a Jane Goodall, que viveu muito tempo observando chimpanzés e, na década de 60, em meados do século XX, atribuiu consciência aos animais. Suas observações e estudos foram ouvidos e aceitos no meio científico. A partir de então, diversos cientistas passaram a fazer estudos a respeito da inteligência nos animais, e a tecnologia impulsionou e muito todos estes estudos. Com o computador e as mensurações que o mesmo permitiu, a descoberta do eletroencefalograma e o desenvolvimento de inúmeras formas de comunicação além da palavra falada, bem como a linguagem dos surdos-mudos, foi possível uma comunicação mais direta com os animais e o estudo da linguagem nos mesmos, assim fazendo com

que a espécie humana pudesse entender melhor, mesmo que ainda de forma rudimentar, acredito eu, os animais. Na década de 90, os estudos sobre cognição tomaram forma mais impressionante...
— Ana Paula – disse Amanda –, você pode nos esclarecer o que é cognição?
— Claro, desculpe usar um termo tão científico – continuou Ana Paula –, cognição é o confronto da informação trazida pelo estímulo (cs sentidos), com outras constantes do "banco de memória" do cérebro, levando a uma reação por parte da criatura, seja esta criatura um ser humano ou um animal. Traduzindo, tanto nós quanto os animais temos memória. Quando identificamos algo ao nosso redor, através da visão, audição, tato, olfato, paladar, que são os cinco sentidos, imediatamente nosso cérebro confronta com nossa memória e, automaticamente, isto gera uma reação em nós e também nos animais, que irá refletir no ambiente, nas pessoas e nos seres que nos cercam.
— Nossa! Espere um pouquinho – disse Lúcia –, vou usar como exemplo nossa querida Fifi, que conviveu conosco aqui por muitos anos. Se pensarmos a respeito da cognição, posso dizer que, sempre que ela ouvia o som do carro do Seu Edson, levantava-se e ia para a porta; aliás, quando ele virava a esquina, ela já se levantava para aguardá-lo e fazer festa ao encontrá-lo. Então, quando ouvia o som do carro...
— Quando ouvia o som do carro – continuou Ana Paula – sua audição, que é um dos sentidos, levava este som até o cérebro, até o banco de memória, onde havia guardado o som do carro do Édson. O cérebro dela emitia uma mensagem para o consciente de que se tratava do carro do Édson. Juntamente com isso a Fifi já sabia que o carro do Édson significava o Édson chegando, já ficava alegre e ia recebê-lo na porta. Este simples ato significa cognição.
— Mas que coisa impressionante – concluiu Edson –, como pudemos acreditar que os animais fossem máquinas, diante de tais parâmetros! São profundamente parecidos conosco.
— Muito mais do que você imagina. Os animais expressam sentimentos. Quem nunca viu um cão chorar? – continuou Ana Paula. – Um livro maravilhoso publicado em 1995, de

*O evangelho dos animais*

autoria de Jefrey Masson, importante psicanalista formado em Harvard e autor de diversos livros e de Susan MacCarthy, bióloga e jornalista formada pela Universidade da Califórnia é "QUANDO OS ELEFANTES CHORAM – a *vida emocional dos animais*". É um compêndio sobre sentimentos nos animais, com diversos exemplos colhidos pelo mundo. O livro inicia-se tratando sobre a reticência da comunidade científica em admitir publicamente os sentimentos nos animais, por tudo que já vimos antes, o que implicaria em mudança radical dentro da própria ciência. Os cientistas que trabalham com animais declaram, em inúmeros casos no livro, que observam sentimentos, emoções e inteligência impressionantes nos animais com os quais convivem, mas não declaram tal fato no meio cientifico, por medo de serem desacreditados como cientistas em todas as suas pesquisas.

Respirando profundamente, Ana Paula continuou:

– Posso lhes dizer que, pessoalmente, os próprios cursos de medicina veterinária adotaram o pensamento cartesiano. Quando me formei, não se falava em dor nos animais, e a própria forma de ensino dentro das universidades desensibiliza o aluno que será o futuro médico veterinário, ensinando-lhe que pode utilizar os animais como quiser, já que os utiliza para ensino. É uma loucura, uma alucinação, como diz Joanna de Ângelis. Forma-se um profissional de clínica médica e cirúrgica, por exemplo, para salvar vidas, utilizando os animais como forma de ensino e depois sacrificando os mesmos; e aquele aluno de 18, 19, 20, 21 anos, em sua maioria; aluno jovem que foi fazer a faculdade de medicina veterinária por amar os animais, aprende a utilizá-los como objetos. Precisa tornar-se frio para poder ver tudo aquilo como natural e abandonar, pelo menos em parte, quando não completamente, o amor que o incentivou a fazer a faculdade, para ver os animais como objeto de estudo, como se fossem a lousa, o livro, o computador, enfim, como mais uma máquina. Isso sem falar nas disciplinas que o ensinam que cães, gatos e animais selvagens são uma coisa; bois, vacas e carneiros, outra, e ele aprende a exploração animal e formas cada vez mais impressionantes de aumentar a "produção" para satisfazer o homem. O próprio juramento atual do médico veterinário diz que ele preservará a saúde e o bem-estar dos animais, tendo como objetivo o homem.

SANDRA DENISE CALADO DITADO POR EQUIPE ESPIRITUAL DA ASSEAMA

– Calma aí – disse Edson –, devo ter entendido errado! O juramento do médico veterinário – aquele que ele realiza na conclusão do curso – diz que ele auxiliará os animais tendo como objetivo o homem e não os animais?! Não estou acreditando...

– Isso mesmo caro amigo – disse Ana Paula, emocionada –, a medicina veterinária não tem como objetivo o amparo aos animais e a defesa dos mesmos, mas, sim, o auxílio à vida humana. Podemos perceber, por tudo que aqui estudamos, que o médico veterinário deveria ser o representante dos animais no mundo, pensando sempre qual a responsabilidade que nos cabe enquanto profissionais. Com a compreensão da Doutrina Espírita, me ficou claro que o diploma que nos é emprestado temporariamente por Deus, no intuito de aprendermos a viver o Evangelho e a Caridade, expandir o amor, pertence a Jesus, mas o utilizamos para exploração destas criaturas inocentes que se confiam a nós. Felizmente, esta realidade vem mudando pouco a pouco. Algumas universidades já se utilizam de manequins para ensinar, dispensando o uso de animais, e o estudo da dor nos mesmos já se aprofundou bastante na medicina veterinária, tendo o médico veterinário diversos recursos para reduzir o sofrimento dos mesmos. Em se tratando de clínica médica e cirúrgica, os recursos se ampliaram muito, particularmente nas duas últimas décadas do século XX e a primeira década do século XXI, mas ainda há muito, muito mesmo a realizar. Isto é conversa para outro dia.

Ana Paula observou ao redor, verificando se todos ainda estavam focados, e satisfeita, continuou:

– Bem, conseguimos perceber a evolução da ciência. Impressionantes relatos científicos tornam o mundo científico em burburinho sobre os animais. Cientistas sérios estudam a inteligência animal com exemplos e publicações incríveis e outros duvidam das conclusões. Mas está aí, para ninguém duvidar. Os mais reticentes se negam a acreditar, mas é uma realidade. É normal isso, como foi normal admitir-se, por exemplo, que a Terra é redonda. Uma coisa a se notar no livro de Darwin, *"A Expressão das Emoções no Homem e nos Animais"*, é que ele diz não conseguir observar emoções nos ruminantes, que são os bovinos e os caprinos, por exemplo, mas, estudos da Universidade Bristol, revelam

*O evangelho dos animais*

outras conclusões, 133 anos após. Os cientistas descobriram, no ano de 2005, que:

*"As vacas têm forte vida sentimental, que inclui emoções como a amizade, o rancor ou a frustração. Os bovinos são ainda capazes de sentir emoções fortes como dor, medo e até ansiedade. Mas se os criadores proporcionam condições adequadas, podem mesmo sentir grande felicidade. Vacas, dentro de uma manada, formam pequenos grupos de amizade com quem passam a maior parte do tempo, cuidando-se entres;, também podem não gostar de outras vacas e alimentar rancores durante meses ou anos...".*

Ana Paula prosseguiu:

– E muito mais. Concomitantemente, a relação entre homens e animais se estreitou nos últimos 20 anos, e nós começamos a perceber reações impressionantes nestas criaturas, permitindo assim que pudéssemos vê-los melhor como são.

– A Doutrina Espírita não fica para trás – disse Plínio. – Vemos, por exemplo, que o item *"Os animais e o Homem"* data do ano de 1860, segunda edição de O Livro dos Espíritos; como já vimos, temos a Revista Espírita de 1865, por exemplo; o livro A Gênese, de 1868; o livro O Consolador de 1940 e o Livro Plenitude, de 1990. Acompanhamos o progresso da humanidade e a Doutrina, na verdade, antecipou-se deixando para agora, na Era do Espírito, o desenvolver da luz que se espargiu sobre os animais e a Natureza. É chegado o momento de não mais esconder a luz, estamos prontos, enquanto humanidade, e espero sinceramente, enquanto comunidade espírita, os trabalhadores da última hora, aqueles que vão impulsionar o planeta de regeneração, aqueles que representam ao Cristo no planeta, para ouvir a Doutrina, ouvir Kardec, o Espírito de Verdade, Emmanuel, Joanna de Ângelis e, tenho certeza, muitos outros, a respeito dos animais, e absorver este conhecimento, representá-lo com responsabilidade, transformar nossa relação com estes irmãos menores, nos evangelizar e, então, evangelizar o mundo pelo exemplo de nossas atitudes. É o momento de clarear os olhos, e fico feliz, porque estamos prontos.

Plínio então se levantou e continuou:

**– Caros irmãos de jornada espírita, caros trabalhadores da última hora, caros companheiros que representam ao Cristo, mesmo com as dificuldades que cada um de nós traz, auxiliando na implantação do Evangelho e no impulso para Planeta de Regeneração, estamos prontos, graças ao Bom Deus, para ouvir a Doutrina Espírita, para ouvir o Consolador Prometido e, como nos diz o querido Emmanuel, mudar a relaçao de crueldade que mantemos com os animais, e nos fazer o Pai, a Divina Bondade, auxiliando-os em sua jornada evolutiva e ensinando-lhes o Amor, tal qual os mentores amigos o fazem conosco. É hora de mudar, é hora da coragem da fé, é hora de tirar a venda e admitir finalmente, após os 150 Anos de Doutrina Espírita, que os animais não são máquinas, mas são nossos irmãos, e nos cabe, como nos disse Jesus, servi-los antes de sermos servidos. imensa oportunidade nos dá o Senhor da Vida de renunciar ao orgulho, abdicar da vaidade, crescer na humildade de aprendiz e trabalhar. Sejamos os humildes aprendizes do Cristo trabalhando para sua obra de Amor, que deve se estender por todas as criaturas de Deus. Vamos ao estudo, caros amigos!**

Amanda, emocionada, levantou-se e continuou:

– Depois de Kardec, tivemos realmente Bezerra de Menezes entre nós, fortalecendo o Espiritismo no Brasil e auxiliando na implantação do Brasil, Coração do Mundo, Pátria do Evangelho. Depois, a espiritualidade nos enviou Francisco Cândido Xavier, para nos falar mais detalhadamente da vida espiritual e da mediunidade, dos trabalhos desenvolvidos na espiritualidade e junto a nós. Eis que ouvimos, então, Divaldo Pereira Franco, com a psicologia profunda junto ao Evangelho de Jesus; virou-se o século e o mundo conheceu o Espiritismo por esse magnífico orador. Estamos prontos para a era do Espírito, para desvendar os erros e a miséria que cometemos com a natureza e os animais, encerramos

*O evangelho dos animais*

nosso estudo hoje com o prefácio de O Evangelho Segundo o Espiritismo, lendo o trecho que diz:

*"As grandes vozes do céu ressoam como o toque da trombeta, e os coros dos anjos se reúnem. Homens, nós vos convidamos ao divino concerto. Que vossas mãos tomem a lira, que vossas vozes se unam, e, num hino sagrado, se estendam e vibrem de um extremo do Universo ao outro. Homens, irmãos amados, estamos junto de vós. Amai-vos também uns aos outros, e dizei do fundo do vosso coração, fazendo a vontade do Pai que está no Céu: Senhor! Senhor! E podereis entrar no Reino dos Céus."* (O Espírito de Verdade)

Todos, então, se levantaram e se abraçaram, por perceberem a oportunidade de aprender a amar e viver a harmonia da lei de amor. Compreenderam com mais profundidade o significado da regeneração e da consciência cósmica. Encerraram o estudo com a prece de Ana Paula.

## Capítulo 14

# QUEEUDIMINUAPARAQUEO CRISTOSURJAEMESPLENDOR

Os dias se passaram com mais alegria para cada um dos companheiros de jornada espírita rumo à integração com a natureza e os animais, mas, mais efetivamente, rumo à integração com as Leis Divinas em sua verdadeira face. O sentimento de humildade perante a própria posição invadiu seus corações, assim como a noção de responsabilidade. Edson acordara durante aquela madrugada com os pensamentos voltados para o estudo do último domingo. Já era quarta-feira, mas ele ainda sorvia as sensações experimentadas pelo deleite de conhecimentos. Tinham combinado de desvendar, de forma mais profunda, todas as nuances do item Os Animais e O Homem de O Livro dos Espíritos. Ele ainda trazia dentro de si uma estranha sensação.

Ao mesmo tempo em que se sentia tão profundamente ligado a tudo o que existe, ficava estarrecido com o fato de fazer parte de uma cadeia que o levava a pensar que cada um tinha a sua parte. Estava acostumado a deixar tudo para o plano espiritual e entender humildade como o fato de apenas ver-se como alguém que luta contra as próprias imperfeições e as admite para si mesmo e para os outros. Costumava mesmo repeti-las para amigos, parentes, e até

*O evangelho dos animais*

mesmo desconhecidos, acreditando que isso fosse eliminá-las de dentro de si mesmo. Mas hoje, após o estudo de domingo, percebia que não só era impossível eliminar o que ia em sua alma, mas que talvez fosse possível transformar, quanto falar aos 4 ventos das próprias dificuldades ainda fazia da suposta humildade que acreditava ter um orgulho disfarçado. Ou seja, percebia que tinha orgulho por admitir as próprias imperfeições, orgulho em dizer a todos que ele sabia que cometia erros, e este sentimento parecia muito contraditório a tudo que havia aprendido. Sentou-se de leve na cama para não acordar Amanda. Levantou-se fazendo mentalmente uma prece e buscou a janela do quarto. A noite fazia-se perene e tranquila. A lua cheia jorrava pequenos focos de luz no quarto, e as estrelas pareciam mais vivas. Abriu devagarzinho a janela para não fazer barulho. Sentiu a leve brisa tocar-lhe a face. Respirou profundamente. Assim, sussurrou uma prece olhando para o alto:

– Senhor, ajude-me a compreender os novos passos que inicio. Sei bem de minha teimosia e dificuldade em viver novas fases, mas sempre tive a Doutrina Espírita como o esteio de minha vida, e o conhecimento que adquiri sempre me levou a tentar ser melhor. Com os estudos desenvolvidos no último domingo, porém, tive a sensação de que tudo que até hoje aprendi foi superficial. Creio mesmo que era o que eu conseguiria, enfim, o que era possível. Admitir o erro de interpretação também não está fácil em meu coração. Durante tanto tempo, tive certezas a respeito da alma dos animais, percebo hoje que estas certezas não somente me prejudicam, mas os prejudica também. Procuro agora, com tamanho golpe em meu orgulho, elucidar-me melhor sobre a humildade, mas fico confuso sobre qual a verdadeira face desta virtude que o Cristo tanto demonstrou. Ensine-me Senhor, a viver melhor segundo seus preceitos.

Ao terminar, Edson trazia os olhos brilhando. Suave emoção lhe envolveu o coração. Sentiu novamente sono e deitou-se.

Acordou às 8 horas. Amanda já não mais se encontrava na cama. Uma alegria de saber invadia sua alma. Respirou um pouco e lembrou que havia tido um sonho. Esforçou-se e ativou a memória. Lembrou-se da presença de sua avozinha, Dona Antônia, junto dele em um prédio alto e de magnífica construção. Um misto de alegria e saudades do carinho da avó Antônia lhe tomou o coração. Resolveu buscar lembrar o máximo que pudesse. Assim, o sonho surgiu-lhe no consciente, desta forma:

*"Um perfume invadia seus sentidos. E acompanhado por mãos desconhecidas, porém gentis, adentrou suntuoso prédio de colunas dos dois lados. Um jardim rodeava a construção, e percebeu que o cheiro agradável que sentia pertencia às flores inumeráveis que rodeavam o prédio, de uma beleza que nunca havia testemunhado, com cores de uma vivacidade quase irreal, como que carregadas de tinta. Subiu as escadas e chegou a uma recepção. Foi atendido por outra mulher, de longos cabelos escuros, pele morena, olhos brilhantes. Muito bonita, mas o que realmente lhe chamou a atenção foi a aura de doçura e o brilho nos olhos. Sua gentileza e carinho para com ele fizeram com que se sentisse acolhido e querido. Assim ela se referiu:*

*– Edson, meu irmão, a querida Antônia o aguarda. Ficamos felizes em tê-lo aqui conosco. Eu sou Luíza.*

*Edson perguntou:*
*– Onde estou?*

*– Este é o prédio das Comunicações Exteriores – disse Luíza –, Antônia, que foi sua avó enquanto encarnada, é uma de nossas mais dedicadas trabalhadoras. Esta colônia é uma das que ficam nas proximidades da Terra, e embora a beleza que aqui exista, estamos localizados no umbral. É fonte de socorro e esperança para muitos, e tem como objetivo o amparo aos animais e a implantação da luz para estes seres tão belos, assim como para os homens. Ao ouvir sua prece, os nossos trabalhadores do setor de seleções avisaram sua avó, que veio ter com você. Este prédio é responsável por receber todas as preces, selecioná-las segundo as necessidades, direcioná-las para setores onde serão atendidas, de acordo com a necessidade evolutiva daquele que pede, levando em consideração sempre a tarefa que lhe cabe, enquanto encarnado, e o que será melhor*

*O evangelho dos animais*

*para ele enquanto Espírito. Mas, independente do pedido, não há prece que não seja ouvida e atendida, porém, nem sempre da forma como é pedida, mas sempre segundo as Leis Divinas e os caminhos que levarão aquele que dirigiu o pedido à felicidade suprema com Deus.*

*Enquanto falavam, andavam pelas instalações interiores do prédio. Fora levado a escada de magníficas proporções, que parecia as escadas rolantes da Terra, mas em forma de caracol, com largos degraus, cor de pérola, como escadarias de teatros antigos, se assim pudermos fazer uma comparação. Mas, apesar do formato, elas direcionaram os dois para cima sem que precisassem subir os degraus.*

*– Esta colônia é para animais? – Perguntou Edson.*

*– De certa forma, sim. Como lhe dizer? Bem, é uma colônia que trabalha para os animais; temos vários setores e prédios voltados para o socorro a eles. Setores de reencarnação, um hospital veterinário central, vários pequenos ambulatórios distribuídos por setor, segundo a causa de desencarne do animal, ou da espécie. Há também ambulatórios especializados em atender os animais encarnados que se apresentarem doentes, e são até aqui trazidos durante o sono físico para tratamento. Encontramos outros setores dedicados a ampará-los, em suas necessidades, durante a encarnação e departamentos especializados em acompanhá-los na vida terrena. A colônia é muito grande e, embora o trabalho direcionado para estas criaturas de Deus, sob a guarda do Cristo e o amparo de Francisco de Assis, para desempenhar tantas tarefas, muitos Espíritos em fase de humanidade, ou seja, muitos seres humanos aqui trabalham e, consequentemente, vivem, durante a vida espiritual. Temos também instalações para os encarnados que aqui nos visitam durante o sono físico. A colônia conta ainda com numerosas escolas, divididas segundo a necessidade de aprendizado e o nível. Há escolas de medicina veterinária, que auxiliam aqueles que pediram para reencarnar com a tarefa de fazerem-se veterinários e amparar os animais. Escolas direcio-*

147

*nadas para o estudo de espiritualidade dos animais. Escolas dedicadas ao estudo da assistência espiritual aos animais. Muitos aqui se encontram em caráter de estudo neste momento. Como vê, Edson, nada na Terra acontece isoladamente, e, numa colônia em que os animais são o foco, muitos humanos também se beneficiam da bondade divina. Existem outras colônias também, como vocês mesmos, espíritas, leram nas descrições de Nosso Lar, que abrigam e direcionam seus trabalhos para seres humanos, mas não dispensam o trabalho de animais que, claro, ali habitam. Está no capítulo 33 do livro em questão, Nosso Lar, com o título Curiosas Observações, a colocação a respeito desta parte com os animais. Tudo serve, meu irmão, na natureza, tudo se une, para Deus. O homem na Terra é que, ainda distante do conhecimento em relação à realidade da evolução, acredita-se em separado do restante das criaturas do Pai.*

*Chegaram a uma porta de luminosidade intensa. Via pequeno burburinho. Luíza abriu a porta e convidou Edson a entrar.*

*Edson olhou ao redor. Sala ampla lhe enchia os olhos. Muitos vasos de plantas encontravam-se, grandes e belos, espalhados pela sala. Uma cúpula de vidro a envolvia, dando-lhe um aspecto, para nós outros, futurista. Via no alto gravada impressionante figura de um lobo ao lado de Francisco de Assis, lembrando famosa cena da biografia deste que se fez o protetor dos animais. Edson passou os olhos por toda a sala. Ao fundo, havia pequeno jardim, com o teto aberto. O perfume das flores que ali se encontravam também enchia a sala. Apesar das falas, todos pareciam muito disciplinados. Muitas máquinas semelhantes a nossos mais modernos computadores ali se encontravam. E um computador maior, se assim puder chamar, encontrava-se no centro do ambiente. Logo reconheceu, vindo em sua direção, a querida avó materna, Antônia. Sorriu alegremente e emocionou-se quase que incontrolavelmente ao vê-la. Com as mãos estendidas, ela estava vestida com uma túnica azul de belíssimas proporções, que lhe cobria*

*O evangelho dos animais*

todo o corpo. Linhas prateadas, a bordavam com delicadas flores. Seus cabelos, presos em coque como usava na Terra, ainda permaneciam num misto de fios brancos e fios pretos, mas adquiriram brilho profundo. Sua face era a mesma, mas as rugas agora existiam apenas de leve. Seus olhos profundamente azuis tinham espetacular brilho e vida. Edson deixou-se levar pela emoção e chorou em seus braços, por revê-la.

Ela, assim, se dirigiu a ele:

– Que alegria em vê-lo novamente, querido! Sua prece foi detectada e encaminhada para nossa colônia, devido ao seu novo trabalho em relação aos animais. Eu aqui estou para responder-lhe as dúvidas. Creio que tenha sido muito bem recebido por nossa querida Luíza, e que ela o tenha feito entender muita coisa em poucos minutos.

Secando as lágrimas, Edson respondeu:

– Sim, querida avó. Realmente, em alguns minutos de conversa, ela me abriu todo um leque de informações acerca da vida espiritual. Obrigado, Luíza.

Dona Antônia respondeu:

– Realmente, Luíza é assim mesmo. Agradeço-lhe, Luíza, por tê-lo conduzido até aqui. Peço desculpas por não poder recebê-lo já na portaria, mas no momento em que chegou, tarefa urgente não permitia que me desvencilhasse.

Luíza respondeu:

– Foi um grande prazer receber o companheiro querido. Peço licença para voltar a meus afazeres e sei que não podia deixá-lo em melhor companhia.

Assim, despediu-se de Edson e Dona Antônia e foi-se. Edson perguntou a avó:

– O que a senhora faz aqui?

– Sou responsável por este setor em que nos encontramos, o das preces urgentes. Abordamos os casos de sofrimentos agudos nos animais, que ocorreram de forma inesperada, como atropelamentos, envenenamentos, etc.

– Puxa! – respondeu Edson –, a senhora deve ser importante.

Dona Antônia sorriu e respondeu:
– Querido neto do coração, importante aqui somente o Cristo. Todos somos os trabalhadores de sua obra de amor. Quanto a nós outros, temos uma responsabilidade que nos exige dedicação, amor e muita prece. Ao lidar com o desespero, é preciso muita confiança nos desígnios do Pai, muita certeza de Seu amor por todas as criaturas, muita fé; absoluta convicção de que o propósito de tudo é o bem; estudo da vida espiritual, em qualquer fase de evolução em que se encontre o espírito, trabalho em equipe, vontade de auxiliar, abnegação.
– Mas a senhora é uma supervisora... – disse Edson.
– Sim, meu filho, sou supervisora em pequena tarefa perto daquele que supervisiona a vida em todos os pontos da Terra. Sou aprendiz deste que é o caminho, a verdade e a vida. Tal posição não me gera, de forma alguma, motivos de privilégios ou admiração, mas, sim, a consciência da responsabilidade de servir. Se aqui supervisiono, mais do que tudo, devo ser o exemplo de todos os que compõem a equipe a mim confiada, e devo inúmeras satisfações a tantos outros que nos supervisionam, inclusive ao nosso maior supervisor, Jesus. Edson, aqui a visão de poder não existe como na Terra; quanto maior a posição, maior o compromisso e a responsabilidade. Sua prece referia-se sobre a verdadeira humildade, lembra-se?
– Ah sim! – respondeu Edson –, qual a verdadeira humildade?
– A verdadeira humildade é aquela a que se referiu Francisco de Assis, em suas palavras e em sua vida:

"Que eu diminua, para que o Cristo surja em esplendor!"

– Tal frase nos demonstra a humildade. Que eu tudo faça para que a obra do Cristo se realize, Que eu cumpra minhas tarefas como cristão, para que a luz do Evangelho possa surtir efeito no mundo. Que eu aprenda a cumprir a vontade de Deus, sem questionar, por reconhecê-lo muito mais sábio do que eu. Que eu

*O evangelho dos animais*

*aprenda a viver tudo que me cabe, utilizando os talentos que já desenvolvi em favor de todos, não de mim e de minha vontade de aparecer. Que eu aprenda a amar. Que eu aprenda a ser caridoso, mas segundo a vontade do Pai, onde ele tiver meu colocado. Assim, quanto mais responsável, estudioso e dedicado eu for, mais o eu crístico que há dentro de mim virá também à tona. E que eu reconheça, em meu atual estágio, tudo que já conquistei, mas também tudo que me falta conquistar. O verdadeiro humilde se coloca a serviço do Cristo em favor de todos e, aprendendo a servir a Jesus, serve a si mesmo. Na Terra, damos valor aos cargos, as posições, sem considerar as responsabilidades. A autoridade, meu filho, é de muita responsabilidade. Aconselho a leitura de O Evangelho Segundo O Espiritismo, no capítulo XVII, Sede Perfeitos, Superiores e Inferiores, quando diz:*

*"A autoridade, da mesma maneira que a fortuna, é uma delegação, de que se pedirão contas a quem dela foi investido...*

*... O depositário da autoridade, de qualquer extensão que esta seja, desde a do senhor sobre o escravo, até a do soberano sobre seu povo, não deve esquivar-se à responsabilidade de um encarregado de almas, pois responderá pela boa ou má orientação que der aos seus subordinados, e as faltas que esses puderem cometer, os vícios a que forem arrastados em consequência dessa orientação ou dos maus exemplos recebidos, recairão sobre eles...".*

*– Assim – continuou dona Antônia – é importante que o homem na Terra, em qualquer posição que ocupe, mesmo que seja um dirigente de trabalho espiritual num centro espírita, lembre-se de que lhe cabe conduzir almas, encaminhá-las para Deus. Meu caro filho, isto vale até mesmo para os pais. E nós, Espíritos ainda em aprendizado do amor, como conduziremos outras almas se não for com a ajuda daquele que se fez o supremo amor aos nossos olhos, Jesus? Como con-*

*duzir almas para Deus, para o encontro de si mesmas, se nós ainda caminhamos para esse encontro? Sem Jesus, estudo, prece e vontade, humildade de saber onde e quando devemos recorrer ao Cristo, responsabilidade com as palavras e os exemplos, não é possível lograr realizar a tarefa.*

*Edson a olhava, impressionado com os ensinamentos. E isto porque já havia lido inúmeras vezes aquele trecho de O Evangelho Segundo O Espiritismo.*

*Dona Antônia continuou:*

*– E isto, meu querido, vale também para a autoridade do tutor para com o animal, em qualquer situação em que se encontre, porque o animal também é uma alma a nós confiada no aprendizado do amor. Encontramos no Livro Missionários da Luz, no cap. 4, a seguinte colocação de André Luiz:*

*"Em todos os setores da criação, Deus, nosso Pai, colocou os superiores e os inferiores para o trabalho da evolução, através da colaboração e do amor, da administração e da obediência."*

*E, para não haver dúvidas, a Codificação kardequiana nos esclarece, em O Livro dos Espíritos, questão 888ª::*

*"Não olvideis jamais que o Espírito, qualquer que seja o grau de adiantamento, sua* **situação como reencarnado ou na erraticidade**, *está sempre colocado entre um superior que o guia e aperfeiçoa e um inferior perante o qual tem deveres iguais a cumprir ... Sede afáveis e benevolentes para todos os que vos são inferiores;* **sede-o mesmo para com os mais ínfimos seres de Criação, e tereis obedecido à lei de Deus.**"

*(São Vicente de Paulo)*

*– Veja filho, isto nos coloca a responsabilidade para com os animais, não somente no plano espiritual quanto na Terra. Seja humilde, Edson, e estuda, reconhecendo o quanto lhe resta aprender. Seja humilde e reconheça imediatamente o quanto ainda precisa corrigir para com os animais. Seja humilde e faça a vontade de*

*Deus, não a do seu orgulho que teima em não admitir o erro. Estude, aprenda, trabalhe e, esquecendo-se de si mesmo, lembre-se daqueles que lhe são inferiores evolutivamente, os animais, trabalhando com coragem para esclarecer outros, porque são chegados os tempos da correção das injustiças. Estaremos com você, não porque seja um missionário, mas porque abriu com humildade o coração para aprender e resolver deixar a vontade de Deus prevalecer. Jesus lhe abençoe.*

Edson abriu novamente os olhos. Sentou-se na cama bem lentamente, como que acostumando o corpo após voltar do deleite de paz em que viveu durante algumas pequenas horas de sua existência. Seu conceito de humildade se modificara totalmente. Até então, embora muito feliz e empolgado com o que vinha aprendendo nos estudos de domingo, refletia como se os conhecimentos estivessem fora de si mesmo, algo para admitir, até mesmo para se orgulhar, por ter acesso à informação ainda tão controversa no meio espírita, e mesmo pouquíssimo conhecida em sua profundidade e significação. Mas agora, após ter estado durante o sono físico com Dona Antônia, tudo ganhava nova dimensão para ele. De repente, sentiu em seus ombros o peso da responsabilidade. Começou a repensar o significado de ser espírita. Sentia-se feliz por ter abraçado a Doutrina dos Espíritos e, de certa forma, por ser um detentor da realidade que revela a verdade do mundo e de todos os mundos. Mas, agora, talvez pela primeira vez, começou a meditar sobre o que significa ter o conhecimento espírita.

Lembrou-se de longas conversas com diversos confrades que compartilhavam, tal qual ele, da filosofia do Consolador Prometido. Veio-lhe na memória conversa de alguns meses atrás com velho amigo desde a infância, que, como ele, tornara-se espírita. Tadeu dizia:

*– Somos os trabalhadores da última hora. Cabe-nos o salário suado do trabalho redentor, se compreendermos que temos um papel diante da sociedade e de nós mesmos. Cabe-nos fazer escolhas de pensamentos, palavras e comportamentos condizentes com o*

*que aprendemos nos textos da codificação, e tão bem desdobrados e elucidados por André Luiz, Emmanuel, Joanna de Ângelis, Bezerra de Menezes, etc. Temos de rever nossos passos.*

*– Amigo, concordo com você – respondeu Edson –, mas ainda vejo tudo tão complexo. Ainda somos tão imperfeitos, me vejo maledicente, me vejo desconfiado e invejoso em inúmeras vezes, e sem coragem de confessar diversos pensamentos e sentimentos que ainda me invadem a alma. Penso que a Doutrina Espírita estará conosco para sempre, como nos prometeu Jesus, e acredito mesmo que, pouco a pouco, conseguiremos viver cada pequena palavra dos textos magníficos deixados pelo Espírito de Verdade.*

*– Veja Edson – continuou Tadeu –, sei que tudo tem seu tempo, cada um de nós encontra-se em um estágio evolutivo, e a natureza não dá salto. Mas, caro amigo, quando será então a hora da regeneração? Quando chegará a "tal" última hora em que teremos de dar o testemunho, se não na transição? Por quanto tempo, adiaremos as necessárias mudanças, com as desculpas de sempre: temos tempo, somos eternos, estamos em evolução, não podemos exigir o que não temos como dar?... Digo-lhe, Edson, será que estamos dando tudo o que podemos? Será mais, será que realmente estamos nos dedicando como deveríamos a mudar nosso íntimo, a viver os ensinamentos? O que significa representar a Doutrina Espírita?*

Agora, após as últimas colocações de Dona Antônia, que lhe chegaram através da emancipação, as palavra de Tadeu lhe ressoavam na alma, e se perguntou, mentalmente:

*"O que significa ser o trabalhador da última hora? Estamos vivendo a transição, os caminhos para a regeneração. Parece-me mesmo que a última hora chegou. Parece que estamos no momento de trabalhar para viver o Cristianismo primitivo, sem ignorar os conhecimentos que a Doutrina Espírita nos deixou. Em se tratando dos animais, tudo nos demonstra o grave equívoco cometido, por falta de conhecimento, é verdade, dos espíritas*

# O evangelho dos animais

*em relação aos animais. Mas, agora, graças à evolução da ciência, podemos compreender as colocações da própria Doutrina Espírita e corrigir o equivoco, e seguir as recomendações de São Vicente de Paulo, na questão 888ª do Livro dos Espíritos, as recomendações do livro Alvorada do Reino, de Emmanuel, as recomendações de Joanna de Ângelis, no livro Plenitude, novamente Emmanuel no livro O Consolador, André Luiz no Livro Missionários da Luz, e, acima de tudo, como os trabalhadores da última hora, aqueles que vêm representar o Cristianismo primitivo, aqueles que devem seguir ao Cristo e dar testemunho aos homens do Evangelho, aqueles que abraçaram junto com as maravilhas do conhecimento espírita a responsabilidade de impulsionar a regeneração, devemos ouvir, então, as recomendações do próprio Cristo:*

*"Amai a Deus sobre todas as coisas e ao próximo como a nós mesmos"*

*Completando com André Luiz no livro Mecanismos da Mediunidade:*

*"O Evangelho, assim, não é o livro de um povo apenas, mas o Código de Princípios Morais do Universo, adaptável a todas as pátrias, a todas as comunidades, a todas as raças e a todas as criaturas..."*

Edson, então, tomou nas mãos O Evangelho Segundo O Espiritismo, e abriu no intuito de realizar a prece da manhã, lendo o trecho do Capítulo XX, item 4, Missão dos Espíritas:

*"... Ide e agradecei a Deus a gloriosa tarefa que vos concedeu. Mas, cuidado, que entre os chamados para o Espiritismo, muitos se desviaram da senda! Atentai, pois, no vosso caminho, e buscai a verdade.*

*Perguntareis então: Se entre os chamados para o Espiritismo muitos se transviaram, como reconheceremos os que se acham no bom caminho?*

*Responderemos: **Podeis reconhecê-los pelo ensino e pela prática dos verdadeiros princípios da cari-***

**dade;** *pela consolação que distribuem aos aflitos; pelo amor que dedicarem ao próximo; pela sua abnegação e seu altruísmo.* **Podeis reconhecê-los, finalmente, pela vitória dos seus princípios, porque Deus quer que a Sua Lei triunfe,** *e os que a seguem são os escolhidos, que vencerão. Os que, porém, falseiam esta lei, para satisfazerem sua vaidade e sua ambição, esses serão destruídos."*

Em seu pensamento, Edson, ao refletir profundamente sobre esta colocação que está no livro de princípios morais do Espiritismo, O Evangelho, que é a luz na estrada sombria de todos nós, outra colocação lhe veio à mente, de O Livro dos Espíritos, na Introdução ao Estudo da Doutrina Espírita, que imediatamente foi buscar. Assim, leu a Introdução, no item XVII, Preenchendo Os Vazios do Espaço:

*O Ceticismo no tocante à Doutrina Espírita, quando não resulta de uma oposição sistemática, interesseira, provém quase sempre de um conhecimento incompleto dos fatos, o que não impede algumas pessoas de liquidarem a questão como se a conhecessem perfeitamente...*
*...Se observarmos a série dos seres, perceberemos que eles formam uma cadeia sem solução de continuidade, desde a matéria bruta até o homem mais inteligente..." (Allan Kardec)*

E, então, já com os olhos marejados de dor, pela ignorância, Edson tomou nas mãos o Livro Conduta Espírita, de André Luiz, psicografia de Waldo Vieira. O título do livro sempre lhe chamou a atenção, por se tratar de recomendação de André Luiz para os representantes da Doutrina Espírita. Pensava que haveria um motivo importante para o título do livro ter a palavra **conduta** em tão forte destaque, referindo-se exatamente ao espírita, numa psicografia de 1960. Encontrou as seguintes colocações no capítulo 33, item Perante Os Animais:

*"Abster-se de perseguir ou aprisionar, maltratar ou sacrificar animais domésticos ou selvagens, aves e peixes...*

*O evangelho dos animais*

*Esquivar-se de qualquer tirania sobre a vida animal...
Opor-se ao trabalho excessivo dos animais...
Apoiar, quanto possível, os movimentos e as orga-
nizações de proteção aos animais, através de atos de
generosidade cristã e humana compreensão.
Os seres da retaguarda evolutiva alinham-se conosco
em posição de necessidade ante a Lei."*

Lembrou-se, então, de uma colocação feita no livro O
Evangelho Segundo O Espiritismo, que nunca compreendera
exatamente, mas agora, com o estudo a respeito da alma
dos animais, começara a ficar clara. Leu o capítulo XI, Amar
ao Próximo como a si mesmo, item 14:

*"Ignorais que há muitas ações que são crimes aos
olhos do Deus de pureza e que o mundo nem sequer
como faltas leves considera?"*

Edson, então, percebeu que a ignorância natural da fase
evolutiva, diante da verdadeira razão de existir dos animais,
o fez, enquanto humanidade e, particularmente, enquanto
espírita, cometer muitos e muitos erros e injustiças com estas
criaturas, que aguardam do ser humano o amor e a bondade.
Sentiu-se pequenino, porque percebeu o quanto esta dificuldade, e agora a teimosia que descobriu, em seu íntimo,
de admitir, por orgulho, que esteve errado em suas interpretações acerca dos animais, teve consequências mais sérias
do que simplesmente ouvir de um ou outro amigo, ou da
própria esposa que esteve errado; teve consequências para
os animais, e para a Doutrina Espírita, já que ele era, como
espírita, um representante do Cristo e do Consolador Prometido. Em prece, assim falou:
– Perdoe-me Pai, perdoe-me. Eu não sabia, eu não
imaginava. Acreditava já ter compreendido perfeitamente
a questão dos animais. Acreditava já o saber. Perdoe-me,
como posso me redimir?
Então, em seus ouvidos de médium, pôde perceber a fala
de um Espírito cuja vibração muito o emocionou, tamanha
a sensação de amor que sentiu, junto à misericórdia do Pai:
– *Deve pedir perdão, meu filho, não para Deus,*

*que não se ofende com nossos erros, mas aguarda que tenhamos coragem de reconhecê-los e humildade de entendê-los, bem como caridade com nós mesmos para nos perdoarmos. Deve pedir perdão aos animais, meu filho, são eles que têm sido vítimas da ignorância do homem. Enquanto nós não compreendemos o papel primordial que temos como representantes das Verdades consoladoras do Espiritismo, no que tange à harmonia das leis na Terra, estendendo as revelações contidas na Doutrina a quem elas pertencem de fato, ou seja, aos homens, sem dúvida, mas também a toda natureza a aos animais, enquanto isto não acontece, eles sofrem. Preciso é que se entenda urgentemente, sobretudo o trabalhador da última hora que, enquanto discute filosoficamente sobre as teorias espíritas, em largas e confortáveis mesas, buscando interpretar textos que não tinham como ser interpretados antes, e concluindo coisas que não tinham como ser concluídas antes, deixa de fazer a base do que ensinou Kardec: observar.*

Dando intervalo para que Edson pudesse absorver suas colocações, o frei franciscano que lhe falava aos ouvidos de médium, assim continuou:

*– Saia a campo, meu filho, e olhe nos olhos dos animais. Observe suas atitudes, seus gestos, e veja se, por si mesmo, não poderá concluir a inteligência, a sensibilidade e o amor destas criaturas de Deus. Mas faça-o para com todos os animais que lhe for possível. Observe o cão e o gato, mas também a vaca e o boi, observe os pássaros, mas também o cabrito e o porco. Vá e observe os animais selvagens, mas não deixe para trás nenhum dos domésticos. Em todos, verá vida nos olhos, nas atitudes, bem como gestos que lhes indicam sentimentos. E atente para que as longas discussões filosóficas não mais se prolonguem, porque, meu filho, enquanto nós, espíritas, estamos discutindo, uma verdade aterradora acontece fora de nossas mesas confortáveis:*

***Os animais estão sofrendo e, na maioria dos***

*O evangelho dos animais*

**casos, sofrem pela ignorância do Homem, que os consideram máquinas.** *Tal situação exige urgente reformulação, e só há um caminho para a reformulação e a verdade: a aplicação prática e definitiva do Evangelho. Siga, meu filho, as recomendações de Emmanuel, por exemplo, abraçando o amor em seu verdadeiro significado, sem subterfúgios e sem pretextar ignorância, no livro Alvorada do Reino, capítulo 15:*

*"Se é justo esperar pelo amor que verte sublime, do Céu, em teu benefício, é preciso derramar este mesmo amor nas furnas da Terra, a que consciências fragmentárias se acolhem, contando contigo para que se eduquem e aperfeiçoem...*

*... Lembra-te do mel que te angaria medicação, da lã que te oferece o agasalho, da tração que te garante a colheita farta e do estábulo que te assegura reconforto e sejamos mais humanos para aqueles que aspiram a nossa posição dentro da humanidade."*

*– Siga feliz, Edson meu filho, com a humildade de quem aprende. O conhecimento é de suma importância, mas conhecimento sem aplicação, e teimosia sem necessidade é perda de tempo e adiamento do trabalho de cada um de nós na obra do Cristo, permitindo a continuidade do sofrimento de outros que aguardam a nós, que devemos levar-lhes a luz da verdade e da esperança, da fé e da bondade, representando-lhes o amor, tal qual outros nos representam. Em sua dor e sofrimento, os animais também esperam que sejamos corajosos o suficiente para admitir que chegou o momento de aprender a aplicar o amor. De tal forma que não nos tornaremos empecilhos da obra de Jesus, nem da regeneração, e muito menos do encerramento do sofrimento de tantos filhos de Deus, somente porque achávamos uma coisa e é outra. Trabalhe filho, e agradeça, porque esta é a verdadeira razão de existir!.*

Edson chorou copiosamente e assim continuou a prece, resoluto em prosseguir no caminho que iniciara:

– Meus caros irmãozinhos animais, perdoem-me. Não sabia antes, mas hoje já posso ver. Perdoem a mim e perdoem a humanidade. Perdoem-nos por todos os equívocos cometidos, pela dor causada, pelo sofrimento, por nossa frieza. Quem aqui lhes fala é alguém que humildemente deseja servir ao Cristo e ao Espiritismo, mas observa que é impossível sem servir a todas as criaturas de Deus. Que Deus nos permita continuar, aprender a amar e a representar o Consolador Prometido com humildade e amor. Assim seja.

*Capítulo 15*

# OBSERVAÇÕES LÓGICAS

Andando pelas ruas, naquela noite de sábado, Plínio não conseguia deixar de lembrar-se de tempos distantes, em que se encontrava perdido nas drogas. Em sua mente, transitavam as imagens de sua mãezinha aflita, da ignorância que ele trazia no coração, do sofrimento infringido a ele, a ela e a todos os que os cercavam, de seu pai indo embora, e ele alheio à realidade ao redor. De repente, parou.

Viu a sua frente pequena cadela, de cerca de 10 kg, encolhida em um canto; observando melhor, viu que em seu abdômen acomodavam-se cerca de seis filhotes. Ainda jovens, calculou, em seu pouco conhecimento a respeito que pareciam não ter mais do que 5 ou 6 dias. Estava uma noite quente, mas ainda assim, a imagem o sensibilizou. Identificou-se imediatamente com a pequena, porque ele sabia, melhor que muitos, o quanto era difícil estar deitado na rua, adaptando-se quanto possível, vivendo alheio a toda a sociedade. Muitos o ignoravam, a maioria dos transeuntes sequer o enxergava. Se não fosse o amor de sua querida mãe, teria se perdido na vida e, com certeza, em pouco tempo, desencarnaria.

Claro que Plínio não culpava a sociedade por suas dificuldades com a droga, mas não deixava de notar o quanto fizera a diferença ter alguém que acreditasse que era possível ele viver melhor. Mesmo à distância, nos poucos momentos de lucidez que enfrentava, embora as crises de abstinência, sentia o amor de sua mãe e desejava o abraço carinhoso. Mas logo voltava ao delírio. Olhou no fundo dos olhos da cadelinha. Ela fez menção de fugir, com pavor no olhar, como se pudesse ser atacada por ele. Pensou em tudo que vinha aprendendo com a Doutrina Espírita, e no quanto milhares e milhares de animais fogem da aproximação humana, aterrorizados, porque representamos o terror, o verdugo, a dor.

Ajoelhou-se devagarzinho e foi falando com a cachorrinha:
– Oi, queridinha, tenha calma! – mantinha a voz baixa e os movimentos lentos, buscando ganhar a confiança. Assim, continuou:
– Você deve ter sede e fome. Posso me aproximar? Não lhe farei mal algum. Seus filhotes parecem tão belos, tão pequenos!

Plínio se aproximou mais um pouco. A cadela, então, se levantou rapidamente, ainda com os filhotes pendurados nas mamas, e rosnou, dando sinal de que o atacaria caso continuasse. Mas seus olhos não eram de uma fera, mas de medo, muito medo. Plínio entendeu o recado, e afastou-se devagar.

Observando de longe, viu que a pequena foi lentamente voltando ao local em que estava, e continuou amamentando os filhotes. Ele decidiu, então, voltar em casa, buscar cobertor, uma caixa plástica que tinha, potes de água e comida. Assim o fez. Colocou tudo a certa distância da cadela e lhe disse que aquilo era para ela. Prometeu retornar todos os dias para abastecer seus potes de alimento e água. Procurou colocar a caixa em local seco e quente, embaixo de uma laje de loja abandonada, com certa distância da rua. Olhou fundo nos olhos da cadela e lhe disse:
– Sei que você, como inúmeros animais, tem todas as razões para não acreditar em minhas boas intenções. Queria dizer-lhe para ficar tranquila. Compreendo sua reação e só desejo ajudar. Jesus, tenho certeza, estará com você nos dias que se seguirão, garantindo, na medida do possível, a sobrevivência destes que traz junto a si, que são novas almas iniciando a reencarnação, como nova oportunidade de evolução. Quisera pudessem todos os homens compreenderem isso. São almas que retornam ao mundo, tomara que aprendam mais sobre o amor dos homens do que

*O evangelho dos animais*

você aprendeu nesta sua jornada evolutiva. Tomara!... Se você me permitir, buscarei famílias que possam adotá-los e, caso você confie em mim, levarei você para casa depois. Darwin precisará mesmo de uma companhia.

Plínio seguiu para seu destino, não sem antes refletir na necessidade da irmãzinha que deixava ao relento. Insistiria, mas sem agredi-la. A cadelinha lhe dizia, com gestos e sons, que não queria que ele se aproximasse, e que, caso insistisse, seria agressiva. Estranho, pensava ele, aprendera na Doutrina Espírita que animal não tinha livre-arbítrio, mas este gesto desta cadelinha o fizera questionar, afinal, ela decidia por não deixar que Plínio se aproximasse. Decidiu, então, observar melhor para concluir por si mesmo, e depois consultar a Doutrina Espírita.

Chegou, então, a seu destino. Estava indo ao cinema encontrar com uma velha amiga, Patrícia. Conversava com ela sobre o ocorrido, relatando suas observações. Patrícia resolveu contar-lhe a respeito de um animal que tinha, convidando-o para um lanche após o filme.

Sentaram-se em confortáveis cadeiras no cinema, cada um com um grande saco de pipocas nas mãos. O filme contaria a história de um cãozinho. Plínio pensou consigo, como, de repente, sua vida estava cheia de animais e suas histórias. Patrícia, então, se referiu:

– Plínio, a história que iremos ver é real. Trata-se de filme feito sobre um cão japonês. Lúcio, meu namorado, que está fazendo pós-graduação nos Estados Unidos, como você sabe, assistiu lá e me recomendou, disse que eu adoraria. Por isso o convidei.

Começou o filme. E logo se emocionaram com a relação que o cãzinho mantinha com seu tutor. Algo chamou a atenção de Plínio: o cão negava-se a brincar de bolinha e seguia o dono todos os dias até o local em que pegava o transporte para o trabalho. Embora o tutor tentasse educá-lo para que não o fizesse, era impossível. O tutor saia na frente, o cão logo atrás. Até que o tutor cedeu, e ambos passaram a ir juntos até o transporte; tratava-se de uma estação de trem. Logo, todos na região conheciam o cão, afinal, ele ia alegre e faceiro junto ao tutor até a estação.

Para surpresa de todos na cidade, na hora exata em que o tutor retornava, lá estava o cão na estação de trem a esperá-lo.

163

O filme correu com agradáveis surpresas e momentos tristes, o que deixou Plínio mais emocionado do que imaginava. Não deixou de observar o quanto aquele cão escolhia sobre o que ia fazer, desobedecendo ordens e insistindo constantemente em suas atitude, que acabavam por ser respeitadas, e assim foi durante toda a película.

Ao sair do cinema, Patrícia, que estava ansiosa e emocionada, resolveu contar sobre sua gata de nome Isa. Assim, relatou:

– Você se lembra de minha gata, a Isa?

Plinio respondeu:

– Claro que sim, uma gata branca, bela e querida, mas um pouco arisca, não é mesmo?

Patrícia riu. Enquanto olhava o cardápio, já na lanchonete do shopping, disse:

– Um pouco é gentileza sua. Isa não é nada fácil, às vezes. Ela escolhe aqueles a quem dedicará carinho; em geral, são os de casa. Conosco ela é um anjo, mas, com as pessoas de fora, parece um cão de guarda. Isa agita-se assim que toca o interfone, e qualquer um que adentre a casa é olhado por ela com desconfiança. Não sei o que aconteceu com ela, talvez tenha sido algo em outra reencarnação, mas desconfia de todos. A não ser eu mesma e meus pais, ninguém mais consegue se aproximar dela, como você sabe.

– Se sei, já tentei várias vezes, sem sucesso.

– Pois então – continuou Patrícia –, dia desses esteve em casa um antigo amigo de meu pai, que não via há anos. Um senhor alto, de olhar firme, de nome Manoel, com voz forte. Normalmente, causaria terror em Isa. Mas ele chegou e disse:

*– Que linda gata, como se chama? Enquanto isso, escorregava a mão pelo sofá para chamar a atenção de Isa.*

*– Isa – respondi.*

*Ele, então, disse:*

*– Isa, venha cá, gata querida. Sou seu amigo, venha me conhecer.*

*Isa, para nossa surpresa, aproximou-se devagar. Cheirou sua mão, deixou que fizesse carinho embaixo*

*O evangelho dos animais*

do queixo. *E para nos deixar mais estarrecidos, logo aceitou deitar no colo do Manoel, onde permaneceu durante todo o tempo em que este esteve em casa. Não conseguíamos compreender como ela assim deixou-se levar. Ao final da conversa, quando preparava-se para sair, Manoel disse.*
*– Sua gata, Isa, tenho a impressão de que já a conheço. Ela precisa de muito carinho, cuide dela.*

– Assim, despediu-se de Isa que o acompanhou até a porta. Ela sempre foi tão arisca, mas com Manoel... então percebi que ela realmente escolhe, acredito que por segurança, quem acredita que possa se aproximar. E nem podemos dizer que foi por condicionamento ou obediência, porque se tem uma coisa que gatos não são, é criaturas sujeitas a adestramento. Mas são tão fascinantes!
Plínio, sorrindo, disse:
– Lembro-me de uma história que meu Pai contava, quando eu era criança. Durante algum tempo trabalhou em uma fazenda, e tinha um burro que era seu companheiro fiel. Quando ele era adolescente, o burro tinha fama de ser muito rebelde, quase ninguém conseguia montá-lo. Dia chegou em que o dono da fazenda chamou meu pai e assim disse:

*– José, de agora em diante, você vai trabalhar com aquele burro. Ele será seu companheiro diário. Meu Pai pensou:*

*"Meu Deus, não sei como vou fazer, porque esse burro é muito difícil!"*
*Um colega de trabalho, bem mais velho que meu pai, riu e já foi provocando:*
*– Ih, Zé, esse burro não tem jeito! Só eu consigo montá-lo e, para conseguir, tem que ser firme. Toda vez que ele tenta reagir, não tenho dúvida... ele apanha. Só assim para obedecer. Com animal a gente não pode bobear.*
*Meu pai, como não tivesse coragem de bater no burro, passou o dia seguinte todo tentando montar no mesmo. Quase levou vários coices e caiu inúmeras vezes. Ao final do dia, já não mais aguentava. Cansado, percebeu*

*que o burro também estava esgotado. Então, seguran-*
*do-o, trouxe-o para próximo da casa. Amarrando-o em*
*curral próximo, tirou-lhe a sela. Notou o suor correndo*
*por suas costas arqueadas. Ambos estavam mesmo*
*esgotados. Pensou: "daria tudo por um banho e um*
*bom prato de comida agora"*
*Olhou, então, para o burro. Achou que, de repente,*
*ele desejasse o mesmo. Achou uma mangueira, deu-lhe*
*um banho, o que fez o burro relaxar e até brincar de*
*leve com a água, denotando o prazer que o gesto lhe*
*causou. Em seguida, deu-lhe comida e disse:*
*– Vou lhe chamar Panko. Amanhã, teremos longo*
*dia, espero que com mais sucesso, pois, amigo, temos*
*de aprender a trabalhar juntos. Panko, até amanhã. Sol-*
*tou-o e o deixou comendo.*
*No dia seguinte, quando meu Pai acordou, Panko o*
*aguardava na entrada da porteira, próximo à casa. Co-*
*locou-lhe a sela sem dificuldades e o montou. Traba-*
*lharam juntos todo o dia, e à tarde. Panko ganhou outro*
*banho e alimentos saborosos. Assim foram todos os*
*dias, e Panko e meu pai tornaram-se grandes amigos.*

A conversa entre Plínio e Patrícia rolou solta ainda durante algumas horas. Plínio, então, se dirigiu para casa, afinal, o dia seguinte era dia de estudo, e estava ansioso por levar todas as informações que havia observado.

Ao chegar em casa, pensava sobre as diversas escolhas que acompanhou nos animais. A começar por Panko, lembrou-se de um texto do livro Plenitude, de autoria espiritual de Joanna de Ângelis, psicografia de Divaldo Pereira Franco; buscando o livro na estante, e lendo o capítulo V, encontrou:

*"Mesmo os animais selvagens, sob domesticação,*
*tornam-se amigos, e recebendo a vibração do amor al-*
*teram a constituição do instinto agressivo, mudando de*
*comportamento, o que atesta a presença do psiquismo*
*divino em germe, em tudo e todos...*
*... Da experiência de identificar a bondade nos seres*
*em geral vem a extraordinária conquista de descobrir a*
*presença de Deus em toda parte, em todas as criaturas..."*

*O evangelho dos animais*

Panko era a prova viva de que o texto de Joanna de Ângelis era real. Ao receber o amor ao invés da agressão, o carinho ao invés da maldade, Panko sentiu-se acolhido. Meu pai se identificara com ele, pensou Plínio, pois também, após o dia exaustivo, sentiu fome e muito calor, além de cansaço; pensou, acertadamente, que Panko também sentia o mesmo. Então, Plínio concluiu que se o homem compreender melhor os animais, se dedicar-se a compreender a Doutrina Espírita, se estudar com profundidade textos como este, do livro Plenitude, se estudar a alma dos animais, poderá reverter a situação construída durante muitos séculos, em que os animais passaram a ter como atitude instintiva fugir do homem, porque o homem, em sua ignorância das leis do Evangelho, não foi ainda capaz de aprender a amar e agradecer aos animais, observando isso também como forma de gratidão a Deus, que ama todos os seus filhos e não dá preferência a nenhuma criatura. Ah, quanto ainda temos de aprender, e quanto a Doutrina Espírita ainda tem a nos ensinar, quanto a compreender o verdadeiro significado do amor, da gratidão, do Evangelho! Terminou a leitura da noite com outro texto do mesmo capítulo V do Livro Plenitude:

> *"Da mesma forma, ao ser identificado qualquer valor relevante, **especialmente a bondade** em pessoas e **animais**, nos elevados objetivos da vida vegetal, **é preciso planejar retribuir esse sentimento.**"*

Plínio continuou pensando:

> *Sob este ângulo, quanto temos sido ingratos com os animais! Quanto não lhes observamos os gestos de bondade, a presença de Deus em seu âmago! Quantas vezes a lã nos esquenta, o leite nos alimenta o estomago, o trabalho deles nos auxilia! Quanto os exploramos ao invés de os agradecer! Quanto é urgente que isso mude! Quanto o cão que temos em casa nos recebe alegremente! Quanto os animais perderam a confiança em nós, porque nos tornamos, ao invés do exemplo da bondade de Deus e da gratidão, os senhores de escravos da vida animal, fazendo destes objetos de nossa*

*exploração! Joana de Ângelis nos acorda nestes textos para a realidade; são criaturas que, como nós outros, trazem a presença divina no íntimo, aguardando o ensinamento e o exemplo de amor daqueles que são mais velhos na escala evolutiva. Que o Senhor nos ilumine na nova jornada!*

Com estes pensamentos, Plínio adormeceu, não sem antes planejar acordar mais cedo na manhã seguinte para saber como está a companheirinha que deixou na rua com os filhotes. Adormeceu pensando neles.

No domingo seguinte, levava consigo deliciosa comida preparada por sua mãe, que ficara condoída com a história de outra mãezinha na rua junto com os filhos, e Plínio, então, saiu perto de sete horas da manhã de casa.

Ao chegar ao local, viu que a caixinha estava lá, e os potes de comida e água vazios. Aproximou-se lentamente e foi se abaixando conforme chegava perto. Encontrou então a cadelinha olhando para cima, dentro da caixinha, amamentando os bebês. Ela o olhou ainda desconfiada, mas notou que, em seu olhar, o medo não era mais tão gritante. Não quis invadir sua tarefa materna. Aproximou-se um pouco mais do que no dia anterior, e só parou quando o animal fez menção de se levantar. Falou com ela:

– Olá, cara amiga, bom dia! Espero que você e seus pequenos filhos estejam bem. Vim até aqui para cumprir a promessa feita ontem. Trago-lhe água e comida. Sabe, sei como se sente, já passei por isso. Sei a dor de ser menosprezado. Minha mãe também conhece a dor de ter de defender o filho das intempéries e do desprezo do homem. Ela fez questão de lhe dizer que tudo vai dar certo e preparou deliciosa refeição para você. Vou colocar no potinho de comida. E também vou lhe deixar com água fresca. Venho pensando em um nome para você; na verdade, pensei em vários nomes. À medida que permitir que me aproxime, vou falar-lhe todos e você escolhe o que mais deseja. À noite, retorno com mais comida e água fresca e um novo cobertor limpo se me deixar trocar. Fique com Jesus, cara amiga.

Assim, Plínio continuou feliz por perceber que conseguiu um grau de aproximação. Percebia que a pequena cadela já confiava mais nele, e que, se continuasse assim, logo

*O evangelho dos animais*

conseguiria se aproximar e levá-la para casa. Poderia, então, procurar famílias para adotar as crianças e adotar ele mesmo a mãezinha, retirando-a, assim, das ruas. Seu coração enchia-se de júbilo, domingo era um dia feliz. Queria chegar logo à casa de Amanda, haviam combinado de discutir a respeito do item Os Animais e O homem de O Livro dos Espíritos e ele procurou ler durante a semana. Mas percebeu logo que o estudo teria de ser mais profundo do que eles estavam imaginando, porque cada frase, às vezes, até mesmo as colocações das perguntas davam ensejo a inúmeras interpretações, que necessitavam de novas consultas em outros livros. Ainda assim, o estudo o empolgava. Percebia um novo mundo se descortinando. Pensava no caminho:

*"Não sei há quanto tempo me encontro neste planeta, recebendo um corpo novo a cada reencarnação, mas é como se, pela primeira vez, eu enxergasse com mais profundidade o ambiente ao meu redor. Embora convivendo com a natureza, com a terra, com os animais, nunca os havia olhado como parte integrante e essencial do mundo. Via-me à parte, acima de todos eles.*

Parou em frente a uma árvore na calçada. Ouviu pássaros cantando no topo da mesma. Tentou sentir a vida destes pequenos seres espalhados aos milhares somente na cidade de São Paulo. Sempre os olhava e os admirava por sua beleza e seu canto. Mas, desta vez, tentou se colocar no lugar deles, pensando:

*"Eles são muito menores do que tudo ao redor, são menores do que os homens, imagino como os prédios, o asfalto, as arvores, até mesmo um cão ou um gato têm uma outra dimensão para eles. Deve ser mais ou menos como acontece com as crianças que começam a andar. Seu gestos leves, seu canto singelo, a necessidade de encontrar alimento, de alimentar os filhotes! Quisera pudéssemos, como Francisco de Assis, que eles pousassem em nossos braços, sem medo. São tão frágeis! Ainda bem que têm seus meios de defesa. Mas quanto os notamos realmente!. Alguns podem*

*achar um absurdo um carro parar caso encontre um deles parado no asfalto. Mas imaginemos do ponto de vista deles. Um veiculo imenso vindo em sua direção e, caso não perceba e não saia rápido, passa por cima de você sem a menor piedade. E os olhos... quanto brilho nos olhos de um pássaro! Quanto eles percebem ao nosso redor?*

Plínio lembrou-se do papagaio de sua amiga Aline. Cada vez que ia ao veterinário começava a gritar três quarteirões antes, dizendo seguidamente não, não, não... E isso somente acontecia quando era levado ao veterinário. Significa, então, que ele percebia o que havia ao redor, reconhecia o caminho e tinha memória. Quanto estes outros pássaros também não têm? Impressionante.

Assim, Plínio sentiu de forma diferente sua identificação com a natureza e os animais, e, talvez pela primeira vez de forma consciente, como se fizesse parte do mundo deles e eles parte de seu mundo. Plínio sentiu-se, então, como parte do mundo de Deus, onde tudo e todos são integrados nos laços de amor. Sentiu isto, viveu melhor isto, e ficou mais harmônico e sereno. Parecia que começava a encontrar o caminho da felicidade, que estava, surpreendentemente, mais fácil e acessível do que imaginava.

Assim, seguiu para a casa de Amanda.

## Capítulo 16

# A MEDICINA VETERINÁRIA

Finalmente, era domingo. Ana Paula passara a semana de trabalho tentando viver melhor os ensinamentos que pôde colher no estudo da última reunião. Percebeu a profunda modificação que isso trazia ao seu dia a dia. Sempre viu os animais como seres dotados de alma, nunca os acreditou como objetos dos quais pudesse dispor como quisesse. Na faculdade, sua experiência nem sempre foi das melhores. Procurou o curso de medicina veterinária porque trazia em seu íntimo o amor pelos animais. Ainda jovem, em seus 17 anos de vida, sonhava com o dia que usaria branco e carregaria em seus ombros um estetoscópio, aparelho este que representa, praticamente, o símbolo da medicina, pois permite se ausculte, que é o termo médico para escutar o coração, o órgão da vida.

Ao começar os estudos rumo à formação veterinária, a relação inicial com os animais foi muito distante do que esperava, e se viu forçada a encontrar uma forma de defesa para preservar seu lado emocional. Ainda jovem, aprendeu a utilizar ratos e sapos para experimentos, muitas vezes a sangue frio e, em alguns casos, anestesiando-os com éter. Para muitos, estes animais poderiam ser considerados desprezíveis, mas embora alguns alunos e, com certeza, seus professores, não o notassem, ela via os olhos de cada um deles. Os ratos brancos, algumas vezes, tremiam, os sapos se submetiam às experiências, mas seus olhos mostravam terror. Havia ali mais do que objetos; observava, por exemplo, que entre os ratos que conviviam juntos desenvolviam-se certos vínculos e, quando estudados, percebia-se que tinham vida social semelhante ao ser humano. Ana Paula sofrera muito nesta fase, e foi, pouco a pouco, tornando-se fria quanto às observações que fazia, de forma que não tivesse o coração tão dolorido e a mente tão angustiada. Mas, no fundo, sua consciência a cobrava. Com 19 anos de idade, iniciara os trabalhos na área do hospital veterinário da faculdade, e os animais que lhe serviam como fonte de aprendizado eram cães capturados pelo centro de controle de zoonoses local, que, por não terem um tutor, alguém que fosse responsável perante a lei por sua sobrevivência, estavam ali para serem usados como cobaias.

Ela os olhava nos canis, latiam sem parar e, por isso, eram, muitas vezes, repreendidos. Alguns serviriam para o aprendizado cirúrgico da medicina e da veterinária. Outros eram objetos de diversas pesquisas. Um grupo de cães beagles eram especialmente reservados para testes em um projeto de um professor com novo medicamento. Ela se aproximava e eles faziam festa. Abanavam o rabo, alguns sorriam. Embora não pudesse, levava escondido petiscos e colocava nomes em cada um deles. Ans osos, aguardavam sua presença. Cada vez que ali chegava e sabia que algum deles havia sido sacrificado, após seu uso em uma cirurgia, seu coração se enchia de dor, e chorava baixinho, pedindo-lhe desculpas mentalmente pela falta de sensibilidade humana. Pensava:

*"Muitos e muitos destes animais, ou nasceram nas ruas ou foram abandonados, viveram à parte da sociedade em situação miserável, à custa de restos de comida. Passaram por diversos traumas, como atropelamentos, chutes, gritos, água quente. Por falta de acesso à uma alimentação adequada, em muitos casos, só tinham os lixos para encontrar alimento. Mas foram inúmeras vezes escorraçados por donas de casa que, obviamente, se incomodaram com seus sacos rasgados na rua. Pouco conheceram da capacidade de amar e amparar dos homens, mas vivenciaram a dor e*

*O evangelho dos animais*

*a tristeza do abandono. Esperaram o tutor por dias, e sofreram as mais diversas situações na chuva, no frio. Após sobreviver a tudo isso, foram capturados a força por um carro do centro de controle de zoonoses, e quando, finalmente, estiveram em abrigo, num hospital veterinário, sob os cuidados de homens que deveriam ter-lhes aliviado a dor e o sofrimentos, tornaram-se, ao final da vida tão sofrida, objeto de estudo e exploração, terminando a vida em sacrifício. Até o final, foram desprezados e coibidos em seus mais profundos sentimentos, desconsiderados, e morreram pelas mãos do homem incapaz, ainda, de lhes reconhecer a alma. E, o mais triste, através da ação de médicos, enfermeiros e veterinários, biólogos, enfim, aqueles que estudam a vida, o comportamento dos animais, aqueles que deveriam ser a voz dos animais a defendê-los.*

E Ana Paula foi, para sobreviver, ao longo do curso de medicina veterinária, tornando-se fria e deixando de olhar nos olhos deles, para não lhes identificar desejos, sentimentos, e não ter piedade e amor.

Ao terminar a faculdade, tornou-se mais fria, mais indiferente ao sofrimento. Sofreu um choque no mercado de trabalho, pois que, enquanto alguns tutores não se importavam com seus animais, outros exigiam dela o sentimento de compaixão, amor e bondade que aprendera, durante os cinco anos de curso, a perder. Construira uma camada de indiferença em seu coração, felizmente quebrada, em parte, ao longo do tempo, por alguns animais que eram tão amáveis e agradecidos que lhe tocavam a alma, e Ana Paula sentia-se novamente com 17 anos, e seus olhares a faziam ficar mais sensível. Rapidamente, procurava afastar tais sentimentos de seu coração, para não se apegar e não sofrer.

Hoje, sabia que o curso de medicina veterinária ainda se utiliza de animais em seus experimentos, particularmente os menores, mas, ainda assim, alguns alunos, mais maduros e corajosos do que ela fora, assim como com a Internet e o campo de informações aumentando muito, processavam as faculdades, e os juízes lhes davam ganho de causa. Isso vinha obrigando as universidades a utilizar métodos de ensino alternativos que, comprovadamente, tinham resultado muito melhor, como bonecos que simulavam os parâmetros nos animais e permitiam o aprendizado do aluno. Os estudos mostravam que os resultados eram semelhantes, mas, para Ana Paula, eram melhores, porque não desensibilizavam o aluno quanto ao principal sentimento que deve mover toda criatura dotada de um diploma que lhe faz responsável por vidas: a compaixão.

A compaixão e a piedade, sentimentos que fazem com que nos coloquemos no lugar daqueles que sofrem. A faculdade de medicina veterinária hoje tem profundos estudos sobre a dor e, através deles, os animais têm outro tipo de tratamento. Aprender a técnica pode tornar o médico veterinário, tecnicamente, muito bom. Mas amar torna um médico veterinário condizente com o objetivo maior da medicina, que é aliviar o sofrimento.

Muitas vezes, Ana Paula aplicou o mesmo tratamento, para a mesma doença, em pacientes semelhantes e de idade semelhantes, com sintomas semelhantes, ambiente semelhante, e obteve resultados totalmente diversos entre eles, sendo que alguns sobreviviam, outros desencarnavam, ou seja, morriam. Alguns tinham sequelas e outros não. Ainda que todo cuidado fosse tomado, foi, para ela, cientificamente falando, a prova viva de que animais não são máquinas, pois que, se o fossem, responderiam igualmente, quando da certeza do diagnóstico e do tratamento tecnicamente bem aplicado. Mais do que os sentimentos e olhares dos animais, sujeitos à observação, a constatação técnica, para o veterinário, treinado para pensar tecnicamente, de que não pode controlar a resposta que seu paciente, o animal, apresentará no tratamento, o obrigando a não ter como garantir o resultado, é a prova de que animais têm alma, ou seja, de que há algo além do corpo, de que algo controla a vida frustradamente, para o médico veterinário que não ele próprio.

Assim, a experiência, a observação sincera e o entendimento da espiritualidade, mesmo que muito pequeno, em relação aos animais, fizeram com que Ana Paula compreendesse algumas coisas:

Seu papel não era o de curar, pois se o fosse, alcançaria sempre a cura. Seu papel era propiciar ao corpo do animal os meios de resolver a doença, combatendo-lhe a causa.

*O evangelho dos animais*

Todo medicamento por ela ministrado atingia o corpo. Mas, no desencarne, todos eles ficavam no corpo. Nenhum medicamento, obviamente, acompanhava a alma do animal. Havia, porém, um salutar remédio que estaria com a alma do animal, mesmo com o desencarne. O amor, a compaixão, a piedade, a dedicação que ela podia lhe dedicar. Estes seguiriam com a alma. Não cabia a ela, como médica veterinária, a decisão sobre a vida e a morte, e era muita pretensão acreditar que sim. Pois que se lhe coubesse tal decisão, todos aqueles animais para os quais ela dedicava tempo e estudo para salvar, simplesmente sobreviveriam. Quem decidia sobre a vida e a morte, por mais que lhe custasse ao orgulho admitir, era Deus, Aquele que criou a vida, a magnífica máquina corporal, os magníficos sistemas que, impressionantemente, ainda tinham muito que desvendar, prova esta que novas descobertas são feitas a cada dia.

A única situação em que lhe cabia representar ao animal quanto ao encerramento do sofrimento, sem, porém, interferir em seu aprendizado, era a eutanásia. Eutanásia esta utilizada apenas em casos em que o sofrimento torna-se insuportável, em que não há mais recursos para aliviar a dor. Eutanásia não era feita para prevenir o sofrimento, não era feita para diminuir a vida ou "livrar-se" do animal idoso ou de casos trabalhosos. Tratava-se de utilizar os meios científicos para promover o retorno de uma alma para o plano espiritual, alma esta em fase de animalidade, ainda sem capacidade de desenvolver a consciência de Deus, e deveria ser feita com muito critério cristão, consciente do dever de amar, acima de tudo, naqueles casos em que não mais podia se fazer nada, e o sofrimento tornara-se insuportável. Reconhecer os desígnios divinos e aprender a aceitá-los era parte importante deste processo. Animais não eram máquinas que desligávamos, mas seres com capacidade de amar, vidas pertencentes a Deus.

Ana Paula também aprendera uma coisa que minou seu orgulho de médica. A cada nova descoberta, como ela mesma já teve o prazer de fazer em sua residência, dando continuidade aos estudos da faculdade, a cada nova enzima ou mecanismo descoberto em relação ao corpo físico ou a natureza, em realidade, só acontecia uma constatação de algo que já estava ali, que já funcionava, que já existia, que já fora ali deixado em perfeita harmonia, junto ao funcionamento do corpo, por Deus, o Criador de tudo e de todos.

Com todos estes pensamentos, ficara óbvio para Ana Paula que, como médica veterinária, tinha em suas mãos maravilhosas criaturas, almas queridas por Deus, confiadas às suas mãos durante a encarnação, para deixar com estas almas o medicamento da compaixão, do amor, da piedade, da fraternidade, da solidariedade, e auxiliar aliviando e prevenindo o sofrimento, através das técnicas descobertas pela medicina veterinária.

Por fim, concluíra que lhe cabia não a cura, mas auxiliar os animais em sua evolução.

Seu coração se condoia ao perceber que a medicina veterinária, como uma forma de distribuir a luz do amor divino no mundo para os animais, se tornara uma forma de exploração dos mesmos para o ilusório bem-estar humano. E ela via como ilusório simplesmente porque, do ponto de vista do verdadeiro bem-estar, o espiritual, não pode haver exploração da vida alheia, vida que não pertence ao homem, vida que não foi criada pelo homem, vida que não existe para que o homem viva melhor. Os animais existem por outra razão que não em função do homem, e a medicina veterinária, que deveria ser a ferramenta de defesa e amparo maior destes pequenos seres tão necessitados de amor, tornara-se tecnicamente, em muitos casos, como nos experimentos ou no trabalho com animais considerados de "consumo" como bovinos, suínos, etc., o instrumento de tortura, desconsideração e dor para os animais, que são, lembremo-nos bem, nossos irmãos menores.

Ana Paula, então, recordou O Livro dos Espíritos, em um trecho estudado durante os momento em que se reuniu com seu grupo de estudos, e decidiu rele-lo, assim constatando:

Livro dos Espíritos, questão 607ª, item Os Animais e o Homem:

*"...Crer que Deus pudesse ter feito qualquer coisa sem objetivo e criado seres inteligentes sem futuro seria blasfemar sobre a sua vontade, que se estende sobre todas as suas criaturas."*

*O evangelho dos animais*

Abriu, então, o livro A Gênese, para buscar completar seu raciocínio, no capítulo VII, item 32:

*"O orgulho levou o homem a dizer que todos os animais foram criados por sua causa e para satisfação de suas necessidades..."*

Deu continuidade com o Livro O Consolador, de psicografia de Francisco Cândido Xavier, de autoria espiritual de Emmanuel, questão 136:

*"Os animais... essas criaturas servem para estabelecer a realidade triste da mentalidade do mundo, ainda distante da fórmula do amor, com que o homem deve ser o legítimo colaborador de Deus, ordenando com sua sabedoria paternal."*

Concluiu com o Livro Missionários da Luz, de autoria espiritual de André Luiz e psicografia de Francisco Cândido Xavier:

*"Devemos acordar a própria consciência para a responsabilidade coletiva. A missão do superior é a de amparar o inferior e educá-lo. E **nossos abusos para com a natureza estão cristalizados em todos os países, há muitos séculos**... Na qualidade de **filhos endividados para com Deus e a Natureza**, devemos prosseguir no trabalho educativo, acordando os companheiros encarnados, mais experientes e esclarecidos, **para a nova era em que os homens cultivarão o solo da Terra por amor e utilizar-se-ão dos animais com espírito de respeito, educação e entendimento...** ... Semelhante realização é de importância essencial na vida humana."*

A última leitura encheu o coração de Ana Paula de esperança. Afinal, a nova era, a regeneração, significava também amor, paz, respeito para os animais. Finalmente, o homem assumirá seu papel de pai representante do Pai de Amor, Deus, como Espírito em estágio evolutivo superior, e reconhecendo nos animais seus irmãos menores, será capaz de aprender a amar. E, com certeza, à parte de todas as incertezas e orgulho humano, perdido no antropocentrismo e no especismo, a medicina veterinária também progredirá e, ao invés de, em muitos e muitos casos algoz dos animais em proveito do egoísmo e do orgulho humanos, o médico veterinário passará a ser um humilde servidor destas magníficas criaturas e dos propósitos divinos nos caminhos do estabelecimento da paz no mundo. Para tanto, é preciso esclarecimento, luta, vontade e fé, porque o conhecimento do Evangelho e a forte crença nos desígnios de Deus facultavam força imensurável, e isto é fé!

Assim foi que Ana Paula começou seu dia, domingo, para reunir-se com os amigos e continuar a aprender, para viver melhor o Evangelho de Jesus!

## *Capítulo* 17

# A PALAVRA QUE VIVIFICA

A campainha tocou e Edson desceu ansioso. Era Plínio que apontava na porta, como sempre, o primeiro a chegar. Trazia consigo um sorriso agradável e os olhos brilhando. Deram-se um abraço carinhoso; embora o pouco tempo de convivência, o ideal de aprender e o amor que traziam ambos pelos animais os faziam sentir-se como irmãos. Logo em seguida, chegaram, ao mesmo tempo, Sérgio e Ana Paula. Lúcia sentara-se confortavelmente ao redor da mesa. Por incrível que pareça, a última a aparecer foi Amanda que, embora moradora da casa, estava em cima da hora. Todos estavam felizes e ansiosos. Ana Paula tomou a palavra antes do início da reunião:

– Devo confessar que estava ansiosa para que chegasse este dia. Tenho pensado muito a semana toda, e novos horizontes se abriram para mim, no meu dia a dia e na convivência com os animais. Parece que um leque de possibilidades se mostrou, com nova dimensão do significado das coisas.

Plínio sorriu por perceber que não era o único a quem o estudo estava causando forte impressão. Ana Paula continuou:

– Sabe, em alguns momentos, sinto como se estivesse iniciando o estudo da Doutrina Espírita novamente. O enfoque que temos dado ao estudo, a história e, particularmente, a prática da observação, que embora tão citada por Kardec, e tão praticada pelo codificador, deixou de ser uma prática para muitos de nós, me deram novo subsídio para o entendimento da Doutrina. Partir da lógica fez grande diferença no desenvolvimento da fé e na substituição dos conceitos criados pela teoria, pela palavra que mata; mas, através da observação eis a palavra que vivifica. Não via a hora de chegar o domingo e me reunir com vocês.

Edson, então, quis manifestar-se:

– Comigo não foi diferente. No início, achei que fosse apenas confirmar velhas teorias ou reafirmar novos caminhos dos quais já tinha alguma noção, pois havia uma confusão dentro de mim. Mas meu conceito a respeito de minhas próprias convicções, sobre a humildade, sobre o amor, mudaram muito nestas duas semanas. Tenho estado pensativo, introspectivo, pois também para mim, novas portas de agradáveis, porém, decisivas escolhas, se abriram. Amigos, me sinto renovado e feliz, emocionado e mais próximo de Deus. Estranhamente, à medida que compreendo minha necessidade de aprender coisas novas, e dar enfoque diferente ao que achava decisivamente assunto fechado, fizeram com que me sentisse mais próximo do Criador e da capacidade de amar. Hoje, percebo que nada sei, e mais do que teoria repetida, isto passou a ser um sentimento real, e fico grato, muito grato.

Amanda foi quem solicitou a palavra, dizendo:

– Para mim, o estudo passou a representar inúmeras respostas. Ouço da Doutrina Espírita o que meu coração já repetia quando em contato com os animais. Vejo, no contexto histórico, cientifico, filosófico e religioso, os passos para novos horizontes de aprendizado e ansiava por isso quando da ideia de nos reunirmos para estudar. Sinto-me sob forte tendência de aprender cada vez mais, e a esperança de ver os animais vivendo em um Planeta Terra melhor e mais respeitável, quanto às atitudes humanas, passou a iluminar meu coração. Estou muito feliz.

Lúcia foi quem continuou:

– Para mim, muito iniciante no Espiritismo, o estudo vem sendo um revelar intenso de informações. Tanta coisa nova e, ao mesmo tempo, que nunca imaginei que pudesse, em minha vida, viver ensinamentos tão profundos sobre tantos

*O evangelho dos animais*

assuntos diversos, e isto tem feito mudar meu comportamento e observar tudo a minha volta com outros olhos. Tudo tem me feito viver melhor, e sinto como se tivesse encontrado uma espécie de fonte da juventude. Para ser sincera, nunca me senti tão próxima de Jesus quanto quando estudamos aqui, nesta casa.

Edson ia continuar quando o relógio tocou 9 horas. Solicitou a todos o silêncio e a meditação, pedindo a Plínio que proferisse a prece inicial do dia:

– Deus nosso Pai, Criador de todas as coisas, Senhor da vida e do Universo, encontramo-nos reunidos nesta manhã, sem dúvida alguma, sob Seu amparo, solicitando que nos inspire os caminhos e direcione o aprendizado. Agradecemos, Senhor, pela fonte de sabedoria que tem, muito mais do que a mente, nos aberto as portas do coração. Esteja conosco Pai, agora e sempre, Assim seja.

Édson, então, continuou:

– Caros amigos, vejo que todos estão muito felizes e ansiosos. Assim como eu. Combinamos de estudar no capítulo Os Três Reinos, o item Os Animais e o Homem, de O Livro dos Espíritos, e como tem sido para todos?

Sérgio, que até então estivera calado, embora conservasse o semblante sereno e feliz, disse:

– Li e reli inúmeras vezes o citado item, mas confesso que o achei profundo. Procurei estudar cada questão e descobri que precisaremos, em minha opinião, de leituras complementares, desdobramentos que devem estar contidos no restante da Doutrina Espírita, para compreender a profundidade das respostas do Espírito da Verdade.

Plínio, então, falou:

– Percebi o mesmo; então, novamente, parti da observação. Sugiro o entendimento do livre-arbítrio como questão inicial, pois que aprendi sempre na Doutrina Espírita que animais não têm livre-arbítrio, e tenho visto o contrário no dia a dia, ou seja, sempre compreendi que animais não têm direito de escolha, mas não é o que observo; será que alguém tem alguma sugestão diferente, ou observou algo contrário do que digo?

Mal terminou de falar, Linda, a pequena gata da casa, subiu na mesa e deitou-se sobre O Livro dos Espíritos aberto de Plínio. Rindo, ele assim se referiu:

– Olá Linda, querida! Sei que quer ficar conosco, mas a colocarei aqui do lado do livro, para que não precise se afastar, solicitando, no entanto, que não deite sobre o livro que estou ocupando.

Assim, Plínio a retirou de cima do livro e a colocou ao lado. Mas, mal acabou de aconchegá-la e ela se levantava preguiçosamente e se deitava novamente sobre O Livro dos Espíritos, aberto sobre a mesa. Plínio repetiu a manobra mais de 5 vezes, e mais de 5 vezes Linda voltou para o livro. Edson então, rindo sem parar, levantou-se e foi até a estante, onde pegou novo exemplar do referido livro para Plínio, aproveitando para comentar:

– Caro Plínio, se qualquer um de nós tivesse dúvida quanto à capacidade de escolha dos animais, eis aqui, ao vivo e a cores, a comprovação de que eles têm livre-arbítrio, afinal parece que Linda simplesmente determinou que ficará aí deitada e não aceita um não como resposta.

Ana Paula, então, falou:

– Pois bem, em diversas situações encontramos animais fazendo escolhas. Tenho, por exemplo, inúmeros pacientes que escolhem não aceitar tomar o remédio em hipótese alguma. E mesmo que misturado à comida, o separam. Tenho outros pacientes que escolhem que só aceitam determinado tipo de alimento, e se negam a comer outro. Sei que alguns podem dizer que isto é instinto, mas se fosse somente instinto, sem nenhum tipo de manifestação da vontade, como explicar com lógica, e segundo as conclusões colhidas graças à observação dos animais, que não agem todos por igual? Se não tivessem direito de escolha, simplesmente, aceitariam aquilo que nós lhes impuséssemos e, sinceramente, caros irmãos de jornada, quem divide o lar com um animalzinho sabe que as coisas não são assim tão simples, e que nem sempre eles acatam o que determinamos; alguns aceitarão melhor a maioria das determinações que fazemos, outros não e, ainda assim, no dia a dia, farão escolhas, ainda que pequeninas, como esta da Linda.

Foi Lúcia quem continuou:

– Olhe, Ana Paula, não precisa ser um grande gênio da cultura para concluir o óbvio. O Rex, lá em casa, por exemplo. Cada vez que meu marido chega bêbado, ele não o deixa

*O evangelho dos animais*

entrar. E olha que ninguém ensinou, não. Um dia ele chegou bêbado e me agrediu verbalmente. Rex foi para cima dele e o colocou para fora, só o deixando entrar depois que a bebedeira passou. Após este dia, cada vez que ele bebe, o Rex fica de prontidão na porta de casa, e avança no Zé se ele tenta entrar. A gente tira ele de lá, mas quem disse... outro dia ele fez que fez, até que abriu a porta do quarto. Foi para a sala, latiu, até que o Zé, reclamando muito, fosse deitar lá no quintal. Então o Rex fez guarda de novo na porta. Eu não faço muita questão de defender o Zé porque, quem sabe, assim, ele aprende... mas o Rex, minha filha, fica uma fera com ele.

Amanda foi quem perguntou, curiosa:

– E quando ele está sóbrio, como o Rex reage?

– Ora, ele lhe faz festa e brinca com ele.

Sérgio perguntou:

– Não será pelo cheiro da bebida?

– Ora, Sérgio – continuou Lúcia –, se fosse, o Rex teria reagido desde o primeiro dia que o Zé apareceu bêbado, mas ele só passou a expulsá-lo de casa após ele ter-me falado umas coisas ruins... deixa pra lá... Ah! E devo dizer, mesmo que eu não esteja em casa, ele reage e não deixa ele entrar. Coisa incrível, não?

– Creio – disse Edson –, que, sem querer, acabamos por seguir os mesmos passos de Kardec quando este buscava respostas para determinado tema. Partia sempre da observação lógica, anotava tudo minuciosamente, não deixava dúvidas quanto às conclusões, e depois buscava as respostas segundo aquilo que seus olhos observaram e seu pensamento inquiriu longamente. Assim foi que o codificador formulou todas as perguntas contidas em O Livro dos Espíritos, feitas para o Espírito da Verdade, e analisou as respostas segundo a lógica.

Sérgio prosseguiu:

– Interessante que você cite isto. Realmente, Kardec formulou todas as perguntas para o Espírito da Verdade. Muitas vezes fica difícil que entendamos o significado de codificar a Doutrina Espírita. Acho que podemos consultar o livro Obras Póstumas, para compreender como pensava Kardec. Se me permitem, gostaria de ler dois trechos que deixam claro a forma como Kardec codificou a Doutrina.

– Claro – disse Plínio – acho que será interessante, muito esclarecedor.

Sérgio continuou:

*Livro Obras Póstumas, Segunda Parte, Minha Primeira Iniciação No Espiritismo, Manuscrito feito com especial cuidado por Allan Kardec:*

*Foi em 1854 que ouvi falar pela primeira vez das mesas girantes... algum tempo depois, em maio de 1855... encontrei o Senhor Pâtier e a Senhora Plainemaison, que me falaram sobre aqueles fenômenos... O Sr. Pâtier era um funcionário publico de meia idade, homem muito instruído, sério, frio e calmo. Sua linguagem pausada, isenta de quaisquer entusiasmos, causou-me viva impressão e, quando me convidou para assistir às experiências que se realizavam em casa da Sra. de Plainemaison, à Rua Grange-Bateliére, número 18, aceitei pressuroso...*

*Ali, pela primeira vez, fui testemunha das mesas que giravam, saltavam e corriam, em condições tais que não era possível haver mais dúvidas. Presenciei igualmente alguns ensaios, bastante imperfeitos, na escrita mediúnica numa ardósia, com o auxílio de uma cesta. Minhas ideias não estavam ainda definidas, mas ali estava um fato que deveria ter uma causa. Entrevi, debaixo da futilidade e da espécie de diversão que faziam com aqueles fenômenos, algo de sério e como que a revelação de uma nova lei que prometi a mim mesmo investigar a fundo.*

*Dentro de pouco tempo, surgiu-me a ocasião de observar mais atentamente do que houvera podido fazê-lo antes. Numa das reuniões da Sra. de Plainemaison, conheci a família Baudin, que morava então à Rua Rochechouart. O Sr. Baudin convidou-me para assistir às sessões semanais que se realizavam em sua casa e às quais passei a ser, desde então, muito assíduo.*

*Estas reuniões eram muito frequentadas; além dos assistentes habituais, admitiam sem dificuldade quem quer que o pedisse. Os dois médiuns eram as Srtas. Baudin, que escreviam numa ardósia, com o auxilio de*

*O evangelho dos animais*

*uma cesta, chamada pião, descrita em "O Livro dos Médiuns" (cesta-pião). Este método, que exige o concurso de duas pessoas, exclui qualquer possibilidade de participação das ideias do médium. Assim, presenciei comunicações seguidas e respostas dadas a questões propostas, às vezes mesmo a perguntas feitas mentalmente, que faziam entrever, de modo evidente, a intervenção de inteligência estranha...*

*... **Foi ali que fiz meus primeiros estudos sérios sobre Espiritismo, mais pelas observações que pelas revelações.** Apliquei à nova ciência, como sempre fizera, o método da experimentação. Jamais utilizei teorias preconcebidas; **observava atentamente, comparava e deduzia as consequências.** **Através dos efeitos, procurava chegar às causas,** pela dedução e o encadeamento lógico dos fatos, só admitindo uma conclusão como válida quando esta conseguia resolver todas as dificuldades da questão...Compreendi, logo à primeira vista, a importância da pesquisa que iria fazer. Vislumbrei naqueles fenômenos a chave do problema do passado e do futuro da Humanidade, tão confuso e tão controvertido, a solução daquilo que eu havia buscado toda a minha vida. Era, em suma, uma revolução total nas ideias e nas crenças existentes... **Observar, comparar e julgar foram a regra que sempre segui...** Tomei a meu cargo procurar resolver ali os problemas que me interessavam sob o ponto de vista da filosofia, da psicologia e da natureza do mundo invisível. **Ia a cada sessão com uma série de perguntas preparadas e metodicamente dispostas...***

*... Daí por diante, as reuniões tiveram outro caráter... Mais tarde, quando vi que aquelas comunicações tomavam as proporções de uma Doutrina, tive a ideia de publicá-las para que todos se instruíssem. Foram aquelas mesmas questões que, sucessivamente, desenvolvidas e completadas, constituíram a base de O Livro dos Espíritos.*

Um sentimento de compartilhamento tomou conta de todo o grupo. Parecia que ouviam pessoalmente o codificador, sentindo-lhe os propósitos e os caminhos traçados. Estavam mais envolvidos pelo sentimento de aprender e munidos pela força de atuação de Allan Kardec. O grupo sentia-se inebriado pela possibilidade de descortinar o mundo a partir do próprio mundo. De repente, não mais necessitavam de luzes imensas dos céus isoladas das sombras terrenas.

Plínio tomou a palavra e comentou:

– Nunca havia compreendido tão bem com que parâmetros a espiritualidade superior avalia a capacidade da humanidade e, no fundo, sempre tinha a sensação de que não estávamos capacitados para receber as informações que nos eram enviadas, embora a Doutrina Espírita nos indique que sequer um grão de areia move-se sem que se faça necessário. Mas hoje meu questionamento se esclareceu.

Sérgio interrompeu o amigo, empolgado:

– Compreendo perfeitamente, Plínio. Eu pensava como você, e tinha mesmo a impressão de que os ensinamentos eram como água cristalina que se derramavam sobre o mármore liso da ignorância humana, escorrendo sem penetrar senão pouquíssimas almas, ainda assim em superfície.

Ana Paula continuou:

– Concluo, após este estudo de Obras Póstumas, que a capacidade de compreensão da humanidade, segundo a evolução, não significa a informação pronta que adentrará mente e cérebro totalmente desenvolvido para obter a ideia.

Amanda comentou, alegre:

– Claro, Aninha. As novas ideias advindas da espiritualidade superior coordenadora do Planeta Terra são também absorvidas, segundo nossa própria vontade e, para serem compreendidas, exigem o esforço próprio, a dedicação, a capacidade de escolha a favor de si mesmo.

Lúcia disse:

– É o ajuda-te que o céu te ajudará, busca e acharás.

– Exato – continuou Edson – assim é que, tudo que buscamos está na Natureza. Vivemos uma fase na história humana regada com tantas informações por minuto, graças aos muitos meios de comunicação, que, embora o aspecto positivo de uma conexão com tudo e todos em todas as partes do planeta, se não nos precavermos, perdemos

*O evangelho dos animais*

o aprendizado do discernimento, da observação, da conclusão por si mesmo e de escolher entre aquilo que nos é positivo ou não, enquanto Espíritos. E acabamos no "fazer porque todo mundo faz", achando normal aquilo que, em muitos casos, com uma análise sincera, junto ao Evangelho de Jesus, nos faria recusar imediatamente, discernindo entre o certo e o errado como quem discerne entre a luz de si mesmo para a eternidade e a permanência da sombra em si mesmo por automatizar a ação, tal qual máquina programada para não reagir.

– A Doutrina Espírita – prosseguiu Plínio – vem nos chamar a atenção inclusive e, acertadamente, também sob este aspecto. Ao nos desvendar, com lógica e razão, a vida espiritual, e ao focar os objetivos da reencarnação além da matéria, colocando-nos como espíritos eternos a caminho da luz e demonstrando o mundo material como meio de acionarmos nossa potencialidade enquanto espíritos; localizando o tempo na Terra como fração de segundos na vida espiritual, desmonta o consumismo, o poder dos cargos e dinheiro terrenos como supremacia da alma e constrói os verdadeiros tesouros do Espírito, as luzes que angariamos.

– É isso mesmo – continuou Amanda – e diante do mundo intenso que vivenciamos nesta fase histórica, podemos escolher, decidir, discernir, entre o que queremos ou não, como Espíritos.

– Eu me pergunto – disse Sérgio – voltando ao nosso assunto inicial com os queridos irmãos animais, se terão eles a possibilidade de escolha e, se têm, até que ponto?

– Como assim até que ponto? Perguntou Lúcia.

– Bem – continuou Sérgio – nós temos, enquanto seres humanos, a possibilidade de escolher entre o que é bom ou não para nós, o que desejamos ou não, desde pequenas escolhas até escolhas maiores. Por exemplo, pensemos no simples: podemos escolher, ao nos recolher na cama para dormir, se vamos deitar de bruços ou de lado...

– Ah! Entendi – falou Lúcia –, eu, por exemplo, prefiro dormir de lado, e sempre coberta.

– Pois é, Lúcia – disse Ana Paula –, eu sempre escolho, pela manhã, qual fruta vou adicionar ao café.

– Viu – disse Plínio – escolhas simples que fazemos, às vezes sem pensar tanto. Pensando rapidamente, fazemos muitas e muitas pequenas escolhas ao longo do dia, como a roupa que vamos colocar, o que vamos comer, como vamos nos deslocar para o trabalho, com quem nos comunicaremos e, tudo isso, graças à capacidade de escolher que nos é dada. Sem esta capacidade, seríamos como máquinas programadas, que em nada, absolutamente nada, interfeririam, sendo totalmente direcionadas pela programação. Como, por exemplo, uma máquina de lavar, que obedece cegamente à programação feita, sem escolha. Assim nos diz parte da resposta da questão 843 de O Livro dos Espíritos: "... Sem o livre-arbítrio, o homem seria máquina."

– E daí – continuou Amanda –, das simples escolhas do dia a dia, partimos para escolhas maiores, como escolher entre o bem e o mal, entre as lições evangélicas e as convenções do mundo.

– Tudo isso é nossa capacidade de escolha – disse Edson – mas, será que os animais também fazem escolhas e, se o fazem, será que com a mesma amplitude que nós, ou seja, será que os animais têm livre-arbítrio, traduzindo: liberdade de arbitrar, de escolher, de decidir entre diversas possibilidades?

Sorrindo, Edson olhou para a Linda. Em seguida, enquanto a acariciava sobre o livro, disse:

– E, antes de buscarmos a resposta, vamos observar, como recomenda o codificador. Vejam a Linda, dormindo sobre o livro. Quantas vezes você a tirou daí Plínio?

– Ah, caro amigo – falou Plínio, já rindo –, várias. Ela simplesmente chegou, subiu na mesa e deitou sobre o livro.

– Vamos analisar – disse Ana Paula –, Linda, esta bela e querida gata; poderia deitar sobre o livro de qualquer um de nós, ou mesmo, no colo de qualquer um de nós, mas **escolheu** deitar sobre seu livro, Plínio.

– Eu digo mais – esclareceu Amanda – se fôssemos pensar que ela agiria segundo o instinto de conservação, Linda deitaria próxima a Lúcia ou a mim, porque somos nós que a alimentamos.

– E falando nisso – disse Edson – não há nada na mesa que a tenha atraído se pensarmos sob o aspecto da conservação do corpo físico. Há somente nós e os livros.

– E – continuou Plínio – mesmo retirando-a e colocando-a em outro lugar, ela voltou diversas vezes demonstrando **sua**

*O evangelho dos animais*

**preferência**, ou seja, **sua escolha** em estar aqui, sobre este livro.
 – Então – falou Sérgio –, vamos pensar:
 Observamos que Linda escolheu entre diversas possibilidades de lugares em que poderia estar
 Se pensarmos que ela agiria por seu instinto de conservação, Linda se deitaria próxima de quem a alimenta, **escolha que não fez**.
 Linda tinha seis possibilidades, ou seja, seis locais diferentes para deitar, se restringirmos as possibilidades a nós, ou seja, poderia escolher deitar sobre o livro de qualquer um de nós, então:

Amanda
Lúcia
Edson
Ana Paula
Plínio
Eu, Sérgio.

**Ela escolheu, segundo as possibilidades apresentadas, restringindo estas possibilidades a nós, deitar sobre o livro do Plínio.**
 – E mais – disse Plínio –, **ela reforçou a escolha que fez quando voltou para o livro todas as vezes que foi retirada.**
 – Resumindo – completou Edson –, para concluirmos nosso pensamento:
 **Observamos** que a Linda tinha, no mínimo, seis possibilidades. Aliás, antes disso, ela **escolheu** que desejava estar próxima a nós, embora as centenas de escolhas ao longo da casa; só isso já representou **sua primeira escolha.**
 Após **escolher** estar entre nós, decidiu, então, deitar sobre o livro do Plínio, e **persistiu na escolha** voltando ao local sempre que retirada.
 – Não há dúvida – disse Sérgio –, de que Linda exerceu seu livre-arbítrio, ou seja, sua liberdade de arbitrar, de escolher entre diversas possibilidades, dentro de sua realidade, e fez com que a possibilidade por ela escolhida prevalecesse sobre as outras.
 – Agora – disse Plínio –, que nossa observação já nos demonstrou qual a verdade, sem argumentação contrária,

vamos consultar O Livro dos Espíritos sobre o livre-arbítrio nos animais:

> 595. *Gozam de livre-arbítrio os animais, para a prática dos seus atos?*
> **Resposta: "Os animais não são simples máquinas, como supondes.** *Contudo,* **a liberdade de ação, de que desfrutam,** *é limitada pelas suas necessidades e não se pode comparar à do homem. Sendo muitíssimo inferiores a este, não têm os mesmos deveres que ele.* **A liberdade, possuem-na restrita aos atos da vida material."**

– Incrível – disse Ana Paula –, fica muito claro que os animais têm livre-arbítrio, pois que o Espírito da Verdade diz:

**"... a liberdade de ação, de que desfrutam..."**

– E continua:
**"... A liberdade, possuem-na restrita aos atos da vida material."**

– Portanto – continuou Ana Paula -, não há dúvida, nem pela observação que fizemos, muito menos pela resposta do Espírito da Verdade, de que os animais têm livre-arbítrio, mas restrito à vida material. Aliás, jamais a resposta do Espírito da Verdade poderia contrariar as observações lógicas e racionais que fazemos em nosso dia a dia.

– Digo mais – falou Plínio –, se voltarmos à questão 843 há pouco estudada e pensarmos sobre o texto, ficará ainda mais fácil. Nela, o Espírito da verdade diz que o homem, sem livre-arbítrio, seria uma máquina. Vejamos: *"...Sem o livre-arbítrio, o homem seria máquina."*

– Na questão 595 de O Livro dos Espíritos encontramos o Espírito da Verdade dizendo, no início da resposta, que os animais não são máquinas, ou seja, não respondem a uma programação sem atuação absoluta da vontade, desta forma, só por aí, já poderíamos concluir que têm liberdade de escolha, ou seja, livre-arbítrio. Vamos colocar as duas respostas

*O evangelho dos animais*

juntas e ficará óbvio: *"...Sem o livre-arbítrio, o homem seria máquina."*

*"Os animais não são simples máquinas, como supondes..."*

– Concluindo – terminou Plínio – vemos, pelo texto, que se os animais não são simples máquinas, portanto, têm poder de escolha, ainda que limitado.

– Mas – disse Sérgio, com olhar de dúvida –, então por que aprendemos que os animais não têm livre-arbítrio? Ao dizer isso, ou seja, ao dizer que os animais não têm livre-arbítrio, não estamos contrariando o próprio Espírito da Verdade?

– Caro amigo – disse Plínio –, acabo de perceber o porquê. Há uma dificuldade de interpretação de texto, pura e simplesmente, referente a outra pergunta de O Livro dos Espíritos.

Dizendo isto, Plínio solicitou ao amigo Edson:

– Terá você, por acaso, outra tradução de O Livro dos Espíritos que não essa que tenho em mãos, que é a adotada pela Federação Espírita Brasileira, do querido Guillon Ribeiro?

Edson respondeu:

– Tenho a tradução de José Herculano Pires.

– Excelente – falou Plínio – pode trazê-la?

– Não estou entendendo nada – disse Lúcia –, que história é essa de tradução?

Enquanto Edson foi buscar o livro solicitado, Plínio respondeu:

– Ora, Lúcia, O Livro dos Espíritos foi escrito na França, certo?

– Ah! – disse Lúcia –, agora entendi. Então ele foi escrito em francês, e para que pudéssemos ter acesso à leitura teve de ser traduzido para o português. E isto vale para todos os livros da Codificação?

– Para todos os livros da Codificação, para Obras Póstumas, para a Revista Espírita e outros exemplares da época, como "O que é Espiritismo", "O Principiante Espírita", "Viagem Espírita em 1862", e outros mais, escritos por Kardec, e também por outros escritores. Há, para tanto, principalmente em se tratando da Codificação, diversos tradutores. Pedi para que

Edson nos trouxesse outra tradução somente para percebermos as nuances do português e compreendermos bem as respostas.

Enquanto isso, Edson voltava com a tradução de José Herculano Pires de O Livro dos Espíritos.

Plínio, então, tomando os dois livros, abriu-os na questão 599 de ambas as traduções:

> *Questão 599 de O Livro dos Espíritos:*
> **Resposta:** *"A alma dos animais pode escolher a espécie em que prefira encarnar-se?*

**Tradução de José Herculano Pires:**
**Resposta:** *Não; ela não tem o livre-arbítrio".*

**Tradução de Guillon Ribeiro:**
*"Resposta: Não, pois que lhe falta livre-arbítrio".*

– A uma primeira análise – disse Edson –, parece-me que o Espírito da Verdade diz que os animais não têm livre-arbítrio.

– Bem – disse Amanda –, isto me parece uma contradição, porque na questão 595, o mesmo Espírito da Verdade, como vimos anteriormente, afirma que os animais têm livre-arbítrio. Comparemos as duas perguntas:

> *595. Gozam de livre-arbítrio os animais, para a prática dos seus atos?*
> **Resposta: *"Os animais não são simples máquinas, como supondes.*** *Contudo,* **a liberdade de ação, de que desfrutam,** *è limitada pelas suas necessidades e não se pode comparar à do homem. Sendo muitíssimo inferiores a este, não têm os mesmos deveres que ele.* **A liberdade, possuem-na restrita aos atos da vida material."**

> *Questão 599 de O Livro dos Espíritos:*
> **Resposta:** *"A alma dos animais pode escolher a espécie em que prefira encarnar-se?*

**Tradução de José Herculano Pires:**

*O evangelho dos animais*

**Resposta:** *Não; ela não tem o livre-arbítrio".*

**Tradução de Guillon Ribeiro:**
**"Resposta:** *Não, pois que lhe falta livre-arbítrio".*

– Nossa – comentou Ana Paula –, preciso olhar mais de perto, separando os trechos mais importantes. Como a tradução que utilizamos da questão 595 foi a de Guillon Ribeiro, vou também utilizar a mesma tradução para a questão 599:

*595. Gozam de livre-arbítrio os animais, para a prática dos seus atos?*
**Resposta:** *"Os animais não são simples máquinas, como supondes. Contudo, a liberdade de ação, de que desfrutam, é limitada... A liberdade, possuem-na restrita aos atos da vida material."*

*599. À alma dos animais é dado escolher a espécie de animal em que encarne?*
**Resposta:** *"Não, pois que lhe falta livre-arbítrio."*

– Comparando as duas perguntas – disse Plínio – novamente vemos o quanto uma leitura rápida e desatenta de O Livro dos Espíritos pode nos levar a conclusões precipitadas acerca de determinado tema. O Livro dos Espíritos traz as respostas para as profundas questões da vida. Através dele, quebramos conceitos, ou seja, paradigmas, e ampliamos o conhecimento que nos trará liberdade espiritual sob o ângulo da evolução. Para tanto, é imprescindível que abordemos os temas com especial atenção, observando atentamente tanto a pergunta quanto a resposta, O grande equívoco que cometemos, durante 150 anos, acreditando que os animais não tinham livre-arbítrio, se deve ao fato de não prestarmos atenção à pergunta emitida na questão 599, tomando somente como referência a resposta, e desprezamos a questão 595. Ambas se completam, como observaremos, e não se contradizem. Vamos prestar atenção à pergunta formulada por Kardec ao Espírito da Verdade, tanto na tradução de Guillon Ribeiro quanto na tradução de José Herculano Pires:

**Tradução de Guillon Ribeiro:**
*Resposta:* " *À alma dos animais é dado escolher a espécie de animal em que encarne?*

**Tradução de Herculano Pires:**
*Resposta:"A alma dos animais pode escolher a espécie em que prefira encarnar-se?*

– Analisemos – continuou Plínio –, o que Kardec pergunta, especificamente, para o Espírito da Verdade, na questão 599?

– Ora – respondeu Ana Paula –, Kardec pergunta ao Espírito da Verdade se a alma dos animais tem o direito de escolher em qual espécie vai encarnar, por exemplo, se vai encarnar como cão, como gato, como ave, como elefante, como rato, como inseto, como cavalo, etc. Kardec pergunta se o espírito que se encontra na fase de animalidade pode escolher em qual corpo vai encarnar.

– Exatamente – continuou Plínio – agora, independente da resposta, busquemos a questão 595 de O Livro dos Espíritos, quanto ao livre-arbítrio dos animais, e vejamos que importante colocação ao final da resposta desta questão:
*"... a liberdade de ação, de que desfrutam, é limitada... A liberdade, possuem-na restrita aos atos da vida material."*

– Vamos agora concluir – continuou Plínio – conforme a resposta do Espírito da Verdade na questão 595 de O Livro dos Espíritos, a liberdade de ação dos animais é limitada à vida material, correto?

– Sim – respondeu Amanda.

– Então – pergunta Plínio –, pode o animal decidir pela espécie em que vai reencarnar?

– Claro que não – disse Ana Paula, sorrindo, por compreender –, afinal, escolher a espécie em que vai reencarnar é uma decisão relativa à vida espiritual, liberdade essa que os animais ainda não têm.

– Minha nossa – disse Lúcia –, estou um pouco confusa! Deixe-me ver se entendi. Os animais podem decidir coisas da vida material, tipo assim, como vimos agora há pouco a Linda, decidindo onde deitaria. Podem decidir o que vão comer, como vão caçar, se ficarão próximos ou distantes de

*O evangelho dos animais*

nós, como vão dormir, em que lugar da casa ou do quintal ficarão, se vão ou não aceitar o remédio, se confiam ou não em alguém, se desejam ou não passear, etc., certo?

– Exatamente – disse Ana Paula – pois que:

*"...a liberdade de ação, de que desfrutam, é limitada..."*

– Mas – continuou Lúcia –, por exemplo, se viveram como cães na última reencarnação e, após a morte, quando forem reencarnar, quiserem decidir que virão como gatos, não podem, porque isso é uma decisão da vida espiritual, certo?

– Certíssimo, Lúcia – continuou Ana Paula –, afinal:

*"... A liberdade, possuem-na restrita aos atos da vida material."*

– Então – continuou Plínio –, quando Kardec pergunta ao Espírito da Verdade se:

**Tradução de Guillon Ribeiro:**
*Resposta: " À alma dos animais é dado escolher a espécie de animal em que encarne?*
**Tradução de Herculano Pires:**
*Resposta: "A alma dos animais pode escolher a espécie em que prefira encarnar-se?*

– Obviamente que o Espírito da Verdade respondeu que o animal não tem livre-arbítrio para tal decisão, uma vez que a liberdade de ação que possui é "...*restrita aos atos da vida material.*"

– Mas – disse Edson, inconformado – como foi que não entendemos isto antes?

– Simples – continuou Plínio – tomamos a reposta da questão 599 isoladamente, desconsiderando tanto a pergunta 599 quanto toda a questão 595. Observe, se isolarmos a resposta da questão 599, o que concluiremos?:

**Tradução de José Herculano Pires:**
*Resposta: Não; ela não tem o livre-arbítrio.*

### Tradução de Guillon Ribeiro:
**Resposta:** *Não, pois que lhe falta livre-arbítrio.*

– Bem – suspirou Edson, respondendo –, se tomarmos a resposta isolada da pergunta, concluiremos que os animais não têm livre-arbítrio. Mas, se observarmos a pergunta...

– Vamos fazer um exercício – propôs Amanda – que aprendemos na escola, nas aulas de português, na infância, onde completaremos a resposta do Espírito da Verdade com a pergunta de Kardec; assim, entenderemos que o erro estava na falta de interpretação do texto. Então, sem acrescentar nada que interfira no sentido da pergunta ou da resposta:

### Tradução de José Herculano Pires:
*Questão 599: A alma dos animais pode escolher a espécie em que prefira encarnar-se?*
**Resposta:** *Não; ela não tem o livre-arbítrio (de escolher a espécie em que prefira encarnar-se).*

### Tradução de Guillon Ribeiro:
*Questão 599: "À alma dos animais é dado escolher a espécie de animal em que encarne?*
**Resposta:** *Não; pois lhe falta livre-arbítrio (para escolher a espécie de animal em que encarne).*

– Puxa – disse Edson –, tanto tempo acreditando que os animais não tinham livre-arbítrio, por simples falta de entendimento de português! Preciso ser mais detalhista em meus estudos.

Plínio tomou a palavra e considerou:

– Muito temos a aprender quanto a O Livro dos Espíritos. E muito mais em relação a espiritualidade dos animais. Embora esteja contida em diversos livros, a questão nos leva a consideração importante do quanto ainda há a observar nesta Doutrina maravilhosa, a Doutrina Espírita. E aprendi algo muito importante hoje: quando fechamos uma questão, quando acreditamos que sabemos tudo a respeito, fechamos as portas para ampliarmos nossa consciência, para ampliarmos os campos de evolução, para o desenvolvimento da sensibilidade e do amor, do aprendizado mais profundo do Evangelho.

*O evangelho dos animais*

– Tem razão, Plínio – disse Edson –, acreditar que os animais não tenham liberdade de ação é acreditar na impossibilidade da evolução, pois a liberdade de decidir, mesmo que muito limitada, como, por exemplo, quando uma abelha decide de qual flor vai retirar sua matéria-prima, é tirar do pequeno ser de Deus a oportunidade de progredir, ainda que pelo meio que o cerca. Tudo progride e, para progredir, tem que participar, mesmo que indiretamente. Quando interpretamos equivocadamente a questão do livre-arbítrio dos animais, os colocamos em posição de máquinas, sem nenhuma atuação no meio em que vivem. Ora, basta acompanhar alguns programas de TV para ver que isto não condiz com a verdade. Assim, precisamos ampliar nossa visão para enxergar os propósitos divinos.

– É – comentou Sérgio –, quanto aprendizado. Quem diz que Kardec está ultrapassado, precisa mesmo ler e reler, muitas e muitas vezes, abordando todos os aspectos e consultando os desdobramentos que vieram ao final do século XIX e durante todo o século XX. Noto que, embora acreditássemos concluídos nossos estudos sobre a Doutrina Espírita, eles mal começaram, graças a Deus.

– Por que graças a Deus? Perguntou Lúcia.

– Porque Lúcia – respondeu Sérgio –, percebo que em mim ainda falta muita luz para adentrar o "reino dos céus" de meu coração, e o conhecimento que ainda não tenho, com certeza, me abrirá novos campos.

– Então – disseram todos –, graças a Deus!

## Capítulo 18

# A FAMÍLIA ESPIRITUAL

Nova semana de meditações se passou para todo o grupo. Plínio, mais sensibilizado, continuou levando até a irmãzinha da rua comida e água, conforme prometera a ela. Na quarta-feira, ao chegar ao local em que estava abrigada, a encontrou aflita, angustiada, andando de um lado para outro. Até então, embora tenha o companheiro comparecido diariamente e, às vezes, até duas vezes ao dia, não havia ainda conseguido tocá-la, embora ela já não demonstrasse tanto medo. Talvez Plínio até pudesse ter arriscado, mas não quis constrangê-la, decidira que a iniciativa seria dela, quando estivesse preparada. Mas, naquele dia, ao se aproximar, foi a pequena cadela, que Plínio, em acordo com o próprio animal, colocou o nome de Nina, que veio ao encontro dele, como nunca fizera.

Ao notar-lhe a aflição, Plínio perguntou:

– O que há, Nina? Aconteceu algo?

Nina correu em direção à caixinha onde ficavam os filhotes. Em seguida, veio ao encontro de Plínio novamente, em movimentos sucessivos, até que ele chegou perto o suficiente para ver. Plínio olhou e viu que um dos filhotes quase não se mexia. Os outros pareciam bem, mas aquele, em particular, estava interagindo muito pouco com os outros, isolado no fundo da caixa. Ao ser tocado por Plínio, moveu-se lentamente e chorou baixinho, mas angustiosamente.

*O evangelho dos animais*

Plínio notou-lhe pequenas feridas no corpo, de aspecto infeccioso, como abcessos. Disse então:
– Nina, ele parece muito doente. Se me permitir, posso ajudar.

Nina, que subira com as patas dianteiras na caixinha, enquanto Plínio tocava o filhote, conservara o rabo levantado somente pela metade. Ao ouvir o que disse Plínio, abanou-o levemente e latiu. Olhava para Plínio e olhava o filhote, como a dizer-lhe que agisse rápido. Plínio emocionou-se com a cena. Compreendeu que o andar aflito de Nina, observado de longe, significava a ansiedade da pequena cadela com a chegada dele. Imaginou a preocupação em que ela se encontrava. Pela primeira vez, Plínio a acariciou. Nina fechou levemente os olhos e sentou-se. Em seguida, quando ele fez menção de retirar a mão, ela pulou nele. Seus olhos pareciam ter um brilho diferente. Plínio sorriu para ela e disse:
– Tudo ficará bem, Nina. Iremos todos juntos até em casa e, em seguida, o levarei até a veterinária. Todos a esperamos por lá, e minha mãe não vê a hora de compartilhar com você a vida.

Nina, então, se aproximou novamente da caixa. Plínio pegou cuidadosamente a caixinha e levou consigo. Nina o seguiu, entre demonstrações de aflição pelo filhote doente e alegria pela ajuda que finalmente chegou. Plínio seguiu até em casa, que não era longe. Ao chegar, foi recebido ansiosamente por Darwin que, curioso, latia para Nina. Ao chamar, percebeu sua mãe na janela. Ao vê-lo, a querida velhinha chamou por Darwin e o prendeu no quarto. Plínio, então, entrou com Nina. Dona Luzia estava ansiosa por aquele momento. Aproximou-se de Nina. Inicialmente, a cadela a olhou desconfiada. Sentou-se e olhou para Plínio. Compreendendo que Nina se comunicava com ele de alguma forma, prestou atenção em seus gestos. Percebeu que ela lhe perguntava com o olhar se podia confiar em Dona Luzia. Plínio, então, decidiu apresentá-las:
– Nina, esta é minha mãe, Luzia, Ela a aguardava ansiosa. Pode ficar tranquila, porque também é sua amiga e, acredite, cuidará melhor de você e de seus filhotes que eu.

Nina, então, abaixou a cabeça e permitiu que Dona Luzia a acariciasse. A velhinha alegrou-se e, enquanto fazia carinho em Nina, disse-lhe:

– Nina, seja bem-vinda a nosso lar, que agora é também o seu. Sei o quanto é difícil estar na rua com os filhos, acredite, sei como se sentiu. Mas agora, tudo isso acabou, você está em casa. Ficará aqui conosco sempre. Será companheira de Darwin e aqui terá sempre uma cama quente, comida, água limpa, e, principalmente, amor. Sabe, Nina, tudo passa na vida. Jesus nunca nos abandona. O Pai de misericórdia e amor, Deus, é Pai de todas as criaturas. Creio, minha filha, que ele nos colocou juntos nesta vida para que aprendêssemos uns com os outros, vivenciando o amor em suas nuances mais detalhadas. Nesta vida, após muitos anos de sofrimento e reajustes, descobri que tudo que importa é o quanto cultivamos a paz e a distribuímos, em nome de Jesus, para todos os nossos irmãos na Terra. Aqui, filhinha, a casa é simples, mas o Evangelho é a lei que me define os caminhos. Não lhe direi que compreendo o Evangelho por completo, porque estaria mentindo para você, mas o pouco que entendo, passei a praticar tentando ficar mais próxima do Cristo, e o Cristo nasceu na manjedoura. O Rei dos homens, a Luz do mundo, nasceu marginalizado e acolhido pelos animais. Jesus escolheu o berço que teria e o lugar onde nasceria. Ele molcou o Planeta, segundo o que meu Plínio me explicou, pôde, portanto, decidir como viria a Terra. Os homens ainda não compreenderam sua mensagem de amor, a iniciar pelo símbolo de seu nascimento.

Dona Luzia respirou e continuou:

– Jesus nasceu entre os animais e nos braços de sua mãe e Pai para dizer em seu gesto que veio para todas as criaturas de Deus. Tivesse nascido em lar aconchegante, não teria o chão de luz a recebê-lo com o amor do servir, nem a relva a formar-lhe o berço, forrando de vida seu corpo recém-formado. Tivesse nascido em quarto acolhedor, não teria os olhares dos animais em admiração e amor incondicional, gratos sem compreenderem o porquê. O homem acredita que Jesus veio por causa do próprio homem, mas o Cristo veio estabelecer a Lei de amor no mundo e a fraternidade universal. Nina, a maior representação que nos deu o Mestre do que significa a fraternidade universal foi seu nascimento. Por isso, recebo-a aqui em nosso lar, minha irmã, como parte de nossa família, seja bem-vinda, com teus filhinhos do coração. Acabou a dor, o sofrimento, a rejeição. Acabaram os

*O evangelho dos animais*

maus-tratos, os olhares de desdém e a indiferença. Respire aqui, minha filha, a simplicidade dos aprendizes iniciais do Cristo, com a presença do Evangelho.

Enquanto Dona Luzia falava, Nina foi relaxando. Deitou a seus pés enquanto sentia-lhe o carinho. De seus olhos, pareciam sair pequenas lágrimas, que Plínio identificou como de alívio. Ao percebê-las, Plínio também marejou os olhos, pois significavam que Nina estava feliz e encontrara a paz. De repente, a cadelinha abriu de leve os olhos e olhou na direção da parede, abanando de leve o rabinho. Plínio olhou na mesma direção e nada viu. Mas Nina percebia a presença de um frei franciscano que estivera com ela nas ruas. Ele lhe sorriu e disse aos seus pequenos ouvidos:

– *Filha querida, encontrou seu lar, sua família. Fique em paz, estaremos sempre por perto e tudo ficará bem.*

Assim dizendo, o amigo espiritual guardou pequena ficha com o nome de Nina e dos filhotes em uma pasta que trazia nas mãos. Em seguida, aproximou-se de Dona Luzia, que lhe identificou a presença amiga pela mediunidade, embora não podendo vê-lo, podia senti-lo. Beijou-lhe o rosto e as mãos e lhe disse aos ouvidos:

– Obrigada, minha filha, por acolher nossa irmã. Ela tem sofrido muito nesta vida ainda tão curta. O homem ainda não compreendeu o Evangelho, ainda não entendeu a mensagem de amor de Jesus e, por isso, ainda menospreza seus irmãos menores. Mas Jesus não os abandona. Tenho estado com ela desde que foi abandonada e lutamos muito para encontrar um lar onde ela pudesse residir e encontrar apoio e caminhos para evolução, já que seu primeiro tutor, não nos ouvindo os alertas, a deixou na rua. Jesus a abençoe irmã, pois cumpre os dizeres do Cristo no Evangelho:

*"Nem todos os que dizem: Senhor! Senhor! entrarão no reino dos Céus; mas apenas aquele que faz a vontade de meu pai que está nos Céus..." (Evangelho Segundo o Espiritismo, cap. 18, item 6)*

– Nasceu Jesus na manjedoura – continuou o Frei – igualando todas as criaturas de Deus. O homem, sem compreender-lhe a mensagem, abandona os animais e o próprio cristão os considera secundários. Mas Deus é imparcial, e os animais são nossos irmãos. Assim, cumpre a vontade de Deus aquele que olha por todos os seus irmãos. Este é o futuro. Jesus os abençoe no lar de amor que constituem.

Dito isto, o frei se aproximou de Plínio e, mesmo sabendo que o rapaz não o percebia, falou-lhe aos ouvidos espirituais, para que lhe ficasse marcado:

– Filho, temos acompanhado vocês nos estudos que iniciaram. Persistam, porque a Doutrina Espírita traz todas as respostas para a alma dos animais, para a razão de existirem, para o destino destes que são também filhos de Deus. Encontrará nas páginas luminosas do Consolador Prometido as palavras que terminarão com a crueldade com que os homens têm tratado seus irmãos mais jovens. Verá, nas linhas do Espiritismo, os caminhos que direcionam o ser humano para a mudança que se faz urgente na relação entre homens e animais e compreenderá que, sem esta mudança, não adentraremos a era do amor. É preciso curar a insanidade do orgulho, sanar as dores da prepotência e integrar tudo que existe, porque tudo que vive, filho, é nosso próximo.

Dito isto, o frei aproximou-se novamente de Nina, fez-lhe um carinho e retirou-se.

Dona Luzia entrou na casa feliz e leve como pluma, convidando Nina a conhecer o lar. Aconchegou-a em caminha previamente preparada para ela e os filhotinhos. Plínio tomou todas as providências e disse para Nina que levaria o bebê até o consultório médico. Convidada a ir junto, Nina se preparou prontamente. Plínio, então, lhe colocou uma coleira já comprada para quando aceitasse vir para casa e, deixando os outros filhotes com sua mãe, dirigiram-se para o consultório de Ana Paula.

Recebido pela amiga, esta se alegrou em conhecer Nina, de cuja existência já sabia. Examinando o filhote, identificou grave infecção de pele, que poderia ser sanada com o uso de antibióticos. Hidratou e medicou o bebê, receitando medicamentos para serem ministrados no lar.

Após o primeiro dia de interação, Nina e Darwin já estavam melhores um com o outro, sob a condição imposta por Nina e aceita por Darwin de que ele não se aproximasse dos filhotes. O bebê melhorou sensivelmente após o início do

*O evangelho dos animais*

tratamento. Os outros filhotes apresentaram lesões mais leves que, com o antibiótico, puderam ser resolvidas no início. Dona Luzia era de uma felicidade só. Parecia que ela mesma havia deixado as ruas. Nina era educada e grata, mãe Zelosa, mas também rapidamente se tornara companhia fiel de Dona Luzia. Darwin parecia feliz com a nova moradora embora ainda meio receoso de ultrapassar os limites, nem se aproximava do cômodo em que estavam os filhotes. Neste ambiente de paz, aproximou-se o domingo para Plínio, e novo estudo seria retomado. Seus ouvidos físicos não identificaram as palavras do Frei, mas os ouvidos espirituais gravaram suas palavras, e foi assim que Plínio foi dormir, na noite de sábado, mais feliz do que nunca por se reunir com o grupo de estudo no dia seguinte. Ao deitar na cama, realizou o Evangelho no Lar, dormindo profundamente em seguida.

Desligado parcialmente do corpo físico, identificou a presença ao seu lado de um frei franciscano. Era o mesmo que acompanhara Nina nas ruas e até o novo lar. Plínio sorriu ao amigo, que lhe disse:

– Plínio, Jesus esteja conosco.
Plínio sorriu e disse:
– Frei Adolfo, que prazer revê-lo.
– Sim, filho, não me identifica acordado, mas, no sono físico, percebe-me a presença com a identificação da vida do Espírito. Venho para dar continuidade às tarefas espirituais que nos cabem.
– Novo socorro, frei? – Perguntou Plínio.
– Sim. Como você bem sabe, nosso grupo de auxílio na colônia é especializado no socorro aos animais abandonados. Aliás, vejo que Nina se adaptou muito bem em seu lar.
– Sim, frei. Minha mãe a adora. As duas, parece que se conhecem há muito tempo. Incrível como se identificaram!
– E não poderia ser diferente, por duas razões – respondeu frei Adolfo –; a primeira, porque, devido a vivência de sua mãe com você nas ruas, ela identifica-se com as dificuldades pelas quais Nina passou. A segunda, porque, na reencarnação anterior de sua mãe, Nina e ela estiveram, por duas vezes, juntas; em uma delas, Nina tinha o nome de Petite e

em outra recebera o nome de Menina, razão pela qual aceitou o nome Nina de pronto. O retorno de Nina em seu lar só demonstra que também os animais são parte de nossa família espiritual, e tanto para eles, quanto para nós, a vida continua, a morte não existe, é somente passagem do espírito de uma para outra dimensão. Nina retornou aos braços de sua mãe, e ambas se reconheceram espiritualmente falando, pelos laços de amor já construídos. Assim nos diz o Evangelho Segundo o Espiritismo, ro capítulo 04, item 18:

> *"Os laços de família não são destruídos pela reencarnação, tal como pensam algumas pessoas. Ao contrário, são fortalecidos e entrelaçados..."*.

E podemos completar com a Revista Espírita de 1858, mês de agosto:

> *"... Essas simpatias que formam, no Mais Alto, famílias de Espíritos, agrupam também, ao redor das famílias, todo um cortejo de animais devotados."*

E temos a querida Joanna de Ângelis, no Livro Jesus e O Evangelho à Luz da Psicologia Profunda, psicografia de Divaldo Pereira Franco, capítulo Renascimentos, que nos diz:

> *"Todos os seres animais e humanos experimentam **esse impositivo dos renascimentos sucessivos de forma a se aprimorarem** e alcançarem o estado de consciência cósmica".*

– Assim, filho, os animais são parte de nossa família espiritual por afinidade e, à medida que evoluímos, eles conosco evoluem. Quando criamos laços de amor com qualquer criatura de Deus, eles jamais são rompidos, porque esta é a Lei. Assim, Nina e sua mãe novamente se reencontraram. Perdidos ainda da verdadeira vida, a vida espiritual, ainda choramos a morte dos entes queridos, entre eles, nossos irmãos animais, mas o conhecimento daquele que é o Consolador Prometido, para todos os filhos de Deus, jamais poderia deixar de trazer as respostas para a dor enfrentada por

*O evangelho dos animais*

tantos, quando da dificuldade de separação causada pela morte. Na pregressa reencarnação, sua mãe, na época sua irmã, chorou penosamente a separação de Petite e festejou a vinda de Menina, sem saber tratar-se do mesmo Espírito que reencontrava. Posteriormente, chorou novamente a despedida da morte, e hoje se alegra com o reencontro. Assim filho, a morte não existe, e o entendimento disto nos faz perceber que tudo é temporário, que tudo passa, se renova para melhor. E que Deus, suprema bondade e justiça, jamais nos ensinaria a amar e nos separaria definitivamente daqueles que amamos. Isto seria um princípio contrário ao progresso, à evolução. Nina e Luzia se reencontram na carne e fortalecem mais e mais os laços de afetividade e confiança.

Plínio tinha os olhos marejados. Sua alegria era imensa com os ensinamentos. Sem perceber, não viu que Ana Paula se aproximava, cumprimentando-os. Vinha ao encontro de ambos para os trabalhos da noite, pois, durante a conversa, frei Adolfo e Plínio dirigiram-se para a colônia.

Ana Paula, ao vê-los, os cumprimentou com imensa alegria. Dirigiu-se a Plínio dizendo:

– Como vai Nina?

– Melhor, impossível – respondeu o amigo, abraçando-a. Frei Adolfo também se alegrou ao vê-la. Disse a ambos:

– O trabalho nos aguarda, vamos ao departamento de animais abandonados.

– Não imaginava – disse Ana Paula – que houvesse aqui na colônia um departamento só para isso.

– Querida filha – disse frei Adolfo -, nós não gostaríamos que ele fosse necessário, mas a falta de entendimento humano quanto a suas responsabilidades nos obriga a despender especiais cuidados a esta área. Muitos são os casos de tutores que, inconscientes do papel que lhes cabe, abandonam animais por qualquer razão. Ainda não entendeu o homem que cada animalzinho que passa a compartilhar a vida no lar que lhe cabe, seja ele um barraco, um casebre, uma mansão, é uma alma que Deus lhe confiou. Por ver, equivocadamente, o animal como objeto, o homem se julga no direito de abandoná-lo à própria sorte, trocá-lo como quem troca de roupa, atribuindo ao animal, na maioria das vezes, os erros que lhe cabem na educação e no cuidado, fazendo do animal o responsável por atos que lhe seriam impossíveis de executar caso não houvesse o descaso humano. Inúmeros têm sido os casos de fêmeas grávidas abandonadas à própria sorte pelo fato de passarem a ter, no ventre, espíritos destinados a novas paragens na evolução.

– Neste caso – disse Plínio –, não seria ainda mais sério? Quero dizer, ao abandonar uma fêmea nestas condições, na verdade, o tutor abandona vários animais ao mesmo tempo.

– Sem dúvida, meu filho – respondeu o frei –, é triste observar-lhe o descaso e a crueldade. Nesta noite, recebemos uma solicitação através do setor de preces; caminhamos, neste momento, para a sala dos casos urgentes, onde nos aguardam.

Dito isto, o pequeno grupo atravessou ampla porta de aspecto simples e cor branca, adentrando setor de profunda paz. O recepcionista, Arnaldo, cumprimentou-os feliz.

Um corredor largo com inúmeras salas chamou a atenção de Ana Paula. A entrada do prédio, simples e aconchegante, apresentava no centro pequeno hall com inúmeras plantas e bancos. Muitos corredores saíam deste hall circular. Mas havia um mais largo, com inúmeras salas. No início deste corredor, podia-se ler no teto: "setor de urgências".

Frei Adolfo, a passos rápidos, mas sereno, atravessou o corredor e dirigiu-se a sala com a placa de urgência na porta. As outras salas tinham identificação por numeração somente. Foi seguido pelos dois amigos, que estavam ansiosos. Ao adentrarem, ficaram surpresos com a organização e o tamanho da sala. Um senhor de aspecto simpático, que aparentava uma expressão fisionômica de meia idade, os recebeu. Embora conservasse a tranquilidade, como todos os trabalhadores do setor, trazia nas mãos uma ficha e, ao vê-los, levantou-se rapidamente cumprimentando a todos. Aproximou, então, especialmente de frei Adolfo e disse:

– Caro frei, recebemos há pouco, do setor de preces, um pedido insistente quanto a uma gata.

Entregou a frei Adolfo a ficha, em que constava o caso. Frei Adolfo deu rápida lida, olhou para o amigo, e disse:

– Por favor, avise Lucio e Sirineu para que me encontrem na sala 02. Tentaremos encontrar um caminho diferente para o caso. Convidou, então, o grupo para se retirar. Enquanto isso, Plínio e Ana Paula se entreolharam, sem, porém, dizer

*O evangelho dos animais*

palavra. Embora a serenidade que conservava, o semblante de frei não deixava de transparecer preocupação. Adentraram a sala 02 do mesmo setor de urgências. Ampla mesa com uma tela semelhante à tela de computadores terrenos inserida na mesma, na região central, com seis cadeiras ao redor, os aguardava. Logo após a entrada do grupo, Sirineu e Lúcio chegaram. Pareciam já esperar, de certa forma, o chamado do frei. Cumprimentaram a todos e sentaram ao redor da mesa. Frei Adolfo, então, disse:

– Temos, filhos, aqui, o caso da pequena Sarinha, uma gata de 7 meses que vive em região nobre da cidade de São Paulo. Seus tutores são uma família pequena; trata-se de Luiz Fernando e Patrícia. Ambos têm dois filhos, Maria e Pedro, ainda muito jovens. Sarinha foi adotada com dois meses de idade. Os tutores a levaram para as vacinações normais no início da vida, mas, alertados quanto à necessidade de castração, ignoraram o caso. Sarinha acabou por sair na época do cio, e ficou grávida. Traz no ventre mais três almas que retornam para a romagem terrestre. São três espíritos já conhecidos da família em questão, tendo todos dividido o lar em reencarnações anteriores. Um deles, inclusive, esteve novamente com Patrícia, quando na infância da mesma. Sua mãe o adotou quando Patrícia tinha apenas 6 anos, e ele viveu naquele lar os 18 anos, desencarnando quando Patrícia tinha 24 anos. Ela o amou profundamente e o mesmo, que era um cão macho, da raça pequinês, com o nome de Pingo, também desenvolveu por ela profunda afeição. Agora, retornam todos aos antigos afetos, no intuito de retomarem os caminhos do amor. Sarinha, quando na infância de Luiz Fernando, foi intensamente maltratada por ele e um grupo de amigos, que amarraram linhas em seu corpo, provocando dificuldade de locomoção e posteriores infecções, levando Sarinha ao desencarne bastante precoce. Arrependido do ato, quando mais velho, Luiz Fernando nunca dividiu com ninguém este fato, mas solicitou em choro silencioso no quarto, no início da juventude, que Deus o ajudasse a esquecer aquilo que o atormentava. Suas preces foram ouvidas, e Sarinha volta para seu lar para o devido reajuste.

Enquanto frei Adolfo falava, Ana Paula se encontrava comovida. Ouvia a tudo com os olhos em lágrimas. O frei continuou:

– Naturalmente, Sarinha não guarda a memória do ocorrido, mas seu instinto a faz desconfiar de Luiz Fernando. Nunca o agrediu, mas não é muito próxima do mesmo. Os outros dois bebês que estão retornando ao mundo, além do pequeno Pingo já citado, foram ambos parte da família, como gatos, em pregressa reencarnação, quando viveram vida difícil em situação de quase miséria e, muitas vezes, sentiram fome. Humilhados diversas vezes no mundo. Luiz Fernando que, na época, chamava-se Stênio, voltava para casa e encontrava o alento nos animais, que, sempre alegres, o amavam profundamente. Nesta reencarnação, encontra-se Stênio sob o nome de Luiz Fernando, apresentando situação financeira bem diferente, sendo um bem-sucedido profissional. Patrícia, da área médica, também tem uma vida financeira estável.

– Mas – disse Plínio – e se Sarinha tivesse sido castrada, como eles se encontrariam?

– Com certeza – disse frei Adolfo –, o departamento de reencarnação encontraria outras formas de reuni-los, ou através de outras mães, adoção, ou presente de um amigo; enfim, todos os desígnios divinos se cumprem.

Sirineu tomou a palavra e perguntou:

– E o que se passa, frei Adolfo?

– Caro filho – respondeu frei Adolfo -, Luiz Fernando, retomando os passos inconscientes do garoto da infância, que refletem o espírito que já desprezava os animais, mesmo tendo sido tão amado e ajudado por dois deles em reencarnação anterior, ao saber da gravidez de Sarinha, despreza o sagrado dever que lhe cabe e parece irredutível na ideia de abandoná-la nas ruas.

– Santo Deus! – exclamou Plínio –, mas se o fizer, está abrindo mão do auxílio divino que lhe foi concedido e, ao mesmo tempo, abandonando as almas conhecidas que buscam o lar para retomarem a evolução ou, no caso da Sarinha, o reajuste.

– Sim, filho – disse o frei –, mas, como disse anteriormente, o homem ainda não compreende os deveres sagrados que lhe cabem nos processos do amor com seus irmãos menores. Desta vez, a família não está em dificuldades financeiras, mas Luiz Fernando vê tudo como um incômodo e não perdoa Sarinha por ter engravidado.

*O evangelho dos animais*

– E como ficamos sabendo do caso? – Perguntou Ana Paula.

– Patrícia – disse o frei –, que enfrentou o marido prontamente, dizendo-lhe que jamais lhe perdoaria caso provocasse o ato, teme que, ainda assim, ele o faça escondido dela. Em suas preces, implora a ajuda de Francisco de Assis. Suas orações chegaram ao setor de preces e foram encaminhadas para nós. Vejamos como está a situação.

O frei, então, ligou o aparelho que havia na sala, com a tela inserida no centro da mesa. Pequena luz se acendeu no centro da tela. O orientador fez rápida programação e logo viram o lar terreno de Luiz Fernando e Patrícia surgindo na tela. Patrícia aprontava-se para dormir. Luiz Fernando ainda andava na sala, de um lado para outro, ansioso. Sarinha encontrava-se na cozinha. Parecia agitada e andava angustiada. Pressentia, em seu instinto, a mudança de Luiz Fernando. Observava-se ao redor do moço uma nuvem escura, proveniente de seus pensamentos, e o semblante estava taciturno. A jovem Patrícia novamente orava. Quando realizava suas preces, uma luz invadia o quarto, e independente das sombras que envolviam Luiz Fernando, invadia o lar secundariamente, abrindo, aos olhos estarrecidos de Plínio e Ana Paula, uma porta espiritual. Frei Adolfo, então, disse:

– Eis nosso convite. Patrícia, com suas preces, abriu as portas para nós. Seu pedido elevou a vibração ambiente, sua fé e seu amor a Sarinha e aos animais nos auxiliam muito, facilitando-nos a atuação. Vamos até o lar de Sarinha.

Deslocaram-se, então, imediatamente. Adentraram outra sala do setor de urgência e um portal se abriu, provocado pelas preces de Patrícia no lar, e o grupo o atravessou, chegando ao quarto onde Patrícia, agora, se aconchegava na cama, de olhos tristes e lacrimosos, temendo por Sarinha. Tentou trazê-la para o quarto, mas a mesma não aceitava, sentindo a rejeição de Luiz Fernando.

O grupo se dirigiu para a sala, e frei Adolfo pôde ler nos pensamentos de Luiz Fernando as intenções de abandonar Sarinha, naquela noite, assim que a família dormisse. Convidou o grupo a prece e tomou a iniciativa de realizá-la:

– Senhor de toda vida, encontramo-nos reunidos em prol de nossa irmãzinha Sarinha e dos espíritos que traz no ventre.

Sabemos de Teu amor por todas as criaturas, e solicitamos Tua ajuda infinita. Derrama sobre todos nós a Tua luz e ampara especialmente Luiz Fernando. Embora equivocado em seus atos, é nosso irmão e traz o amor latente preso ao egoísmo e ao orgulho. Auxilia-nos, Senhor, a despertar dentro dele a luz que o fará, no futuro, iluminado filho nos caminhos do amor.. Esteja conosco em nossos propósitos de servi-te. Assim seja. Ao terminarem a prece, observaram que intensa luz vinha do alto. Pediu o frei que o grupo permanecesse em prece, com confiança irrestrita no Criador. Aproximou-se do rapaz e colocou a mão na fronte do mesmo. Luiz Fernando sentiu irresistível sono e sentou no sofá. Em poucos minutos, dormia profundamente. Sirineu dirigiu-se ao quarto e encontrou Patrícia desligada parcialmente do corpo físico, na emancipação natural do Espírito. Ao vê-lo, identificou a luminosidade, e dirigiu-se ao trabalhador, assim dizendo:

– Oh, trata-se de emissário de Francisco de Assis?

– Vim, minha querida, atender-lhe as preces em nome de nossa irmãzinha Sarinha.

Patrícia abraçou o amigo, chorando e dizendo:

– Graças a Deus, obrigada, Senhor!

Sirineu a orientou:

– Mantenha a fé irrestrita em Deus. Vamos até a sala, onde Luiz Fernando se encontra repousando, e busquemos conversar com ele.

Adentraram ambos a sala, e encontraram Luiz Fernando tonto, parcialmente desligado do corpo pelo sono físico, mas de semblante revoltado e agressivo. Não podia ver a equipe espiritual ali presente; identificou, porém, imediatamente, Patrícia. Sem ser percebido, novamente Frei Adolfo colocou a mão na fronte do rapaz, agora no corpo espiritual, e este pôde identificar levemente a luz ambiente. Assustado, tentou fugir, impedido porém pela vibração amorosamente enérgica de frei Adolfo, que se fez visível ao rapaz.

Patrícia, ao ver Luiz Fernando assustado, aproximou-se do marido, para que se sentisse seguro, dizendo:

– Fique calmo, meu amor, não tema. São estes que aqui se encontram emissários do bem. Querem nos falar e representa uma honra sem conta recebê-los em nosso lar.

Luiz Fernando pareceu se acalmar. Frei Adolfo, aproveitando a deixa, começou a lhe falar:

*O evangelho dos animais*

– Meu filho, viemos até aqui perguntar-lhe por que deseja abandonar Sarinha? Luiz Fernando teve um sobressalto, espantado com a pergunta, que não esperava. Respondeu:
– Vocês estão aqui por causa de uma gata? Não acredito! Sem conseguir se conter, riu daquilo que acreditava perda de tempo, pois considerava os animais uma questão secundária, jamais necessitando serem tratados por "anjos do Senhor", segundo sua concepção.

Plínio e Ana Paula deixaram surgir leve revolta em seus corações, mas lembrando das recomendações de frei Adolfo, tranquilizaram-se e elevaram novamente os pensamentos em prece. Sirineu e Lucio permaneceram inalterados. Frei Adolfo se dirigiu novamente para Luiz Fernando e lhe disse:
– Filho, considera Deus Pai de suprema bondade e amor?

Novamente, Luiz Fernando se surpreendeu com a pergunta, que considerava nada ter a ver com o caso. Mas a autoridade natural de frei Adolfo o fazia responder por respeito, então disse:
– Sim, considero.
– Crê você que Deus seria, de alguma forma, parcial para qualquer criatura no mundo? – Continuou frei Adolfo.
– Isto me parece incompatível com o que significa Deus – respondeu Luiz Fernando, sem compreender a razão de tais questionamentos.

Frei Adolfo continuou:
– Lembra-se quando da doença grave de sua filhinha Maria, recém-nascida, em que os médicos a desenganaram, dizendo-lhe que só restava aguardar pela morte inevitável?

Luiz Fernando não pôde conter a emoção ao se lembrar de tão triste fato. Sua alma automaticamente retomou a lembrança e todos os fatos do momento. Respondeu tentando parecer frio, mas traído pela emoção:
– Sim, me lembro.
– Sem saber mais a quem apelar – continuou frei Adolfo –, dirigiu-se à capela do hospital e realizou sentida prece, apelando a Deus que iluminasse os caminhos e que surgisse uma solução para a continuidade da vida.

Neste instante, Luiz Fernando não pôde mais conter o pranto. Visivelmente emocionado, respondeu:

– Sim, eu me lembro. E no dia seguinte, Maria estava melhor. Sua saúde voltou, os médicos não compreenderam como, e hoje seu corpo não tem mais os graves sinais da enfermidade.

– Deus olhou por sua necessidade e ouviu suas preces – respondeu frei Adolfo –, mas Deus é Pai de todas as criaturas no mundo. Olha por todos os filhos, auxilia em todas as dores. Ouviu sua prece em relação a Maria, e também ouviu sua prece no silêncio do quarto, na juventude, em profundo remorso, quanto a seu ato de crueldade na infância, provocando dor e morte em uma gata.

Novamente, Luiz Fernando se assustou. Ninguém, nem mesmo sua esposa, sabia de seu choro angustiado no quarto e somente seus amigos de infância, que compartilharam com ele a crueldade praticada, sabiam do ato. Nem mesmo Luiz Fernando se lembrava daquela prece. Mas, ao ser mencionada por frei Adolfo, novamente o sentimento de remorso e arrependimento voltaram. Ainda trazia no inconsciente a culpa a lhe maltratar. Desta vez, Luiz Fernando ficou sem palavras. Olhou para frei Adolfo entre a surpresa e o respeito, acreditando tratar-se mesmo de um anjo. Ajoelhou-se imediatamente, católico como era, e disse:

– Perdoe-me, anjo divino. Deus o enviou para me castigar quanto ao erro? Não suporto nem me lembrar daqueles dias da infância.

Frei Adolfo aproximou-se de Luiz Fernando e, com um gesto de imenso carinho, o levantou do chão, dizendo:

– Sou, como você, um filho de Deus. Venho até aqui lembrar-lhe a solicitação feita naquela oração da juventude e dizer-lhe que trairá, acima de tudo, a si mesmo, ao abandonar os filhos do Criador de todos nós, promovendo graves consequências para seu equilíbrio espiritual. Sarinha, como você, ou eu, ou Maria, sua filhinha do coração, é filha do mesmo Pai de todos nós e, portanto, nossa irmãzinha. Encontra-se ela num dos momentos mais sagrados da criação, trazendo no ventre outros de nossos irmãos para iniciarem a vida física, tendo eles a mesma oportunidade, que temos nós, de aprender a amar e conquistar a felicidade. Cada qual em seu degrau na vida espiritual, mas todos sob a guarda amorosa do Cristo de Deus. Aprenda, meu filho, a não desprezar

*O evangelho dos animais*

aquilo que não compreende e a fazer-se um servo de Deus onde for chamado. Assim, será retribuído por suas preces, sempre ouvidas, e acalmará a própria consciência quanto ao passado na infância, acolhendo em seu lar os filhos mais jovens de Deus.

Luiz Fernando novamente caíra de joelhos e chorava copiosamente com as revelações. Em seu semblante, não mais se notava a agressividade, mas uma expressão de menino arrependido. Patrícia, emocionada, o guardava no colo. Plínio e Ana Paula quase não conseguiam conter a emoção. Após se acalmar um pouco, Luiz Fernando disse:

– Caro anjo de Deus, estou dissuadido da ideia de abandonar Sarinha. Prometo que terá ela em nosso lar toda a assistência necessária, bem como seus filhinhos. Não lhe faltarão recursos.

Patrícia, mentalmente, olhou para frei Adolfo e disse: *"muito obrigada, que Deus o abençoe"*.

Frei Adolfo, com a típica serenidade que lhe cabia, disse:

– Ensina-nos Jesus no Evangelho a amar sem restrições. Em sua magnífica luz, esteve entre nós, pousando suas "asas" de amor sobre nossas dores. Jamais nos abandonou. Em estágio muito superior ao nosso, guardou-nos no coração e jamais, em nossos erros, nos deixou perdidos à própria sorte. Espera, porém, que retribuamos em forma de amor os mesmos gestos àqueles que nos aguardam amparo e auxilio em estágio de evolução inferior ao nosso. São estes nossos irmãos animais. Confiamos Sarinha as suas mãos para tutorarem a educação, o amor, o direcionamento. Que não fujam dos compromissos e façam jus a misericórdia divina. Jesus os abençoe.

Então, Frei Luiz se dirigiu até Sarinha, na cozinha, e a acariciou. Esta, que, com a mudança do ambiente, relaxou, ressonava tranquilamente.

Retornaram todos para a colônia, deixando Luiz Fernando, Patrícia e Sarinha aos próprios cuidados. Plínio e Ana Paula estavam surpreendidos e empolgados pelo resultado do trabalho. Mas Plínio levantou a questão;

– Frei, por que nem sempre obtemos este resultado? Por que tantos animais são abandonados?

Frei Adolfo respondeu:

– Neste caso da Sarinha, tivemos muita prece a nos preparar o ambiente, e o amor de Patrícia por Sarinha e pelo esposo. Tudo isso nos permite atuação mais intensa. Muitas vezes, não há ninguém no lar com predisposição ao aprendizado da luz e a prece não é praticada. Adentramos, então, em ambientes inóspitos e tomados por entidades menos felizes, que induzem a família ao ato de abandono. O orgulho humano é facilmente estimulado. O homem considera-se tão superior que acredita, como vocês mesmos ouviram Luiz Fernando dizer, que Deus não se ocuparia dos animais. Mas, não precisa o homem conhecer o trabalho do plano espiritual para, numa análise sincera, saber que Deus se ocupa de todos os seus filhos. A literatura espírita não falta com estes alertas. Vemos no Livro Emmanuel, autoria espiritual de Emmanuel, psicografia de Francisco Cândido Xavier, capítulo Sobre Os Animais, importante colocação que nos faz perceber que o egocentrismo e o antropocentrismo humanos é que fazem o homem acreditar que o plano espiritual só auxilia Espíritos em fase de humanidade, desprezando todas as outras criaturas de Deus:

*"...sabemos que todos os seres, inferiores e superiores, participam do patrimônio da luz universal".*

Frei Adolfo continuou:
– Basta estudar e verão que tudo existe comprovado pela Doutrina Espírita. Por isso, meus filhos, cabe-lhes encontrar as respostas que já estão inscritas na consciência humana, a despertar o homem para sua realidade universal. Nova fase nos aguarda no aprendizado do amor, e à medida que o homem compreende a luz da fraternidade cósmica, se aproxima mais da realidade espiritual.

Ana Paula e Plínio estavam embevecidos com as revelações. Sentiam necessidade de mais conhecimento, mas o dia já amanhecia, e tinham de se preparar para retornar ao corpo físico, para os estudos do dia seguinte. Despediram-se fraternalmente dos companheiros de trabalho e se prepararam para nova etapa, no intuito de encontrar os rastros de luz deixados ao longo da Doutrina Espírita, iluminando os caminhos humanos para o encerramento da vivência dolorosa

*O evangelho dos animais*

que existe entre homens e animais, igualando para os homens todos os filhos de Deus no mesmo patamar de amor, como já o é para o Deus de luz.

## Capítulo 19

# ROMPENDO O VÉU DAS ILUSÕES

Plínio acordou na manhã de domingo com uma alegria fora do comum. O dia de estudos era sempre um imenso prazer, mas naquele domingo, em especial, estava estimulado, feliz, como se nova porta de entendimento estivesse realmente se abrindo. Em nada trazia a lembrança da noite de sono do corpo físico, em que estivera em uma de suas excursões de trabalho na colônia espiritual, mas conservava a mesma emoção desenvolvida nos trabalhos.

Pensava que deveriam retomar ainda a questão sobre o livre-arbítrio, porque tinha a sensação de que ela parecia mais profunda do que haviam captado até então. No café da manhã, foi alegremente acompanhado por Dona Luzia, Darwin e Nina. Conversaram alegremente Plínio e sua mãe, e ele despediu-se dizendo que estaria em casa para o almoço.

Quando chegou à rua, foi abordado por seu vizinho, que parecia aflito. Arlindo era velho conhecido da família, e tinha sempre consigo um sorriso alegre e contagiante. Cuidava, em especial, de Dona Luzia quando Plínio não estava presente e foi de grande apoio à mesma quando do grave vicio que dominou o rapaz, **fazendo-se** presente sempre que possível.

Seu Arlindo dirigiu-se a Plínio dizendo:

*O evangelho dos animais*

– Plínio socorra-me. Meu cão, Astor, está muito mal.
– Que se passa, Seu Arlindo? – Perguntou Plínio
– Na verdade, não sei bem. Ele já tem muita idade, passa dos dezesseis anos. Hoje, amanheceu estranho, vomitou muito há pouco e, em seguida, caiu desmaiado no quintal. Não tenho coragem de olhar, mas acho que está morto.

Seu Arlindo trazia os olhos avermelhados. Plínio encheu-se de coragem e adentrou a casa junto com o antigo amigo. Ao ver Astor no quintal, teve a mesma impressão. Aproximou-se lentamente, deixando Seu Arlindo na porta dos fundos da casa, parado. Olhou para Astor. Este estava imóvel, mas a respiração conservava-se, embora muito lenta. Colocou a mão no peito do cão cujo coração batia devagar. Fez menção de levantar-se para buscar ajuda, mas, antes que o fizesse, viu que Astor arfou com profundidade, suas pupilas dilataram – se e parou de respirar. Lembrou-se do que aprendera sobre manobras de emergência e procurou reavivar o cão, sem sucesso. Desalentado, Plínio constatou que o cão desencarnara.

O que Plínio não pôde observar, no entanto, era a equipe espiritual presente no momento do desencarne. Quando seu Arlindo acordou, a equipe de desencarne da colônia já estava presente. Frei Adolfo, que após despedir-se de Plínio e Ana Paula, retornou para a colônia e reuniu-se à equipe escalada para realizar o desligamento do corpo físico de Astor, conforme a programação reencarnatória do mesmo, coordenava o grupo. Aguardavam sua chegada para realizar o trabalho.

Encontraram o lar silencioso. Astor era hipertenso e tomava regularmente remédios. Por necessidade do desencarne, sua pressão sofreu um pico, promovendo o acidente vascular cerebral que culminou no encerramento da pouca energia vital ainda presente no corpo físico. Os técnicos desligaram todos os laços que prendiam o corpo espiritual ao corpo físico e, quando Plínio chegou, terminava a equipe espiritual o desligamento. Astor, então, foi recolhido com intensa ternura por frei Adolfo, dormindo sono profundo, e carregado nos braços com carinho, foi encaminhado para o plano espiritual. Lá se encontrava a sua espera a antiga tutora, Dona Amélia, esposa de Seu Arlindo que havia desencarnado há três anos, deixando o esposo e os três filhos, bem como sete netos, ainda na Terra, dando continuidade ao processo evolutivo, cada qual em uma dimensão de vida. Astor e Dona Amélia haviam sido grandes companheiros e não era a primeira vez que se encontravam. Seu Arlindo chorava na Terra a despedida de Astor, pensando o quanto sentiria falta daquele grande amigo. Dona Amélia, no entanto, alegrava-se com a notícia de que teria junto de si, no plano espiritual, o companheiro querido, e ansiava por vê-lo logo fosse possível. Frei Adolfo intuíra Plínio na realização da prece. Plínio, então, chamou Seu Arlindo e disse:

– Seu Arlindo, acompanhamos os últimos segundos de Astor na Terra. Convido-o para uma prece, pois nosso amigo desencarnou, indo à outra dimensão.

Seu Arlindo chorou sentido. Abaixou perto de Astor e disse:

– Meu velho, enfrentamos tantas coisas juntos. Esteve ao meu lado, fielmente, quando da morte de minha companheira querida, Amélia, pela qual, aliás, você sempre teve grande amor. Só posso lhe agradecer. Tomara que Deus, Pai de infinita bondade, o acolha no céu. Espero que encontre Amélia e, se acontecer, diga a ela que ainda a tenho em meu coração e que ela sempre está em meu pensamento, assim como você, que nunca imaginei pudesse conquistar tanto meu amor, ocupando, em minha vida, o lugar de um filho.

Neste momento, Seu Arlindo, embora a dificuldade da idade, estava abaixado no chão, abraçado com Astor, dizendo:

– Obrigado por tudo!

Plínio, junto de Seu Arlindo, realizou a prece:

– Recebe, Senhor, em Seus braços de amor, este irmão querido que retorna ao plano espiritual, leve com ele nosso amor e nossa gratidão.

Enquanto isso, na colônia espiritual, adentravam frei Adolfo e a equipe de desencarne do hospital veterinário. Astor era devidamente cuidado e recebia os primeiros tratamentos no corpo espiritual. Acolhido em confortável cama, numa sala grande, semelhante a uma enfermaria, permanecia o grande e velho cão dormindo profundamente. Frei Adolfo disse a Sirineu, que o aguardava:

– O tempo ainda é algo estranho para o homem lidar. Conserva-se, neste momento, na Terra, o Seu Arlindo, dedicado

*O evangelho dos animais*

e amoroso tutor de Astor, que lhe permitiu grandes progressos nesta encarnação, no aprendizado do amor e da fraternidade. Em tudo, Seu Arlindo esteve presente, e Astor também não o deixou abandonado em seus momentos de tristeza e solidão. Seu Arlindo permanece no quintal de seu lar, abraçado àquele que foi o corpo físico deste amigo que agora se encontra entre nós. Conserva ele a cena, em sua memória, dos últimos momentos. Mas a verdade é que aqueles momentos que traz na mente já estão no passado. Astor está conosco agora, e dorme. As cenas do sofrimento que acompanhou Seu Arlindo, nos últimos meses com o problema cardíaco de Astor, e particularmente no dia de hoje, com o grave acometimento provocado pelo acidente vascular cerebral, ainda estarão na memória do velhinho por alguns meses, mas apenas lá se conservarão, porque a realidade de Astor já será outra; o grande e amável cão logo se recuperará. Neste momento, já não tem nenhuma dor e dorme muito bem, como há muito tempo não acontecia devido a insuficiência respiratória causada pelo coração.

Sirineu sorriu, compreendendo bem a colocação de frei Adolfo. A verdade, pensava ele, é que nos conservamos onde queremos, e compreender a existência, como espiritual acima de tudo, nos liberta de sofrimentos ainda difíceis de abandonarmos, pela nossa condição evolutiva.

Neste momento, chega, feliz e emocionada, Dona Amélia. Seu sorriso contagiou a todos. Ao ver Astor na enfermaria seus olhos se encheram de lágrimas. Lentamente, para não acorda-lo, se aproximou. Antes, perguntou a frei Adolfo:

– Posso ficar perto dele? Não vou atrapalhar sua recuperação?

Frei Adolfo respondeu:

– Pode se aproximar. Permitimos que viesse ter com ele hoje porque sabemos que já se encontra em condição de não deixar que suas emoções se descontrolem e o atrapalhem. Somente não o acorde, Astor precisa do descanso.

– Obrigada, respondeu Dona Amélia.

Aproximou-se, então, de Astor, sentou-se ao seu lado. Olhou todo seu corpo espiritual. Com uma emoção profunda, disse baixinho:

– Meu grande companheiro Astor. Que alegria vê-lo aqui! Como Deus é bom, quanta bondade em nos aproximar novamente! Sempre foi muito amado, meu amigo, e estava ansiosa por ter com você. Teremos muito tempo para compartilhar aqui no plano espiritual. Seja bem-vindo.

Tocou de leve a face de Astor e se deixou envolver pela paz ambiente, dizendo:

– Obrigada, Senhor, por permitir que estejamos juntos novamente.

A cena emocionou os circunstantes. Dona Amélia deitou a cabeça em Astor e ali permaneceu por longo tempo, feliz.

No plano terrestre, Plínio, após os cuidados iniciais a Seu Arlindo, deixou-o sob a guarda dos filhos, e dirigiu-se à casa de Edson e Amanda. Após o que acompanhou, questionou-se sobre o que dizia a Doutrina Espírita acerca de animais no plano espiritual. Já havia ouvido tanta coisa contraditória...

Recebido pelos amigos, chegou levemente atrasado. Edson, pontual, já havia realizado a prece de início. Cumprimentou a todos e contou o que havia ocorrido, relatando suas dúvidas. Amanda disse:

– Plínio, esta é uma das dúvidas que mais me deixam inconformada. Fico pensando se poderei rever Fifi, e se ela pode estar no plano espiritual. Que tal se estudássemos isso hoje?

– Excelente ideia respondeu Ana Paula.

– Sempre aprendi – disse Edson –, que os animais reencarnam imediatamente após o desencarne; assim, segundo o que me disseram, eles não podem ficar no plano espiritual.

– Interessante – disse Sérgio –, mas, se isso for verdade, como se explica que alguns médiuns videntes possam ver animais desencarnados? Sempre fiquei muito confuso quanto a isto.

– Bem – disse Plínio –, tenho certeza de que, como tudo que se fala acerca dos animais, encontraremos as respostas às nossas dúvidas dentro do Consolador Prometido. Mas, antes de iniciarmos este próximo tópico, gostaria de dar pequena continuidade à questão sobre livre-arbítrio que estudamos na última semana, pois creio mesmo que ainda tem mais a ser explorado. Fiquei com uma sensação de que devemos aprofundar no que diz o Espírito da Verdade sobre o tema.

– Importante – disse Edson –, que não deixemos nada para trás. Tenho aprendido ao estudar com todos vocês que cada palavra, cada colocação, cada frase, na pergunta ou

*O evangelho dos animais*

na resposta de O Livro dos Espíritos, podem dar origem a profundas meditações e importantes conclusões. Assim, vamos retomar o assunto.

– De repente – disse Amanda –, o entendimento desta questão, em todas as suas nuances, pode ser importante até para compreendermos a questão dos animais no plano espiritual.

Edson, então, abriu O Livro dos Espíritos na questão 595 e releu:

> *595. Gozam de livre-arbítrio os animais, para a prática dos seus atos?*
> **Resposta: "Os animais não são simples máquinas, como supondes.** *Contudo,* **a liberdade de ação, de que desfrutam,** *é limitada pelas suas necessidades e não se pode comparar à do homem. Sendo muitíssimo inferiores a este, não têm os mesmos deveres que ele.* **A liberdade, possuem-na restrita aos atos da vida material."**

– Impressionante – continuou Edson – como a compreensão da história e da época a que a informação se refere faz toda a diferença no entendimento exato das colocações.

– O mais interessante – disse Sérgio –, é o fato de sabermos a este respeito quando estudamos a Doutrina Espírita. O próprio Evangelho Segundo o Espiritismo nos esclarece, logo no primeiro capítulo, acerca das colocações feitas por Moisés quando começou a falar das Leis Divinas. Vejam no Evangelho Segundo O Espiritismo, cap. I, item 2:

> *"Há duas partes distintas na lei mosaica: a lei de Deus, promulgada no monte Sinai, e a lei civil ou disciplinar, estabelecida por Moisés. A lei de Deus é inalterável; a outra, apropriada aos costumes e ao caráter do povo, se modifica com o tempo."*

– E veja, fica tão perfeitamente claro compreendermos o porquê destas distinções e a necessidade de adaptação à compreensão do povo rústico da época.

– Ora – continuou Plínio – com Jesus não foi diferente. Ele adaptou a linguagem e falou por parábolas conforme os costumes do povo da época; o que hoje nos cabe fazer é abstrair o sentido moral de suas colocações. Com o Espiritismo, o fato se repetiu novamente. Vemos, por exemplo, ainda no capítulo I de O Evangelho Segundo o Espiritismo, item 7, a mesma situação:

*"Da mesma forma que o Cristo disse: Não vim destruir a lei, mas cumpri-la, o Espiritismo igualmente diz: Não venho destruir a lei cristã, mas dar-lhe execução. Ele não ensina nada ao contrário do que o Cristo ensinou, mas desenvolve, completa e explica, em termos claros para todos, o que só foi dito de forma alegórica...".*

– São novos desdobramentos – continuou Plínio –, novas revelações sobre os ensinamentos de Jesus, esclarecendo e iluminando.

– Há de se considerar, no entanto – disse Amanda –, as recomendações deixadas por Kardec, no Livro Obras Póstumas, Constituição do Espiritismo, item 2:

*"...Um terceiro ponto a considerar é o caráter essencialmente progressivo da Doutrina Espírita..."*

– Muito pertinente, Amanda – disse Edson –, a Doutrina Espírita, ao contrário das outras revelações, que vieram sob os cuidados de grandes missionários – considerando-se à parte, obviamente, Jesus, que é quem preside a evolução de todas as criaturas na Terra e a quem toda obra pertence – é uma revelação dos Espíritos e também esta revelação acontece aos poucos, à medida que a humanidade evolui intelectual e moralmente, ampliando a apreensão das Verdades Divinas e compreendendo a necessidade de aplicar as mesmas para a construção da harmonia individual e coletiva.

– Caro amigo – disse Sérgio –, se restringíssemos as revelações espíritas, em absoluto, à Codificação, estagnaríamos, automaticamente, o homem, por muito tempo, condenando a humanidade à infelicidade, pois que, sem os devidos desdobramentos, tendemos a compreender tudo sob nossa visão parcial e equivocada do que seja a verdade. Demoraríamos ainda muito mais longo período de tempo, vivendo nas sombras, acreditando ter encontrado a luz.

*O evangelho dos animais*

– Por certo – disse Plínio –, a Codificação, em particular O Livro dos Espíritos, é de tal profundidade, no sentido moral, que só podemos compreendê-lo e apreender a moralidade que lhe cabe muito lentamente, porque, para tanto, precisamos ampliar a consciência.

– E, à medida que nossa consciência se amplia – continuou Amanda –, a espiritualidade desdobra e completa os ensinamentos, como aconteceu ao longo dos primeiros 150 anos da Doutrina Espírita. Evoluiu o homem e a ciência, evoluiu a moral, e novas revelações foram feitas por Emmanuel, André Luiz, Joanna de Ângelis, Humberto de Campos, e tantos outros, incontáveis.

– Mas está tudo lá – disse Ana Paula –, o Espírito da Verdade disse tudo. Nós é que não pudemos compreender tudo. Assim como o Cristo, que falou deixando muitas informações inseridas em seus ensinamentos, para posterior desdobramento e entendimento, o mesmo acontece com as colocações do Espírito da Verdade; ele falou tudo, mas muita coisa só pôde ser entendida com futuras colocações e desdobramentos. Por isso, alertou Kardec, como já vimos:

*"...Um terceiro ponto a considerar é o caráter essencialmente progressivo da Doutrina Espírita..."*

Ana Paula continuou:
– Voltemos, por exemplo, para a questão 595 de O Livro dos Espíritos, que trata do livre-arbítrio dos animais e observemos a primeira frase da questão:

*"Os animais não são simples máquinas, como supondes..."*

– Uau! – disse Lúcia –, mas isso refere-se ao pensamento de René Descartes!

– Isso mesmo, Lúcia – continuou Ana Paula –, estávamos no ano de 1860, segunda edição de O Livro dos Espíritos. O materialismo imperava e o entendimento dos animais como máquinas complicadas, como definiu Descartes, somava-se ao pensamento em voga na época, pensamento este que, em se tratando dos animais, se estendeu ao longo do século

XX. Bem resumidamente, para não nos tornarmos repetitivos, isto justificou, por exemplo, a recomendação de Claude Bernard para que os cientistas utilizassem os animais como instrumentos de pesquisa e experimentação, uma vez que, como máquinas, seriam incapazes de quaisquer tipos de sentimentos e sensações.

– Assim – disse Edson –, como máquinas, não podiam sentir amor, medo, raiva, dor, fome, frio, etc.

– Estranho – comentou Plínio –, mesmo os acreditando máquinas, sem dúvida, no fundo, a inscrição do amor contida na consciência individual de todos "cutuca" com a verdade o consciente acomodado, porque Claude Bernard, mesmo vendo os animais como máquinas, recomendou aos cientistas que não dessem nome aos animais que seriam seus "objetos"de pesquisa, para que não desenvolvessem por eles afeto, prática hoje utilizada ainda por muitos cientistas. No fundo, isto indica que ele observava sentimentos nos animais; do contrário, tal recomendação não faria sentido.

– É, amigo – disse Ana Paula –, este pensamento, de que os animais são "máquinas complicadas" terminou por definir nossa relação com os animais, como se eles fossem geladeiras programáveis ou mesmo máquinas produtoras.

– Mas – continuou Ana Paula –, vamos repetir a frase do Espírito da Verdade na questão 595:

*"Os animais não são simples máquinas, como supondes..."*

– Ora – disse Plínio –, o Espírito da Verdade falava muito mais, nesta colocação, do que simplesmente do livre-arbítrio dos animais, foi, como podemos agora perceber, graças ao entendimento histórico do pensamento humano acerca dos animais, um alerta, foi um claro aviso que exige análise e aplicação na realidade, no cotidiano, quando da relação que mantemos com os animais. Acreditávamos fossem eles máquinas e o Espírito da Verdade esclarece enérgica e firmemente: ***"Os animais não são simples máquinas, como supondes..."***

– Pensemos – disse Sérgio –, nós os acreditamos máquinas, porque nos é conveniente, porque o contrário exige grandes

*O evangelho dos animais*

mudanças em nossas relações e nossos hábitos, mas o alerta do Espírito da Verdade é claro e incontestável!

– Meu Deus! – disse Plínio –, nós os exploramos e desconsideramos absolutamente ao longo do tempo e, embora o alerta do Espírito da Verdade: ***"Os animais não são simples máquinas, como supondes..."***, nós não conseguimos ouvir, e continuamos, e continuamos...

– É sempre tempo de recomeçar – disse Ana Paula –; lembro-me da famosa frase de Chico Xavier:

> *"Embora ninguém possa voltar atrás e fazer um novo começo, qualquer um pode começar agora e fazer um novo fim."*

– É tempo de construir o futuro – continuou Ana Paula – a ciência evoluiu, a moral evoluiu, embora bem mais lentamente, o entendimento acerca de nossa própria alma, enquanto seres humanos, ampliou-se, o entendimento dos objetivos da vida, graças a Doutrina Espírita, mudou. O planeta Terra caminha, a olhos vistos, para uma interação diferente entre homens-animais-natureza. E o Espírito da Verdade já pode ser ouvido e compreendido, em particular, por nós, espíritas. Vamos então ouvi-lo, talvez pela primeira vez, dando-lhe a propriedade e credibilidade que lhe cabe no que se refere aos animais, e ouvindo seu alerta para nossa própria evolução, para a evolução do planeta e para a evolução dos animais, completando com o final da questão 607ª, do mesmo Livro dos Espíritos:

> ***"Os animais não são simples máquinas, como supondes... Acreditar que Deus haja feito, seja o que for, sem um fim, e criado seres inteligentes sem futuro, fora blasfemar da sua bondade, que se estende sobre todas as suas criaturas."*** *O Espírito da Verdade*

– Ouçamos a Verdade que nos esclarece o Espírito da Verdade – continuou Ana Paula – e nos dignemos ao titulo de espíritas, que vivem a Doutrina Espírita e os ensinamentos cristãos, a começar pelo primeiro de todos: HUMILDADE.

– A Doutrina Espírita é progressiva – disse Plínio – jamais vai se estagnar, porque os Espíritos acompanham a evolução da humanidade, mas o Espírito da Verdade não deixou de fazer uma colocação que, a uma primeira análise, parece tão simples, mas tem o efeito, se observada profundamente, de mudar o destino de bilhões de criaturas animais, pois que os retira da tirania humana, obscurecida pela ignorância espiritual e os eleva a seres com capacidade de sentir, de perceber o mundo ao redor, ou seja, seres senscientes, pois, quando o Espírito da Verdade nos diz: *"Os animais não são simples máquinas, como supondes..."*, Ele está nos dizendo:

**Observai bem vossas atitudes, observai bem os animais, e concluireis por vós mesmos, que eles entendem bem mais do que vós, seres humanos, puderam até hoje admitir, por vossa cegueira!**

– É toda uma revolução de caráter moral – continuou Plínio –, com óbvios reflexos na vida humana, porque eleva o animal de simples máquina a nosso serviço para o patamar de criatura de Deus, filho de nosso mesmo Pai e, portanto, nosso irmão. É o Espírito da Verdade corrigindo nossos equívocos milenares.

– Acho que podemos aprofundar – disse Amanda –; pois bem, Descartes concluiu que os animais não têm alma e por isso são máquinas.

– É – disse Edson -, mas o Espírito da Verdade deixa claro que os animais não são máquinas.

– Então, amigos – continuou Amanda –; eles têm alma! Se não são máquinas, como pensou Descartes, eles têm alma!

– Kardec perguntou para o Espírito da Verdade – disse Plínio – na questão 597 de O Livro dos Espíritos:

*597. Pois que os animais possuem uma inteligência que lhes faculta certa liberdade de ação, haverá neles algum princípio independente da matéria?*
**Resposta:** *"Há e que sobrevive ao corpo."*

– Nossa – disse Ana Paula –, quanta informação em uma só questão!

*O evangelho dos animais*

– Como assim, Ana Paula? – Perguntou Lúcia –, achei que apenas falava da alma dos animais.

– Ah! Não, Lúcia – respondeu Ana Paula –, a pergunta 597 diz muito mais.É por isso que, de novo, dizemos: O Livro dos Espíritos não é informação para conclusões rápidas e precipitadas. É necessário avaliar cada linha, cada palavra, desde a pergunta até a resposta. Nesta questão 597, por exemplo, no enunciado da pergunta já notamos duas importantes conclusões afirmadas pelo codificador. Vamos analisar juntos?

– Adoro este tipo de análise – disse Edson – porque nos permite uma conexão com o pensamento direto de Kardec, sua forma lógica de pensar. Vamos reler a questão 597:

> *597. Pois que os **animais possuem uma inteligência que lhes faculta certa liberdade de ação,** haverá neles algum princípio independente da matéria?*
> ***Resposta:** "Há e que sobrevive ao corpo."*

– Opa! – continuou Sérgio –, tem razão, Edson, já na pergunta observamos duas afirmações por parte de Kardec, obviamente conclusões já tiradas das respostas anteriores do Espírito da Verdade. Vamos à primeira:

*"... os animais possuem umainteligência..."*

– Incrível – disse Edson –, sempre aprendi que os animais eram só instinto! Mas Kardec afirma no enunciado da questão 597 que *"... os animais possuem uma inteligência..."*.

– Isso, Edson – disse Plínio –, porque ele já havia perguntado ao Espírito da Verdade na questão 593 de O Livro dos Espíritos acerca da inteligência dos animais. Vejamos:

> *593. Poder-se-á dizer que os animais só obram por instinto?*
> ***Resposta:** "Ainda aí há um sistema. É verdade que, na maioria dos animais, domina o instinto.*
> *Mas, não vês que muitos obram denotando acentuada vontade? É que têm inteligência, porém limitada."*
> *Não se poderia negar que, além de possuírem o instinto, alguns animais praticam atos combinados, que*

*denunciam vontade de operar em determinado sentido e de acordo com as circunstâncias. Há, pois, neles, uma espécie de inteligência, mas cujo exercício quase que se circunscreve à utilização dos meios de satisfazerem às suas necessidades físicas e de proverem à conservação própria. Nada, porém, criam, nem melhora alguma realizam. Qualquer que seja a arte com que executem seus trabalhos, fazem hoje o que faziam outrora e o fazem, nem melhor, nem pior, segundo formas e proporções constantes e invariáveis. A cria, separada dos de sua espécie, não deixa por isso de construir o seu ninho de perfeita conformidade com os seus maiores, sem que tenha recebido nenhum ensino. O desenvolvimento intelectual de alguns, que se mostram suscetíveis de certa educação, desenvolvimento, aliás, que não pode ultrapassar acanhados limites, é devido à ação do homem sobre uma natureza maleável, porquanto não há aí progresso que lhe seja próprio.*

*Mesmo o progresso que realizam pela ação do homem é efêmero e puramente individual, visto que, entregue a si mesmo, não tarda que o animal volte a encerrar-se nos limites que lhe traçou a Natureza.*

– Nossa! – disse Amanda –, quanta informação em uma só pergunta.

– É – disse Ana Paula –, vamos ter que analisar parte por parte para compreendermos melhor. Vamos ver:

*593. Poder-se-á dizer que os animais só obram por instinto?*
**Resposta:** *"Ainda aí há um sistema..."*

– Creio – disse Sérgio –, que aí está a primeira dica do Espírito da Verdade. Quando Kardec pergunta se os animais só obram, ou sejam, só realizam por instinto, o Espírito da Verdade começa dizendo: *"Ainda aí há um sistema..."*

– Claro – disse Ana Paula –, quando pensamos em animais, temos a tendência, natural de pensar somente naqueles que mais têm convívio direto conosco, ou com os quais temos mais chance de nos relacionarmos numa troca efetiva e clara

*O evangelho dos animais*

para nosso estágio evolutivo, mas, com certeza, nesta questão, o Espírito da Verdade se referia a todo o reino animal, e ele é muito mais abrangente do que quanto aos animais de nossa convivência direta, como cães e gatos.

– É verdade – disse Lúcia – sempre que penso em animais, penso naqueles com os quais eu convivo, como o Rex, o cãozinho lá de casa, e a Linda, a gata do lar de seu Edson e dona Amanda.

– Pois é, Lúcia – continuou Ana Paula –, mas do ponto de vista da ciência do mundo e da ciência espiritual, como podemos observar no livro Evolução Em Dois Mundos, de autoria espiritual de André Luiz, psicografia de Francisco Cândido Xavier e Waldo Vieira, não é assim.

– Não?! – Perguntou Lúcia, surpresa.

– Não – respondeu Ana Paula – o reino animal inclui todos os animais, como, por exemplo, a esponja do mar, a água viva, as minhocas, os caracóis, todos os insetos, os peixes de todos os tamanhos, os sapos, as rãs, as iguanas, as tartarugas, todas as aves, todos os mamíferos, etc.

– Creio – continuou Plínio –, que, em se tratando de um livro de filosofia espiritual, O Livro dos Espíritos classifique o homem no reino hominal, embora o corpo físico do ser humano seja de um mamífero.

– Você está certo – disse Ana Paula – no livro Evolução Em Dois Mundos, André Luiz classifica o homem como pertencente ao reino hominal.

– Já podemos tatear lentamente – disse Sérgio –, a principal diferença entre o mamífero ser humano e os outros mamíferos e também os demais animais, o que nos faz pertencer ao reino hominal. Vejamos a questão 592 de O Livro dos Espíritos:

*592. Se, pelo que toca à inteligência, comparamos o homem e os animais, parece difícil estabelecer-se uma linha de demarcação entre aquele e estes, porquanto alguns animais mostram, sob esse aspecto, notória superioridade sobre certos homens. Pode essa linha de demarcação ser estabelecida de modo preciso?*

**Resposta:** *"A este respeito é completo o desacordo entre os vossos filósofos. Querem uns que o homem seja* *um animal e outros que o animal seja um homem. Estão todos em erro. O homem é um ser à parte, que desce muito baixo algumas vezes e que pode também elevar-se muito alto. Pelo físico, é como os animais e menos bem dotado do que muitos destes. A Natureza lhes deu tudo o que o homem é obrigado a inventar com a sua inteligência, para satisfação de suas necessidades e para sua conservação. Seu corpo se destrói, como o dos animais, é certo, mas ao seu Espírito está assinado um destino que só ele pode compreender, porque só ele é inteiramente livre. Pobres homens, que vos rebaixais mais do que os brutos! Não sabeis distinguir-vos deles? Reconhecei o homem pela faculdade de pensar em Deus."*

– Ai, meu Deus! – disse Amanda –, é mais uma quantidade enorme de informações.

– Vamos nos ater – disse Edson –, a algumas colocações que nos direcionem para o que estamos estudando. Vejam só, no enunciado da pergunta, novamente Kardec falando acerca da impressionante inteligência dos animais:

*"...Se, pelo que toca à inteligência, comparamos o homem e os animais, parece difícil estabelecer-se uma linha de demarcação entre aquele e estes, porquanto alguns animais mostram, sob esse aspecto, notória superioridade sobre certos homens..."*

– Incrível! – disse Sérgio –, Kardec, diferente de muitos de nós, observava atentamente, por isso suas perguntas são tão pertinentes e tão profundas. Ele observava a inteligência dos animais, e, na verdade, não precisa ser um gênio da ciência para fazer isso. Basta observar os animais com os quais convivemos e concluiremos pelo mesmo que Kardec. Não falta quem tenha uma história incrível para contar sobre o animal com o qual convive no lar, ou mesmo filmes, estudos, pesquisas.

– É – disse Edson –, devo confessar uma coisa. Compreendi que uma das coisas mais importantes é observar e eu, enquanto espírita, tenho sido muito mais o intelectual, com

*O evangelho dos animais*

livros atrás de uma escrivaninha, concluindo após longos estudos, sem, no entanto, tomar contato com a realidade da observação, inserindo no mundo as verdades que eu acredito concluir, na teoria, e que, numa simples observação, iriam todas por água abaixo, porque distantes da realidade. E então, quando falo para aqueles que me perguntam sobre o tema, minha conclusão soa ilógica, irreal, frustrante. Concluí hoje, meus amigos, e escreverei, para que não tenha dúvidas e grave melhor em minha mente, o seguinte:

Edson levantou-se, pegou uma grande folha de cartolina, um pincel atômico, e escreveu em letras garrafais:

**Ficar com Kardec não é interpretar textos, mas adentrar o mundo como o verdadeiro Cientista, observando, anotando, com sinceridade e humildade, abstendo-se de opinar sem saber, e, somente após, ouvir o Espirito da Verdade, confrontar com as observações, analisar todos os detalhes, ouvir o próprio Codificador nos enunciados das questões, observar a evolução da humanidade através da história, e, então, concluir, sempre pela lógica e, principalmente, pelo Amor!**

Plínio deu profundo suspiro, porque concluía o mesmo de si, e sentia que tudo em que acreditava já saber estava sendo abalado, porque o verdadeiro saber era o de Deus, a verdade surge conforme estamos preparados para ouvi-la. Mas nosso orgulho fala mais alto, e nossa acomodação também. Plínio concluía que seu orgulho o fizera fechar-se em conclusões sobre questões não-conclusivas, como a espiritualidade dos animais, por falta de subsídio evolutivo e cientifico para tanto. E agora, a cada dia de estudos, se surpreendia com o óbvio.

Sérgio, atento à questão 592, faz outra colocação:

– Algo me chamou a atenção na resposta da questão 592:

*"...Querem uns que o homem seja um animal e outros que o animal seja um homem. Estão todos em erro... Reconhecei o homem pela faculdade de pensar em Deus."*

– Acho – disse Ana Paula –, que esta é uma colocação importantíssima, que devemos guardar "embaixo da manga", segundo o dito popular, porque nos servirá de importante estudo à frente. Mas, se adentrarmos nela agora, nos perderemos da oportunidade de compreender a inteligência dos animais.

– É verdade – disse Amanda. Tenho a sensação de que aí, nesta observação que fez Sérgio, está a chave para alguns enigmas da evolução, porém, precisamos terminar o estudo acerca da inteligência.

– Concordo – disse Sérgio –, vou anotar separadamente.

– Então – disse Ana Paula -, como observamos, o reino animal é amplo. E sob este aspecto, estes animais que conosco convivem mais diretamente, como cães, gatos, aves, bois, galinhas, porcos, carneiros, etc., são apenas uma pequena parte. Se pensarmos em todos os vermes, minhocas, peixes...

– E os insetos?! – disse Edson –, deve haver uma infinidade de insetos. E todos pertencem ao reino animal.

– É verdade – disse Ana Paula –, e é até óbvio observarmos que os vermes, as minhocas, e os insetos agem muito mais por instinto do que por uma vontade determinada; já aqueles com os quais convivemos diretamente e conseguimos manter uma troca afetiva, sem dúvida, demonstram outras qualidades, outras características, denotando inteligência, relação conosco, com o meio ambiente, vontade determinada. Existem no mundo cerca de 4260 espécies de mamíferos catalogadas até hoje, porém existem também cerca de 900.000 tipos de insetos catalogados até hoje. Ambos pertencem ao reino animal. Estima-se que o número de tipos de insetos seja ainda maior, e eles são responsáveis por 80% das espécies existentes no mundo. Assim, podemos concluir que, claramente, a maioria dos animais, aí nos referindo somente aos insetos, age muito mais por instinto.

– Acho que, antes de tudo – disse Plínio –, devemos compreender exatamente o que significa inteligência. Vamos à Codificação, no livro A Gênese, cap. III, item 22:

*"Todo ato maquinal é instintivo;* **o ato que denota reflexão, combinação, deliberação é inteligente"**

*O evangelho dos animais*

– Só por esta colocação – continuou Plínio –, já podemos definir a inteligência de muitos animais.

– Tem um texto – comentou Sérgio – de um dos mais belos livros da Doutrina Espírita, em minha modesta opinião, que é o livro Gênese da Alma, de Cairbar Schutel, falando sobre educar animais:

*Livro Gênese da Alma, autoria de Cairbar Schutel, Cap. Exemplo da Inteligência dos Animais:*
*"...Quando o animal fica sujeito a uma boa educação, então é que bem se pode observar que a alma de nossos irmãos inferiores, não é tão atrasada como se pensa!*
*...Está claro que a educação, só produz resultado onde há inteligência, pois, sendo o instinto um estímulo inferior, impulsivo, que só produz atos inconscientes, não é suscetível de educação, que depende de raciocínio e compreensão."*

– Podemos confrontar com o que estudamos na questão 593, há pouco, para compreendermos bem o que nos disse o Espírito da Verdade:

*"...Não se poderia negar que, além de possuírem o instinto, alguns animais praticam atos combinados, que denunciam vontade de operar em determinado sentido e de acordo com as circunstâncias. Há, pois, neles, uma espécie de inteligência... O desenvolvimento intelectual de alguns, que se mostram suscetíveis de certa educação...".*

– Ao invés de nos estimular o orgulho pela inteligência que possuímos – disse Sérgio – deveríamos entender bem a colocação do Espírito da Verdade, pois ele nos fala que os animais evoluem com nosso estímulo, com a educação que lhes damos.

– Vamos, então, encerrar com nosso orgulho, observando a própria história humana?! – comentou Amanda:

– Como assim? – Perguntou Sérgio.

– Quem de nós – continuou Amanda –, que, diga-se de passagem, se enche de orgulho ao se comparar com os animais, pelo fato de sermos seres humanos, desprezando estas belas criaturas que Deus nos confiou, pode dizer que teria conseguido evoluir sem o amparo amigo de Jesus e sem seus trabalhadores do amor, a nos direcionar os passos, a nos iluminar os caminhos? Quem de nós, seres humanos, pode bater no peito com orgulho de "ser humano" realmente, ao reconhecer que, sem a vinda de Jesus, seus amorosos precursores e sucessores e, principalmente, sem o Evangelho de amor que nos trouxe, se fazendo "o caminho, a verdade e a vida" teria saído do lugar selvagem e primitivo em que se encontrava há dois mil anos? Qual de nós, Espíritos em humanidade, teria compreendido a vida espiritual, o Espírito como sendo eterno, a vida terrestre como escola na evolução, os caminhos para o arcanjo, sem o Consolador Prometido? Estaríamos ou não estagnados à própria sorte no que tange à moralidade?

– Não nos faltam, também, Amanda – disse Edson –, as colocações de Emmanuel e André Luiz de que, mesmo nos setores de desenvolvimento intelectual da humanidade, recebemos a inspiração, ou seja, a educação e o estímulo de Espíritos superiores, que nos direcionam os passos para as descobertas humanas, provando que, também neste setor, estamos necessitados daqueles que nos são superiores, como diz o Livro A Caminho da :Luz, de autoria espiritual de Emmanuel, psicografia de Francisco Cândido Xavier, capítulo I:

*"A ciência de todos os séculos está cheia de após-tolos e missionários.* **Todos eles foram inspirados ao seu tempo, refletindo a claridade das alturas...** *na sua condição de operários do progresso universal, foram portadores de revelações gradativas...* **Inspira-dos de Deus nos penosos esforços da verdadeira civilização..."**

– Ainda assim – disse Amanda – com todos os processos de educação da humanidade, nos desviamos da moral ensinada pelo Cristo, e das inspirações divinas para o progresso intelectual e aliamos nosso atraso moral de aprendizes reticentes, levando luzes de progresso a catástrofes infelizes. Transformamos o avião em arma de guerra

*O evangelho dos animais*

e a energia nuclear em bomba atômica, demonstrando que, embora o educador iluminado, Jesus – ter nos direcionado os caminhos, ainda somos alunos com difícil capacidade de compreensão.

– Creio mesmo – disse Ana Paula –, que, para não haver dúvida de Jesus como educador e de nós como alunos, vale uma afirmação do Livro A Educação Segundo O Espiritismo, de autoria de Dora Incontri, cap. X, O Pedagogo da Humanidade:

*"Jesus é o nosso modelo moral por excelência... Ele é o Pedagogo da nossa Educação espiritual. Professor das almas matriculadas na escola da Terra, Ele representa "o caminho, a verdade e a vida" para nosso progresso.*
*...É justo, pois, examinarmos sua conduta pedagógica. Mestre dos mestres, ele pode nos dar o modelo de educador a que devemos aspirar, dentro de nossas limitações...".*

– Portanto, em nosso orgulho – continuou Amanda – ao lermos as colocações do Espírito da Verdade acerca da capacidade dos animais de serem educados, devemos compreender duas coisas:

A primeira, que, assim como eles, somos também suscetíveis de educação, e sem a educação do Pedagogo da humanidade, o Mestre Jesus, estaríamos, com certeza, muito mais atrasados em nosso processo evolutivo, não somente moral, mas também intelectualmente, porque as grandes e maravilhosas descobertas da humanidade, sem dúvida, têm o desenvolvimento da inteligência humana, mas também a inspiração dos superiores divinos, que nos estimulam os caminhos e nos permitem desabrochar rumo ao amor e ao servir, elevando o planeta.

A segunda, que temos, sem sombra de dúvida, em Jesus, o modelo superior de educação para aqueles que nos são inferiores, e no Evangelho, os passos a seguir. O Espírito da Verdade novamente nos alerta quanto a nosso papel, e nos diz que, assim como Jesus não nos abandonou à própria sorte, nos educando com suas palavras e ações, nos cabe seguir-lhe a forma de fazer, e educar nossos irmãos animais nos processos do amor, sem deixá-los à própria sorte, razão pela qual nos diz o Livro Missionários da Luz, autoria espiritual de André Luiz, psicografia de Francisco Cândido Xavier, cap. 4:

*"...Em todos os setores da Criação, Deus, nosso Pai, colocou os superiores e os inferiores para o trabalho de evolução, através da colaboração e do amor...devemos acordar a própria consciência para a responsabilidade coletiva. A missão do superior é de amparar o inferior e educá-lo...".*

– Assim – disse Edson –, é preciso reconhecer em nós mesmos, como nos animais, que, se fôssemos abandonados a própria sorte, sem a educação de Jesus e todos os professores que nos enviou, muito pouco ou nada teríamos caminhado, em particular moralmente, ou seja, na educação espiritual. Quando o Espírito da Verdade nos fala sobre a necessidade de educação dos animais para o progresso, devemos compreender que nos chama à responsabilidade, e não ao orgulho a ao desamor. Vamos, então, observar novamente a colocação do Espírito da Verdade e de Cairbar Schutel, e estudar a inteligência dos animais:

*O Livro dos Espíritos, questão 593:*
*"... Não se poderia negar que, além de possuírem o instinto, alguns animais praticam atos combinados, que denunciam vontade de operar em determinado sentido e de acordo com as circunstâncias. Há, pois, neles, uma espécie de inteligência... O desenvolvimento intelectual de alguns, que se mostram suscetíveis de certa educação...".*

*Livro Gênese da Alma, Cairbar Schutel:*
*"...Quando o animal fica sujeito a uma boa educação, então é que bem se pode observar que a alma de nossos irmãos inferiores, não é tão atrasada como se pensa!*

*... Está claro que a educação, só produz resultado onde há inteligência, pois, sendo o instinto um estimulo inferior, impulsivo, que só produz atos inconscientes,*

*O evangelho dos animais*

não é suscetível de educação, que depende de raciocínio e compreensão."

– Vamos colocar tudo junto e pensar – continuou Edson:

*"... Não se poderia negar que, além de possuírem
o instinto, alguns animais praticam atos combinados,
que denunciam vontade de operar em determinado
sentido e de acordo com as circunstâncias. Há, pois,
neles, uma espécie de inteligência... O desenvolvimento
intelectual de alguns, que se mostram suscetíveis de
certa educação... ...Quando o animal fica sujeito a uma
boa educação, então é que bem se pode observar que
a alma de nossos irmãos inferiores, não é tão atrasada
como se pensa!*

*... Está claro que a educação, só produz resultado
onde há inteligência, pois, sendo o instinto um estimulo
inferior, impulsivo, que só produz atos inconscientes,
não é suscetível de educação, que depende de raciocínio e compreensão."*

– E – disse Amanda –, para que pensemos sobre nossas
conclusões precipitadas acerca dos animais, vejamos o que
diz o Livro A Gênese, cap. III, item 12:

*"Se os animais são dotados apenas de instinto, não
tem solução o destino deles e nenhuma compensação
os seus sofrimentos, o que não estaria de acordo nem
com a justiça nem com a bondade de Deus."*

– Podemos completar com a colocação do Espírito da
Verdade, na questão 593 e 607 a, juntas:

*"Poder-se-á dizer que os animais só obram por instinto?
"Ainda aí há um sistema. É verdade que na maioria
dos animais domina o instinto.*

*Mas, não vês que muitos obram denotando acen-
tuada vontade? É que têm inteligência, porém limitada...
Acreditar que Deus haja feito, seja o que for, sem um
fim, e criado seres inteligentes sem futuro, fora blasfemar*

*da Sua bondade, que se estende por sobre todas as suas criaturas... Se os animais são dotados apenas de instinto, não tem solução o destino deles e nenhuma compensação os seus sofrimentos, o que não estaria de acordo nem com a justiça nem com a bondade de Deus."*

– Importante compreendermos – disse Edson –, que nossas conclusões precipitadas, em muitos casos, têm consequências. Acreditar, erroneamente, que os animais têm apensas instintos e são máquinas, os colocam na condição de objetos que podem ser explorados. Mas, como pudemos ver ao longo do estudo, e ouvindo o próprio Kardec, isto não é verdade. E mais, observando os animais, concluiremos o inverso, ou seja, que são inteligentes e que não são máquinas. Bendita Doutrina Espírita, amigos; não fosse por ela, não fosse pela educação proporcionada pelo Espírito da Verdade, não fosse pelo amor do Cristo, quantos desatinos mais não cometeríamos? Quantos de nós não persistiríamos na selvageria? Bendita Doutrina! Bendita educação espiritual a nos conduzir para atos mais condizentes com o amor! Bendito o amor do Cristo de Deus!

# *Capítulo 20*

# ANIMAISNOPLANOESPIRITUAL

Sérgio estava empolgado. Finalmente, se aproximava do objetivo inicial que o fizera ficar tão feliz com o grupo de estudos que se montava. Começava a vislumbrar a alma dos animais ou, pelo menos, a perceber a Doutrina Espírita condizente com as observações que, não somente ele fazia, mas muitos de seus amigos. Fizera estudos mais aprofundados sobre as importantes descobertas da ciência sobre os animais, e ficara seriamente espantado com a capacidade de aprendizado deles. Estudos recentes mostravam animais com capacidade de aprender a se comunicar pela linguagem de sinais, como a gorila Koko. Descobrira, lendo o livro "Alex e Eu" sobre as impressionantes descobertas de uma pesquisadora de Harvard, Irene Maxine Pepperberg, acerca da inteligência das aves, descoberta esta que revolucionou todo o mundo da ciência e fez com que os cientistas desconsiderassem a ideia de que, por ser o cérebro de uma ave do tamanho de uma noz, isso torna este ser menos inteligente. Também direcionou os cientistas para uma nova visão sobre a capacidade dos animais de se relacionar, e a busca por compreender os animais, em geral, se tornou foco para muitos cientistas sérios, que consideram mais a ciência e a observação da natureza do que seu orgulho. Os estudos com Alex, um papagaio australiano, ganharam tal dimensão, nos Estados Unidos e no mundo, que a ave, ao desencarnar prematuramente com 31 anos de idade, o que é surpreendente para um animal que pode viver 80 anos ou mais, causou comoção nacional. Sua morte foi anunciada como a morte de uma celebridade nacional.

Alex desenvolvera a capacidade de comunicar-se, ainda que de maneira rudimentar, como uma criança, através da fala, ao ser estimulado por sua tutora, que o adquiriu com o intuito de entender as aves, do ponto de vista cientifico, sendo ela mesma uma cientista respeitada. Acreditava-se, até então, que o máximo que podiam fazer os pássaros era imitar o que diziam os homens, sem consciência do que estavam repetindo. Mas Alex, magnificamente, provou o contrário. Falava consciente do que dizia, e sua fala denunciava o seu pensamento. Raciocinava, solicitava, desenvolvia raciocínios complexos, e surpreendia a toda a comunidade cientifica. Segundo o depoimento da cientista que o tutorou durante 30 anos, ao desencarnar, as últimas palavras de Alex para ela foram: *"fique bem, eu te amo!"*

Animais magníficos, como Koko, Alex, e tantos outros, vieram mostrar à comunidade cientifica o que o Espírito da Verdade disse em 1860, na segunda edição de O Livro dos Espíritos: "**Os animais não são simples máquinas, como supondes...**". Submeteram-se a difíceis situações de cativeiro com resignação e mostraram ao ser humano, em seus mais desenvolvidos núcleos de estudos, que, por trás do corpo físico, há uma alma, que ali se encontra relacionando-se com o mundo, consciente de sua existência, de sua individualidade. Isto é algo para profunda meditação, porque significa que, por trás de todo corpo físico de animal que existe no mundo, há uma alma, que se relaciona com o mundo, com consciência de si mesma e do ambiente ao redor, que sente, que sofre, que ama, que vive e não somente sobrevive, e que, por não poder se comunicar de forma articulada com o ser humano, sofre profunda discriminação, é entendida como máquina, explorada. Os animais são, com certeza, as criaturas mais sofridas do planeta Terra, neste momento.

Pensava Sérgio que, cada vez ficava mais claro, que a Doutrina Espírita trazia a chave para encerrar com este desatino da inteligência humana, e elevar o entendimento à luz da razão, em conjunto com as descobertas cientificas, mas, para tanto, era preciso que o espírita compreendesse a gravidade da

*O evangelho dos animais*

situação.

Sérgio respirou profundamente e pensou em tudo o que aprendera até agora com a Doutrina Espírita:

**Os animais têm alma**
**Os animais são inteligentes**
**Os animais têm liberdade de ação**
**Os animais não são máquinas programadas para servir ao homem: tudo demonstrava o ser espiritual por trás do corpo: a ciência vinha ao encontro disto tudo, provando a sensibilidade, a consciência, a vida abundante e a relação complexa e profunda destas criaturas maravilhosas. O Consolador Prometido não só vinha de encontro às descobertas cientificas quanto dava a elas o caráter de luz que faltava, porque enquanto a ciência estuda o que pode ver, a Doutrina Espírita mostra o que o homem ainda não tem capacidade de avaliar: a alma dos animais.**

Sérgio continuava a pensar; há, porém, trilhões de animais no mundo, e o homem ainda não os compreendia como seres dotados de alma. Imagine o tamanho da discrepância com as Leis de Deus. Magníficos irmãos com tanta sensibilidade, encerrados à escravizadora condição de máquinas. Seres inteligentes submetidos às mais diversas torturas em testes laboratoriais, abandonados nas ruas, sofrendo maus-tratos. Tal mudança de paradigma era urgente. E cabe à Doutrina Espírita, junto ao Evangelho do Cristo, promover esta mudança, mas, para tanto, é preciso que o espírita, que a representa, compreenda que o sofrimento e a dor de qualquer criatura de Deus não são secundários, porque contrariam as Leis Divinas, e o Espiritismo veio para estabelecer tal lei, e porque, pelo amor de Deus, pensava Sérgio, trata-se da mais ignorante falta de compaixão e da mais acentuada prova do orgulho humano. Que Deus nos ajude a enxergarmos a sua vontade, acima de nossas pretensões!

Sérgio é acordado por Amanda, chamando-o:

– Caro amigo – disse Amanda –, você está tão alheio...

– Desculpe – respondeu Sérgio –, estava somente pensando.

– Estávamos conversando – disse Amanda –, e concluíamos

quanto ao estudo da inteligência dos animais. Uma outra colocação da questão 597 de O Livro dos Espíritos ficou em aberto, para pensarmos a respeito, no enunciado da questão, e descobrimos que sem a conclusão a que chegou Kardec, não seria mesmo possível compreender a inteligência dos animais. Vamos a ela?

*"... 597. Pois que **os animais possuem uma inteligência que lhes faculta certa liberdade de ação...**"*

– Observem amigos – disse Amanda –, na questão 593, Kardec confirmou, como vimos, com o Espírito da Verdade, que os animais são inteligentes. E na questão 595, ele confirmou, novamente com o Espírito da Verdade, que os animais têm livre-arbítrio. Assim, na questão 597, ele afirma no enunciado as duas coisas:

*"... os animais possuem uma inteligência que lhes faculta certa liberdade de ação..."*

– Que legal! – disse Sérgio –, é o codificador pensando e dando continuidade aos questionamentos a partir das colocações anteriores do Espírito da Verdade. Como foi que não percebemos isto antes? Tão claro, tão óbvio! Se seguíssemos seus passos, com certeza, cometeríamos infinitamente menos erros de interpretação.

A voz de Sérgio apresentava certa tristeza, mas ele decidiu deixar isto para lá e continuar. Disse, então:

– Tenho estudado sobre a inteligência dos animais através das descobertas da ciência. Mas será que, na Doutrina Espírita, há exemplos disso?

– O melhor de tudo – disse Plínio –, é que sim. Encontramos em um dos mais belos e profundos livros que já li e recomendo a todos, Evolução Anímica, de Gabriel Delanne, inúmeros exemplos acerca da inteligência dos animais. Vamos pegar somente um exemplo para não nos alongarmos demais, já que sabemos que o simples fato de observarmos os animais que conosco convivem ou estudarmos atentamente a Doutrina e sem preconceitos, já nos fará concluir pela inteligência dos mesmos. Vamos somente rever o conceito de inteligência contido no livro A Gênese:

# O evangelho dos animais

*"Todo ato maquinal é instintivo;* **o ato que denota reflexão, combinação, deliberação é inteligente."**

– Tomemos o Livro de Gabriel Delanne, no capítulo A alma Animal, no item Inteligência e Reflexão:

*"Certa feita, um abegão, através de sua janela, lobriga de madrugada uma raposa a conduzir o ganso apressado. Chegando rente ao muro, alto, de 1m20, a raposa tentou de um salto transpô-lo, sem largar a presa. Não o conseguiu, porém, e veio ao chão, para insistir ainda em três tentativas inúteis. Depois, ei-la assentada, a fitar e como que a medir o muro. Tomou, então, o partido de segurar o ganso pela cabeça, e, levantando-se de encontro ao muro, com as patas dianteiras, tão alto quanto possível, enfiou o bico do ganso numa frincha do muro. Saltando após ao cimo deste, debruçou-se jeitosamente até retomar a presa e atirá-la para o outro lado, não lhe restando, então, mais que saltar por sua vez, seguindo o seu caminho.* **Que os animais refletem antes de tomar decisão, é o que acabamos de verificar** *com esta raposa...".*

– Meus amigos – disse Plínio –, se a inteligência é ato que denota reflexão, combinação e deliberação, fica óbvio no caso que estudamos. A raposa: pára, observa o muro, reflete sobre como fazer, e é possível notar a reflexão pela conclusão do caso, já que ela não pode falar; depois, combina os atos e os realiza, ou seja, delibera, colocando o bico do ganso na fresta do muro, saltando acima, posicionando-se e pegando de volta a presa, jogando do outro lado do muro e saltando por sua vez. Eu quis trazer este caso, porque esta raposa não foi educada pelo homem, mas demonstra a inteligência por si mesma.

– Eu queria citar – disse Amanda -, um caso publicado no Livro Marley e Eu, de autoria de John Grogan, na página 296 da primeira edição:

*"...Tim informou que seu labrador amarelo, Ralph, gostava de roubar comida tanto quanto Marley, só que era mais esperto. Um dia, antes de sair, Tim colocou*

*um grande pedaço de chocolate em cima da geladeira, onde ficaria fora do alcance de Ralph. O cão, contou o seu dono, abriu as gavetas do armário da cozinha e usou-as como escada para subir no balcão, onde conseguiu se apoiar nas patas traseiras e alcançar o chocolate...".*

Todos riram muito da inteligência e do raciocínio de Ralph, e concluíram:

– Sem comentários, não há o que dizer. O caso fala por si só sobre a inteligência impressionante de Ralph, que é um reflexo do que vemos em nosso dia a dia.

– Que maravilhosos são eles! – comentou Ana Paula – os animais. Que magnífico observá-los, como é bom estar com eles. Quanta generosidade em troca de alguma migalha de atenção que lhes damos. Como eles são espertos, ágeis em muitos casos, e como tentam se comunicar conosco. Cada vez que paro e penso, fico tão feliz por poder tê-los em meu caminho!... Como é bom senti-los e vivenciar com eles a vida. Não há compensação maior do que a companhia deles quando de nossas dificuldades. Algumas vezes, particularmente quando erramos, só podemos contar com eles. Não nos julgam, somente nos amam. Adoro saber que eles existem e espero sinceramente que tomemos posse da capacidade humana de observar, estudar e concluir para que, acima da letra que mata, esteja o amor que vivifica.

– Isto me lembra minha querida Fifi – disse Amanda. Tenho tantas lembranças, tanto momentos bons, tanta vontade de revê-la!

– Fifi era como nossa filhinha – disse Edson –, e quando digo isso, muitos me olham como que a achar um absurdo a relação que mantínhamos com ela. Mas somente quem convive com um animal intimamente, somente quem chega ao lar depois de um dia difícil e é recebido com a expectativa do amor nos olhos deles, somente quem deita em uma cama doente e olha aos seus pés o ser amoroso que dali não sai, somente quem chora e sente as lambidas carinhosas a compartilhar as lágrimas sabe, realmente, o quanto eles nos amam e o quanto os amamos! Somente quem, ao ter de se despedir da companhia amorosa de anos, pelo desen-

*O evangelho dos animais*

carne, sabe o quanto dói!

– Às vezes – disse Amanda –, o vazio é enorme. Chego em casa, e mesmo com tudo que amo, ela não está na janela da sala e nem no portão, não a vejo logo pela manhã. Como sinto falta da Fifi!...

– Isso me faz pensar no cachorro do seu Arlindo – disse Plínio – o Astor, que desencarnou esta manhã. Fico me questionando se seu Arlindo, um dia, irá revê-lo e se, por acaso, ele está no plano espiritual, se existem animais por lá, se podemos reencontrá-los.

– Aprendi – disse Edson – com grandes espíritas, que os animais reencarnam imediatamente, que não ficam no plano espiritual. Tenho muitas dúvidas a respeito porque, sinceramente, parece tão incoerente com o Consolador Prometido.

– Seres tão inteligentes, tão belos, que amamos tanto... deve haver uma resposta, uma coisa lógica, que venha ao encontro de nossa intuição...

– Vamos ouvir a Doutrina Espírita – disse Ana Paula –, e abdicar novamente dos pré-conceitos, olhando com o coração e com a razão para as verdades do Consolador Prometido.

Plínio abre O Livro dos Espíritos na questão 600:

> *600. Sobrevivendo ao corpo em que habitou, a alma do animal vem a achar-se, depois da morte, num estado de erraticidade, como a do homem?*
> **Resposta:** *"Fica numa espécie de erraticidade, pois que não mais se acha unida ao corpo, mas não é um Espírito errante. O Espírito errante é um ser que pensa e obra por sua livre vontade. De idêntica faculdade não dispõe o dos animais. A consciência de si mesmo é o que constitui o principal atributo do Espírito. O do animal, depois da morte, é classificado pelos Espíritos a quem incumbe essa tarefa e utilizado quase imediatamente. Não lhe é dado tempo de entrar em relação com outras criaturas."*

– Gente do céu! – disse Lúcia –, o que é esse negócio de erraticidade e errante? Tipo, errante é alguém que errou?

– Não, Lúcia – disse Ana Paula – vamos analisar com calma a resposta.

– Ah! – disse Edson –, vamos primeiro analisar a pergunta:

*"Sobrevivendo ao corpo em que habitou, **a alma do animal** vem a achar-se, depois da morte, num estado de erraticidade, como a do homem?..."*

– Olha lá – disse Sérgio –, Kardec dizendo que o animal tem alma.

– Era isso que eu queria ressaltar – disse Edson, sorrindo – veja Kardec afirmando que ao animal tem alma e perguntando o que acontece com ele após o desencarne.

– Realmente – disse Amanda – e vale uma análise profunda e detalhada para concluirmos, com certeza, o que está querendo dizer o Espírito da Verdade.

– Uma coisa me parece clara – disse Edson –, fica óbvio que os animais reencarnam imediatamente após o desencarne.

– Opa! – disse Sérgio –, onde está escrito isso?

– Ora! – respondeu Edson – no final da resposta, quando diz:

*"... O do animal, depois da morte, é classificado pelos Espíritos a quem incumbe essa tarefa e **utilizado quase imediatamente...**"*

– Era por isso – disse Ana Paula –, que eu falava sobre uma análise profunda e detalhada. Mas, concluímos sempre correndo, sem pensar. Vamos novamente compreender: O que será que significa utilizado quase imediatamente? O Espírito da Verdade fala sobre utilizar, não reencarnar.

Edson suspirou arrependido pela precipitação. Tinha que admitir que Ana Paula tinha razão:

– Tem razão, Ana Paula. Acredito que devemos olhar parte por parte.

– Pois bem – disse Amanda – a pergunta de Lúcia foi bastante pertinente, porque compreender o que é erraticidade e o que é errante é essencial. Vamos lá:

*Parte da Resposta da questão 584a de O Livro dos Espíritos:*
*"...Os Espíritos encarnados têm ocupações inerentes às suas existências corpóreas. **No estado de erraticidade, ou de desmaterialização,** tais ocupações são*

*O evangelho dos animais*

*adequadas ao grau de adiantamento deles...".*

**Livro A Gênese, capítulo XI, Emigrações e Imigrações dos Espíritos, item 35.**
**"No intervalo de suas existências corporais, os Espíritos se encontram no estado de erraticidade e formam a população espiritual ambiente da Terra".**

– Ou seja – continuou Amanda –, erraticidade é o estado de desmaterialização, quando o espírito não está mais ligado ao corpo físico, em linguagem popular, após a morte e, neste estado, os espíritos formam a população espiritual ambiente na Terra, encontrando-se, obviamente, uma vez que não mais reencarnados, no plano espiritual.

– E erraticidade e errante é a mesma coisa? – Perguntou Lúcia.

– Bem! – respondeu Ana Paula –, a própria questão 600 de O Livro dos Espíritos nos demonstra que não. Vejamos o texto da Gênese e a resposta do Espírito da Verdade:

*Livro A Gênese, capítulo XI, Emigrações e Imigrações dos Espíritos, item 35:*
*"No intervalo de suas existências corporais, os Espíritos se encontram no estado de erraticidade e formam a população espiritual ambiente da Terra".*

*Livro dos Espíritos, questão 600:*
*"...Espírito errante é um ser que pensa e obra por sua livre vontade..."*

– Vamos colocar tudo junto e compreender – disse Amanda:

**Erraticidade:** *"No intervalo de suas existências corporais, os Espíritos se encontram no estado de erraticidade e formam a população espiritual ambiente da Terra".*

**Errante:** *"...Espírito errante é um ser que pensa e obra por sua livre vontade..."*

– Ah! – disse Lúcia –, então, uma coisa é erraticidade, outra coisa é errante. Erraticidade é quando o espírito está lá no plano espiritual, e sem corpo físico, depois que o corpo morreu; agora, errante é o espírito que, no plano espiritual, tem liberdade de pensar e agir, não é isso?

– Exatamente, Lúcia – disse Ana Paula –, agora, vamos retomar a pergunta 600:

> *600. Sobrevivendo ao corpo em que habitou, a alma do animal vem a achar-se, depois da morte, num estado de erraticidade, como a do homem?*
> **Resposta:** *"Fica numa espécie de erraticidade, pois que não mais se acha unida ao corpo, mas não é um Espírito errante. O Espírito errante é um ser que pensa e obra por sua livre vontade. De idêntica faculdade não dispõe o dos animais.*

– Deixe-me ver – disse Lúcia, com expressão óbvia de reflexão –, traduzindo, Kardec está perguntando se a alma do animal, depois do desencarne, fica *"...num estado de erraticidade...",* ou seja, se fica desmaterializado, no intervalo entre as reencarnações, formando a população espiritual ambiente da Terra, é isso?

– Lúcia – disse Edson –, como você está chique. É isso mesmo, mas, simplificando, Kardec pergunta se os animais ficam no plano espiritual.

– Creio – disse Plínio –, que é essencial considerarmos o final da pergunta de Kardec; ele diz, referindo-se à situação do animal, após o desencarne:

> *"...a alma do animal vem a achar-se, depois da morte, num estado de erraticidade, **como a do homem**?"*

– Vejam, amigos – continuou Plínio –, Kardec não somente pergunta quanto à condição da alma do animal após o desencarne, mas questiona se a condição é a mesma da alma do homem após o desencarne.

– Nossa! – disse Edson –, não tinha percebido este detalhe, aliás, detalhe este que faz muita diferença para compreender a resposta do Espírito da Verdade. Vamos então à resposta:

– Espere, deixe-me gravar a pergunta – disse Lúcia – porque esse negócio de não entender a pergunta já deu muita confusão na minha cabeça.

*O evangelho dos animais*

Todos riram de Lúcia, mas concluíram que ela tinha toda razão. Ela continuou:
– Então, Kardec pergunta, como diz Seu Edson, simplificando:
Se quando o animal morre, sua alma fica no tal plano espiritual?
E se, lá ficando, sua condição é como a do homem?
– Exatamente, Lúcia – afirma Plínio – vejamos o que responde o Espírito da Verdade, inicialmente, quanto à primeira parte da pergunta:

> *"600 ...a alma do animal vem a achar-se, depois da morte, num estado de erraticidade...?*
> **Resposta:** *Fica numa espécie de erraticidade, pois que não mais se acha unida ao corpo...".*

– Que maravilha! – disse Amanda, emocionada, então, quando o animal desencarna, sua alma fica numa espécie de erraticidade, ou seja, fica no plano espiritual, desmaterializado, formando a população ambiente da Terra. Mas, por que será que o Espírito da verdade diz que é *"numa espécie de erraticidade"?*
– Acredito que essa resposta esteja exatamente na segunda parte da resposta – disse Plínio – vamos lá:

> *600. Sobrevivendo ao corpo em que habitou, a alma do animal vem a achar-se, depois da morte, num estado de erraticidade, como a do homem?*
> **Resposta:** *Fica numa espécie de erraticidade, pois que não mais se acha unida ao corpo, mas não é um Espírito errante...*

– Então, – disse Amanda –, alma do homem quando desencarna fica na erraticidade e é um Espírito errante, mas a alma dos animais...
– A alma dos animais não – concluiu Plínio –, ou seja, a alma dos animais fica na erraticidade, mas, diferente da alma do ser humano, não é um espírito errante, daí a razão pela qual o Espírito da Verdade classifica de forma diferente a erraticidade para os animais e para os homens.

– Espere aí – disse Lúcia, intervindo – deixa eu entender bem isso:

Ser humano: quando desencarna fica na erraticidade, ou seja, fica no plano espir tual, formando a população espiritual ambiente da Terra e é um Espírito errante, ou seja, pensa e obra por sua livre-vontade.

Animal: quando desencarna fica na erraticidade, ou seja, fica no plano espiritual, formando a população espiritual ambiente da Terra, mas não é um Espírito errante, ou seja, não pensa e obra por sua livre vontade.

– Agora – disse Sérgio – sou eu quem está confuso. Afinal, o Espírito da Verdade não disse que os animais têm livre-arbítrio, e como é que na questão 600 ele diz que a alma do animal não é um espírito errante, ou seja, não pensa e obra por sua livre-vontade?

– Retomemos então – disse Plínio – a questão 595 de O Livro dos Espíritos, sobre livre-arbítrio dos animais:

*595. Gozam de livre-arbítrio os animais, para a prática dos seus atos?*
**Resposta:** *Os animais não são simples máquinas, como supondes. Contudo, a liberdade de ação, de que desfrutam, é limitada pelas suas necessidades... A liberdade, possuem-na restrita aos atos da vida material.*

– Vamos rever – continuou Plínio – o enunciado da pergunta 600:

*"600. Sobrevivendo ao corpo em que habitou, a alma do animal vem a achar-se, depois da morte, num estado de erraticidade, como a do homem?"*

– Já entendi – disse Sérgio – novamente, os detalhes que fazem toda a diferença. Vamos colocar tudo junto e ficará bem fácil:

*"...A liberdade, possuem-na restrita aos atos da vida material... Sobrevivendo ao corpo em que habitou, a alma do animal vem a achar-se, depois da morte, num estado de erraticidade, como a do homem?"*

*O evangelho dos animais*

– Ah – disse Edson – mas Kardec pergunta na questão 600 sobre a alma do animal após a morte e, como o Espírito errante é um ser que obra por sua livre vontade no plano espiritual, a alma do animal não poderia mesmo ser um Espírito errante, já que sua liberdade de ação, como diz o próprio Espírito da Verdade na questão 595, restringe-se a vida material. Então, obviamente, ele não tem liberdade de ação no plano espiritual. Incrível a diferença entre a alma do animal e do homem na erraticidade, ou seja, no plano espiritual.

– E – disse Ana Paula –, já que não têm liberdade de ação no plano espiritual deve estar sob a tutela de alguém. E é o que diz o Espírito da Verdade:

> *600. Sobrevivendo ao corpo em que habitou, a alma do animal vem a achar-se, depois da morte, nem estado de erraticidade, como a do homem?*
> **Resposta:** *Fica numa espécie de erraticidade, pois que não mais se acha unida ao corpo, mas não é um Espírito errante.* **O Espírito errante é um ser que pensa e obra por sua livre vontade. De idêntica faculdade não dispõe o dos animais.** *A consciência de si mesmo é o que constitui o principal atributo do Espírito.* **O do animal, depois da morte, é classificado pelos Espíritos a quem incumbe essa tarefa e utilizado quase imediatamente. Não lhe é dado tempo de entrar em relação com outras criaturas.**

– Então – disse Ana Paula – como diz o Espírito da Verdade: "...**O Espírito errante é um ser que pensa e obra por sua livre vontade. De idêntica faculdade não dispõe o dos animais...**", ou seja, não sendo o espírito do animal um espírito errante, não tendo liberdade de agir no plano espiritual, é: "...**classificado pelos Espíritos a quem incumbe essa tarefa e utilizado quase imediatamente. Não lhe é dado tempo de entrar em relação com outras criaturas.**"

– Que pena! – disse Amanda –, significa que não terá contato com outras criaturas?

– Não vejo assim – disse Ana Paula – significa sim que, por não ter liberdade de agir, não tem liberdade de ficar pelo plano espiritual, como o espírito do ser humano, em contato com quem quiser, o espírito do animal é imediatamente cuidado pelo plano espiritual e direcionado de acordo com sua evolução.

– Meus amigos – disse Plínio –, acredito que teremos que consultar os desdobramentos da Doutrina Espírita ao longo dos 150 anos para compreender melhor estas colocações.

– É bem possível – disse Edson – que André Luiz fale acerca da vida espiritual dos animais, afinal, ele falou acerca da vida espiritual do ser humano, é o grande desbravador do plano espiritual aos nossos olhos. Valerá consulta-lo.

– Vamos à Série André Luiz – disse Amanda.

Amanda levantou-se e buscou toda a série André Luiz que falava acerca do mundo espiritual. Trazia nas mãos os dezesseis livros. Olhou para o grupo e perguntou:

– Bem, com qual começamos?

– Que tal começarmos pelo começo? Disse Sérgio –, se bem me lembro, no livro Nosso Lar há referências de animais na erraticidade, ou, para não perdemos a definição, há animais desmaterializados, porque desligados do corpo físico, que se encontram no intervalo das reencarnações e formam também a população espiritual ambiente da Terra. Vejamos logo as primeiras partes do Livro Nosso Lar:

> *Livro Nosso Lar, autoria espiritual de André Luiz, psicografia de Francisco Cândido Xavier, cap. 7:*
> *"Aves de plumagem policromas cruzavam os ares e, de quando em quando, pousavam agrupadas nas torres muito alvas, a se erguerem retilíneas, lembrando lírios gigantescos, rumo ao céu.*
> *Das janelas largas, observava, curioso, o movimento do parque. Extremamente surpreendido, identificava animais domésticos, entre as árvores frondosas, enfileiradas ao fundo...".*

– Nossa – disse Lúcia –, só para eu entender, já que não li o livro Nosso Lar. André Luiz está desencarnado e Nosso Lar é uma colônia espiritual? É uma colônia no plano espiritual? É isso?

– Isso mesmo, Lúcia – respondeu Edson –. Nosso Lar é uma colônia no plano espiritual e André Luiz se encontra, nesta parte, debruçado na janela do quarto do hospital em

*O evangelho dos animais*

que se encontra no plano espiritual, após o desencarne, em tratamento e, olhando através da janela, descreve esta parte da colônia que pode ver, e vemos na descrição que ele faz aves voando e animais domésticos entre as árvores.

– Incrível! – disse Plínio – o interessante é que sempre ouvi que os animais que André Luiz aí descreve não são realmente espíritos de animais, mas animais plasmados.

– Minha nossa – disse Lúcia –, estava demorando para complicar! O que é esse negócio de plasmado?

– Plasmado, Lúcia – disse Sérgio, rindo – é algo criado pela mente. Como a própria ciência prova, nosso pensamento tem capacidade de criar, ou seja, se desejarmos muito uma coisa e trabalharmos o pensamento nisso, com determinação, podemos materializá-la, tanto para o bem quanto para o mal.

– Sério?! – Disse Lúcia, surpresa.

– Sim, Lúcia – disse Edson. Felizmente, a capacidade de criar com a mente aumenta conforme aumenta a evolução do Espírito. E nós, em nosso estágio evolutivo, fazemos nossas criações temporárias e pequenas dentro do universo do Criador Maior, Deus, nosso Pai.

– Então – disse Amanda –, será que os animais que se encontram em Nosso Lar são criações?

– Vale uma reflexão – disse Plínio –. Primeiro, como vimos através da resposta do Espírito da Verdade, os animais podem se encontrar na erraticidade. Segundo, por que passaríamos a acreditar que tudo que existe no livro Nosso Lar é real, mas, para nossa conveniência, os animais são plasmados? Assim pensando, estamos adaptando a Doutrina Espírita ao que acreditamos. Quando nos é conveniente, André Luiz está certo e o que descreve é real, mas quando não nos é conveniente, André Luiz está errado e o que descreve é irreal. Ora, o Consolador Prometido não nos pertence. Encontramos nós, Espíritos em fase de humanidade, moradias adequadas para nossa evolução e o constante amparo divino onde quer que estejamos, seja em zonas inferiores, seja em zonas superiores da dimensão espiritual, mas os espíritos em fase de animalidade não teriam o mesmo direito? Privilegiaria Deus o ser humano? Isto me parece incompatível com a justiça e a bondade divinas, afinal, como já estudamos, Deus é soberanamente justo e bom. Encontramos no Livro A

Gênese, cap. II, item 20:

**A Providência**
*"20. – A providência é a solicitude de Deus para com as suas criaturas. Ele está em toda parte, tudo vê, a tudo preside, mesmo às coisas mais mínimas..."*

– Vamos fazer o seguinte – disse Edson – para não haver dúvidas, vamos buscar referência em um livro em que não haja dúvidas quanto a esta questão, como Evolução Em Dois Mundos, que, diferente de contar uma história e descrever a experiência de André Luiz na colônia ou em outras situações como os outros livros, faz referência direta à evolução e descreve-a, sem história. Vejamos o item Vida na Espiritualidade, do capítulo XII, Alma e fluidos:

> *"VIDA NA ESPIRITUALIDADE: na moradia de continuidade para a qual se transfere, encontra, pois, o homem as mesmas leis de gravitação que controlam a terra...* **Plantas e animais domesticados** *pela inteligência humana durante milênios,* **podem ser aí aclimatados e aprimorados,** *por determinados períodos de existência, ao fim dos quais regressam aos seus núcleos de origem no solo terrestre, para que avancem na romagem evolutiva...".*

– Uau – disse Sérgio –, vejam só amigos! André Luiz descreve as moradias humanas na espiritualidade, que são, por exemplo, as colônias espirituais, e descreve plantas e animais domésticos presentes lá, por algum tempo. E, para não haver dúvidas que não são plasmados, ele fala que estes mesmos animais foram domesticados pela inteligência humana durante milênios. Ou seja, são mesmo espíritos de animais, ou alguém aqui domesticaria uma criação mental para enfeitar a colônia espiritual?
– Todos riram muito, menos Lúcia, que não entendeu bem a piada. Por sua expressão de dúvida, Edson tomou a iniciativa de explicar-lhe:
– Veja, Lúcia, ele diz no texto que, quando o homem desencarna, vai para a dimensão espiritual. Lá encontra também, por exemplo, a lei de gravidade. Diz que encontramos lá

*O evangelho dos animais*

plantas e animais domésticos que conviveram conosco por milênios.

– Ah! – disse Lúcia – se convivem conosco há milênios não podem ser criação mental.

– Exato – disse Edson –, e mais, André Luiz diz que os animais ficam determinado período de tempo no plano espiritual:

*"VIDA NA ESPIRITUALIDADE... animais domesticados... podem ser aí aclimatados e aprimorados, por determinados períodos de existência, ao fim dos quais regressam aos seus núcleos de origem no solo terrestre, para que avancem na romagem evolutiva...".*

– Meu Deus – disse Amanda, com os olhos marejados –, minha Fifizinha pode estar no plano espiritual, ela pode estar aprendendo, ou sei lá... ai, que emoção, ela pode estar em uma colônia, e eu posso revê-la!

– Mas – disse Ana Paula –, o que será que os animais ficam fazendo no plano espiritual?

– Vamos retomar – disse Edson –, o texto de O Livro dos Espíritos, na questão 600, para termos uma diretriz inicial sobre esta dúvida:

*O (espírito) do animal, depois da morte, é classificado pelos Espíritos a quem incumbe essa tarefa e utilizado quase imediatamente. Não lhe é dado tempo de entrar em relação com outras criaturas."*

– Bem – continuou Edson – já descobrimos, lendo André Luiz, nos livros Nosso Lar e Evolução Em dois Mundos, que os animais podem permanecer no plano espiritual durante determinado período de tempo, mas o Espírito da Verdade deixa claro que quando desencarnam, são classificados por Espíritos responsáveis por isso e são encaminhados para alguma atividade. Como podemos ver: "...*é classificado pelos Espíritos a quem incumbe essa tarefa e utilizado quase imediatamente...*"

– Isso – disse Amanda – deve acontecer imediatamente após o desencarne, porque eles não têm tempo para entrar em contato com outras criaturas por si mesmos.

– Isto é bastante interessante – disse Ana Paula –, com certeza, seria uma contrariedade esta informação do Espírito da Verdade, já que, logo após o desencarne, o espírito do animal terá, por exemplo, relação com os Espíritos responsáveis por encaminhá-los. Então, com certeza, tal informação refere-se ao livre-arbítrio no plano espiritual.

– Sem dúvida – disse Sérgio –, como não têm liberdade de ação no plano espiritual, ou seja, os animais não são espíritos errantes, logo que desencarnam são auxiliados e encaminhados pelos Espíritos superiores a quem cabe tal tarefa.

– Que legal – disse Lúcia –, então, a querida Fifizinha não ficou perdida no plano espiritual! Logo que desencarnou, foi auxiliada por Espíritos amigos responsáveis por encaminhá-la.

– Exatamente Lúcia – respondeu Edson, dando um suspiro de alívio – Até então, esta era uma de suas incertezas.

Foi Amanda quem expressou a mesma coisa, falando:

– É realmente um alívio sabermos que estas criaturas que tanto amamos não ficam sozinhas, sem cuidados, sem carinho. Deus, em sua bondade infinita, incumbe Espíritos para auxiliá-las, para ampará-las.

– Bem, e como será que são encaminhados? – Perguntou Ana Paula. O Espírito da verdade nos diz que o espírito do animal, ao desencarnar, é: "...*utilizado quase imediatamente*"..., mas, utilizado para que?

– Voltamos à pergunta inicial – disse Plínio –: o que os animais ficam fazendo no plano espiritual, durante estes "... *determinados períodos de existência...*"que ficam por lá, segundo nos informa André Luiz no livro Evolução Em dois Mundos?

– Bem – disse Sérgio –, André Luiz diz que podem ser ali aclimatados, o que me indica que alguns também podem ser encaminhados para a reencarnação. Vejamos o texto do livro Evolução Em dois Mundos com atenção, e destaquemos a parte que agora nos interessa, completando o texto do Espírito da Verdade, na questão 600:

*"Sobrevivendo ao corpo em que habitou, a alma do animal vem a achar-se, depois da morte, num estado de erraticidade, como a do homem?*

*O evangelho dos animais*

*Fica numa espécie de erraticidade, pois que não mais se acha unida ao corpo, mas não é um Espírito errante.... O do animal, depois da morte, é classificado pelos Espíritos a quem incumbe essa tarefa e utilizado quase imediatamente. Não lhe é dado tempo de entrar em relação com outras criaturas... na moradia de continuidade para a qual se transfere, encontra, pois, o homem as mesmas leis de gravitação que controlam a terra...* **Plantas e animais domesticados***pela inteligência humana durante milênios,* **podem ser aí aclimatados e aprimorados, por determinados períodos de existência,** *ao fim dos quais regressam aos seus núcleos de origem no solo terrestre, para que avancem na romagem evolutiva...".*

– Incrível – disse Ana Paula –, ao colocarmos o texto da questão 600 de O Livro dos Espíritos junto com o texto do livro Evolução Em dois Mundos, se completam de tal forma, que parecem parte da mesma resposta.

– É então – disse Plínio –, que compreendemos todos os alertas de Kardec sobre a Doutrina Espírita ser progressiva. É quando compreendemos que precisávamos do desdobramento destas questões, que precisávamos amadurecer para entender as colocações do Espírito da Verdade sobre os animais e tantas outras. É por isso que uma coisa, como estamos percebendo, sempre completa a outra.

– Bem – disse Sérgio –, vamos buscar as atividades dos animais no plano espiritual, porque, já que nada é inútil na natureza, e evoluímos tanto aqui na Terra quanto no plano espiritual, com certeza para os animais, não deve ser diferente. Vejamos novamente o livro Evolução Em Dois Mundos, em outro capítulo:

*Livro Evolução Em dois Mundos, cap. XII, Alma e desencarnação:*
*"...Quando não se fazem aproveitados na Espiritualidade, em serviço ao qual se filiam durante certa quota de tempo, caem, quase sempre de imediato à morte do corpo carnal... retomando o organismo com que se confiarão a nova etapa de experiência...".*

– Nossa – disse Lúcia –, como este André Luiz neste livro é complicado! Que história é esta de morte carnal? Afinal, eles não estão desencarnados?

– Confesso – disse Amanda – que também não entendi bem.

– Bem – disse Ana Paula –, quando estamos desencarnados, retornar à vida física, receber novo corpo, não deixa de ser uma espécie de morte. Sabemos todos que morte é transformação; nós é que compreendemos, ao longo de milênios, a morte como o fim, mas ela significa nova etapa na evolução, mudança de dimensão. Assim, quando desencarnamos, apenas estamos deixando o corpo físico e nos encaminhando para nova dimensão de vida. Quando reencarnamos, estamos recebendo novo corpo físico e nos encaminhando novamente para nova dimensão de vida. Desta forma, a morte, nesta referência de André Luiz, é a transformação, a transferência, por assim dizer, do espírito, para nova dimensão.

– Caramba – disse Lúcia – que conceito profundo da morte, vista sob o ângulo da transformação. Incrível!

– Realmente – disse Sérgio – vale compreendermos o que diz André Luiz nesta colocação, porque nos traz a resposta do que acontece com os animais no plano espiritual: Diz ele que: *"...Quando não se fazem aproveitados na Espiritualidade, em serviço ao qual se filiam durante certa quota de tempo..."*, nos mostrando que realmente, os animais, após o desencarne, são encaminhados para alguma atividade, ou reencarnam logo, como nos informa o restante do texto: *"...caem, quase sempre de imediato à morte do corpo carnal... retomando o organismo com que se confiarão a nova etapa de experiência..."*, o que poderia ser traduzido em: "reencarnam quase de imediato... *retomando o organismo com que se confiarão a nova etapa de experiência..."*

– Então espere aí – disse Amanda –, deixe-me entender bem. Quando os animais desencarnam, acontece o seguinte:

São imediatamente auxiliados por Espíritos encarregados de ampará-los.

Encaminhados para alguma atividade, ficando no plano

*O evangelho dos animais*

espiritual durante algum tempo.

Ou encaminhados para a reencarnação.

– Exatamente – Respondeu Sérgio –, agora, que já compreendemos isto, podemos buscar saber quais são estas atividades. E creio que será útil, novamente, o livro Nosso Lar, também de André Luiz, psicografia de Francisco Cândido Xavier:

*Livro Nosso Lar, autoria espiritual de André Luiz, psicografia de Francisco Cândido Xavier, cap. 33:*

*"Identifiquei a caravana que avançava em nossa direção, sob a claridade branda do céu. De repente, ouvi o ladrar de cães, a grande distância.*

*– Que é isso? Interroguei assombrado.*

*– Os cães – disse Narcisa – são auxiliares preciosos nas regiões obscuras do Umbral, onde não estacionam somente os homens desencarnados, mas também verdadeiros monstros, que não nos cabe agora descrever...*

*"...Seis grandes carros, formato diligência, precedidos de matilhas de cães alegres e bulhentos, eram tirados por animais que, mesmo de longe, me pareceram iguais aos muares terrestres. Mas a nota mais interessante era os grandes bandos de aves, de corpo volumoso, que voavam a curta distância, acima dos carros, produzindo ruídos singulares...*

*... Em muitos casos, não se pode prescindir da colaboração dos animais.*

*– Como assim? – perguntei surpreso.*

*– Os cães facilitam o trabalho, os muares suportam cargas pacientemente e fornecem calor nas zonas onde se faça necessário; e aquelas aves – acrescentou, indicando o espaço –, que denominamos íbis viajores, são excelentes auxiliares dos Samaritanos, por devorarem as formas mentais odiosas e perversas, entrando em luta franca com as trevas umbralinas."*

– Nossa – disse Lúcia –, eles estão no plano espiritual!?

– Exatamente – disse Sérgio –, encontram-se na colônia Nosso Lar, no plano espiritual. André Luiz encontrava-se trabalhando e o grupo a que servia fora avisado da chegada de uma caravana trazendo Espíritos socorridos no umbral. Prepararam-se para recebê-los e, como vemos, surpreso, ele notou a participação nesta caravana de cães, muares, que são, por exemplo, burros, e aves.

– Então – disse Amanda –, estes animais estão trabalhando!

– Que impressionante – disse Edson –, os animais trabalham no plano espiritual! Vemos que André Luiz fica tão surpreso quanto nós, e Narcisa, sua companheira e trabalhadora da colônia Nosso Lar há bastante tempo, explica: "...*em muitos casos, não se pode prescindir da colaboração dos animais...*"

– Assim – disse Plínio –, eles não só trabalham no plano espiritual, quanto são essenciais em algumas atividades, como diz Narcisa.

– É – disse Edson –, lendo agora atentamente o texto, não sei como pude acreditar que eles fossem plasmados, ou seja, que fossem criações mentais. Com tamanha atividade!

Observemos esta frase de Narcisa: "...*em muitos casos, não se pode prescindir da colaboração dos animais...*",

assim como outras colocações que ela faz, como por exemplo:

*"...os muares suportam cargas pacientemente e fornecem calor nas zonas onde se faça necessário..."*

Edson suspirou e continuou:

– Vejam o quanto eles podem ser úteis. Não poderiam mesmo ser criação mental.

– Coitadinhos – disse Amanda –, fico pensando nos burros, que lá também carregam cargas!

– Compreendo, Amanda – disse Plínio –, mas creio mesmo que, diferente do que acontece no plano terrestre, onde os homens exploram os animais, lá eles servem como todos nós, aprendendo o amor, a caridade, dentro de seu limite de evolução. Vejamos o que diz a Codificação acerca do trabalho do espírito:

*Livro A Gênese, capítulo XI, Gênese Espiritual, item 28:*
*"Assim, **qualquer que seja o grau em que se ache (o espírito) na hierarquia espiritual, do mais ínfimo ao mais elevado, têm eles suas atribuições no grande***

*O evangelho dos animais*

**mecanismo do Universo; todos são úteis ao conjunto, ao mesmo tempo em que a si próprios.** *Aos menos adiantados, como a simples serviçais, incumbe o desempenho, a princípio inconsciente, depois, cada vez mais inteligente, de tarefas materiais. Por toda parte, no Mundo Espiritual, atividade, em nenhum ponto a ociosidade inútil".*

*Livro dos Espíritos, questão 677:*

**"Tudo trabalha na Natureza. Os animais trabalham, como tu,** *mas o seu trabalho, como sua inteligência, é limitado aos cuidados da sua conservação... Quando digo que o trabalho dos animais é limitado aos cuidados de sua conservação, refiro-me ao fim ao que eles se propõem, trabalhando, mas eles são ainda, sem o saberem, enquanto se entregam inteiramente a prover as suas necessidades materiais,os a gentes que colaboram nos desígnios do Criador.* **Seu trabalho não concorre menos para o objetivo final da Natureza, embora muitas vezes não possais ver o seu resultado imediato".**

– Ah – disse Amanda –, eles trabalham e seu trabalho serve para a evolução! E, com certeza, diferente do que acontece na Terra, são respeitados e amados, porque seria inconcebível imaginarmos a espiritualidade superior nos orientando a ampará-los e contradizendo a si mesma no plano espiritual.

– Creio mesmo – disse Sérgio – que temos muito a aprender com os exemplos deixados pelo plano espiritual. Vejamos os cães-terapeutas que hoje auxiliam a tantos na Terra, e o fazem com alegria. E os animais que trabalham auxiliando a socorrer pessoas soterradas, com dignidade e alegria, junto aos bombeiros.

– São – disse Plínio – o exemplo do trabalho em equipe, homens e animais, como acontece nesta descrição do livro Nosso Lar, onde os animais, em conjunto com os seres humanos, servem no socorro a irmãos infelizes nas trevas umbralinas. Juntos, são os auxiliares de Deus no amparo a todos. Que magnífico que Deus não deixa de fora, da oportunidade de aprender a amar, cada um em seus estágio, nenhum de seus filhos! Somos, em suma, aprendizes da caridade, e com os animais não é diferente. Que incrível a evolução! Impedir os animais de participar da harmonia que rege o universo, pelo que vimos nos livros A Gênese e O Livro dos Espíritos seria impedi-los de evoluir. Tudo é digno nos caminhos de Deus, desde que baseado na Lei de Justiça, Amor e Caridade; desde que tenhamos consciência de que os animais são nossos irmãos, nossos companheiros de evolução. Mudaremos nossa consciência enxergando neles nossos amigos fiéis e amados, nossos mais íntimos parentes, e não objetos de exploração.

– Aliás – disse Amanda –, o fato de existirem animais no plano espiritual e de realizarem uma atividade para a própria evolução prova que eles têm alma, e que têm inteligência, afinal, como um ser sem alma poderia estar no plano espiritual?!

– Digo mais amiga – falou Sérgio –, estou vendo aqui no livro Evolução Em Dois Mundos outras atividades desenvolvidas pelos animais no plano espiritual, além do trabalho:

> *Livro Evolução Em Dois Mundos, autoria espiritual de André Luiz, psicografia de Francisco Cândido Xavier e Waldo Vieira, cap. IX, Evolução e Cérebro:*
> *"À maneira de crianças tenras, internadas em jardim de infância para aprendizados rudimentares, animais nobres desencarnados, a se destacarem dos núcleos de evolução fisiopsíquica em que se agrupam por simbiose, acolhem a intervenção de instrutores celestes, em regiões especiais, exercitando os centros nervosos".*

– Gente do céu – disse Lúcia –, como esse homem, quero dizer, esse Espírito, André Luiz, neste livro, é complicado! Não entendi nada.

– Calma, Lúcia – disse Sérgio –, vamos destacar o que nos chama a atenção:

> *Francisco Cândido Xavier e Waldo Vieira, cap. IX, Evolução e Cérebro:*
> *"À maneira de crianças tenras, internadas em jardim*

*O evangelho dos animais*

de infância para aprendizados rudimentares, **animais nobres desencarnados... acolhem a intervenção de instrutores celestes, em regiões especiais...".**

– Espere um pouquinho – disse Amanda –, então, segundo esta colocação, os animais também estudam no plano espiritual?

– Exatamente Amanda – continuou Sérgio –, os animais também estudam no plano espiritual. Que fique claro, estão desencarnados, e são direcionados para estudo, e André Luiz deixa bem claro no início da colocação, quando diz:

*"À maneira **de crianças tenras,** internadas **em jardim de infância para aprendizados** rudimentares..."*

– Que magnífico – disse Ana Paula –, nós, seres humanos, quando desencarnamos, encaminhados para sermos úteis na dimensão espiritual, podemos estudar, ou trabalhar, ou as duas coisas, mas, segundo o que estudamos hoje, os animais também!

– Exato – disse Sérgio –, mas trabalho e estudo segundo o grau de evolução em que se encontram. Como Deus é perfeito! Vale estudarmos e completarmos a colocação do Espírito da Verdade na questão 600 de O Livro dos Espíritos, junto com os desdobramentos de André Luiz, e teremos:

*"Sobrevivendo ao corpo em que habitou, a alma do animal vem a achar-se, depois da morte, num estado de erraticidade, como a do homem?*

*Fica numa espécie de erraticidade, pois que não mais se acha unida ao corpo, mas não é um Espírito errante... O do animal, depois da morte, é classificado pelos Espíritos a quem incumbe essa tarefa e utilizado quase imediatamente. Não lhe é dado tempo de entrar em relação com outras criaturas... **em muitos casos, não se pode prescindir da colaboração dos animais...** na moradia de continuidade para a qual se transfere, encontra, pois, o homem as mesmas leis de gravitação que controlam a terra... **Plantas e animais domesticados** pela inteligência humana durante mi-*

*lênios,* **podem ser aí aclimatados e aprimorados...** *Os cães facilitam o trabalho, os muares suportam cargas pacientemente e fornecem calor nas zonas onde se faça necessário; e íbis viajores, são excelentes auxiliares dos Samaritanos, por devorarem as formas mentais odiosas e perversas, entrando em luta franca com as trevas umbralinas... À maneira de crianças tenras, internadas em jardim de infância para aprendizados rudimentares,* **animais nobres desencarnados... acolhem a intervenção de instrutores celestes, em regiões especiais..; por determinados períodos de existência** *...ao fim dos quais regressam aos seus núcleos de origem no solo terrestre, para que avancem na romagem evolutiva...Assim,* **qualquer que seja o grau em que se ache (o espírito) na hierarquia espiritual, do mais ínfimo ao mais elevado, têm eles suas atribuições no grande mecanismo do Universo; todos são úteis ao conjunto, ao mesmo tempo em que a si próprios...".**

– Eis porque, caros amigos – disse Sérgio –, não seria possível que compreendêssemos a alma dos animais antes; precisávamos compreender o que fazemos no plano espiritual, de que forma acontece o desencarne de espíritos em fase de humanidade, como são as atividades no plano espiritual, para depois compreendermos o que ocorre com os espíritos de animais. Como entender que há animais no plano espiritual, o que eles fazem, quais caminhos eles tomam, sem compreender que existem seres humanos no plano espiritual, que, na verdade, somos nós mesmos? Kardec trabalhou infinitamente para provar a existência da alma, de Deus e a importância do Evangelho, a continuidade da vida e a reencarnação, a importância cientifica da mediunidade e a evolução. Quando Chico Xavier lançou Nosso Lar, teve muita dificuldade de aceitação dentro do meio espírita, se as colônias espirituais foram vistas com receio e preconceito, como, então, falar antes da vida espiritual dos animais? Como trabalhar tudo isso sem estarmos prontos para compreender?

– Estou profundamente emocionado – disse Plínio –, ao pensar no Astor, o cão de seu Arlindo. Com certeza, agora

*O evangelho dos animais*

sei, foi amparado no plano espiritual, e pode ser encaminhado a diversas atividades de trabalho, estudo, ou até reencarnar logo. Eles não estão sozinhos, eles são cuidados, não ficam à própria sorte, continuam a evolução, e nós, com certeza, iremos revê-los, porque o plano espiritual é ativo, e tudo se dirige para a paz!. Estou tão feliz de conhecer a Doutrina Espírita!

– E eu, caro Plínio – disse Amanda -; feliz em pensar na Fifi. A difícil despedida, a difícil separação, o desencarne abrupto, mas, finalmente, agora, sei as respostas, sei que ela, com certeza, está bem , sei que está sendo amparada. Vejam só os Espíritos que auxiliam os animais no plano espiritual, como diz André Luiz: "...*instrutores celestes...*".

Edson, com os olhos marejados, disse:

– Querida do meu coração, como poderia ser diferente? Quem os entende como irmãos queridos, quem tem conhecimento para amá-los e auxiliá-los na evolução? Espíritos como nós, com certeza, não estão ainda preparados para compreender os animais como os pequeninos do Cristo! Mas Deus é bondade suprema, não abandona nenhum de seus filhos, nem nós, nem eles, os animais.

# Capítulo 21

# A ALMA COMO ELA É

Novamente, o grupo se reunia para o estudo. Após uma semana intensa, Plínio sentava-se entusiasmado com o estudo da Doutrina. Aprofundar o entendimento sobre as entrelinhas das questões de O Livro dos Espíritos e entendê-las a fundo, localizá-las segundo seu momento histórico, e acompanhar, como se fora num filme, a evolução da humanidade, do ponto de vista moral, uma vez que, por mais que o homem ainda se encontre ligado a matéria, é fato que as doutrinas espiritualistas como um todo se disseminaram no século XX, e hoje, falar no mundo ocidental, sobre reencarnação, não é novidade alguma. Desta forma, se pode perceber o quanto o materialismo perdeu campo, e trai a si mesmo à medida que não oferece respostas para as questões íntimas do homem. Trai a si mesmo quando não consola ou dá esperança, ou quando restringe as conquistas humanas a simples realidade material, fazendo do homem mero objeto de consumir. A própria humanidade, embora envolvida pelas questões materiais, muitas vezes, por não encontrar outra saída, começa a se cansar da limitação que isso proporciona, porque destitui a vida de seu significado sublime, e restringe os sentimentos humanos.

E Plínio via, fascinado, o materialismo se romper pela ação do próprio materialismo, através das mãos da ciência, no que tange ao entendimento da alma dos animais. A frase

*O evangelho dos animais*

do Espírito da Verdade: *"Não são simples máquinas como supondes..."*, lhe ecoava nos ouvidos e as conquistas científicas provando a presença de consciência nos animais, inteligência e interação com o meio, colocando-os acima da condição de simples máquinas, elevava o entendimento humano sobre estas criaturas, colocando o conhecimento do homem a altura do que a Doutrina Espírita diz. Plínio pensava: *"é o momento de, como espíritas, compreendermos os novos horizontes que se descortinam a nossa frente, de forma que possamos estar condizentes com as verdades da própria Doutrina que, ao contrário do que pensávamos, não traí nossa observação, e não contradiz a própria ciência; ao contrário, vai ao encontro dela. Que belo presente reservado nas entrelinhas de O Livro dos Espíritos, e já podemos compreendê-lo! Finalmente, mais um véu que o materialismo colocou sobre nossos olhos cai por terra, descortinando a beleza da alma e suas nuances."*

Enquanto Plínio encontrava-se em suas elucubrações, Edson levantou novamente a questão:

– Uma vez que sabemos que os animais têm alma, acredito que precisamos compreendê-la a fundo. Questiono:

*"Como é a alma dos animais?"*
*"Será que é igual a nossa?"*
*"Será que um dia o animal poderá chegar a ser humano?"*
*"Se chegar, então, será que teremos sido, nós mesmos, animais em algum tempo da evolução?"*
*"Qual o grau de parentesco que temos com eles?"*

Após avaliar a atenção de todos os membros do grupo, Edson continuou:

– São questões importantes e creio que, mais uma vez, nos surpreenderemos com a Doutrina Espírita, encontrando em suas iluminadas linhas as respostas a tais perguntas.

Foi Sérgio quem interrompeu:

– Eu sempre aprendi que o animal é princípio inteligente e homem é Espírito. Isso sempre me confundiu, e sempre que questionei, não obtive resposta satisfatória, ouvindo somente que não era o momento de compreendermos. Mas, por que será que se acredita, e sempre ouvi que animal é princípio inteligente e homem é Espírito?

Foi Plínio quem continuou:

– Simples – caro amigo – Essa crença vem da colocação do Espírito da Verdade na questão 607ª de O Livro dos Espíritos, no capítulo Os três Reinos, no Item Os Animais e o homem:

### Livro dos Espíritos, questão 607ª:

*"Parece, assim, que a alma teria sido o princípio inteligente dos seres inferiores da criação?*

*Resposta: Não dissemos que tudo se encadeia na Natureza e tende a unidade? É nesses seres, que estais longe de conhecer inteiramente, que o princípio inteligente se elabora, se individualiza pouco a pouco e ensaia para a vida, como dissemos. É de certa maneira, um trabalho preparatório, como o de germinação, **em seguida ao qual o princípio inteligente sofre uma transformação e se torna Espírito.** Então começa para ele o período de humanidade, e com este a consciência do seu futuro, a distinção do bem e do mal e a responsabilidade dos seus atos. Como depois do período da infância vem o da adolescência, depois a juventude, e por fim a idade madura..."*

Foi Lúcia quem questionou:

– Estes seres...? Que seres?

– Aqui – respondeu Plínio –, neste item, *"Os Animais e o Homem"*, se lermos as questões anteriores, ficará claro que refere-se o Espírito da Verdade aos animais quando fala *"... nesses seres..."*.

– Observando a colocação – disse Edson – parece que o raciocínio tem lógica, porque é isso mesmo que diz o Espírito da Verdade. Vejamos:

*"... **o princípio inteligente sofre uma transformação e se torna Espírito.** Então, começa para ele o período de humanidade..."*.

Com O Livro dos Espíritos nas mãos, Edson continuou:

*O evangelho dos animais*

– Não há dúvidas, portanto, que antes do período de humanidade, ou seja, na fase de animalidade, o espírito é princípio inteligente.

– Nossa senhora – disse Lúcia –, que negócio confuso! Quer dizer que o animal é esse tal de princípio inteligente? É isso?

Foi Edson quem respondeu:
– Vamos deixar bem claro:
Animal é princípio inteligente.
Este princípio inteligente, quando adentra a fase de humanidade, se torna Espírito.

– Creio – disse Plínio – que há outro fato importante a extrair daí antes de continuarmos a falar sobre esta questão especificamente. Seja o animal princípio inteligente ou espírito, dia chegará em que ele adentrará a fase de humanidade, como diz o próprio texto.

– Ah – disse Sérgio –, quanto a isso não há dúvidas, mesmo porque é o que diz a colocação anterior da questão 607 de O Livro dos Espíritos:

> Questão 607:
> *"Foi dito que a alma do homem, em sua origem, assemelha-se ao estado de infância da vida corpórea, que sua inteligência apenas desponta e que ela ensaia para a vida. Onde o Espírito cumpre essa primeira fase?*
>
> *"Em uma série de existências que precedem o período a que chamam de humanidade."*

Com um sorriso nos lábios, Sérgio completou:
– Vejam, sem dúvida, a alma dos animais adentrará a humanidade, e nós mesmos, enquanto seres humanos, já estivemos na fase de animalidade.

– Minha nossa – disse Lúcia –, quer dizer que já estivemos no corpo de um animal?!

– Exato, querida – disse Ana Paula –, é o que diz o texto que estamos estudando.

– Bem – disse Plínio – vejam, parece, a uma primeira análise, que o animal é princípio inteligente, e quando este princípio inteligente passa para a humanidade, sofre uma transformação e se torna Espírito. Mas, fica tão no ar isso, creio que o Espírito da Verdade está dizendo algo mais, algo que está nas entrelinhas. Acredito que devíamos procurar compreender melhor, não só buscando a definição de Espírito dada pelo Espírito da Verdade, no próprio Livro dos Espíritos, quanto encontrando a terminologia por ele detalhada sobre os animais em outras colocações, como na questão 600, por exemplo, que estudamos outro dia. Destacarei somente a colocação que nos interessa, para que não nos percamos do objetivo do estudo:

> *Trecho da resposta da questão 600 de O Livro dos Espíritos:*

> *"... O Espírito do animal é classificado, após a morte..."*

– Ué – disse Sérgio –, mas nesta colocação o Espírito da Verdade diz que o animal é um Espírito. E agora? Na questão 600, ele diz que o animal é um Espírito, mas na 607ª ele diz que o animal é princípio inteligente e homem é Espírito. Parece até que o Espírito da Verdade está entrando em contradição! Agora fiquei confuso.

– Se partirmos do princípio que se trata do Espírito da Verdade – disse Amanda – não pode haver contradição, mas sim algo que não estamos captando. Acho que devemos aprofundar o estudo. Esta questão é muito importante, porque definir exatamente a alma dos animais quebrará os preconceitos, trará conhecimento, e nos permitirá entendê-los exatamente como são.

– Creio – disse Plínio – que precisamos procurar a resposta do Espírito da Verdade sobre o que é Espírito. Vamos lá:

> *O Livro dos Espíritos, questão 23:*
> *"Que é Espírito?*
> **Resposta:** *O princípio inteligente do universo".*

Agora era Edson quem coçava a cabeça, confuso. Disse:

– Caramba! Eu acabei de concluir, precipitadamente, há pouco, que animal é princípio inteligente e homem é Espírito. Mas, agora, fiquei confuso, parece mesmo uma contradição

*O evangelho dos animais*

do Espírito da Verdade, mas ele não pode se contradizer. Não estou entendendo mais nada, como pode o Espírito da Verdade dizer que Espírito é o princípio inteligente do universo, na questão 23, depois classificar o animal como Espírito na questão 600 e depois dizer na questão 607ª que o princípio inteligente sofre uma transformação e se torna Espírito? Como ele pode se tornar uma coisa que já era? Não faz o menor sentido. Vejo que, realmente, fomos muito precipitados em nossas conclusões acerca da alma dos animais, por isso tanta confusão no meio espírita. Temos muito, mas muito a estudar.

– Proponho – disse Plínio – mais duas colocações, para esquentar nossos questionamentos. Vejamos o que diz o próprio Kardec no livro Obras Póstumas e em seguida, vejamos o livro A Gênese:

> *Livro Obras Póstumas, Profissão de fé raciocinada, item II, Alma, item 4*
> *"4. Há no homem um princípio inteligente a que se chama*
> *ALMA ou ESPÍRITO, independente da matéria..."*

Livro A Gênese:

> **Livro A Gênese, Capítulo III, O Bem e o Mal, item 21:**
> **Resposta:** *"A verdadeira vida, **tanto do animal quanto do homem,** não está no invólucro corporal, do mesmo que não está no vestuário. **Está no princípio inteligente que preexiste e sobrevive ao corpo."***

– Agora – continuou Plínio – vamos colocar tudo junto e procurar as respostas:

> *Trecho da resposta da questão 607ª:*
> *"... o princípio inteligente sofre uma transformação e se torna Espírito. Então começa para ele o período de humanidade...".*

> *Trecho da resposta da questão 600 de O Livro dos Espíritos:*

*"... O **Espírito do animal** é classificado, após a morte..."*

*Livro dos Espíritos, questão 23:*
*"Que é Espírito?*
*Resposta: o princípio inteligente do universo".*

**Livro A Gênese, Capítulo III, O Bem e o Mal, item 21:**
*"A verdadeira vida, **tanto do animal quanto do homem** não está no invólucro corporal, do mesmo que não está no vestuário. **Está no princípio inteligente que preexiste e sobrevive ao corpo.**"*

**Livro Obras Póstumas, Profissão de fé raciocinada, item II, Alma, item 4**
**"4. Há no homem um princípio inteligente a que se chama ALMA ou ESPÍRITO, independente da matéria..."**

– Ora – disse Ana Paula –, não precisa ser um grande gênio para perceber que, por todas as colocações, princípio inteligente e Espírito são a mesma coisa, com exceção da questão 607ª. Assim, o Espírito da Verdade, que jamais pode se contradizer, estava querendo nos dizer alguma coisa.

– Acredito – disse Amanda – que ele estava querendo nos dizer que há uma diferença entre a alma dos animais e a nossa, mas que esta diferença é muito mais sutil do que imaginamos. Creio mesmo que devemos aprofundar ao longo dos desdobramentos da Doutrina Espírita, como fizemos em relação à animais no plano espiritual, onde, com certeza, encontraremos as respostas.

Foi Plínio quem tomou uma iniciativa, dizendo:

– Acredito que Kardec nos deixou a dica no livro A Gênese:

*Livro: A Gênese, Capítulo 11, Gênese Espiritual, item 23:*

**"...Sem, pois, pesquisarmos a origem do Espírito, sem procurarmos conhecer as fieiras pelas quais haja ele, porventura, passado, tomamo-lo ao entrar na humanidade...".**

*O evangelho dos animais*

– Vejam só – disse Ana Paula –, a colocação do livro A Gênese deixa claro que o estudo do Espírito se atém a partir da fase de humanidade, neste momento. Claro, basta procurarmos as colocações já estudas da Revista Espírita de 1865, mês de setembro:

*"Assim procedem os grandes Espíritos que dirigem o movimento espírita; em boa lógica começam pelo começo e esperam que estejamos suficientemente instruídos num ponto antes de abordar outro...* **Numa palavra, precisávamos compreender nossa alma antes de procurar compreender a dos animais...**

**... Um outro motivo tinha feito adiar a solução relativa aos animais. Essa questão toca em preconceitos há muito enraizados, e que teria sido imprudente chocar de frente, razão por que os Espíritos não o fizeram"**

– Importante nos lembrarmos novamente – disse Plínio – em que ano foram publicadas todas estas respostas, compreendendo que a Espiritualidade Superior tem uma sequência lógica e uma programação ao enviar as respostas acerca do conhecimento espiritual. Vamos lá:

A questão 23 de O Livro dos Espíritos é da primeira edição, de 1857.

A questão 600 e a 607 e 607ª são da segunda edição de O Livro dos Espíritos, de 1860.

A colocação da Revista Espírita é de 1865.

O Livro A Gênese é de 1868.

O Livro Obras Póstumas foi publicado após o desencarne de Kardec, em 1890, e trata das conclusões do próprio codificador.

Plínio continuou:

– Nesta época, relembrando, o Brasil ainda não havia libertado os escravos, o materialismo imperava, o homem mal acreditava na própria alma, muito menos na dos animais, que eram vistos como máquinas. Muita coisa mudou de lá para cá, como vimos; não podemos nos esquecer de que as coisas progrediram. Por isso, Kardec afirma na Gênese o que foi dito na Revista Espírita de 1865: que estudaria o Espírito a partir da fase de humanidade, por não haver como compreender a alma dos animais sem, antes, compreender a nossa.

– Bem, já que se trata do Espírito da Verdade –, disse Edson – ou seja, aquele que representa a verdade, e fica claro, através das próprias colocações que nos faz que princípio inteligente e Espírito são sinônimos, precisamos compreender o que exatamente nos diz a questão 607ª, obviamente nas entrelinhas, uma vez que, em vista dos preconceitos da época e da própria forma como o homem se via, se o Espírito da Verdade dissesse que tanto o homem quanto o animal são Espíritos, teria desacreditado a Doutrina Espírita, e não estaríamos aqui hoje, visto que Kardec não teria sido ouvido. Tudo tem seu tempo na evolução. Vamos ver os desdobramentos acerca da evolução do espírito, que, acredito eu, traga a solução para este intricado problema. E acredito nisto pela própria colocação do Espírito da Verdade na questão 607ª, que se observarmos atentamente, fala da evolução do Espírito que se encontra na fase de animalidade para a fase de humanidade:

### O Livro dos Espíritos, questão 607ª:

*"Parece, assim, que a alma teria sido o princípio inteligente dos seres inferiores da criação?*
*Resposta: Não dissemos que tudo se encadeia na Natureza e tende a unidade? É nesses seres, que estais longe de conhecer inteiramente, que o princípio inteligente se elabora, se individualiza pouco a pouco e ensaia para a vida, como dissemos. É de certa maneira, um trabalho preparatório, como o de germinação,* **em seguida ao qual o princípio inteligente sofre uma transformação e se torna Espírito.** *Então começa para ele o período de humanidade, e com este a consciência do seu futuro, a distinção do bem e do mal e a responsabilidade dos seus atos. Como depois do período da infância vem o da adolescência, depois a juventude, e por fim a idade madura..."*

*O evangelho dos animais*

– Acredito – disse Plínio – que vale o estudo também do final da questão 540 de O Livro dos Espíritos, que nos traz uma informação profunda a ser observada:

*"...É assim que tudo serve, tudo se encadeia na Natureza, desde o átomo primitivo até arcanjo, pois ele mesmo começou pelo átomo..."*

– Opa – disse Sérgio –, espere aí. O Espírito da Verdade, nesta questão, faz uma colocação bem clara. Todos nós sabemos, como espíritas, que nosso destino, enquanto Espíritos em evolução, é chegar a arcanjo, mas...

Sérgio foi interrompido por Lúcia, que se encontrava com um olhar pasmo, dizendo:

– Eu, enquanto espírita inicial, não sabia disso. Você está dizendo que um dia chegarei a ser um arcanjo, como o anjo Gabriel?

– Sim, Lúcia –, respondeu Edson – a Doutrina Espírita, quando nos fala acerca da evolução, nos demonstra, como já dissemos, que nós somos Espíritos que reencarnam muitas vezes, ocupando corpos físicos diferentes a cada reencarnação, e que evoluímos, aprendemos a amar, desenvolvemos nossa moralidade e a sabedoria, não é isso?

– Sim – continuou Lúcia –, aprendemos que somos muito mais que o corpo que ocupamos; já sei, por exemplo, que se nesta reencarnação estou neste corpo físico, com o nome de Lúcia, trabalhando em sua casa, em outra reencarnação passada, posso ter tido o corpo de um homem ou de uma mulher, e até ter sido o seu patrão, e você minha empregada, háháhá!...

– Háháhá!... – riu Edson –, realmente, Lúcia, nós poderíamos ter estado em posições diferentes, ou não, sei lá, de repente você era o patrão da Amanda que, na outra encarnação, também tinha outra vida, outro nome, e eu o rei de algum rico país... háháhá!...

– Muito engraçado – disse Plínio – ninguém quer ter sido, em outra reencarnação, pobre, desconhecido ou miserável, mas rico, poderoso, etc.

– Você diz isso – brincou Edson – porque está com inveja da minha vida na monarquia na outra reencarnação. Háháhá!...

Todos riram muito, inclusive Lúcia. Foi Sérgio quem interrompeu:

– Verdade seja dita, amigos, sabemos que estivemos em muitas vidas, ocupando diferentes corpos físicos, com diferentes aprendizados, e sabemos também que nosso destino, enquanto Espírito, é o Arcanjo.

– Gente – disse Lúcia –, estou impressionada! Todos nós chegaremos a esta fase da evolução?

– Sim, Lúcia – disse Edson –, todos, enquanto Espíritos, estamos destinados ao que chamamos de reino angélico, onde seremos arcanjos. O Espírito mais evoluído que a Terra já recebeu foi Jesus, que é um arcanjo.

Lúcia estava boquiaberta. Impressionada, jamais imaginara o Senhor, Mestre do amor, como um arcanjo. Agora, ela entendia toda a sua magnitude. Nova pergunta lhe brotou no pensamento:

– Então... Jesus já esteve na fase em que nos encontramos, ou seja, Jesus já foi como nós, e evoluiu até arcanjo?

– Excelente observação Lúcia –, respondeu Plínio – e é exatamente isso que nos diz a questão 540 de O Livro dos Espíritos, quer ver? Observemos novamente:

*"É assim que tudo serve, tudo se encadeia na Natureza, desde o átomo primitivo até o arcanjo, pois ele mesmo começou pelo átomo."*

– Se bem entendi – disse Amanda –, Aqueles que são hoje arcanjos, como Jesus, um dia começaram como átomos?!

– É aí que entra um importante entendimento. Uma coisa é o espírito, outra coisa é o corpo. O que nos informa o texto é que o espírito, quando inicia seu processo de evolução, começa pelo corpo físico mais simples, a menor partícula da matéria, o átomo, e evolui em diferentes corpos físicos, reencarnando sempre, até chegar a arcanjo, que nós sabemos, não mais reencarna.

– Ah – disse Lúcia –, então o espírito é sempre o mesmo e à medida que evolui, vai ocupando outros corpos físicos?

– Exato – respondeu Plínio –, se em uma reencarnação, por exemplo, eu ocupei o corpo físico como escravo, nesta reencarnação ocupo novo corpo físico, e sou o Plínio que todos

*O evangelho dos animais*

vocês conhecem. O corpo físico da outra reencarnação morreu, ou seja, perdeu sua força vital, mas o meu Espírito permaneceu vivo, eu desencarnei, ou seja, deixei o corpo de carne, voltei ao plano espiritual, e novamente ocupei outro corpo de carne, ou seja reencarnei, e hoje estou aqui. Somos espíritos imortais, porém, é preciso compreender que desde o princípio, desde nossa criação, somos espíritos imortais, ocupando diferentes corpos, para nossa evolução, certo?

– Creio – disse Sérgio -, que se colocarmos a questão 540 de O Livro dos Espíritos junto a esclarecedora colocação do Livro A Gênese, compreenderemos melhor:

*Livro A Gênese, capítulo XI, item 7:*
*"...O que Deus permite que seus mensageiros lhe digam e o que, aliás, o próprio homem pode deduzir da* **soberana justiça, atributo essencial da Divindade, é que todos procedem do mesmo ponto de partida; que todos são criados simples e ignorantes, com igual aptidão para progredir pelas suas atividades individuais...** *que todos, sendo filhos do mesmo Pai, são objeto de igual solicitude; que nenhum há mais favorecido ou melhor dotado do que outros..."*

*Livro dos Espíritos, questão 540:*
*"É assim que tudo serve, tudo se encadeia na Natureza,* **desde o átomo primitivo até o arcanjo, pois ele mesmo começou pelo átomo."**

– *Vamos aprofundar estas colocações, observando as partes mais importantes. Disse Plínio:*

**"...todos procedem do mesmo ponto de partida; que todos são criados simples e ignorantes, com igual aptidão para progredir pelas suas atividades individuais...** *tudo se encadeia na Natureza,* **desde o átomo primitivo até o arcanjo, pois ele mesmo começou pelo átomo."**

– Fantástico – disse Edson –, então o ponto de partida do espírito, o primeiro corpo físico que ele ocupa é o átomo, e

vai ocupando corpos físicos mais elaborados até chegar a arcanjo, passando pela fase de humanidade? Nossa!
– Nossa digo eu – disse Lúcia –, como é possível?!
– Lembro-me – disse Plínio – de uma colocação do Livro A Gênese.
– Eu me lembro – disse Sérgio – de um texto brilhante e altamente elucidativo do Espírito Joanna de Ângelis, psicografia de Divaldo Pereira Franco, livro Iluminação Interior. Vamos ver os dois.
Amanda levantou-se para pegar o livro a que Sérgio se referia. Tinha todos os livros de Joanna de Ângelis, adorava a leitura de seus textos e a oportunidade de suas colocações. Lembrou-se também de trazer o exemplar Emmanuel, de autoria de Emmanuel, psicografia de Francisco Cândido Xavier.
Plínio abriu o livro A Gênese:

> *Livro A Gênese, capítulo 8, item 7:*
> *"O desenvolvimento orgânico está sempre em relação com o desenvolvimento do princípio intelectual.* **O organismo se completa a medida que se multiplicam as faculdades da alma. A escala orgânica acompanha constantemente, em todos os seres, a progressão da inteligência, desde o pólipo até o homem,** *e não podia ser de outro modo, pois que a alma precisa de um instrumento apropriado a importância das funções que lhe compete desempenhar. De que serviria a ostra possuir a inteligência do macaco, sem os órgãos necessários a sua manifestação?"*

Sérgio abriu o livro Iluminação Interior:

> **Livro Iluminação Interior, autora espiritual Joanna de Ângelis, psicografia de Divaldo Pereira Franco, capítulo I:**

> *"Deus prossegue criando sem cessar.*

> *O Seu psiquismo dá nascimento a verdadeiros fascículos de luz, que contém em germe toda a grandeza da fatalidade de seu processo de evolução.* **Manifestando-se em sono profundo** *nos minerais através dos*

*O evangelho dos animais*

*milhões de milênios, germina, mediante o processo de modificação estrutural, **transferindo-se** para o reino vegetal, as vezes, passando pelas formas intermediárias, dando surgimento a sensibilidade, a uma organização nervosa primária, de que se utilizará no remoto futuro.*

*Obedecendo a campos vibratórios sutis e inabordáveis, lentamente **se transfere para o reino animal**, experimentando as variações do transformismo e do evolucionismo, igualmente vivenciando as experiências encarregadas das mutações e variações, **desdobrando os instintos até alcançar os primatas, e deles prosseguindo no direcionamento humano**... Não cessa, porém, no bípede pensante, o grandioso desenvolver dos conteúdos divinos nesse psiquismo, **antes alma e agora Espírito**, que avança para a angelitude, para a superação de qualquer expressão no campo da forma, até atingir o máximo de sua destinação gloriosa".*

– Magnífico – disse Plínio – mas creio que teremos de estudar parte por parte para entender a evolução do espírito, desde o início de sua criação.

– Só para esclarecer – disse Edson – poderíamos dizer evolução do princípio inteligente, ou evolução do espírito, que pelo que estudamos até agora são sinônimos, correto?!

– Correto, Edson. Não há como negar esta obviedade – respondeu Plínio –, e percebo mesmo que é importante que compreendamos tudo que estudamos até hoje, porque, quando entendermos a evolução, conforme nos elucida o livro A Gênese e a própria Joanna de Ângelis no texto que acabamos de ler, estaremos, na verdade, compreendendo a nós mesmos.

– Nossa – disse Ana Paula –, nunca pensei que, ao estudar a alma dos animais, estaria, na verdade, estudando meu passado espiritual.

– Creio mesmo – disse Sérgio – que estaremos compreendendo muitas de nossas tendências, compreendendo como foi que nos tornamos quem somos, enquanto Espíritos, como foi que desenvolvemos o amor, como foi que desenvolvemos os instintos. Em nosso passado espiritual, encontram-se muitas de nossas respostas, e interessantes caminhos se abrirão ao nos compreendermos, e ao compreendermos os espíritos que compartilham conosco o planeta, em corpos físicos diferentes do nosso, sem, no entanto, serem considerados como desprezíveis, ao contrário, são as crianças espirituais que um dia chegarão à fase em que nos encontramos.

– Isto está cada vez mais profundo – disse Amanda –, e este entendimento muda realmente o paradigma que até hoje moldou a relação entre homens e animais. Vejamos, por exemplo, as colocações de Emmanuel sobre o assunto, de alta elucidação, a começar pelo livro Emmanuel:

*Livro Emmanuel, Espírito Emmanuel, psicografia de Francisco Cândido Xavier, capítulo XVII, Sobre Os Animais:*

*"...E, como o objetivo desta palestra é o estudo dos animais, nossos irmãos inferiores, sinto-me à vontade para declarar que todos nós já nos debatemos no seu acanhado círculo evolutivo. São eles os nossos parentes próximos, apesar da teimosia de quantos persistem em não o reconhecer..."*

– Digo sempre – comentou Sérgio – que Emmanuel é um poeta, mas não deixa de ser esclarecedor, verdadeiro e enérgico em suas afirmações. Esclarece-nos o bondoso mentor que todos nós passamos pela fase de animalidade.

– Creio que o texto vai além – disse Plínio:
Todos nós, seres humanos, já passamos pela fase de animalidade.

Os animais são nossos parentes espirituais mais próximos.

Neste sentido, são nossos irmãos inferiores, não no sentido orgulhoso com que vemos as coisas, mas por se encontrarem em estágio evolutivo anterior ao nosso, como somos nós, os seres humanos, os irmãos inferiores de Jesus, que se encontra em um estágio evolutivo superior ao nosso, e esse entendimento não nos denigre como espíritos, apenas nos localiza a evolução.

*O evangelho dos animais*

– Enquanto falavam – disse Amanda –, busquei, em outros livros do Espírito Emmanuel, esclarecimentos também importantes, que não somente afirmam o que ele coloca no livro Emmanuel, como desdobram e confirmam a informação do próprio Espírito da Verdade na questão 607 e 607ª de O Livro dos Espíritos. Vejamos:

*Livro O Consolador, Espírito Emmanuel, psicografia de Francisco Cândido Xavier:*
*"Questão 79: Como interpretar nosso parentesco com os animais?*
*– Considerando que eles igualmente possuem, diante do tempo, um porvir de fecundas realizações, através de numerosas experiências, chegarão, um dia, ao chamado reino hominal, como, por nossa vez, alcançaremos, no escoar dos milênios, a situação de angelitude..."*
*Livro Alvorada do Reino, Espírito Emmanuel, psicografia de Francisco Cândido Xavier, capítulo Na Senda da Evolução:*

*"O animal caminha para a condição do homem, tanto quanto o homem evolui no encalço do anjo".*

– Incrível – disse Edson –, então é importante refletirmos acerca deste tema, tão esclarecedor para nós, seres humanos, para compreendermos nossa própria evolução, quanto para mudar a relação que temos mantido com os animais, que são nossos irmãos menores. Podemos concluir:

Os animais, como espíritos, hoje ocupam o corpo de um animal, mas, um dia, chegarão a ocupar o corpo de um ser humano.

Nós, enquanto espíritos, um dia, ocupamos o corpo de um animal, e hoje ocupamos o corpo de um ser humano.

– Nossa – disse Sérgio –, nunca ficou tão claro para mim que uma coisa é o espírito, outra coisa é o corpo físico, instrumento do espírito na evolução! E vale a leitura do que diz o Espírito da Verdade em um trecho da questão 607ª de O Livro dos Espíritos, esclarecendo exatamente este assunto:

*"... Não há nada, nessa origem, que deva humilhar o homem. Os grandes gênios sentem-se humilhados por terem sido fetos disformes no ventre materno? Se algo deve humilha-los, é a sua inferioridade diante de Deus e sua impotência para sondar as profundezas de seus desejos e a sabedoria das leis que regem a harmonia do Universo. Reconheçam a grandeza de Deus nessa admirável harmonia que forma a solidariedade de todas as coisas da Natureza. Acreditar que Deus tenha podido fazer qualquer coisa sem objetivo e criar seres inteligentes sem futuro, seria blasfemar contra a sua bondade que se estende sobre todas as suas criaturas."*

– Creio que podemos ir mais adiante neste entendimento – disse Edson. – O Espírito da Verdade deixa claro que é nosso orgulho que faz com que não queiramos admitir já termos passado pela fase de animalidade. E mais, fica óbvio que os animais, enquanto Espíritos em evolução, como somos nós outros, têm o mesmo destino que nós, ou seja, chegarão à angelitude, antes, porém, alcançando a fase de humanidade, fase esta em que nos encontramos no momento.

– Ah – disse Amanda –, quanto a isso, tem uma colocação de Joanna de Ângelis que não nos deixa dúvida:

*Joanna de Ângelis, Livro Jesus e o Evangelho à Luz da Psicologia Profunda, psicografia de Divaldo Pereira Franco, capítulo Renascimentos:*

*"Todos os seres animais e humanos experimentam esse impositivo dos renascimentos sucessivos de forma a se aprimorarem e alcançarem o estado de consciência cósmica".*

– Ah – disse Lúcia, empolgada –, então, assim como nós, os animais atingirão este estado de consciência cósmica, ou seja, chegarão à tal angelitude, passando antes pela fase de humanidade, em que já nos encontramos.

– Assim é que – continuou Amanda -, o Espírito da Verdade falou tudo, mesmo não podendo falar claramente na

*O evangelho dos animais*

época, pela falta de desenvolvimento moral e intelectual da humanidade no século XIX:

*Livro dos Espíritos, questão 540:*
*"É assim que tudo serve, tudo se encadeia na Natureza, desde o átomo primitivo até o arcanjo, pois ele mesmo começou pelo átomo. Admirável lei de harmonia, de que seus Espíritos limitados não podem ainda abranger o conjunto."*

– Em 1857, ainda não tínhamos como sequer começar a compreender – disse Plínio –, mas agora, mais de 150 anos depois, já podemos começar. E, sim, meus irmãos, nós, enquanto Espíritos, já passamos pela fase de animalidade, e eles, os animais, enquanto Espíritos, chegarão à fase em que nos encontramos. Somos todos irmãos, e a relação que temos com eles, muito além do corpo, deve ser considerada uma relação de Espírito para Espírito; assim, são eles nossos parentes próximos, nossos irmãos, nossos próximos. E aí se aprofunda a beleza da criação divina, em que vemos as luzes do amor em todos os seres que conosco habitam o planeta, e é algo para profunda meditação, para profundo aprendizado de humildade e gratidão. Creio, meus irmãos, que hoje abrimos definitivamente novos parâmetros de entendimento e consciência acerca das leis de Deus, e bendita a oportunidade de aprender a amar! Jesus nos abençoe.

## Capítulo 22

# ADMIRÁVELLEIDEHARMONIA

– Eu tenho uma dúvida – disse Amanda –, sempre aprendi que animais pertencem a uma alma-grupo.

– Nossa senhora – disse Lúcia – que negócio é esse de alma-grupo?!

– Bem, Lúcia – disse Edson – muitos acreditam que os animais, quando desencarnam, voltam para um "todo" único. Como se houvesse uma única alma de animal no Universo, e uma parte dela reencarna no corpo de um animal qualquer, e quando este corpo morre esta parte volta para essa única alma.

– Credo – respondeu Lúcia – que coisa complicada! Não é mais fácil de entender uma alma única para cada animal, do que uma alma-grupo? Afinal, o Espírito da Verdade dizia isto? E o que dizia Kardec sobre a existência de uma alma-grupo para os animais? Por que as pessoas acham isso?

– Calma, Lúcia – comentou Plínio –, quantas perguntas! Vamos devagar. Primeiro, queria deixar claro que há muitas variações no entendimento de alma-grupo. Já vi inúmeros confrades espíritas dizerem que há uma alma-grupo para cada espécie; por exemplo, uma alma-grupo de caninos, uma alma-grupo de felinos, uma alma-grupo de peixes, etc. Outros dizem que somente os animais inferiores, que são insetos, peixes, até os lagartos, com exceção de aves e mamíferos, pertencem a uma alma-grupo. Há os que diziam

*O evangelho dos animais*

que todos os animais da Terra pertencem a uma única alma-grupo, que só se torna individual quando chega na fase de ser humano.

– Cruzes – disse Lúcia –, agora complicou de vez! Cada um acha uma coisa, e cada um explica de um jeito, mas e o que diz a Doutrina Espírita? Quem está com a verdade?

– Isto muito me angustiava – disse Amanda –, porque lembrava de minha querida Fifi. Se esta teoria acerca da alma-grupo fosse verdade, significaria que a Fifi teria perdido a individualidade após a morte, ou seja, que ela deixaria de ser a Fifi após o desencarne para voltar para esta única alma, este todo que agrupa todas as almas dos animais, formando uma só, ou que seja, todas as almas de cães, por exemplo, assim, nunca mais veria a Fifi, pois ela teria deixado de existir enquanto indivíduo, e passaria a ser parte de um todo. Mas, como vimos anteriormente, isto não acontece, quando estudamos sobre os animais no plano espiritual, sua atividade, e sua evolução.

– Gente do céu – disse Lúcia com a mão na cabeça – estou ficando doidinha! Alguém pode me explicar direito isso?

Todos riram muito, e Plínio tomou a iniciativa, dizendo:

– Nosso querido codificador não deixou de falar de alma-grupo, referindo-se à alma do ser humano. Mas nos deixou uma dica importante em o livro Obras Póstumas, que nos incita à observação. Vejamos:

*Livro Obras Póstumas, Primeira Parte, item 7:*

*"... Sua individualidade é demonstrada pelo caráter e pelas qualidades de cada um; estas qualidades, distinguindo-se as almas umas das outras, constituem sua personalidade; se elas se confundissem num Todo comum, só poderiam apresentar qualidades uniformes."*

– Refere-se Kardec – disse Plínio – à alma do homem. Mas não precisamos ser grandes gênios para utilizar da mesma capacidade de raciocínio para a alma dos animais. Será que todos eles possuem qualidades uniformes, ou têm personalidades diferentes, mesmo os da mesma espécie?

– Ah – disse Ana Paula –, isso é muito fácil de responder.

Como veterinária, atendo inúmeros animais, e você pode perguntar a qualquer um que já tenha compartilhado a vida com vários animais, ao mesmo tempo, ou que tenha adotado em tempos diferentes vários animais, para que lhe respondam que são diferentes um do outro. E realmente são. Prova disso, por exemplo, é que atendo inúmeros gatos tranquilos e queridos, e outros que são como onças em corpo de gatos quando acuados.

– E os cães?! – comentou Sérgio – quando era criança, tínhamos em casa três cães sem raça definida. Cada um era de um jeito. O Bob, por exemplo, era muito bonzinho, mas não era muito inteligente; então, o Apolo sempre o controlava. Apolo era inteligente, rápido, brincalhão, compreendia tudo que falávamos. Tinha a Tica, que era uma cadelinha pequena e birrenta. Era a menor de todos, e mandava em todo mundo.

– Bem, os cães da raça labrador – comentou Edson – têm fama de serem muito bonzinhos, mas tenho um amigo que tutora um cão de nome Astor, da raça labrador, que é muito bravo. E o engraçado é que ele tem um Rotweiller de nome Dragon que é extremamente manso, com qualquer um, adora crianças, e é totalmente dominado pelo gato da família, o Félix, que, aliás, é manso, mas astuto e até mesmo manipulador.

– Vejam amigos – disse Plínio –, se todos pertencessem a uma única alma, sua manifestação na Terra seria uniforme, já que cada animal seria apenas uma parte desta única alma, ou seja, para não haver dúvidas, seria uma única personalidade se dividindo em vários corpos.

– Incrível – disse Lúcia –, não preciso consultar mais nada para saber que esse negócio de alma-grupo é furado.

– Nossa observação – disse Amanda, que não disfarçava a felicidade – já nos responde.

– Vamos ver o que diz O Livro dos Espíritos – disse Plínio.

**598. Após a morte, conserva a alma dos animais a sua individualidade** e a consciência de si mesma?

**Resposta: "Conserva sua individualidade;** quanto à consciência do seu eu, não. A vida inteligente lhe permanece em estado latente."

*O evangelho dos animais*

– Que maravilha – disse Amanda –, então, realmente não existe alma-grupo, os animais conservam sua individualidade após a morte. Então minha querida Fifi continua sendo a Fifi, e mantém sua personalidade e seu aprendizado.

– E não poderia ser de outra forma – disse Sérgio –, senão, de que valeria todo o aprendizado que teve ela durante a vida? E o sofrimento? Tudo ficaria diluído? Deus seria muito injusto, pois que haveria animais que nasceriam na opulência, e com menos sofrimentos do que outros que nasceriam nas ruas e, ainda assim, o aprendizado de um serviria também para outro. Isto não condiz com a justiça divina.

– Vamos, inclusive, – disse Edson – repetir a colocação do livro A Gênese:

*Livro A Gênese, capítulo XI, item 7:*
*"...O que Deus permite que seus mensageiros lhe digam e o que, aliás, o próprio homem pode deduzir da* **soberana justiça, atributo essencial da Divindade, é que todos procedem do mesmo ponto de partida; que todos são criados simples e ignorantes, com igual aptidão para progredir pelas suas atividades individuais...** *que todos, sendo filhos do mesmo Pai, são objeto de igual solicitude; que nenhum há mais favorecido ou melhor dotado do que outros..."*

– Ora – disse Edson –, se todos progridem pelas suas atividades individuais, não podem realmente voltar para uma alma-grupo.

– Sim – disse Plínio –, veremos no texto de Joanna de Ângelis, que retomaremos agora, que o mesmo espírito, com sua individualidade, vai se transferindo para corpos diferentes. Vamos retomar os textos da Gênese e de Iluminação Interior sobre estes aspectos:

*Livro A Gênese, capítulo 8, item 7:*

*"O desenvolvimento orgânico está sempre em relação com o desenvolvimento do princípio intelectual.* **O organismo se completa a medida que se multi-**

*plicam as faculdades da alma. A escala orgânica acompanha constantemente, em todos os seres, a progressão da inteligência, desde o pólipo até o homem,* e não podia ser de outro modo, pois que a *alma precisa de um instrumento apropriado a importância das funções que lhe compete desempenhar. De que serviria a ostra possuir a inteligência do macaco, sem os órgãos necessários a sua manifestação?"*

**Livro Iluminação Interior, autora espiritual Joanna de Ângelis, psicografia de Divaldo Pereira Franco, capítulo I:**

*"Deus prossegue criando sem cessar.*

*O Seu psiquismo dá nascimento a verdadeiros fascículos de luz, que contém em germe toda a grandeza da fatalidade de seu processo de evolução.* **Manifestando-se em sono profundo** *nos minerais através dos milhões de milênios, germina, mediante o processo de modificação estrutural,* **transferindo-se** *para o reino vegetal, as vezes, passando pelas formas intermediárias, dando surgimento a sensibilidade, a uma organização nervosa primária, de que se utilizará no remoto futuro.*

*Obedecendo a campos vibratórios sutis e inabordáveis, lentamente* **se transfere para o reino animal,** *experimentando as variações do transformismo e do evolucionismo, igualmente vivenciando as experiências encarregadas das mutações e variações,* **desdobrando os instintos até alcançar os primatas, e deles prosseguindo no direcionamento humano...** *Não cessa, porém, no bípede pensante, o grandioso desenvolver dos conteúdos divinos nesse psiquismo,* **antes alma e agora Espírito,** *que avança para a angelitude, para a superação de qualquer expressão no campo da forma, até atingir o máximo de sua destinação gloriosa".*

– Observemos – continuou Plínio – este elucidativo texto do Livro A Gênese, de 1868:

*"... O organismo se completa a medida que se* **multiplicam as faculdades da alma. A escala orgânica acompanha constantemente, em todos os seres,**

*O evangelho dos animais*

**a progressão da inteligência, desde o pólipo até o homem..."**

– Ou seja, à medida que o espírito evolui, recebe um corpo físico mais elaborado.

– E lá vamos nós para a complicação novamente – disse Lúcia. – Como assim, recebe um corpo físico mais elaborado?

– Com o texto de Joanna de Ângelis compreenderemos melhor, vamos separar partes dele:

*"Deus dá ...nascimento a verdadeiros fascículos de luz...* **Manifestando-se em sono profundo** *nos minerais através dos milhões de milênios...* **transferindo-se** *para o reino vegetal... Obedecendo a campos vibratórios sutis e inabordáveis, lentamente* **se transfere para o reino animal...** **desdobrando os instintos até alcançar os primatas, e deles prosseguindo no direcionamento humano...".**

– Opa – disse Lúcia –, agora acho que entendi – o espírito começa no mineral, depois de milhões de anos, transfere-se para o vegetal, que tem um "corpo físico" bem mais complexo que um mineral; depois, este mesmo espírito se transfere para o reino animal, onde ocupa o corpo de animais, que são bem mais complicados que o corpo físico da planta; daí segue para os primatas, que são os macacos, gorilas, etc., e daí para o ser humano. É isso?

– Sim Lúcia – disse Edson -, e se ele se transfere de um reino para outro, só pode ser o mesmo espírito. Mantém a individualidade por todo o processo de evolução, e conforme vai desenvolvendo a inteligência, recebe um corpo melhor para que possa desenvolver mais ainda a inteligência. Incrível!

– Mas é isso que diz o texto da Gênese. Veja:

*"... alma precisa de um instrumento apropriado a importância das funções que lhe compete desempenhar. De que serviria a ostra possuir a inteligência do macaco, sem os órgãos necessários a sua manifestação?"*

– Gente do céu – disse Lúcia –, que lindo!!! Quer dizer que eu, desde que fui criada como espírito, lá no começo, bem simples e ignorante, ou seja, sem saber nada de nada, comecei minha evolução no reino mineral, depois de um tempão fui para as plantinhas, depois de sei lá mais quanto tempo, caminhei para o corpo de animais e depois cheguei a ser humano, onde estou hoje, e continuo para chegar a Arcanjo? Meu Deus, estou emocionada!

– Que belo e que profundo – concluiu Amanda –, porque indica que os animais que estão conosco estão em processo de evolução há muito tempo! Chegaram a esta fase e aprenderam muitas coisas, e por isso manifestam-se de forma tão diferenciada. Quão bela é a evolução! – Concluiu Amanda.

– Quão profunda é esta lição! A Doutrina Espírita – disse Edson – é, sem dúvida, a luz para a Era do Espírito, porque arremata a vida do corpo físico e a coloca no lugar de origem, na vida espiritual. Arranca de nossos olhos o conceito limitado do corpo material e nos elucida a verdade, revelando desassombradamente, à nossa frente, a eternidade do espírito, e que a vida transitória durante a reencarnação é apenas uma etapa.

– Lições tão belas – disse Ana Paula – tão profundas, que colocam por terra todo o preconceito que até hoje tivemos. Os reinos mineral, vegetal, animal, hominal e a fase de arcanjo, que para nós têm demarcação tão precisa e estimulam nosso orgulho, são, sob os olhos da divindade, sob o entendimento da vida espiritual, sob o processo da realidade que é a evolução, apenas fases de evolução do espírito. O espírito que se encontra no reino mineral, começando seu processo de evolução, é nosso menor irmão, o bebê espiritual.

– Ah querida – continuou Amanda –, e os vegetais, onde o espírito brilha ainda inconsciente, mas já aprendendo a sensibilidade!

– E no reino animal – disse Ana Paula – onde ele começa a acordar, a se tornar ativo participante da vida material! Vemos, por exemplo, os vermes, os insetos, com movimentos próprios, com participação no meio ambiente, com vida social ativa como as formigas, as abelhas.

– E nos animais superiores – disse Sérgio –, por exemplo, incrível a forma como, em geral, interagem no ambiente! Se as abelhas e as formigas têm intensa vida social, que dirá os elefantes, os primatas, os cães! Quanto caminhou este

## O evangelho dos animais

Espírito até chegar aqui! Não é demais, portanto, que notemos neles já intensa inteligência, uma capacidade de amar impressionante, uma forma de interagir e se comunicar fantástica. Não são objetos!

– Não, caro amigo – disse Plínio –, agora a frase: *"Não são simples máquinas como supondes..."* do Espírito da Verdade, nos faz perceber o quanto há vida, luz e beleza, por trás de todos os corpos físicos!

Enquanto isso era Edson quem se levantava da cadeira, pegando na estante um exemplar do livro A Caminho da Luz, de autoria espiritual de Emmanuel, psicografia de Francisco Cândido Xavier. Assim referiu-se:

– Finalmente compreendi algumas coisas ditas por Emmanuel no livro A Caminho da Luz, coisas que deixei passar na época, por não compreender a importância, a beleza, a luz contida... mas, agora, queria ler alguns trechos para nós:

### *"O Divino Escultor:*

*Sim, Ele (Jesus) havia vencido todos os pavores das energias desencadeadas; com as suas legiões de trabalhadores divinos, lançou o escopro da sua misericórdia sobre o bloco de matéria informe, que a Sabedoria do Pai deslocara do Sol para suas mãos augustas e compassivas. Operou a escultura geológica do orbe terreno, talhando a escola abençoada e grandiosa, na qual o seu coração haveria de expandir-se em amor, claridade e justiça. Com seus exércitos de trabalhadores devotados, estatuiu os regulamentos dos fenômenos físicos da Terra, organizando-lhe o equilíbrio futuro na base dos corpos simples de matéria, cuja unidade substancial os espectroscópios terrenos puderam identificar por toda parte no universo galáxico. Organizou o cenário da vida, criando, sob as vistas de Deus, o indispensável à existência dos seres do porvir.*

*... A ciência do mundo não lhe viu as mãos augustas e sábias na intimidade das energias que vitalizam o organismo do Globo. Substituíram-lhe a providência com a palavra "natureza"... o seu amor foi o Verbo da*

*criação do princípio, como é e será a coroa gloriosa dos seres terrestres na imortalidade sem fim".*

– Vejam – disse Edson –, é Jesus preparando, junto aos seus trabalhadores diretos, o planeta Terra para receber o espírito em evolução. Moldando, literalmente, a Terra para que se tornasse nossa casa, para que, a partir daqui, pudéssemos galgar o caminho da conquista de nossa felicidade. Quão belo é isso, e quanto amor de Jesus por nós, quanto trabalho, nada na Natureza se dá sem trabalho árduo, sem amor.

– Gente – disse Lúcia, impressionada –, que bonito isso! A gente vê a Terra como um planeta e pronto. Não observamos o quanto ela foi preparada, não pensamos na gratidão que devemos àqueles que trabalharam assiduamente para que ela pudesse aqui estar! E sem essa noção, destruímos, acabamos com tudo, como se nós a tivéssemos construído. Jesus é maravilhoso, e esteve sempre conosco, mesmo antes de nós aqui estarmos.

– Mas isso Ele nos disse – comentou Edson –, nós é que não compreendemos a profundidade de suas palavras:

*"Antes de vocês serem, eu já era..."*

– Acredito – disse Plínio – que algumas colocações do texto devem ser consideradas, como por exemplo:

*"... Operou a escultura geológica do orbe terreno, talhando a escola abençoada e grandiosa, na qual o seu coração haveria de expandir-se em amor, claridade e justiça... Organizou o cenário da vida, criando, sob as vistas de Deus, o indispensável a existência dos seres do porvir...".*

– Destaquei estas partes – continuou Plínio –, para que ficasse claro para nós que a Terra é uma escola para o espírito, em suas diversas fases de evolução, e que foi preparada para nos receber; mas é importante considerarmos que não para receber o ser humano, mas para receber o espírito que, em algum momento, quando preparado, do ponto de vista

# O evangelho dos animais

espiritual, adentraria a fase de ser humano. Mas, continuemos com o estudo Edson.

Edson leu novo trecho:

**"A Elaboração Paciente das Formas:**

*Milhares de anos foram precisos aos operários de Jesus, nos serviços da elaboração paciente das formas... A natureza torna-se uma grande oficina de ensaios monstruosos... Os trabalhadores do Cristo... na retorta de acuradas observações, analisavam... a combinação prodigiosa dos complexos celulares, cuja formação eles próprios haviam delineado, executando com as suas experiências uma justa aferição de valores, prevendo todas as possibilidades e necessidades do porvir. A máquina celular foi aperfeiçoada, no limite do possível, em face das leis físicas do globo. Os tipos adequados à Terra foram consumados em todos os reinos da Natureza, eliminando-se os frutos teratológicos e estranhos... As forças espirituais que dirigem os fenômenos terrestres, sob a orientação do Cristo, estabeleceram, na época da grande maleabilidade dos elementos materiais uma linhagem definitiva para todas as espécies, dentro das quais o princípio espiritual encontraria o processo de seu acrisolamento, em marcha para a racionalidade.*

– Meu Deus – disse Amanda –, se entendi bem, o texto do livro A Caminho da Luz está dizendo que os corpos físicos que existem na Terra hoje, como o corpo físico das plantinhas, o corpo físico de todos os animais, o corpo físico do ser humano, o corpo físico até dos minerais foram testados e elaborados, estudados pelos operários de Jesus, desenvolvidos, até que chegassem a uma forma definitiva, através da qual o princípio espiritual, ou mônada celeste, ou mesmo princípio inteligente, ou espírito, pudesse estagiar para evoluir. Que magnífico!

Sérgio conservava-se com a mão na boca, perplexo, sem perceber. De repente, uma emoção tomou conta de sua alma e ele disse:

– O mesmo espírito transferindo-se para corpos diversos, cada vez mais elaborados, transitando entre os diferentes reinos, em diferentes estágios no processo de evolução, para conquistar a própria luz. Começou simples, no corpo físico bem simples, no rumo da própria felicidade, por isso o título do livro: A Caminho da luz. Jesus moldou a Terra, qual bloco de argila; junto a seus trabalhadores divinos, moldou e moldou e testou diversos corpos físicos, tudo para que nós pudéssemos conquistar o direito supremo, enquanto espíritos, da felicidade e da harmonia eternas. Quanto amor por nós! Ah, obrigado, Jesus, muito obrigado!

Plínio conservava-se fascinado, e disse:

– Queria novamente destacar algumas partes do texto para analisarmos:

*"... Milhares de anos foram precisos aos operários de Jesus, nos serviços da elaboração paciente das formas... Os tipos adequados à Terra foram consumados em todos os reinos da Natureza... As forças espirituais que dirigem os fenômenos terrestres,* **sob a orientação do Cristo, estabeleceram,** *na época da grande maleabilidade dos elementos materiais,* **uma linhagem definitiva para todas as espécies, dentro das quais o princípio espiritual encontraria o processo de seu acrisolamento, em marcha para a racionalidade.**

– Acrescentemos – disse Edson:

**"Os peixes, os répteis, os mamíferos, tiveram suas linhagens fixas de desenvolvimento e o homem não escaparia a essa regra geral".**

– Portanto – disse Edson –, hoje temos os corpos físicos elaborados no planeta terra, de acordo com as leis físicas do planeta e de acordo com as Leis Divinas do Universo, para que o espírito pudesse encontrar aqui todos os tipos de corpos, através dos quais transitaria no rumo da conquista de si mesmo.

Os olhos de Plínio brilharam e ele comentou:

– Finalmente, entendi uma colocação do Espírito da Verdade que sempre me pareceu contraditória com a lei do progresso. Vamos a ela:

*Livro dos Espíritos, questão 591:*

*"Nos mundos superiores, as plantas têm, como os*

*O evangelho dos animais*

*outros seres, uma natureza mais perfeita?*
**Resposta:** *Tudo é mais perfeito; mas as plantas são sempre plantas, como os animais são sempre animais e os homens, sempre homens."*

– Refere-se aí – continuou Plínio – o Espírito da Verdade aos corpos físicos, que foram fixados para receber o Espírito. Se assim não fosse, esta colocação estaria contrária ao progresso do espírito, fadando-nos ao estacionamento em todas as fases pelas quais passamos. Não somente os animais permaneceriam como animais, mas também nós, seres humanos, jamais chegaríamos a arcanjos, pois que o texto também diz: *"... e os homens, sempre homens."*
– Nossa, Plínio – disse Edson –, nunca havia pensado pelo lado do ser humano! Meu orgulho em estar na fase de humanidade restringia esta colocação somente aos outros reinos. Mas, com o Livro A Caminho da Luz, tudo fica mais claro. Vamos colocar tudo junto, o texto de A Caminho da Luz com o texto de O Livro dos Espíritos, para que possamos concluir acertadamente:

*As forças espirituais que dirigem os fenômenos terrestres,* **sob a orientação do Cristo, estabeleceram... uma linhagem definitiva para todas as espécies, dentro das quais o princípio espiritual encontraria o processo de seu acrisolamento, em marcha para a racionalidade...** *Os peixes, os répteis, os mamíferos,* **tiveram suas linhagens fixas de desenvolvimento e o homem não escaparia a essa regra geral...** *as plantas são sempre plantas, como os animais são sempre animais e os homens, sempre homens."*

– O corpo físico – disse Plínio – é sempre o mesmo, porque está fixo enquanto linhagem, ou seja, enquanto forma. Digamos que é como se fosse a roupa. Ora, se hoje estou usando uma calça jeans e amanhã trocarei para uma calça social, isto não modifica a calça que hoje utilizo. Ela permanecerá uma calça jeans.
– Quer dizer – falou Lúcia – que devemos pensar no corpo como se fosse a roupa do espírito na Terra. A cada reen-

carnação ele muda de roupa, mas o modelo que ele utiliza continua existindo, é isso?
– Exato – respondeu Plínio. – Vamos raciocinar com esta comparação para que fique mais fácil. Digamos que temos a fábrica de calçados infantis e a fábrica de calçados de adultos. Quando a criança cresce e se torna adulta, não mais servirão seus pés no calçado infantil certo?
– Certo – respondeu Lúcia.
– Mas, eu lhe pergunto – disse Plínio –, por acaso, a fábrica de calçados infantis deixará de existir? Deixarão de ser feitos os calçados para crianças porque hoje sou adulto e não mais preciso deles?
– Claro que não – respondeu Lúcia.
– E por que não? – Perguntou Plínio instigando o raciocínio de Lúcia.
– Porque outras crianças terão nascido, e precisarão de sapatos. Se deixar de existir o sapato infantil, o que elas usarão?
– Muito bem, Lúcia – continuou Plínio. – Agora, pensemos o mesmo em relação ao espírito. Digamos que, em sua evolução, começando pelo reino mineral, utiliza os corpos físicos bem simples. Passa ele então para o reino vegetal e não mais precisará o espírito daquele modelo de corpo em sua evolução, já que passou para nova fase, mas aquele modelo de corpo deixará de existir?
– Claro que não – disse Lúcia -, sorrindo da comparação.
– E por que não? – Perguntou Plínio.
– Porque os espíritos mais jovens, recém-criados, precisarão do corpo físico mais simples para começar seu processo de evolução. Que será deles se deixar de existir o corpo físico de minerais? Não têm como passar para a fase de vegetais, porque não têm conhecimento para isso.
– Seria – disse Edson – como matricular uma criança de dois anos no segundo ano fundamental. Ela não conseguiria acompanhar sem a experiência do primeiro ano, por exemplo.
– Então – comentou Sérgio –, isso é evolução. Começamos no jardim de infância do reino mineral. Evoluímos até o ensino fundamental no reino vegetal. Caminhamos para o ensino médio na fase de animalidade. Chegamos à faculdade

*O evangelho dos animais*

na fase de humanidade. Mas só passando por todas estas fases na escola da Terra é que adentraremos a pós-graduação, mestrado e doutorado na fase de arcanjos. Impossível pular qualquer fase.

– Incrível – disse Amanda –, e podemos pensar que o corpo físico é o uniforme que utilizamos no decorrer da frequência na escola Terra. À medida que vamos passando de um ano a outro, recebemos novos uniformes.

– Podemos fazer uma comparação até mais profunda – disse Ana Paula – imaginemos que os acontecimentos da vida são os livros, os cadernos, canetas, etc. À medida que aprendemos, recebemos lições mais difíceis, mas também instrumentos mais adequados para conseguirmos superar os desafios.

– Estamos – disse Edson – no ponto do meio. Nem na infância ou adolescência, mas nos primeiros anos de faculdade do jovem que começa a conhecer o mundo.

– Isto me lembra uma colocação magnífica de José Herculano Pires, no Livro O Centro Espírita, Introdução:

*"Os espíritas atuais, tanto no Brasil quanto no mundo, não compreenderam ainda que estão num ponto intermediário da filogênese da divindade. Superando os reinos inferiores da Natureza... na sequência divinamente fatal de Kardec; mineral, vegetal, animal e homem, temos o ponto neutro de gravidade entre duas esferas celestes, e esse ponto é que o chamamos ESPÍRITA...".*

– Nossa – disse Ana Paula –, que magnífico.

– Mas por que Herculano Pires classifica o ponto neutro o espírita, e não o ser humano?

– Creio, cara amiga – disse Plínio – que para responder a isso precisamos entender qual a diferença que há entre o Espírito que ocupa corpos físicos na fase de animalidade e o Espírito que adentra o corpo físico de um ser humano, ou seja, a espécie humana.

E onde encontramos esta resposta? – perguntou Amanda.

– Encontramos esta resposta – disse Edson – junto ao Espírito da Verdade, em O Livro dos Espíritos. Vejamos, questão 592:

*592. Se, pelo que toca à inteligência, comparamos o homem e os animais, parece difícil estabelecer-se uma linha de demarcação entre aquele e estes, porquanto alguns animais mostram, sob esse aspecto, notória superioridade sobre certos homens. Pode essa linha de demarcação ser estabelecida de modo preciso?* **Resposta:** *"A este respeito é completo o desacordo entre os vossos filósofos.* **Querem uns que o homem seja um animal e outros que o animal seja um homem. Estão todos em erro.** *O homem é* **um ser à parte,** *que desce muito baixo algumas vezes e que pode também elevar-se muito alto. Pelo físico, é como os animais e menos bem dotado do que muitos destes. A Natureza lhes deu tudo o que o homem é obrigado a inventar com a sua inteligência, para satisfação de suas necessidades e para sua conservação. Seu corpo se destrói, como o dos animais, é certo,* **mas ao seu Espírito está assinado um destino que só ele pode compreender,** *porque só ele é inteiramente livre. Pobres homens, que vos rebaixais mais do que os brutos! Não sabeis distinguir-vos deles?* **Reconhecei o homem pela faculdade de pensar em Deus."**

– Nossa – disse Plínio –, quanta informação! Sugiro que destaquemos novamente algumas partes do texto para compreendermos melhor. Sempre me chama à atenção a forma como Kardec elabora as perguntas. E apressados que somos só consideramos, e muito rapidamente, as respostas. O Livro dos Espíritos, como já falamos várias vezes, não é um romance para ler rapidamente, mas, sim, um livro que traz a filosofia da vida espiritual, as respostas para a evolução. Deve ser estudado, analisado, ponto a ponto, parte a parte. As perguntas e as respostas. Pois na pergunta, já encontramos respostas, dada a capacidade de observação de Kardec. Comecemos com a pergunta, imaginando Kardec raciocinando:

*"... pelo que toca à inteligência, comparamos o homem e os animais, parece difícil estabelecer-se uma linha de demarcação entre aquele e estes, porquanto* **alguns animais mostram, sob esse aspecto, notória superioridade sobre certos homens..."**

*O evangelho dos animais*

– Vejam só – disse Sérgio – a observação primorosa de Kardec neste trecho, relatando claramente que alguns animais são tão inteligentes que até mesmo parecem mais inteligentes ou tão inteligentes quanto certos homens, não podendo, portanto, se estabelecer a diferença entre eles. Se depois de ouvir o codificador, ainda insistirmos em nosso pequeno raciocínio acerca da inteligência dos animais, ao afirmá-los somente dotados de instinto, estamos contrariando a própria Doutrina Espírita, e não tenhamos disso dúvida. Kardec nos diz: são inteligentes, e muito inteligentes...

– Por isso é que observo – comentou Plínio – que O Livro dos Espíritos deve ser lido minuciosamente, estudado e comparado às observações do dia a dia com carinho e vontade. Não somente as respostas, mas também as perguntas. Continuemos, separando agora alguns trechos importantes da resposta:

*Querem uns que o homem seja um animal e outros que o animal seja um homem. Estão todos em erro. O homem é um ser à parte... ao seu Espírito está assinado um destino que só ele pode compreender... Reconhecei o homem pela faculdade de pensar em Deus."*

– Ué – disse Lúcia –, então o homem tem um destino diferente dos outros seres? Isto me parece uma grande confusão, uma contradição, porque estudamos até agora que todos os outros seres da criação são espíritos em evolução como nós, e que chegarão, um dia, à fase de humanidade, e os espíritos em fase de humanidade chegarão a fase de arcanjo. Mas aí este tal de Espírito da Verdade diz que o homem é um ser a parte e que tem um destino diferente. Então, não entendo mais nada...

– Lúcia – disse Plínio –, observemos com atenção. O texto diz:

*"... O homem é um ser à parte... ao seu Espírito está assinado um destino que só ele pode compreender...".*

– O Espírito da Verdade – continuou Plínio – não diz que o homem tem um destino diferente.

– Não?! E onde ele diz que não? – pergunta Lúcia.

– O Espírito da Verdade – responde Edson – diz que o homem tem um destino que somente ele pode compreender. Significa que, como sabemos, estamos destinados ao reino angélico, e somente nós podemos compreender isto. Os outros seres da criação, ou seja, os minerais, os vegetais, os animais são espíritos em evolução como nós, mas não compreendem isto. Não sabem que chegarão a arcanjo um dia., não sabem que tem alma, não sabem que reencarnam.

– Bem – argumentou Lúcia –, eu queria dizer que muitos homens também não sabem. Eu falo pelo Zé, meu marido. Como já disse, ele é alcoólatra, quando bebe é um terror. Ele acha que Deus não existe, e diz que esse negócio de alma é perda de tempo. Se eu falar para ele então, que, além de ter alma, vai reencarnar, e será um anjo, um dia, ele vai rir dias na minha cara...

Todos riram muito, enquanto Lúcia falava baixinho:

– Só o Espiritismo para me convencer, com a reencarnação e a evolução, que um dia o Zé será um arcanjo... só o Espiritismo...

– Pois, então, Lúcia – disse Sérgio – é o que diz o Espírito da Verdade nesta questão, veja só:

*"...Pobres homens, que vos rebaixais mais do que os brutos! Não sabeis distinguir-vos deles?..."*

– Acho que o Zé não sabe, viu?! – respondeu Lúcia.

– Mas, um dia querida – disse Amanda –, ele saberá.

– E então – continuou Plínio –, temos a resposta que tanto buscamos:

*"...Reconhecei o homem pela faculdade de pensar em Deus."*

– Eis a diferença. O Espírito que adentra a fase de humanidade tem a faculdade de pensar em Deus. O Espírito que se encontra na fase de animalidade não sabe que existe Deus.

– Mas o Zé também não sabe – argumentou Lúcia.

– Ora Lúcia – disse Edson –, para desacreditar de algo

*O evangelho dos animais*

é preciso que saibamos da possibilidade de existir. Não é?
– Isso é verdade – respondeu Lúcia, admirada com a obviedade.
– Eis, meus amigos, a resposta – disse Plínio. – Eis a responsabilidade enquanto Espíritos.
– Adentramos a humanidade para conhecer a Deus – disse Edson – e conhecer a Deus significa conhecer suas leis. Na verdade, ainda não compreendemos o que é Deus, mas sim seus atributos. Assim, já nos encontramos na fase de humanidade. Galgamos longo caminho até chegarmos aqui. Passamos por muitos corpos físicos, aprendemos, caminhamos bilhões de anos. E aqui estamos. Reconhecemos a existência de Deus, mas será que compreendemos o que significa isso? É hora de pensarmos. Creio devamos interromper nossos estudos deste domingo, e procurarmos, durante a semana, diferentes fontes a respeito do tema que, por ora, adentramos, porque um novo despertar de entendimento nos aguarda, e começo a compreender que é um caminho sem volta, mas também nos levará à felicidade suprema nos caminhos do Senhor, pela evolução.
– Talvez, pela primeira vez na vida, – comentou Ana Paula –, eu tenha entendido a profundidade de uma colocação que o Espírito da Verdade faz no capítulo 6 de O Evangelho Segundo o Espiritismo, item 6:

*"... Bebei na fonte viva do amor e preparai-vos, cativos da vida, a lançar-vos um dia, livres e alegres, no seio dAquele que vos criou fracos para vos tornar perfectíveis e que quer modeleis vós mesmos a vossa maleável argila, a fim de serdes os artífices da vossa imortalidade". (O Espírito da Verdade)*

– Meu Deus – disse Edson –, é verdade! Vejam:

*"... vos criou fracos para vos tornar perfectíveis e que quer modeleis vós mesmos a vossa maleável argila..."*

– Quer que modelemos nossa maleável argila – continuou Ana Paula – significa que nossa evolução é o parâmetro para que recebamos os corpos físicos mais elaborados. Que bela colocação!

– E termina – disse Edson – nos falando do destino enquanto Arcanjos, quando não mais reencarnaremos:

*"... a fim de serdes os artífices da vossa imortalidade".*

– Gostaria de encerrar – disse Plínio – com um trecho do Livro Evolução Em dois Mundos, de autoria espiritual de André Luiz, psicografia de Francisco Cândido Xavier e Waldo Vieira, do ano de 1858, mais de 100 anos após o lançamento da primeira edição de O Livro dos Espíritos, mas que ilumina brilhantemente o texto que vimos agora no Evangelho Segundo o Espiritismo.

*Livro Evolução Em Dois Mundos, Cap. IV, item TRABALHO DA INTELIGÊNCIA:*

**"... reconhecemos sem dificuldade que a marcha do princípio inteligente para o reino humano e que a viagem da consciência humana para o reino angélico simbolizam a expansão multimilenar da criatura de Deus** *que, por força da Lei Divina, deve merecer, com o trabalho de si mesma, a auréola da imortalidade em pleno Céu."*

– O mesmo espírito, meus amigos – disse Plínio –, a mesma criatura, galgando os caminhos para a humanidade, onde conhecerá Seu Criador, e se reconhecerá como criatura, abrangendo finalmente sua própria razão de existir, seu destino, enquanto criatura, alcançando novos patamares de entendimento, de inteligência, de consciência e de responsabilidades, rumo ao reino angélico. Fomos nós antes, somos nós hoje, seremos nós amanhã. São nossos irmãos animais hoje, que são nossos irmãos em espírito; serão eles a humanidade do futuro, reconhecendo a existência dAquele que os criou, entendendo seu destino enquanto Espíritos, e galgando novos patamares rumo à angelitude. Nós viemos antes, eles depois, e Jesus veio antes de nós. Tudo em harmonia. Assim nos diz a questão 540 de O Livro dos Espíritos:

# O evangelho dos animais

*"...É assim que tudo serve, que tudo se encadeia na Natureza, desde o átomo primitivo até o arcanjo, que também começou por ser átomo. Admirável lei de harmonia..."*

*Capítulo* 23

# A MAGNÍFICA VIAGEM DA CONSCIÊNCIA

Durante a semana, Amanda pensou seriamente na colocação de José Herculano Pires no Livro O Centro Espírita. Colocava, em sua frase tão profunda, o espírita como o ponto neutro no processo evolutivo. A frase lhe ecoara na mente inúmeras vezes:

> *"Os espíritas atuais, tanto no Brasil quanto no mundo, não compreenderam ainda que estão num ponto intermediário da filogênese da divindade. Superando os reinos inferiores da Natureza...* **na sequência divinamente fatal de Kardec; mineral, vegetal, animal e homem, temos o ponto neutro de gravidade entre duas esferas celestes, e esse ponto é que o chamamos ESPÍRITA...".**

*O que queria nos dizer Herculano Pires nesta colocação? – pensava Amanda. Estudou muito os textos desmembrados pelo grupo e ficou perplexa com a quantidade de informações. No sábado anterior à reunião do grupo, durante o jantar, conversou com Edson, seu esposo:*

*O evangelho dos animais*

– Sabe, querido; nunca estudei a Doutrina Espírita tão profundamente. Li tanto, mas, após estas semanas em que temos nos reunido, penso o quanto estudei o que li. Aquelas colocações de André Luiz, do Espírito da Verdade, de Emmanuel me fizeram pensar em quanta coisa há ainda a desvendar. A colocação de Herculano Pires me deixou intrigada. Chamava ele a atenção para o fato de conhecermos o Espiritismo nos colocando como um ponto-chave na evolução. Quanto disso teremos compreendido?

Edson respondeu:
– Querida, tenho pensado o mesmo. Quanto ainda não compreendemos do que a Doutrina Espírita nos diz? Tenho ficado cada vez mais surpreso, mais questionador, mas também mais estudioso, mais pensativo, acerca dos conceitos desenvolvidos. Não falo nem de O Livro dos Espíritos, mas refiro-me ao Evangelho Segundo o Espiritismo. Fico surpreso ao perceber que estão ali contidas coisas tão mais profundas de que, mesmo durante anos a fio realizando o Evangelho no Lar e estudando o Evangelho, não cheguei nem perto de captar. Encontrei um texto que me chamou a atenção hoje, em minha leitura matinal.

Edson levantou-se e pegou o exemplar de O Evangelho Segundo o Espiritismo. Abriu-o no Capítulo VIII, Bem-Aventurados Os Puros de Coração, item 4:

*"... faz-se necessário que a atividade do princípio inteligente seja proporcionada a fraqueza do corpo, que não poderia resistir a uma atividade muito grande do Espírito...".*

Amanda olhou admirada para o esposo. Tantas vezes já haviam lido aquele capítulo. Como nunca observou aquilo?

Edson comentou:
– Veja, nesta colocação, o Espírito e o princípio inteligentes são novamente colocados como sinônimos, e mais, nos esclarece o Evangelho sobre o corpo físico estar apto para o Espírito que irá receber. Incrível! Agora percebo a profundidade da colocação.

– Sabe – disse Amanda – percebo quanto é bem-aventurado aquele que é pobre de espírito, ou seja, humilde, porque entende o quanto precisa aprender, estudar, evoluir. O orgulhoso acha-se detentor de todo conhecimento, perde, então, a oportunidade que temos agora, por exemplo, de abrir novos campos de conhecimento. Nós nos sentimos mais felizes e com mais entendimento sobre a evolução. Quanto aprendizado, quanta coisa maravilhosa! Meu amor, estou tão feliz que possamos compartilhar juntos deste aprendizado, e que tenha aceitado abrir as portas de nossa casa para o grupo de estudos! Você sempre foi tão fechado, temi que não consentisse, mas agora vejo que não somente aceitou para me auxiliar no consolo, como está estudando, se dedicando, aprendendo... Estamos juntos galgando novos passos, auxiliando-nos mutuamente na evolução.

– O desencarne de Fifi – disse Edson – me foi muito penoso. Não pensei que estivesse tão ligado a ela. Durante dias, não pude me esquecer da imagem do corpo inerte em seu colo. Parecia que nossa filhinha havia desencarnado. A busca de respostas também era minha. E penso também no Gabriel, em seu amor pelos animais. Ele me surpreende às vezes. Creio que, acima de nosso orgulho, de nossa acomodação, devemos nos lembrar que temos, em nosso lar, um Espírito que nos foi confiado, o Gabriel, e para quem devemos fazer tudo, conhecer o máximo, estarmos o mais perto da verdade que pudermos, para podermos ampara-lo na evolução. Aprender e ensinar. Prepará-lo para ser uma boa pessoa, um bom cidadão, um bom ser humano. É nossa responsabilidade e esta responsabilidade está acima de qualquer coisa.

– Digo mais – respondeu Amanda –, temos também sob nossa responsabilidade a Linda. Também ela, agora sabemos, graças a Doutrina Espírita, é um Espírito em evolução. Caminha para a humanidade e precisamos ampará-la; é como uma filha que temos em nossas mãos. Como a auxiliaremos a aprender o amor, a desenvolver a inteligência, como a prepararemos para que um dia reconheça a existência de Deus? Devemos pensar nisso também.

– Tem razão, meu amor, tem razão.

Ambos terminaram o jantar. Gabriel já dormia. Linda se espreguiçava num canto da sala. O casal sentou no sofá e realizaram juntos o Evangelho no Lar, antes de dormir. Preferiram deitar cedo, pois a manhã seguinte exigiria atenção e vontade.

*O evangelho dos animais*

Logo as 8h30, a campainha ressoa na casa. Edson, como sempre, estava pronto antes de Amanda. Abriu a porta e encontrou todo o grupo reunido do lado de fora da porta. Plínio disse:

– Se tivéssemos combinado, não teria dado tão certo. E eu que achei que estava adiantado!

A conversa seguiu tranquila até as 9 horas. Amanda havia se reunido ao grupo às 8h50. Edson tomou a frente e proferiu a prece inicial. Todos estavam ansiosos para dar continuidade ao tema tão interessante que é a evolução do espírito. Sérgio disse:

– Engraçado, a Doutrina Espírita é, em suma, a evolução, e nós temos tanta dificuldade de entender, ironicamente, evolução.

– Mas – respondeu Plínio –, se já tivéssemos entendido, com certeza estaríamos mais evoluídos do que hoje. Tudo a seu tempo.

– Será que podemos retomar o estudo – disse Ana Paula – com a colocação de Emmanuel no livro Alvorada do Reino? Encontrei algo que me deixou intrigada e me fez perceber que a distinção que fazemos entre nós, seres humanos, e as outras criaturas que compartilham conosco o planeta, não existe mesmo para Deus. Observem:

*Livro Alvorada do Reino, autoria espiritual de Emmanuel, psicografia de Francisco Cândido Xavier:*

*"O animal caminha para a condição do homem, tanto quanto o homem evolui no encalço do anjo...*

*... No campo das formas efêmeras, cada ser, portanto, pode residir, a parte, na elaboração dos próprios valores que o erguerão aos níveis mais altos da vida, **entretanto, no mundo das essências**, irmanar-se-á com o Todo da Criação, crescendo para a Unidade Cósmica – **porto divino a esperar-nos sem distinção** – de modo a investir-nos, um dia, na posse da celeste herança que nos é reservada."*

– Nossa visão – continuou Ana Paula – é que restringe o entendimento, devido ao pouco conhecimento acerca da evolução. Assim, como já dissemos antes, as demarcações de reino nos são importantes, e fazemos delas uma demarcação de superioridade, não do ponto de vista espiritual, mas do ponto de vista do orgulho humano. Mas, como diz o texto de Emmanuel, para Deus, somos todos irmãos, em diferentes graus de evolução, cada um trabalhando sua própria evolução, e todos esperados por Deus nos rumos da paz, por conquista e merecimento próprios.

– Somos Espíritos em fase de seres humanos – disse Plínio –, e isso nos traz novas responsabilidades no processo de evolução, porque chegamos no momento de compreender as Leis Divinas. Na questão 610 de O Livro dos Espíritos, encontramos uma colocação que confirma tudo que até agora estudamos. Engraçado é que estava o tempo todo lá, e eu havia lido tantas vezes, mas somente agora compreendi:

*"...A espécie humana é a que Deus escolheu para a encarnação dos seres que podem conhecê-Lo."*

– Vejam – disse Sérgio – o Espírito da Verdade se referindo ao corpo, ou seja, à espécie humana como tipo de corpo físico que escolheu Deus para que os Espíritos aptos a conhecê-lo pudessem reencarnar.

– E lá está a colocação que procurávamos – disse Plínio – na segunda edição de O Livro dos Espíritos, em 1860.

– Creio que devamos aprofundar neste entendimento – disse Amanda – porque acho que isso tem a ver com a questão 607ª de O Livro dos Espíritos. Podemos rever?

– Também acho, Amanda – respondeu Sérgio.

### O Livro dos Espíritos, questão 607ª:

*"Parece, assim, que a alma teria sido o princípio inteligente dos seres inferiores da criação?*

*Resposta: Não dissemos que tudo se encadeia na Natureza e tende a unidade? É nesses seres, que estais longe de conhecer inteiramente, que o princípio inteligente se elabora, se individualiza pouco a pouco e ensaia para a vida, como dissemos. É de certa maneira, um trabalho preparatório, como o de germinação, em seguida ao qual o princípio inteligente sofre uma transformação e se torna Espírito. Então começa para ele o período de*

*O evangelho dos animais*

humanidade, e com este a consciência do seu futuro, a distinção do bem e do mal e a responsabilidade dos seus atos. *Como depois do período da infância vem o da adolescência, depois a juventude, e por fim a idade madura..."*

– Como estudamos – continuou Amanda –, somos almas individuais desde que fomos criados, desde nosso início. Mas, então, por que o Espírito da Verdade diz que nos individualizamos pouco a pouco antes de adentrarmos a fase de humanidade? O que quer dizer individualizar? Vejamos esta parte do texto:

*"... É nesses seres, que estais longe de conhecer inteiramente, que o princípio inteligente se elabora, se individualiza pouco a pouco e ensaia para a vida..."*

– Bem – disse Plínio –, estudamos na questão 598 que a alma dos animais conserva sua individualidade após a morte, e vimos no Livro A Gênese que desde o princípio evoluímos por nossas atividades individuais. Assim, individualizar-se não pode ser tornar-se um indivíduo, deve ter outro significado.

– Isto me lembra – disse Ana Paula – o livro O Homem Integral, de Joanna de Ângelis, psicografia de Divaldo Pereira Franco. Por acaso, você o teria aí, Amanda?

– Claro – respondeu Amanda –, adoro Joanna de Ângelis. Dizendo isso, levantou e buscou o livro referido, entregando-o à Ana Paula, que abriu no capítulo O Homem Perante a Consciência, lendo:

*"Deste modo, o nascimento da consciência se opera mediante a conjunção dos contrários, como decorrência de uma variada gama de conteúdos psíquicos, que formam as impressões arquetípicas ao fazerem contato com o ego, dando surgimento à sua substância psíquica e tornando todo esse trabalho um processo de individuação.*

*Daí surgem os discernimentos entre as coisas opostas, o eu e o não-eu, o ego e o inconsciente, o sujeito e o objeto...".*

– Embora se refira ao homem, é preciso observemos com clareza a linguagem de que se utiliza. Fala ela sobre o processo de individuação, e diz que este processo permite o discernimento entre as coisas opostas, o eu e o não-eu, por exemplo. Creio mesmo que este processo na fase de ser humano seja mais profundo, mas será que individuação e individualização não têm a ver? Será que não era sobre isto que falava o Espírito da Verdade em 1860, na questão 607ª, na segunda edição de O Livro dos Espíritos?

– Brilhante colocação Ana Paula – respondeu Plínio – pois quem falou sobre o processo de individuação no planeta Terra pela primeira vez foi Carl Gustav Jung, psiquiatra muito conhecido, que publicou inúmeras obras falando sobre a relação entre o inconsciente e o consciente, relação esta que chamou de individuação. No livro Jung, Vida e Obra, de Nise da Silveira – *também conhecida psiquiatra, especialista no tratamento de esquizofrenia, que rompeu a barreira dos preconceitos ainda jovem, tornando-se médica psiquiatra num mundo preponderantemente masculino, e construindo um campo diferente, mais humano e mais abrangente de atuação no tratamento de esquizofrenia, e que, aliás, teve intensa relação com os animais; o que podemos comentar mais tarde...*
– Encontramos uma colocação altamente elucidativa e que pode nos auxiliar a compreender o processo de individuação e o processo de individualização, suas diferenças, e a importância do processo que acontece com o espírito na fase de animalidade, como um preparo, assim como relata o Espírito da Verdade, para a fase de humanidade. Tenho o prazer de estar lendo este livro há 15 dias e o tenho comigo. Observem:

*Livro Jung, Vida e Obra, Nise da Silveira, cap. Processo de Individuação:*

*"Todo ser tende a realizar o que existe nele em germe, a crescer, a completar-se. Assim é para a semente do vegetal e para o embrião do animal. Assim é para o homem, quanto ao corpo e quanto a psique. Mas no homem,... adquire caráter peculiar: o homem é capaz de tomar consciência desse processo e de influenciá-lo...".*

*O evangelho dos animais*

– Vejam, meus amigos – continuou Plínio –, fala-nos o texto sobre o desenvolvimento do que há em todos os seres em germe, mas deixa-nos claro que, embora em todos os setores da criação o processo ocorra, ele torna-se mais impressionante e mais palpável na fase de humanidade, por estar mais capacitado o homem para tomar consciência do que ocorre e influenciar o processo. Claro que não cogitava Jung do fator espiritual, mas estamos em uma mesa de estudo acerca da Doutrina Espírita, e creio ser de imprescindível valor compreendermos o processo que acontece com nossos irmãos animais. E isto por dois fatores importantes:

O processo de individualização que ocorre na fase de animalidade, indica-nos uma percepção por parte do animal do meio ambiente ao redor. Pode não ter ele a consciência do que se passa, mas não significa que não aprenda, não comece a discernir, pelo menos, do ponto de vista da vida material.

Viemos nós da fase de animalidade, como estudamos até agora e, sem dúvida, todo o aprendizado desenvolvido nesta fase está em nosso inconsciente profundo, e emerge de alguma forma para nossa consciência; se assim não fosse, não precisaríamos superar a animalidade para caminhar para a angelitude. Assim, entender o processo de individualização, na fase de animalidade, e de individuação, na fase de humanidade é essencial para compreendemos a nós mesmos.

– Nossa – disse Ana Paula –, de repente aprofundamos o entendimento da pergunta: *"de onde viemos".* Porque não basta somente saber que somos espíritos em evolução, não basta somente compreendermos que estamos galgando os caminhos do crescimento espiritual desde a criação, quando do adentramos a fase de minerais, é preciso ir além, e compreender que toda a fase anterior à humanidade influencia poderosamente o que somos hoje. O que aprendemos e desenvolvemos naquela fase é parte do que somos hoje. Esteve e está presente no desenvolvimento de nosso psiquismo e define muitas de nossas reações. Isto é essencial para sabermos quem nós somos e porque temos determinadas reações, desenvolvendo desta maneira uma relação de autoamor e também passando a influenciar diretamente o que acontece em nossos sentimentos e pensamentos. Se hoje não temos controle, na maioria das vezes, do que sentimos e pensamos, estamos, pelo que compreendi, adentrando uma fase da evolução em que devemos aprender a ter.

– Gente – disse Lúcia –, eu estou confusa. Não entendi nada do que disse esta tal de Joanna de Ângelis, e muito pouco do que vocês falaram. Esse negócio de individualização e individuação, para mim, parece a mesma coisa. Será que vocês podem me explicar?

– Claro, Lúcia – disse Edson –, vamos primeiro buscar novamente Joanna de Ângelis, e compreender a colocação que ela faz sobre individualização. Encontramos o seguinte texto no Livro Amor Imbatível Amor, de autoria espiritual da própria Joanna de Ângelis e psicografia de Divaldo Pereira Franco:

*Cap. Fugas e Realidade*

*"Graças ao processo de individualização do ser, superando as etapas primárias, na fase animal, o predomínio do ego desempenhou papel de importância, trabalhando-o para vencer o meio hostil e os demais espécies...".*

– Creio ser de fundamental importância – continuou Edson – observarmos que, nesta colocação, Joanna de Ângelis fala sobre o ser humano superando a fase de animalidade pela qual passou anteriormente, reforçando o que tanto estudamos há pouco sobre evolução, em que vimos que passamos pela fase de animalidade antes de entrar na fase de humanidade. Vamos agora confrontar o texto do livro O Homem Integral, que vimos há pouco, com este texto acima, e observar as sutis diferenças, compreendendo também a colocação de Jung e definindo consciência do ponto de vista da ciência e posteriormente do ponto de vista da Doutrina Espírita. Creio que aprenderemos muito e veremos o quanto a Doutrina, sob este aspecto, está acima, e muito acima da própria ciência:

*Livro O Homem Integral:*
*"Deste modo, **o nascimento da consciência** se opera mediante a conjunção dos contrários... dando*

*O evangelho dos animais*

surgimento à sua substância psíquica e tornando todo esse trabalho um **processo de individuação**. *Daí surgem os **discernimentos entre as coisas opostas**, o eu e o não-eu, o ego e o inconsciente, o sujeito e o objeto... sem a dualidade dos opostos, que leva a **reflexão no processo de individuação**, não há aumento real de consciência".*

*Livro Amor Imbatível Amor*
**"Graças ao processo de individualização do ser, superando as etapas primárias, na fase animal,** *o predomínio do ego desempenhou papel de importância,* **trabalhando-o para vencer o meio hostil e os demais espécies...".**

– Bem – continuou Edson – vamos separar os trechos mais importantes e encontraremos na própria colocação de Joanna de Ângelis a diferença sutil que existe entre individualização e individuação. Vamos lá:

*"Graças ao processo **de individualização do ser**, superando as etapas primárias, na fase animal... trabalhando-o para vencer o meio hostil e os demais espécies... o nascimento da consciência... dando surgimento à sua substância psíquica e tornando todo esse trabalho um **processo de individuação**.*

– Vejam só meus amigos – continuou Edson – Joanna de Ângelis fala de individualização e de individuação, ambos acontecendo na fase de ser humano. Se aprofundarmos um pouco, perceberemos que o processo de individualização a que se refere trabalha o ser humano para superar o meio ambiente e as outra espécies, obviamente, na fase primária em que o Espírito adentra a humanidade. Na individuação, Joanna se refere ao desenvolvimento do psiquismo. Agora, vamos à Doutrina Espírita, buscar a colocação primorosa do Espírito da Verdade na questão 607ª, referindo-se ao processo nos animais:

313

*"... É nesses seres, que estais longe de conhecer inteiramente, que o princípio inteligente se elabora, **se individualiza pouco a pouco** e ensaia para a vida..."*

– Vamos definir as coisas – argumentou Edson – clareando nosso raciocínio, mas, antes, busquemos mais sobre a Doutrina Espírita e todas as colocações do Espírito da Verdade:

> *O Livro dos Espíritos, parte da resposta da questão 585:*
> *"**Os animais**, também compostos de matéria inerte e igualmente dotados de vitalidade, **possuem, além disso, uma espécie de inteligência instintiva, limitada, e a consciência de sua existência e de sua individualidade.** O homem, tendo tudo o que há nas plantas e nos animais, domina todas as outras classes por uma **inteligência especial, indefinida, que lhe dá a consciência do seu futuro, a percepção das coisas extramateriais e o conhecimento de Deus.**"*

– Não é por nada não – disse Lúcia – mas estou ainda mais confusa.

– Calma, Lúcia – disse Edson –, nós vamos compreender agora. Vamos lembrar somente mais duas colocações, que vimos na semana passada:

> *Questão 592:*
> *"...Reconhecei o homem pela faculdade de pensar em Deus."*

> *Questão 610:*
> *"... A espécie humana é a que Deus escolheu para a encarnação dos seres que O podem conhecer."*

– Olhe – disse Amanda –, sou do partido da Lúcia. Ainda não entendi o que tem tudo isso a ver com individualização, individuação. Estou confusa.

– Agora vamos entender – disse Edson –, observem:

> *"... É nesses seres, que estais longe de conhecer inteiramente, que o princípio inteligente se elabora, **se**

*O evangelho dos animais*

individualiza pouco a pouco e ensaia para a vida...Os animais... possuem... a consciência de sua existência e de sua individualidade... O homem... a consciência do seu futuro, a percepção das coisas extramateriais e o conhecimento de Deus."

– Continuemos – disse Edson –, vejam bem, o Espírito da Verdade nos diz que os animais passam por um processo de individualização, e possuem a consciência de sua existência e de sua individualidade. Vamos confrontar as informações do Espírito da Verdade com as de Joanna de Ângelis, na individualização e na individuação:

*"Graças ao processo de individualização do ser..., trabalhando-o para vencer o meio hostil e os demais espécies... É nesses seres (animais), que estais longe de conhecer inteiramente, que o princípio inteligente se elabora, se individualiza pouco a pouco e ensaia para a vida...Os animais... possuem... a consciência de sua existência e de sua individualidade..."*

*"...o nascimento da consciência... um processo de individuação... O homem...(possui) a consciência do seu futuro, a percepção das coisas extramateriais e o conhecimento de Deus."*

– Mas assim – disse Amanda –, segundo esta colocação de Joanna de Ângelis, parece que a consciência só nasce na fase de humanidade, mas o Espírito da verdade fala de consciência nos animais quando diz que eles têm consciência de sua existência e de sua individualidade. Parece que Joanna de Ângelis está entrando em contradição com o Espírito da Verdade. Estou muito confusa.

– Queria somente comentar – disse Ana Paula – que a colocação do Espírito da Verdade na questão 585 que acabamos de ver, coloca definitivamente por água abaixo a ideia de alma-grupo, porque somente um ser individual pode ter consciência de sua individualidade. Mas continuem, por favor.

Edson, buscando auxiliar Lúcia e Amanda a compreenderem disse:
– Então vamos aprofundar mais e definir.

*"... individualização do ser: ... trabalhando-o para vencer o meio hostil e os demais espécies... a consciência de sua existência e de sua individualidade..."* *"... individuação: ...dando surgimento à sua substância psíquica... O homem... (possui) a consciência do seu futuro, a percepção das coisas extramateriais e o conhecimento de Deus."*

– Espere – disse Amanda – agora eu entendi. Vejamos:

A individualização, que acontece na fase de animalidade, permite ao Espírito que aí se encontra o desenvolvimento da consciência de si mesmo e da própria individualidade, através dos desafios apresentados pelo meio e pela relação com o outro.

A individuação, que acontece na fase de humanidade, permite ao Espírito o desenvolvimento da consciência de Deus e das coisas extramateriais. É isso?

– É exatamente isso, Amanda – respondeu Edson – Na individualização, vemos o desenvolvimento da percepção da própria individualidade, ou seja, a noção de que se é um indivíduo, diferente do outro, e separado do meio ambiente. A consciência da própria existência enquanto indivíduo. Já na individuação, observamos o nascer da vida espiritual no consciente da criatura. O perceber a existência de Deus e, consequentemente, o perceber-se enquanto filho de Deus. Surge aí a noção, que vai se acentuando e aprofundando de que, acima da individualidade física com que até então aprendemos a nos reconhecer na fase de animalidade, existe a individualidade espiritual, com suas características espirituais, e submetida às Leis Divinas, que estão acima das leis falhas humanas.

Edson respirou, e continuou:
– Agora eu lhes pergunto: segundo tudo o que aprendemos, desde o início de nossa criação, lá na fase em que

*O evangelho dos animais*

adentramos o reino mineral, até hoje, somos nós o corpo físico ou espírito?

– Essa é fácil – disse Lúcia –, somos Espíritos, o tempo todo, somos espíritos em evolução que reencarnam e desencarnam inúmeras vezes até atingir a fase de arcanjo.

– Muito bem, e atingir a fase de arcanjo requer que aprendamos a desenvolver o amor que trazemos em nós, através da compreensão e da prática do Evangelho, certo?

– Certo – respondeu Lúcia.

– Então – continuou Edson – digam-me, caros amigos, enquanto não sabemos que existe Deus, não sabemos que somos um Espírito em evolução, não compreendemos a verdadeira vida, a vida espiritual, não entendemos a vida material somente como passagem do espírito, estamos conscientes de nossa verdadeira realidade, do ponto de vista espiritual?

– Claro que não, Edson – respondeu Plínio, abarcando o pensamento do amigo. – Se bem compreendo, só estamos a par de nossa verdadeira realidade, e passamos a conviver com a verdade do Universo, a partir do momento que reconhecemos quem somos: espíritos, compreendendo o corpo, para o qual, até então, dávamos importância essencial, como instrumento de evolução.

– Então – completou Ana Paula –, até então dávamos extremo valor a vida da matéria e ao corpo, por entendê-lo como a fonte de existirmos e nos manifestarmos. Ao compreendermos nossa essência, enquanto espíritos, passamos a valorizar a vida imperecível do espírito, e a conservá-lo acima da conservação do corpo. A partir de então, a conservação do corpo físico, por exemplo, passa a ser necessária, sob nosso entendimento, para que nos permita a reencarnação e como gratidão a Deus, nosso Pai, que nos proporcionou a indumentária física para os caminhos da conquista de nossa essência.

– Dessa forma – continuou Plínio –, podemos dizer que a verdadeira consciência, ou seja, a consciência de nossa realidade espiritual, só surge quando adentramos a fase de humanidade.

– Exato – continuou Edson –, mas para compreendermos nossa realidade espiritual, primeiro precisávamos compreender nossa realidade material. Reconhecermos a própria existência na vida física, reconhecermos que existem outros que conosco compartilham a existência física e compreender que estávamos inseridos no ambiente. Todo este processo acontece na fase de animalidade, é o ser individual, que foi criado individual, reconhecendo isto. E este processo chama-se individualização.

– E o processo seguinte – continuou Plínio –, após nos entendermos enquanto indivíduos na vida física, é nos entendermos como indivíduos espirituais, dotados de percepções espirituais, com um Criador que nos colocou no Universo e criou tudo que existe ao nosso redor e a nós mesmos. Em seguida, podemos compreender nosso destino enquanto Espíritos, como diz o Espírito da Verdade:

**O Livro dos Espíritos, questão 607ª:**

*"Parece, assim, que a alma teria sido o princípio inteligente dos seres inferiores da criação?*
*Resposta: Não dissemos que tudo se encadeia na Natureza e tende a unidade? É nesses seres, que estais longe de conhecer inteiramente, que o princípio inteligente se elabora, se individualiza pouco a pouco e ensaia para a vida, como dissemos. É de certa maneira, um trabalho preparatório, como o de germinação, em seguida ao qual o princípio inteligente sofre uma transformação e se torna Espírito. Então começa para ele o período de humanidade, e com este a consciência do seu futuro, a distinção do bem e do mal e a responsabilidade dos seus atos. Como depois do período da infância vem o da adolescência, depois a juventude, e por fim a idade madura..."*

– Vamos destacar novamente algumas partes do texto – disse Plínio – e observar segundo tudo que aprendemos, acrescentando duas colocações, das questões 610 e 592 do mesmo Livro dos Espíritos, para que fique bem claro:

*"... É nesses seres, que estais longe de conhecer inteiramente, que o princípio inteligente se elabora, se individualiza pouco a pouco e ensaia para a vida, como dissemos... É... um trabalho preparatório... em seguida ao qual o princípio inteligente sofre uma transformação e se torna Espírito...A espécie humana é a que Deus*

*O evangelho dos animais*

**escolheu para a encarnação dos seres que O podem conhecer.**...*Então começa para ele o período de humanidade, e com este a consciência do seu futuro, a distinção do bem e do mal e a responsabilidade dos seus atos...* **Reconhecei o homem pela faculdade de pensar em Deus."**

– Para compreendermos bem esta parte tão controversa – disse Edson – a respeito do princípio inteligente que se transforma em Espírito, uma vez que já sabemos que são sinônimos, gostaria de acrescentar pequeno trecho da questão 600 nesta parte para que tudo se elucide definitivamente para nós:

*"...É nesses seres, que estais longe de conhecer inteiramente, que o princípio inteligente se elabora, se individualiza pouco a pouco e ensaia para a vida, como dissemos... É... um trabalho preparatório... em seguida ao qual o princípio inteligente sofre uma transformação e se torna Espírito...É a consciência de si mesmo que constitui o atributo principal do Espírito ... A espécie humana é a que Deus escolheu para a encarnação dos seres que O podem conhecer....Então começa para ele o período de humanidade, e com este a consciência do seu futuro, a distinção do bem e do mal e a responsabilidade dos seus atos... Reconhecei o homem pela faculdade de pensar em Deus."*

– Então – disse Ana Paula, sorrindo –, o que o Espírito da Verdade estava nos dizendo, em 1860, quando diz que o princípio inteligente sofre uma transformação e se torna Espírito, é que passa a ter consciência de que é Espírito, ao adentrar a espécie humana, consciência de Deus, consciência de sua verdadeira realidade espiritual. Que coisa maravilhosa! Uma frase do Espírito da Verdade, com tanta profundidade! Falou Ele em 1860 de algo que Jung só foi falar a partir de 1918, e a que a Doutrina Espírita foi novamente referir-se com Joanna de Ângelis.

– Como poderíamos entender tudo isto antes? Perguntou Amanda – seria impossível sem toda a evolução da psicologia e da psiquiatria.

– Por isso – disse Edson – nos diz Kardec no Livro A Gênese, Cap. I, Caráter da Revelação Espírita, item 55:

*"Um último caráter da revelação espírita, a ressaltar das condições mesmas que ela se produz, é que, apoiando-se em fatos, tem que ser, essencialmente progressiva, como todas as ciência de observação...assimilará sempre todas as Doutrinas progressivas, de qualquer ordem que sejam, desde que hajam assumido o estado de verdades práticas e abandonado o domínio da utopia, sem o que ele se suicidaria...".*

– Creio então – disse Plínio – que podemos trazer as colocações do Espírito da Verdade na questão 607ª, para os conhecimentos atuais trazidos por Joanna de Ângelis, e compreender o trânsito do espírito em suas diversas fases, e a importância deste caminhar para entendermos como o período em que estivemos ocupando o corpo físico de um animal foi importante para a fase em que estamos hoje, ocupando o corpo físico de um ser humano, utilizando as conclusões que tivemos até agora e acrescentando a colocação maravilhosa de André Luiz que vimos no Livro Evolução Em Dois Mundos, no estudo passado:

*"... É nesses seres (animais), que estais longe de conhecer inteiramente, que* **o princípio inteligente se elabora, desenvolve a consciência pouco a pouco,** *de si mesmo e da própria individualidade,* **e ensaia para a vida**...**a vida real, a vida em que se reconhece enquanto Espírito, em que reconhece sua verdadeira essência, em que compreende sua razão de existir, em que entende a existência de Deus e passa a caminhar, já de forma lúcida, no rumo da própria paz!"**
**"... reconhecemos sem dificuldade que a marcha do princípio inteligente para o reino humano e que a viagem da consciência humana para o reino angélico simbolizam a expansão multimilenar da criatura de Deus** *que, por força da Lei Divina, deve merecer, com o trabalho de si mesma, a auréola da imortalidade em pleno Céu."*

*O evangelho dos animais*

– Esses são nossos irmãos animais – disse Amanda –, os queridos irmãos animais. Como nós, são Espíritos em evolução, desenvolvendo os próprios caminhos, aprendendo sobre si mesmos, em fase anterior a que estamos hoje, fase na qual já estivemos. Chegarão à humanidade e compreenderão sua essência espiritual. Tomara nos conscientizemos que nos cabe auxiliá-los neste caminhar, como somos auxiliados pelos Espíritos superiores a nós.

– Finalmente! – disse Sérgio, num sobressalto.

Todos o olharam, e ele continuou:

– Entendi a frase de Léon Denis no livro O Problema do Ser, do Destino e da Dor, que ficou tão famosa no Espiritismo:

*Livro O problema do Ser, do Destino e da Dor, Léon Denis, primeira parte, item IX:*

*"Na planta, a inteligência dormita, no animal sonha; só no homem acorda, conhece-se, possui-se e torna-se consciente."*

– Claro – disse Sérgio – Léon Denis captou com maestria algo que somente agora pudemos compreender: o Espírito que se encontra na fase de animalidade ensaia para a vida, como diz o Espírito da Verdade, porque, embora esteja desenvolvendo a consciência de si mesmo e do meio ambiente ao redor, não sabe que é um Espírito, o que é essencial para sua evolução. Somente ao adentrar a fase de humanidade, pode compreender sua realidade espiritual, e, uma vez compreendendo-a, pode tomar "posse", por assim dizer da própria evolução, decidir, através do livre-arbítrio, agora voltado para a vida espiritual, quais caminhos tomará que o favorecerão para aquisição da paz e o desenvolvimento da luz que traz no âmago. Assim, colocando a frase do próprio Léon Denis, junto às Verdades tão bem elucidadas pelo Espírito da Verdade nas questões 607ª, 585, 607ª e novamente a questão 600, a segunda parte da frase de Léon Denis, e repetindo a 585, respectivamente, entenderemos maravilhosamente que:

*"Na planta, a inteligência dormita, no animal sonha...*
*o princípio inteligente se elabora, se individualiza pouco*

*a pouco e ensaia para a vida... (com)* **a consciência de sua existência e de sua individualidade...** *o princípio inteligente sofre uma transformação e se torna Espírito... É a consciência de si mesmo que constitui o atributo principal do Espírito... só no homem acorda, conhece-se, possui-se e torna-se consciente...* **O homem...** *(possui)* **a consciência do seu futuro, a percepção das coisas extramateriais e o conhecimento de Deus."**

– Então, se bem entendi – disse Edson –, somente na fase de humanidade, o Espírito se reconhece enquanto Espírito, e acorda para a verdadeira vida, que é a vida espiritual, e conhece-se em sua intimidade espiritual, possui-se porque pode dirigir e influenciar a própria evolução, porque se torna consciente dela. Há uma colocação de Joanna de Ângelis na introdução do Livro O Homem Integral, que fecha bem esta questão:

*"O momento mais eloquente do seu (homem) processo evolutivo deu-se quando adquiriu consciência para discernir o bem do mal, a verdade da impostura, o certo do errado, prosseguindo na marcha ascensional que o conduzirá às culminâncias da angelitude."*

– Quanto captou Léon Denis, quanto ele percebeu – comentou Ana Paula – e como nos enganamos, enquanto humanidade, quanto ao destino, objetivos e caminhos de nossos irmãos animais! Graças à Doutrina Espírita, podemos corrigir o equívoco, alertar a humanidade e mudar a direção que temos dado em nossa relação com os animais. Diz Emmanuel no Livro Alvorada do Reino, capítulo Na Senda da Evolução:

*"Recorda os elos sagrados que nos ligam uns aos outros na estrada evolutiva e colabora na extinção da crueldade com que até hoje pautamos as relações com nossos irmãos menores."*

– O mais maravilhoso – disse Amanda – é a comprovação, pelo próprio Espírito da Verdade, do que observamos em

*O evangelho dos animais*

nosso dia a dia. Os animais têm consciência de si mesmos e da própria individualidade, e se têm consciência da individualidade e de si mesmos é porque se diferenciam no meio ambiente ao redor, portanto, têm consciência do que ocorre ao redor deles. Não são seres inertes, inconscientes, como um boneco sem vida ou uma máquina com ação programada, são criaturas de Deus, em processo de individualização, aprendendo para, um dia, terem consciência de Deus e de sua própria espiritualidade. São bem mais do que imaginávamos. Quanta beleza, meu Deus! E quantos enganos cometidos por não compreendê-los! A Doutrina Espírita precisa difundir esta realidade. Os espíritas precisam compreendê-la, estudar profundamente, e acabar com a dor e o sofrimento com que até hoje os animais têm sido marcados pela mão do ser humano, que precisa estar consciente das Leis Divinas.

– Agora – disse Edson –, podemos entender a colocação de José Herculano Pires, no Livro O Centro Espírita:

*"Os espíritas atuais, tanto no Brasil quanto no mundo, não compreenderam ainda que estão num ponto intermediário da filogênese da divindade. Superando os reinos inferiores da Natureza... na sequência divinamente fatal de Kardec; mineral, vegetal, animal e homem, temos o ponto neutro de gravidade entre duas esferas celestes, e esse ponto é que o chamamos ESPÍRITA...":*

– No processo de individuação – continuou Plínio –, quando Joanna de Ângelis referiu-se ao nascimento da consciência, falava ela do que disse Léon Denis, o nascimento da consciência de si mesmo enquanto Espírito, o reconhecimento de Deus e o trabalhar a própria evolução. É a verdadeira consciência do Espírito. Por isso, encontramos tantos autores referindo-se à consciência dos animais como embrionária, pois que é apenas uma consciência preparatória para a consciência espiritual. Mas, mesmo depois que adentrarmos a fase de humanidade, quanto demoramos a desenvolver esta consciência espiritual? Dados indicam que a espécie humana passou a habitar a Terra há cerca de

5.000.000 de anos, e a Doutrina Espírita tem pouco mais de 150 anos. Podemos entrever, então, algumas coisas:

*Espírito em fase de animalidade (consciência de si mesmo e do meio ambiente) – Espírito em fase de humanidade (inicia muito lentamente a consciência de Deus e de si mesmo enquanto Espírito) – ESPIRITISMO (Consolador Prometido) – conhece o Espírito as verdades espirituais, o mundo espiritual, encontra as respostas para a própria evolução – pode decidir os caminhos da própria paz pela própria transformação e entender as responsabilidades que tem para com todos aqueles que lhe seguem nos caminhos do progresso – encontra os subsídios necessários para caminhar para a próxima fase – Arcanjo – promovendo a própria iluminação através da regeneração de si mesmo e do desenvolvimento do amor ao próximo, compreendendo que tudo que vive é seu próximo.*

– Creio mesmo – continuou Edson – que a tão importante recomendação, quanto à superarmos as fases primárias da evolução e caminharmos para a espiritualização, só possa ser entendida, compreendendo qual é nossa origem, do ponto de vista evolutivo, nos primórdios da evolução, iniciando pelo átomo.

– Assim – disse Plínio –, o conhecimento espírita não nos faz evoluídos, mas nos proporciona os meios de galgarmos por nós mesmos a própria evolução. É um divisor de águas entre o tempo da inconsciência espiritual e o tempo da consciência espiritual. Por isso Herculano Pires o coloca no ponto neutro.

– Imprescindível compreendermos que – disse Amanda – esta evolução não acontecerá sem o aprendizado do amor em sua essência sublime e o desenvolvimento da consciência cósmica, que inclui, necessariamente, a fraternidade universal. A Doutrina Espírita é a única que esclarece com intensa riqueza de detalhes o caminhar do espírito desde o átomo, e o espírita detém o conhecimento da evolução. Não podemos nos eximir enquanto espíritas, enquanto cristãos e enquanto humanidade, nem deixar de mudar nossos parâmetros de ação para com nossos irmãos menores.

*O evangelho dos animais*

– Até então – disse Edson –, acreditava eu que compreender espiritualidade dos animais não fosse assim tão importante para nossa evolução. Agora reconheço que não somente é importante, mas é essencial, porque, sem esta compreensão, não caminharemos para novos patamares no amor, essenciais para nossa evolução, para a paz dos nossos irmãos animais e para a evolução do Planeta. Bendita Doutrina Espírita que vem ao encontro de nossas necessidades, como disse Jesus:

*"Conhecereis a Verdade e a Verdade vos libertará!"*

– Aprendamos, desde já – disse Plínio –, que o conhecimento nos traz responsabilidades, das quais não podemos nos eximir. O conhecimento espírita nos abre as portas para nova dimensão de vida, porque nos expõe, de forma lógica, racional, mas conectada ao amor profundo, à verdade espiritual, à verdadeira realidade, quebrando a concha de nossa visão, mas também nos traz o dever de aprender a viver o que aprendemos.

– Isto me faz pensar – disse Ana Paula – que confundimos a abertura de consciência ao questionamento que a Doutrina Espírita nos proporciona...

– Como assim? – Perguntou Sérgio.

– A maioria de nós sabe – continuou Ana Paula – que o codificador nos orientou a questionar, a estudar, a abarcar somente as verdades. Então, aprendemos desde que adentramos a Doutrina a questionar tudo que lemos, mas esquecemos de algumas outras recomendações dadas pelo codificador, o que nos faz julgar tudo sobre aquilo que acreditamos ser a verdade e, muitas vezes, adaptarmos o Espiritismo aos nossos interesses egoísticos. Uma coisa é o questionamento embasado no Evangelho, no conhecimento e no amor; outra coisa é a acomodação que nos torna juizes implacáveis e incapacitados, porque, esquecidos da abnegação e do objetivo do Consolador Prometido, nos colocamos intimamente na posição de não transformação, equivocando-nos quanto à verdade. Allan Kardec nos orientou:

*"Ler tudo e reter o melhor"; estudo constante; racio-cínio lógico e amor; partir dos efeitos para chegar as causas, portanto: observar!*

– Posso dizer por mim – disse Plínio –, que julgo sem conhecer, sem ler, sem observar. Quantas vezes não opinei sobre determinado assunto, como em se tratando da evolução, baseado na opinião alheia?! Quantas vezes não formei pré--conceitos sobre os animais por não estudar com profundidade e amor, lógica e vontade o que estava contido na Doutrina? E tomei minha verdade parcial como a verdade, e a expandi, e a afirmei, traindo um dos mais assertivos avisos do Cristo no Evangelho:

*Evangelho Segundo O Espiritismo, cap. XVIII, Muitos os Chamados e Poucos os Escolhidos, item 8:*
*"Aquele, pois, que violar um desses menores mandamentos, e que ensinar aos homens a violá-los, será tido como o último no reino dos Céus, porém, aquele que os cumprir e ensinar, será grande no Reino dos Céus."*

– Concluí errado – continuou Plínio -, acreditei ser minha conclusão equivocada a verdade, me coloquei acima das primordiais recomendações de Kardec, ignorei a observação, não questionei o óbvio, e repassei os ensinamentos. E este atos têm consequências...

– Graves consequências – continuou Edson – porque, à medida que muitos acreditam naquilo que está distante da realidade, colocam a Doutrina Espírita em posição que não lhe cabe e, no caso dos animais, graves são as consequências para estes que são criaturas de Deus, seres espirituais e nossos irmãos, colocados, lamentavelmente, por quem detém o conhecimento da evolução, em posição de máquinas, dotados de instinto, sem inteligência e consciência. Nós perpetuamos, ao invés de transformarmos, a crueldade na Terra. Assim, a Doutrina Espírita, que deve ser a Doutrina da regeneração, da luz, da transformação, torna-se a doutrina conivente com a violência, com a dor, com o sofrimento de nossos irmãos. Em plena época de liberdade espiritual, em

*O evangelho dos animais*

que damos os passos que nos graduarão para subir os degraus rumo à angelitude, mantemos a prisão nos pés humanos porque insistimos em nossas verdades, adaptando a Doutrina a nós e ao mundo, como o mundo é!

– Espiritismo não é isso – disse Sérgio –, Espiritismo é, bem simplificadamente, a Doutrina da transformação. Ora, como pode haver transformação, sem o desejo de mudar? Como pode a Doutrina Espírita promover os caminhos da mudança social, sem a sincera vontade daqueles que a norteiam de enxergar a verdade, seja ela qual for, e construir a paz mediante o sacrifício e a abnegação? Tomara aprendamos logo que não nos cabe atingir novos patamares pelo saber, mas, sim, pelo viver o que sabemos, e buscar a verdade. No momento, há um planeta que começa a ver os animais como seres inteligentes e sensíveis, mas há também "um espírita" que insiste no inverso, contrariando a própria ciência e o próprio Espiritismo.

– Sem dúvida – disse Ana Paula – qualquer um, em sua residência, que observar o animal com o qual convive, dirá que ele é inteligente, tem consciência, sentimentos, amor, vontade própria. Não precisa ser um grande estudioso da Doutrina Espírita, da ciência, nem ser um sábio, basta observar. E nós, enquanto espíritas, contrariamos todas estas pessoas, tornando a Doutrina Espírita, ironicamente, a Doutrina da não-lógica, da não-razão, afastando-a da realidade do ser humano e da vida abundante do planeta. É o momento de estudarmos e revertermos isto, porque representamos a verdade, e para representá-la é preciso conhecê-la como ela é.

– Ainda bem – disse Edson – que os Espíritos Superiores não nos abandonaram. Temos na Doutrina Espírita, através dos amigos espirituais, como vimos, tudo de que necessitamos para sanar estas deficiências que, deixando bem claro, são nossas e não da Doutrina Espírita. Como temos percebido, ela responde e comprova as observações; nós é que insistimos em não ver, somente para manter nossa opinião. É o orgulho novamente, sempre ele.

– Então – disse Plínio -, ouçamos a Doutrina e mudemos. Façamos a nossa parte, construindo o melhor, elevemos a nós mesmos como seres humanos, aprendamos a representar a Doutrina Espírita. Vale encerrar nosso estudo com uma reflexão para a semana, do Livro Gênese da Alma, do querido e grande espírita Cairbar Schutel, no capítulo Apelo Em Favor dos Animais:

*"Vós, que vedes luzes nestas letras, que traçam a estrada da Evolução Espiritual, e não vos achais mais escravizados pelo "gênio do mundo", à erva que seduz, às flores que encantam, tende compaixão dos pobres animais...*

*... Sede benevolentes, porque também em comparação aos Espíritos Divinos, de quem implorais luz e benevolência, sois asnos sujeitos a ação reflexa do bem e do mal!*

*Senhores e matronas! Moços, moças e crianças! Os animais domésticos são vossos companheiros de existência terrestre; como vós, eles vieram progredir, estudar, aprender! Sede seus anjos tutelares, e não os anjos diabólicos e maléficos, a cercá-los de tormentos, a infringir-lhes sofrimentos!*

*Sede benevolentes para com os seres inferiores, como é benevolente com todos o nosso Pai que está nos Céus!"*

*Capítulo 24*

# DA TEORIA PARA A REALIDADE

De repente, Plínio parou para observar. Em pouco tempo de estudos, em algumas palavras colocadas em O Livro dos Espíritos, mediante a avaliação de Kardec por ocasião da Codificação, havia todo um mundo de consolação e esperança para bilhões de criaturas que compartilham o Planeta Terra com o ser humano. Até então, tudo pendia para que se considerasse o ser humano como criatura à parte de todos e de tudo, criatura em que se insere a luz divina. Pouco a pouco, porém, elucidava-se, aos olhos daquele grupo de meras pessoas anônimas no mundo, todo um cortejo de novas informações acerca dos animais, de sua natureza, de sua capacidade, de sua razão de existir. Era como se, em simples conversas de amigos, sobre as verdades universais contidas em O Livro dos Espíritos, se abrisse porta renovadora sobre a relação entre homens e animais.

Perdido em seus pensamentos, no caminho de volta para casa, em companhia de Sérgio, Plínio não viu que o amigo buscava falar com ele, propondo que buscassem ampliar o campo de pesquisas, unindo novamente as mais recentes descobertas acerca da cognição a todas as verdades que liam, extasiados pelo novo ângulo de interpretação, sobre os animais e a vida em si. Sérgio considerou:

– Plínio, caro amigo, quando diríamos, em nossa conversa inicial, que verdades tão reveladoras estivessem contidas em textos que tantas vezes já lemos?

Plínio sorriu, lembrando-se da primeira conversa que tivera com Sérgio sobre os animais na Doutrina Espírita, e o quanto sua arrogância o impedia de conclusões mais sérias e certeiras sobre o assunto. Acreditando-se profundo entendido da Doutrina que, com certeza, ainda tem muito a revelar, segundo a própria capacidade de absorção da humanidade, Plínio agora via como pueris todas as conclusões que tivera, precipitadamente, sobre a alma animal. Disse a Sérgio:

– Felizmente, caro amigo, você, com seus argumentos simples, mas objetivos e certeiros, me fez reconsiderar meus pontos de vista pouco conclusivos e cheios de lacunas sobre os animais, e, assim, me levou a sentar ao redor daquela mesa em que nos reunimos aos domingos, e felizmente descobri tantas coisas novas e fascinantes. Sinto-me um aluno que se vê obrigado a voltar ao segundo ano de escola, mesmo que já tenha cursado algumas disciplinas de curso superior. Percebo que o fato de não me deixar levar pelo meu orgulho me foi de grande valia, pois que, agora, um novo livro da vida se abre para mim. Antes carregava o difícil peso de tudo saber, tudo ter de responder, tudo deter. Hoje sou leve como pluma, enxergando na Doutrina Espírita o longo caminho de aprendizagem a que todos estamos submetidos. Creio mesmo que cada ponto de O Livro dos Espíritos, independentemente do trecho ao qual temos mais nos dedicado, trará grandes e maravilhosas revelações, até então "escondidas" entre as palavras mais profundas do Espírito da Verdade, em lugares que não vemos, sob entendimento que ainda não temos capacidade de desvendar. Creio que temos apreendido em superfície, necessitando amadurecer um pouco de cada vez.

Respirou profundamente e continuou:

– Assim, Sérgio, quero agradece-lo, pois que, por sua voz ativa e segura, tendo a coragem de me dizer a verdade, pude sair da mesmice que havia adentrado e aprender, me tornando, com isso, mais amoroso, mais feliz e mais humilde. Antes eu "tive" animais. Hoje tutoro almas queridas que adentram meu lar, me tornando o representante de Deus para eles, não no sentido arrogante de ser, mas no sentido do aprendiz

*O evangelho dos animais*

da obra divina, que aprende com o Evangelho e a Doutrina Espírita, aprende com os animais, aprende com Jesus.

Sérgio sorriu e respondeu:

– Fico feliz em ouvir estas observações. Sabe, Plínio, tenho dentro de mim grande amor pelos animais, e o convívio amplo que tenho tido com eles tem-me feito pensar. Sou e sempre fui um grande admirador de Kardec, da Doutrina Espírita, do Evangelho, de Jesus. Sempre encontrei na Doutrina as respostas às mais profundas inquirições que me fiz. Tudo que procurei aprender foi-me esclarecido graças aos textos deixados pelo Espírito da Verdade, e tão magnificamente desdobrados ao longo do tempo por Emmanuel, André Luiz, Joanna de Ângelis e muitos outros amigos espirituais queridos que dedicaram tempo e amor para que pudéssemos encontrar as verdades do amor. Assim, não me parecia lógico que a Doutrina Espírita contrariasse em suas colocações aquilo que a mais simples das criaturas humanas observa em contato com seu animal, na cidade ou na fazenda: inteligência, pensamento, consciência. Sei que ainda estamos longe de discutir mais profundamente os temas que aqui citei, mas uma coisa é verdade, e verdade incontestável – o pouco que já estudamos não me deixa mentir – nada, mas absolutamente nada daquilo que temos estudado até então é diferente do que observamos nos animais. A Doutrina Espírita nos diz que eles têm alma, sentimentos, inteligência, consciência. Já podemos dizer, de antemão, que eles são muito mais impressionantes do que imaginávamos.

Sérgio respirou um pouco e continuou:

– Como homens, temos direito as mais diferentes conclusões sobre os textos trazidos pelo Espiritismo, mas a Verdade é uma só, e independente de nossos naturais erros de interpretação, a Verdade sempre surge um dia! No momento certo, atingindo os corações na hora certa, e movendo mundos e fundos para se estabelecer, sempre condizente com a justiça e a harmonia divinas, e com a observação lógica do homem que se baseia no amor.

– Haverá muito mais a descobrir – respondeu Plínio –, muito mais a desvendar, muito mais questões e frases do Espírito da Verdade a compreender. Mas o texto está lá, intacto, esperando que estejamos maduros o suficiente, e nos enchamos com a coragem da humildade, da caridade e do amor, e a ferramenta da luz, e desvendemos cada linha, nos aprofundando sobre tantas verdades.

– E assim – disse Sérgio – vamos construindo aquilo que fará a esperança para tantos que nos compartilham o planeta e a vida. Enquanto nos desdobramos sobre os livros e aprendemos, também mudamos nossa forma de lidar com os animais, de encara-los e de pensar sob o ponto de vista deles.

– Pensando sob o ponto de vista deles, caro amigo – disse Plínio, emocionado – são mais olhares a serem vistos, mais emoções a serem compartilhadas, mais vida em nossa vida, mais manifestações divinas em gestos e expressões com os quais não estamos acostumados a conviver. De repente, deixa de ser um texto em um livro, e passa a ser uma criatura viva, um ser que nos dirige sua forma de existir, em um mundo que sempre esteve ali, conosco, e nunca observamos.

– Tenho uma ideia – respondeu Sérgio – proponho que observemos na prática. Que tal uma visita a algum abrigo de animais, ou mesmo a uma fazenda? Que tal sairmos de nossas teorias e vivermos com Deus a vida, como ela é, onde ela existe?

– Excelente ideia, caro amigo – continuou Plínio –. Vamos propor ao grupo que, no próximo domingo, possamos sair a campo. Tenho um grande amigo, o Zezinho, com quem tive o prazer de compartilhar os tempos de escola, que tem um pequeno sítio, no qual compartilha a vida com alguns animais. Sempre o considerei meio amalucado, porque ele tem alguns cuidados para com eles, algumas considerações para com seus sentimentos que me pareciam ridículos em meu entendimento, porém, agora, considerando tudo o que aprendemos em nossas poucas reuniões, forçosamente admito, com vergonha de meu orgulho, que o maluco e o ridículo era eu que, distante das verdades divinas, não era capaz de enxergar, mesmo debruçado em todos os livros da Doutrina, e acreditando-me conhecedor das verdades reveladoras do Espírito, o que meu amigo, o Zezinho, em sua simplicidade e honestidade, captara deixando apenas que sua sensibilidade e amor aflorassem acima de tudo. É por isso que nos diz o Evangelho Segundo O Espiritismo, no capítulo VII, Bem Aventurados Os Pobres de Espírito, item

*O evangelho dos animais*

Missão do Homem Inteligente na Terra:

*"Não vos ensoberbais do que sabeis, porquanto esse saber tem limites muito estreitos no mundo em que habitais. Suponhamos sejais sumidades em inteligência nesse planeta: nenhum direito tendes de envaidecer-vos. Se Deus, em seus desígnios, vos fez nascer num meio onde pudestes desenvolver a vossa inteligência, é que quer a utilizeis para o bem de todos; é uma missão que vos dá, pondo-vos nas mãos o instrumento com que podeis desenvolver, por vossa vez, as inteligências retardatárias e conduzi-las a Ele...*
*... A inteligência é rica de méritos para o futuro, mas sob a condição de ser bem empregada. Se todos os homens que a possuem dela se servissem de conformidade com a vontade de Deus, fácil seria, para os Espíritos, a tarefa de fazer que a humanidade avance. Infelizmente, muitos se tornam o instrumento de orgulho e perdição contra si mesmos. O homem abusa da inteligência como de todas as suas outras faculdades e, no entanto, não lhe faltam ensinamentos que o advirtam de que uma poderosa mão pode retirar o que lhe concedeu."*

Plínio suspirou e continuou:
– Sempre compreendi esta colocação como se referindo aos grandes equívocos da humanidade, como a construção da bomba atômica, os tanques de guerra, etc. Mas, hoje, ao estudar a Doutrina Espírita e começar a conhecer a fundo o que me era impossível de detalhar – *porquanto o pequeno conhecimento que possuo diante da Verdade Universal, que só se revelará à medida que for galgando novos passos na evolução* –, percebo que, orientar o conhecimento segundo minha vontade, e não segundo a necessidade de evolução e progresso a que todos estamos submetidos, e desprezando mesmo aqueles que, em sua humildade, mais conectados com Deus e o amor se encontram do que eu, encaixa-se perfeitamente no texto ora referido, simplesmente por considerar mais os nomes e as posições do que as verdades reveladoras do espírito.

– Pois que são estes enganos – disse Sérgio – que todos nós cometemos, e que muitas vezes nos colocam em grandes abismos, mesmo que de posse dos textos da Doutrina Espírita.

– Bem – continuou Plínio –, falarei com o Zezinho e você fica encarregado de conversar com o grupo. Está na hora de sairmos do âmbito de nossa convivência costumeira, de tal forma que possamos ver e sentir, na pratica, as "falas"do Espírito da Verdade e de tantos outros.

# Capítulo 25

# PRESENÇA DE DEUS EM TUDO E EM TODOS

Reunidos após a proposta de Sérgio e Plínio, todos do grupo estavam empolgados com a possibilidade da saída a campo.

Amanda, enlaçando o braço de Plínio, por já sentir-se, embora o pouco tempo de convivência, sua amiga íntima, em se tratando de compartilhar o ideal, assim referiu-se ao passeio:

– Que excelente ideia vocês tiveram! Ela nos permitirá sair um pouco das elucubrações das ideias e adentrar o campo dos sentimentos, verdadeira razão de existir do indivíduo e o caminho que, efetivamente, devemos trabalhar.

Plínio aconchegou a amiga junto de si e respondeu:

– Ah! Amanda, ouvindo você falar assim, percebo quantas vezes me perdi nas teorias e discussões acerca dos temas da Doutrina Espírita! É certo que o Espiritismo é fascinante em suas profundas revelações, e adaptados que estamos, há milênios, a conhecer sem praticar, posso lhe dizer que fiquei, em se tratando dos conhecimentos do Espírito, nos caminhos do estudar e conhecer, mas, analisando, percebo que, ao invés de tal processo promover a modificação íntima do Espírito, para o sentimento de amor ao próximo, humildade, bondade, tolerância, fé, em muitos aspectos, me tornei, por invigilância, arrogante e orgulhoso em meu sentir, quanto ao pouco saber adquirido.

Enlaçando o outro braço de Amanda, Edson se dirigiu aos dois dizendo:

– Ouvi a conversa e não resisti a dar meu pitaco.

Os três riram e Edson continuou:

– Quanto ao que coloca Plínio, tenho pensado exatamente isto nos últimos dias. Por ocasião do estabelecimento da Doutrina Espírita, tão bem codificada por Alan Kardec, o materialismo era a força motriz para o mundo e quase todos aqueles que estavam à frente do pensamento o representavam. Assim, se viu o querido codificador com a difícil tarefa de restabelecer a religiosidade, sem fugir do pensamento lógico e elucidativo. Os livros da codificação de forma alguma abandonam o sentimento, colocando-o à parte do pensamento cientifico – filosófico, com que se consolidaram, também, as bases do Espiritismo. O Evangelho Segundo O Espiritismo, por restabelecer e elucidar os ensinamentos cristãos contidos nos textos bíblicos, é, por isso mesmo, uma poesia de amor e bondade, elevando o homem a sua universalidade e estabelecendo a fraternidade impulsionada pela caridade e pela fé, como caminho para a autoiluminação e a iluminação da Terra.

Edson parou um minuto acompanhando o olhar de Amanda que admirava o céu azul e o sol de calor agradável, como a brindar-lhes a fala elevada e a intenção de aprender a amar. Sorrindo, ela anuiu com a cabeça para que Edson continuasse. Ele assim o fez:

– Em O Livro dos Espíritos, nos livros A Gênese, O Céu e Inferno, O Livro dos Médiuns, encontramos primorosos aspectos sobre o amor e a evolução, mas os argumentos lógicos, afiados e arrebatadores de Allan Kardec, para não haver forma de se contrapor sem fugir à lógica, são de tal forma brilhantes, que nos apegamos, equivocadamente devido à nossa tendência derivada do materialismo de racionalizar tudo muito mais ao ato de pensar, esquecendo, por vezes, de acompanhar o sentir.

– Ah! – disse Amanda –, é porque estamos acostumados, por vidas a fio, ao exercício de nosso orgulho de "tudo

*O evangelho dos animais*

saber" e nossa vaidade de "eu tenho a solução", que acabamos por fazer do conhecimento do Espiritismo porta aberta para, novamente, sermos os "donos da verdade".

– Sob este aspecto – comentou Plínio –, esquecemo-nos, amigos, que a Doutrina Espírita é progressiva, e que ainda, com certeza, nos encontramos no beabá acerca do entendimento do espírito. Prova é que, embora Espíritas com o conhecimento da imortalidade, da família universal, da razão da vida, da inexistência da morte, já que o espírito é eterno, ainda assim...

Edson riu, por antecedência, e completou, já sabendo o que ia dizer o companheiro:

– Ainda assim, choramos nos velórios, sofremos com as despedidas, oramos solicitando a Deus o amparo segundo nossos desejos e não segundo a vontade Dele, duvidamos, por vezes, da bondade Divina e nos acreditamos, em nosso orgulho desvairado, mais sábios que Deus quando questionamos os fatos da vida.

– Que loucura! – comentou Amanda –, e ainda assim achamos que já sabemos tudo!

– E mesmo sobre o pouco que aprendemos – interviu Ana Paula, que vinha logo atrás –, quanto já sentimos? Ou seja, discursamos abertamente sobre a humildade, o amor ao próximo, a reforma íntima, mas quanto já sentimos sobre o que falamos? Quantas ideias não rejeitamos, sem analisar, única e exclusivamente porque aceitá-las significa reformular o nosso saber e modificar nosso hábitos, analisar sinceramente a nós mesmos e promover novos conceitos, absolutamente acomodados em nosso "saber" e em nossa vaidade, ainda que isto contrarie a principal recomendação de Kardec: o da análise sob a lógica e o amor?

– E digo mais – disse Sérgio, que decidiu entrar na conversa –, ainda mesmo que a verdade rejeitada esteja baseada na universalidade das informações, como é o que temos visto acerca da espiritualidade dos animais, agimos do mesmo modo.

– Lembro-me – disse Edson – de um amigo querido que brincava com a humildade que acreditamos deter, falando: "temos orgulho de nossa humildade".

Todos riram gostosamente enquanto entravam nos carros rumo ao sítio "PARAÍSO UNIVERSAL", de propriedade de Zezinho, amigo de Plínio.

Partiram com os veículos ouvindo músicas agradáveis, com os sons da natureza. Viam, pelas janelas, o céu azul e as planícies verdes, alternando com regiões mais montanhosas que fascinavam pelas árvores que pareciam "penduradas" ao longo das montanhas. Tapetes de grama contrastavam com lavouras belamente plantadas. Os cheiros foram, pouco a pouco, substituídos e, a partir de determinado ponto, o odor da poluição da cidade ficou completamente para trás, tendo permanecido o cheiro de relva. Ao longe, viam-se vacas, bois e cavalos pastando tranquilamente.

Uma felicidade foi gradualmente tomando conta do grupo, parecia que não mais iam a um sítio, mas a sensação é que caminhavam ao encontro de Deus, na supremacia da natureza, na bela e suntuosa Criação Divina.

Todos foram se deixando levar pela emoção da simplicidade. Abandonando, por momentos, mesmo em pensamento, os raciocínios e as "discussões teóricas", deixaram-se levar pela paisagem simples, como que se integrando a ela.

Ao parar na frente do sítio, sentiam-se totalmente tomados pela harmonia reinante, com uma sensação nova e profundamente tranquilizante, experimentando um sentimento de paz, esperança e fraternidade.

De repente, não entendiam bem por quê, o portão à frente não mais representava a entrada para o sítio do Zezinho, mas como que a porta para a redenção, no aspecto sublimado do amor ao próximo, em que abandonando o "ter", tanto no sentido de bens tangíveis quanto no sentido do próprio conhecimento, para estar no "ser" Espíritos integrados à harmonia das Leis Universais.

A expectativa do grupo era grande. Plínio bateu palmas e aguardaram para serem atendidos.

Surpreendentemente, muito antes de qualquer ser humano dar sinal de vida, imponente e belo carneiro surgiu em frente ao portão de entrada. De pelagem preta, olhava-os dentro dos olhos, a ponto de incomodá-los, como se estivessem sendo analisados. Todos se entreolharam, sentindo o magnetismo do olhar.

Pouco depois, o Zé apareceu no final do corredor, e alegre sorriu para todos. Plínio lhe acena, o que promove um abanar de chapéu como resposta.

*O evangelho dos animais*

Zé era um típico homem do campo. Vestia calça jeans surrada e uma camiseta de cor avermelhada, em parte descolorida pelo tempo, em parte tingida pela terra. Na cabeça, trazia um típico chapéu do campo de cor marrom. Botas para caminhar pela lama lhe preenchiam os pés. Tinha o rosto marcado pelo sol, com traços que lhe revelavam idade acima de 45 anos. A pele era relativamente clara, mas com sulcos profundos e algumas cicatrizes, Tinha um bronzeado típico do campo. Sorridente, demonstrava simpatia singular. Aproximou-se do portão alegre e sorrindo e, enquanto o abria, dirigiu-se ao grupo dizendo:

– Sejam bem-vindos a nossa casa, não é Adamastor? – disse, referindo-se ao carneiro que surgira antes, analisando o grupo.

Ao ouvir isto, Adamastor, o nobre carneiro de lã preta, mudou de comportamento. Aproximou-se de seu tutor e passou de uma atitude reservada para clara forma de recepção. Plínio foi o primeiro a entrar, e antes mesmo que pudesse se chegar ao Zé foi obrigado a acariciar Adamastor, que tomou a frente e roçou o corpo na perna de Plínio. Depois, colocou a cabeça sobre o seu braço e pareceu feliz com o carinho recebido na fronte. Sua face taciturna de antes havia claramente se modificado para um surpreendente sorriso. Amanda o olhava algo fascinada, algo temerosa. Não se lembrava da última vez que estivera com qualquer animal que não um cão, gato ou ave.

– Zé, meu amigo, que prazer revê-lo, disse Plínio dirigindo-se ao amigo de anos. Abraçaram-se emocionados. Plínio continuou:

– Quero lhe apresentar meus amigos Amanda, Edson, Ana Paula, Lúcia e Sérgio. Apontou um a um do grupo e todos cumprimentaram o Zé.

– Fico muito feliz em recebê-los – disse Zé, simpático e acolhedor –, quero lhes apresentar meu amigo Adamastor. E apontou o carneiro.

Este, por sua vez, acenou com a cabeça olhando a todos do grupo. Então, Zé dirigiu-se a ele, dizendo:

– Adamastor, este é um velho amigo meu, e agora seu, o Plínio. Estes são os novos amigos que ele nos trouxe – e então repetiu o nome de todo do grupo.

Adamastor preservou o "sorriso" marcado na face e dirigiu-se a cada um, solicitando carinho e abanando a cabeça. O grupo todo olhava para o carneiro estarrecido. Não esperavam tamanha demonstração de consciência e entendimento. Zé continuou:

– Adamastor é, de todos os animais que residem no sítio, o que mais me faz companhia. É também o líder do lugar. Por isso, foi ele que veio até o portão quando bateram palmas. Velho amigo de guerra, tem me ouvido as conversas noites a fio e me acompanha até mesmo quando assisto televisão. Sua inteligência me surpreende, e demonstra uma capacidade de gravar fisionomias impressionante. Sente-se magoado e deprimido quando permito que alguém adentre o sítio sem apresentá-lo, e demonstra isso com certa indiferença a mim, além de alimentar-se pouco. Mas vamos entrando, tenho um almoço especial esperando por vocês. Aqui, no campo, nós almoçamos cedo. Não é como na cidade.

Todos foram entrando após terem acariciado Adamastor. Na concepção do grupo, Adamastor tinha um comportamento semelhante ao do cão.

Mal Ana Paula pensara nisso, ouviu alguns latidos vindo de longe, e visualizou, descendo de região montanhosa, dois enormes cães, sem raça definida, na direção do grupo. Zé também acompanhou a cena e os chamou pelo nome, assim dizendo:

– Onde vocês estavam, Dalila e Golias? Já não era hora! Onde passaram a noite?

Os cães se aproximaram felizes e vieram ao encontro de Zé, que os acariciou. Em seguida, apresentou-lhes os amigos:

– Dalila e Golias, estes são meus amigos Plínio, Ana Paula, Amanda, Edson, Sérgio e Lúcia. Agora quero que os cumprimentem e depois comportem-se, indo para a varanda. Vê se pode, andando por aí a noite toda!

Os cães se aproximaram do grupo e procuraram carinho, recebendo imediatos afagos. Também se aproximaram de Adamastor, brincando e cheirando o mesmo.

Ana Paula estava algo intrigada com a forma de ser de Zé. Embora tratasse com inúmeros tutores em sua vida profissional, nunca havia conhecido um que apresentasse seu animalzinho a amigos humanos como se apresentasse o

# O evangelho dos animais

próprio filho. Pensou consigo mesma: *"ele deve ser sozinho; talvez, por isso, trate os animais de igual para igual; ainda assim, é surpreendente como eles parecem entendê-lo integralmente, e este carneiro intrigante, Adamastor, atende pelo nome, nos olha fixamente, se deprime... Nunca pensei que os carneiros pudessem ser capazes de tal feito, e, em verdade, na faculdade, sempre nos foram apresentados como criaturas pouco relacionáveis. Agora conheço um carneiro de nome Adamastor, que reage como um cão. Estou impressionada!"*

Enquanto pensava, aproximavam-se da casa. Ao entrarem Zé disse:

– Manoela, minha querida, nossos amigos já chegaram.

Aproximou-se do grupo uma senhora de cerca de 45 anos, pele clara, cabelos pretos, olhar simpático, levemente gordinha, com bochechas rosadas. Foi abraçando a todos sem cerimônia. Após as apresentações e cumprimentos iniciais, convidaram todos para sentar. Foi Manoela quem falou:

– Eu e o Zé ficamos muito felizes com o telefonema do Plínio sugerindo a visita de vocês. Infelizmente, nossos filhos, já com mais de 20 anos, tinham compromissos com as namoradas. Temos dois rapazes de 21 e 23 anos, o Toninho e o Junior. Mas sabe como são os meninos! Estão cada um num lugar diferente da cidade desde sexta à noite.

Ana Paula agora estava mais intrigada com o Zé. Até momentos atrás, acreditava-o sozinho e, por isso, em demasia ligado aos animais. Porém, ao adentrar a casa, conhece sua belíssima esposa, Manoela, e descobre que tem dois filhos. Volta a pensar: *"talvez pela constante vida no campo, sua relação com os animais seja diferente..."*

Seus pensamentos são interrompidos pela palavra de Sérgio, que se dirige a Zé, perguntando:

– Desde quando vive no campo, Zé?

Zé responde com simpatia:

– Trabalhei durante muito tempo na cidade de São Paulo. Era corretor de imóveis. Mas, depois de 19 anos na área, comecei a ficar estressado. Após algum tempo, na busca de equilíbrio, passei a frequentar a casa Espírita que acredito Plínio, até hoje, frequente. Lá fui ao encontro de minha real necessidade, descobrindo o Evangelho. Não sou um exemplo de vivencia, cometendo ainda erros infantis que contrariam as leis divinas, pela minha infantilidade espiritual. Porém, ao estudar um pouco mais a Doutrina Espírita, percebi que estava o tempo todo tentando "ter" alguma coisa, buscando o caminho da aprovação humana. Mas não era feliz. Tinha muitas posses, carros e dinheiro, mas meu casamento estava descambando para a trágica separação. Manoela, de origem portuguesa, trabalhava no consulado. Tínhamos os dois garotos, mas meu contato com eles era pequeno. Minha maior companhia acabava sendo Dudu, o Schnauzer que havíamos adotado. Saía com ele todas as manhãs, e sua companhia parecia que me enchia os dias com o verdadeiro amor. Passei a observá-lo mais de perto e a me surpreender com a capacidade de dedicação, carinho e fidelidade que ele demonstrava. Através dele, comecei a estudar mais sobre os cães e sobre os animais. Há cerca de sete anos, viajei com minha esposa para um hotel-fazenda. Tentava uma segunda lua-de-mel. Apesar de tudo, ainda a amava, e não queria me separar. Nós mal nos falávamos naquela época. A viagem funcionou como uma terapia de casal. Manoela chorou muito e disse que, apesar do trabalho intenso e de todo o patrimônio que acumulávamos, estava infeliz.

Os olhos de Zé encheram-se de lágrimas. Manoela o afagou e pegou sua mão, também emocionada. Ele continuou:

– Manoela me disse que preferia o início do casamento, em que eu e ela trabalhávamos menos, tínhamos uma vida mais simples, pagávamos aluguel, tínhamos o fusquinha velho na garagem. Mas ela não via a hora de eu chegar. Ela trabalhava até 17 horas e eu até 18, nessa época. Falou-me que esperava ansiosa que eu chegasse com o pão quentinho e as balas para os garotos, ainda pequenos. Eles me abraçavam, assim que passava pela porta. Ela me beijava. Sentávamos à mesa para um cafezinho com pão. Ela falava de seu dia e eu do meu. Líamos juntos, assistíamos ao jornal. As crianças iam dormir. Conversávamos longamente. Fazíamos planos para o futuro. Íamos juntos para a cama. A única televisão da casa era desligada após o jornal. Tínhamos muito menos, mas nos amávamos muito mais. Eu, então,

*O evangelho dos animais*

percebi o quanto estava saudoso daquele tempo e desejava recuperá-lo; mesmo sabendo que as coisas mudam, ainda a amava, ainda desejava estar a seu lado, ainda queria aprender o Evangelho de Jesus junto com ela. Percebi que tudo o que tinha não substituía a cumplicidade de minha família, o amor que tínhamos uns pelos outros. Enquanto a abraçava, embaixo de uma árvore, no hotel fazenda, um cavalo se aproximou de nós. A princípio, tivemos medo, afinal, eu nunca estivera tão próximo de um cavalo solto e sem um condutor, na vida.

Manoela aproveitou que o esposo a olhou e continuou:
– O cavalo roçou a face em nossas mãos. Fizemos-lhe um carinho. Ele relinchou delicadamente. Eram cerca de 4 horas da tarde. Levantamo-nos e assim nos dirigimos a ele, perguntando: *"amigo, você, com certeza, deve saber mais da vida simples e do amor do que nós. Pode nos ajudar?"* Ele pareceu nos entender, sua face na nossa nos transmitia um calor singular. O cavalo, que, hoje, sabemos se chama Túlio, foi caminhando e parou como que a nos chamar. Nós o seguimos até um campo próximo mais aberto.

Os olhos de Zé e Manoela marejaram e, ela continuou com a voz embargada:
– Nós nos surpreendemos ao notar cena tão delicada e bela. Túlio dirigiu-se a uma égua no campo e junto dela havia um potrinho que não devia ter mais que poucas semanas, Os dois animais adultos se acariciaram. Olharam com estranho amor para nós. Túlio acariciou com a face o potrinho. Ficamos observando de longe e concluímos, após uma hora em silêncio, duas coisas que jamais vamos esquecer.

Foi Zé quem continuou:
– Que, jamais, nada do que conquistemos no mundo pode valer mais do que o amor que aprendemos, e que o dinheiro deve ser um veículo do Evangelho, e não das paixões humanas. A segunda, que os animais são mais sensíveis e conscientes do que imaginávamos. E não somente o cão ou o gato, mas todos os animais. Túlio foi tão importante para nós que decidimos que queríamos saber mais sobre outros animais, porém, por maior que fosse nossa casa, não comportava carneiros, vacas, bois e porcos. Foi assim que pensamos em recriar o hotel-fazenda que nos marcou

o "recasamento", se assim podemos dizer, e nos unir, em família; junto a outros animais. Desde então, aqui estamos. Ana Paula respirou fundamente, todas as suas teorias a respeito daquele homem que parecia ter tanta intimidade com os animais foram infundadas. Ele não era sozinho; ao contrário, tinha toda uma família; nem vivera no campo todo o tempo; também, ao contrário, era oriundo de uma vida de conflitos e estresse, enfim, era uma pessoa comum, como tantas outras que já havia conhecido; com seus problemas e vontades, amor e solidão, alegria e tristeza. O que o fizera ver os animais de forma mais sensível foi exatamente a coragem de rever a própria vida junto aos postulados deixados pela Doutrina Espírita. Ao questionar-se quanto ao real objetivo da vida, e de como a vida que estava levando se fizera fútil e distante da harmonia espiritual, buscou transformar-se e rever as situações. Foi assim que Zé retomou o casamento e a vida em família, e, graças a lição simples, mas profunda da vida de Túlio, um cavalo. Ana Paula, então, disse:

– Ao ouvir sua história, Zé, compreendo que, embora eu admire e acredite na Doutrina Espírita, ainda não tive coragem de fazer dela o caminho de meu dia a dia. Ainda venho agindo como nos postulados do religiosismo, e vou ao centro como quem vai ao templo, realizo cursos, faço tratamento de passes, leio. Mas ainda não promovi a Doutrina Espírita à filosofia de vida, o caminho para a harmonia interior. Ao invés de buscar viver segundo os postulados Espíritas, os adapto a minha vida segundo me convém, para não ter de me sacrificar, ou seja, abrir mão de determinadas coisas e atitudes que me trazem prazer e felicidade.

– Isto me fez pensar, cara amiga – disse Zé – permita-me chamá-la de amiga, pois assim já a sinto. Bem, isto me faz pensar o quanto nós e me incluo nisto, embora o despertar que tive acreditamos que somos felizes sem o sermos, e passamos a uma busca desenfreada, senão pelo dinheiro, pelo poder, pelos cargos, ou ela indignidade, sem nos percebermos dotados da harmonia interior, bastando para tanto nos fazermos condizentes com as Leis Divinas. Nesta casa que nos recebe hoje, onde vocês nos dão a alegria de estar à mesa conosco, aprendemos muito acerca da vida que se passa ao nosso redor, e digo vida não humana, porém, não

*O evangelho dos animais*

significa vida sem Deus. Ao contrário, por sua ingenuidade infantil enquanto Espíritos, os animais amam mais livremente, mais simplificadamente do que nós, complicados pelo pensamento e pelas múltiplas meditações, que são fases naturais e importantes na evolução, de quem está aprendendo a amar consciente de que ama, como nós, os Espíritos em fase de humanidade.

– Mas é preciso que saibamos disso – continuou Manoela, com seu sotaque português e seu jeito meigo de ser –, é preciso compreendamos que estamos em fase de aprendizado, por duas razões essenciais. A primeira, para que estejamos cientes de que quem está aprendendo é porque não aprendeu tudo, ainda há o que conhecer e praticar. E a segunda, para que saibamos que estamos em fase de quem se torna consciente do amor que sente, e que precisa, uma vez consciente do sentimento ainda arraigado no egoísmo, na posse, no orgulho, fazê-lo livre de todos estes sentimentos que nos fazem sofrer, para que possamos viver em paz.

– Bem que dizem que a simplicidade do interior é sábia – disse Edson.

Todos riram gostosamente. Manoela, então, perguntou se desejavam comer ou queriam andar um pouco pelo sítio. Ela sabia que almoçar às 11h30, para quem vive na cidade, é quase que reforço do café da manhã. Disse:

– Ainda me lembro de meus tempos de cidade grande, e não almoçava antes das 13h30. Assim, desejamos que sejam sinceros conosco, além do mais, reforçamos nosso desjejum às 10 horas, por imaginar que não teriam fome ainda.

Amanda foi quem falou:

– Sendo assim, eu preferia dar um passeio pelo sítio.

Todos concordaram, e Zé e Manoela, de mãos dadas, como um casal de namorados, os convidaram ao passeio.

Saíram todos pelas portas dos fundos e deram em um quintal amplo de terra, com pequenos casebres baixinhos localizados em algumas partes especificas do quintal. O céu azul e livre da poluição lhes fazia doer de leve os olhos, pouco acostumados que estavam com a luz natural e sem nenhuma fumaça. Ao redor deles, uma quantidade razoável de galinhas e galos os seguiam. Zé a eles se dirigiu assim:

– Olá, caros amigos, que bom estar entre vocês.

Abaixou-se e várias aves vieram até ele. Algumas lhe permitiram coçasse embaixo do bico, e outras simplesmente passaram o corpo por ele, como se fossem gatos, mas de maneira mais leve. Zé sorriu e acariciou a todas, com uma alegria incomum.

Foi novamente Ana Paula quem perguntou:

– Os galos não brigam?

Zé respondeu:

– Não, mas há uma espécie de hierarquia entre eles. Somente uma vez houve uma briga feia, porque determinado galo mais jovem decidiu enfrentar o mais velho, que quase desencarnou. Corremos ao veterinário, que conseguiu salvá-lo por muito pouco. Na verdade, tenho observado que, conforme ficam adultos, alguns se deslocam e formam novas famílias em novas partes do sítio. Assim, o que vemos são várias famílias de galinhas ao longo do terreno grande do sítio. E esta harmonia foi por eles mesmos conquistada; interessante de observar, porque não tem a interferência dos homens.

Sérgio questionou:

– Para que servem estes pequenos casebres?

Manoela respondeu:

– Se observar, verá que há um bem maior e outros pequenos. O maior é como se fosse a residência deles. Se abrigam do frio e da chuva. Os menores é para as galinhas procriarem ou colocarem seus ovos não galados, e também onde elas cuidam dos pintinhos recém-natos. Como há inúmeras famílias de aves no sítio, fizemos vários desses núcleos pelo campo. São pequenas comunidades de galinhas, que vivem em harmonia entre si. É interessante de ver-se.

Ao longe, viram quatro bovinos vindo na direção deles. Amanda teve o ímpeto de fugir e deu alguns passos para trás. Mas Edson a segurou. Continuaram caminhando e chegaram até a cerca, onde outro campo se abria. Os bovinos de coloração marrom, pararam e Zé novamente os cumprimentou:

– Amigos – disse, voltando-se ao grupo de humanos parado logo atrás dele –, estes são Leôncio, Patrique, Antonieta e Lourdes. Leôncio e Antonieta são os pais de Patrique e Lourdes.

*O evangelho dos animais*

Lúcia ficou intrigada e perguntou novamente:
– Eles não brigam?
– Bem, Lúcia – respondeu Zé –, como pode ver, nenhum deles tem chifre, e agora Patrique e Leôncio estão castrados. Solicitamos ao veterinário que fizesse as cirurgias para que pudessem viver aqui, junto de nós, em harmonia.

Ana Paula, já percebendo o amor de Zé pelos animais, perguntou:
– Como foram realizadas as cirurgias?
– Contratamos o veterinário e pedimos que tomasse todos os cuidados possíveis; assim foi que ele montou pequeno centro cirúrgico com uma barraca no campo, trouxe o instrumental todo esterilizado, roupas cirúrgicas e um amigo veterinário que trabalha somente com anestesia. Os dois queridos companheiros foram anestesiados devidamente para que o procedimento acontecesse com o mínimo de trauma a ambos. Os dias que se seguiram foram de curativos e medicamentos, como analgésicos e antibióticos. Dez dias de pós-operatório.

Ana Paula ficou estarrecida e comentou automaticamente:
– É a primeira vez que vejo tais procedimentos feitos com cuidados de uma cirurgia convencional. Em geral, nas fazendas de produção, tanto a retirada dos chifres quanto a castração se dão sem anestesia no campo, com canivetes e, em muitos casos, feitos pelos peões. Os animais são contidos a força, amarrados, forçados a ficar quietos.

– Isso é um absurdo, próprio do homem que ainda vê o animal como máquina incapaz de sentir dor – disse Manoela –, mas a ciência já prova que eles sentem dor e têm consciência dela. Devemos aprender a responsabilidade que nos cabe, enquanto seres humanos, de preservá-los e auxiliá-lo, sem jamais sermos os algozes no caminho. E tal prática é tão comum, embora horrenda e torturadora, que o inverso é que é surpreendente, tal a perda de referência que temos em relação aos animais. Fico imensamente triste.

– Você tem razão, Manoela – disse Ana Paula –, é realmente um ato de tortura praticado a sangue frio em animais com capacidade de sentir, ato este espalhado pelo mundo e acontecendo de forma tão corriqueira e há tanto tempo que parece normal. A grande maioria dos bovinos são assim tratados e, na maioria das vezes, mal têm acesso ao veterinário, a não ser para vacinações, pois que é mais barato mandá-los para o abate do que tratá-los.

– Em se tratando dos animais – disse Zé –, o dinheiro sempre fala mais alto. O homem, por não compreender-lhes a alma, por não compreender suas responsabilidades, os utiliza, ao invés de educá-los, os maltrata, ao invés de amar, os faz sofrer, ao invés de ensinar-lhes a viver com dignidade. Vejam o tamanho de nossos desvios quanto às leis divinas, quanto ao papel do ser humano.

– Isto vem a calhar com a colocação do Livro O Consolador – disse Plínio –, de autoria de Emmanuel e psicografia de Francisco Cândido Xavier que, por estarmos entre Espíritas sinto-me a vontade para completar a boa prosa, uma vez que acabei por decorar o texto:

*Livro O Consolador, questão 136:*

*"Os animais e os homens quase selvagens... servem para estabelecer a realidade triste da mentalidade do mundo, ainda distante da fórmula do amor, com que o homem deve ser o legítimo colaborador de Deus, ordenando com sua sabedoria paternal."*

– Caro amigo, ao ouvir suas palavras, lembro-me de mim mesmo tempos atrás – disse Zé. Nenhum de nós, creio, pode dizer-se imune dos erros cometidos para com nossos irmãos menores. Ainda me recordo de ignorá-los e de me sentir superior, enquanto espécie, a estas criaturas maravilhosas. Somente após o chacoalhão da vida me acordando para a realidade do amor universal, junto ao aprendizado da Doutrina Espírita, passei a avaliar corretamente o meu real papel no mundo. Ao conviver com eles, os animais, aqui em nosso sítio, tenho observado coisas surpreendentes. Digo-lhes que, muitas vezes, com meu cão, me vi, ainda antes de tudo o que nos aconteceu e que lhes contei, notando atos de inteligência e sentimentos impressionantes. Porém, estas observações são comuns aos homens da cidade, afeitos aos cães e gatos e, menos frequentemente, às aves. Mas com os animais domésticos que vivem no campo, ou mesmo com animais selvagens, nossa relação é outra...

*O evangelho dos animais*

– Tem razão, Zé – continuou Edson –, em minha mente, confesso para todos, há os animais que convivem conosco, que nos aguardam na porta de casa, que sentam ao nosso lado no sofá, com quem trocamos carinhos e até confidências, que nos compartilham as alegrias e tristezas do dia a dia, e que, muitas vezes nos tornam seus mais afeiçoados companheiros. Minha querida Fifi, que já voltou à pátria espiritual, e minha atual companheira Linda estão para mim, neste patamar. Mas jamais pensei em outros animais como também capazes de desenvolver este apreço, ou denotar inteligência e sentimentos.

– Por conta da questão atualizada do meio ambiente – continuou Ana Paula –, há uma consideração diferenciada quanto aos animais selvagens, e muitos estudos acerca da cognição são feitos com golfinhos, macacos, gorilas. Com a extinção das espécies, também estudos do comportamento dos animais selvagens, em seu meio-ambiente, têm sido feitos com descobertas impressionantes, e elefantes, tigres, leões e muitos outros têm nos surpreendido.

– Também – disse Amanda – graças a estudos da Dra. Irene Maxine Pepperberg, da Universidade de Harvard, conforme nos elucidou há pouco tempo o amigo Sérgio, ao falar do Livro Alex e eu, que trata da vida de um papagaio australiano chamado Alex, as aves silvestres passaram a ser vistas de forma diferente e com muito mais inteligência. Alex se tornou famoso por romper uma barreira entre o pensamento científico e a realidade das aves; ele demonstrou intensa consciência do meio ao redor, capacidade de comunicação e aprendizado ampla, e capacidade para fabricar instrumentos.

– É verdade – continuou Ana Paula – na ocasião que falamos sobre o livro, busquei informações mais precisas e tive acesso a artigos publicados pela pesquisadora, e o que Alex demonstrou e ficou cientificamente comprovado foi impressionante.

– Muitos podem pensar, Ana Paula, – continuou Sérgio – que esta capacidade somente foi possível graças ao estímulo do homem. Mas esquecem-se de dois fatores importantes. O primeiro deles é a capacidade de aprendizado, que por si só já demonstra inteligência, e mais, a capacidade de aprender que se manteve durante 30 anos. Dizer que estes animais não têm consciência de si mesmos e do meio ao redor é, automaticamente, incapacitá-los para a aprendizagem e a educação, afinal, o que pode aprender alguém que não sabe que existe e que não compreende a vida ao seu derredor? Como ensinar alguém que é incapaz de perceber o meio ambiente?

Sérgio respirou um pouco e continuou:

– A segunda coisa é que os estudos sobre o comportamento de animais selvagens em seu habitat natural também surpreenderam e vêm surpreendendo os cientistas, pois observam inteligência, afinidade, capacidade de aprendizagem e cultura em muitas espécies, além da capacidade de fabricar instrumentos, capacidade esta atribuída somente a humanos inicialmente e, posteriormente, aos macacos e que estudos vêm demonstrando que se estende a outras espécies, como os corvos, por exemplo.

– Penso que vale importante raciocínio acerca destas colocações – disse Amanda. – Os homens vêm descobrindo nos animais capacidades surpreendentes que não sabíamos que eles tinham, mas é essencial a humildade de admitirmos que eles já tinham estas capacidades, esta inteligência, esta consciência, estes sentimentos. Sempre tiveram e continuam tendo e, com certeza, há muito mais do que já fomos capazes de aferir. Nós é que não havíamos descoberto. Em nossa soberba, derivada da época materialista, acreditávamos, e ainda acreditamos, que aquilo que a nossa mísera ciência, diante da ciência do Criador de todas as coisas, e nosso mísero pensamento não conseguiram concluir e provar, dever ser simplesmente descartado.

– Então – completou Zé –, cometemos equívocos monumentais, que, pouco a pouco vão sendo descortinados, e incluímos com grande dor e estarrecimento a relação milenar que mantemos com os animais!

– Pois é – conclui Plínio –, e quanto aos animais domésticos com os quais não temos contato, como estes que acabamos de ver aqui, os bovinos, as galinhas, até os porcos, os cabritos, etc., nós os entendíamos como produtos, e jamais pensamos que poderíamos estar errados.

– Digo-lhe meu amigo Plínio – disse Zé, com lágrimas nos olhos – que meu maior arrependimento tem sido, ao convier com eles, perceber-lhes a intensidade de emoções,

*O evangelho dos animais*

de interação conosco. São profundamente queridos, e não são máquinas, mas nós nos equivocamos e os entendemos assim. Veja o Leôncio, veja como esfrega a cabeça em meu braço... É um gesto de carinho! Quantos "Leôncios" não há por ai? Todos os bovinos são desconhecidos Leôncios e Antonietas, com capacidade de amar, consciência do mundo ao redor, que criam vínculos, e estão sendo tratados como motores, porque nós, humanos, classificamos indevidamente nossos animais desta forma: *Animais para amarmos e animais para comermos ou usarmos.*

Zé respirou um pouco e observou a reação do grupo, para depois continuar:

– Ao conviver com estes animais aqui no sítio, digo-lhes que, muitas vezes, em minhas preces noturnas, tenho pedido perdão a Deus e aos animais, por não entender a presença divina em todas as criaturas e me achar acima dos outros; ao invés do ser humano que auxilia, havia me tornado o ser humano que persegue, maltrata... Cego para tudo que não fosse a espécie humana ou, no máximo, enxergando, ainda que parcialmente, os animais mais próximos de mim, como cães, gatos e aves.

Todos se emocionaram com as colocações de Zé, dura realidade para a qual vinham despertando, e para a qual até então viveram à parte. Concluíram silenciosos, sem o saber, que tinham comunhão de pensamentos. Como era estranho que existisse toda uma verdade correndo à parte do orgulho humano!

Manoela acariciava a cabeça de Antoniete, e seus olhos derramavam lágrimas que não podia conter. Zé convidou a todos para entrarem no pasto, junto aos bovinos.

Assim que pisou os pés na grama, Lúcia foi surpreendida com a presença de Lourdes, a vaquinha mais jovem, junto de si. Inicialmente, assustou-se, mas procurou interagir com o animal:

– Olá, querida, qual é mesmo seu o nome?

Zé foi quem respondeu:

– Esta é Lourdes, ela é muito dócil, pode ficar tranquila.

Enquanto isso, Lourdes roçava a cabeça junto ao corpo de Lúcia e aceitava carinhos com evidente satisfação. Os outros interagiam com os demais animais, surpresos com as demonstrações de carinho. Manoela falou:

– Eles são muito mansos e companheiros, e ficam intensamente felizes com nossa presença. Não somos ingênuos em acreditar que todos os animais sejam assim, tranquilos... pela própria ação humana, por milênios, muitos se tornaram avessos ao homem. Alguns, maltratados desde jovens, com o trato dos peões, acabam por se defender o tempo todo. Mas tenho me surpreendido com as reações de muitos animais destes, reagindo com alegria e emoção às demonstrações de amor que lhes oferecemos.

Foi Zé quem tomou a palavra:

– Leôncio é a prova viva do que falamos. Nós o resgatamos o mesmo do sítio vizinho, após intensos maus tratos por parte dos peões que lá trabalham. Ele era arisco, e qualquer proximidade representava grande risco. Aprendi a me apresentar a ele sempre com humildade, pois que lhe devia desculpas enquanto ser humano, pelos erros humanos, embora, naquela situação, não tivesse sido o causador direto. Mas quantas vezes não o fui indiretamente, sem o saber, causando dor e sofrimento a muitos de sua espécie, ao compactuar com o consumo de carne?

Zé respirou e continuou:

– Chegava perto dele e dizia: *"caro amigo, posso me aproximar? Desculpe por tudo que lhe fizeram amigo. Sinto tanto por sua dor, seu sofrimento. Imagino que tem muitas e muitas razões para não confiar em mim, mas desejo seu bem. Vejo em você a tristeza e a miséria, mas sinto a carência. Permita me aproxime. Aqui estou como seu irmão, seu amigo, e sinceramente, peço-lhe, perdoe-nos, somos humanos prepotentes, distantes do amor divino, mas Deus o ama, meu irmão."*

Colocava alimento fresco e água, limpava lentamente o curral em que estava e saía. No início, a aproximação, até para entrar no curral, foi difícil; colocava a comida por fora, ele reagia agressivamente. Com o passar do tempo, consegui entrar, não tocava nele, apenas punha a comida e limpava o curral, mas sempre lhe falava, calmamente, evitando movimentos bruscos. Até que, depois de dois meses, enquanto falava, ele chegou perto, roçou a cabeça em mim... fiquei tão emocionado que chorei enquanto lhe acariciava a face. Pedi perdão por todos os nossos erros. Depois disso,

*O evangelho dos animais*

nunca mais ele foi agressivo. Até hoje, tem sido meu amigo fiel e tem demonstrado uma gratidão que não mereço.

Sensibilizo-me com seu carinho, Aquele mesmo touro selvagem, classificado pelo vizinho como arredio, demonstrou ser uma dais mais carinhosas criaturas que já conheci. Creio hoje que sua selvageria se dava por não aceitar o estado de submissão que tentavam lhe infligir, e não aceitava nem mesmo os peões que o utilizavam para os horríveis espetáculos de rodeio! Tudo isso acontece em nosso mundo; animais com sensibilidade e capacidade de amar, são usados como máquinas em espetáculos de sangue, com risadas estridentes, e nós, seres humanos, aplaudimos estes espetáculos!

Manoela, neste instante, não se conteve. Abraçada a Antonieta, chorou longamente dizendo:

– Perdoe Pai, o homem, que ainda não aprendeu a amar, segundo seu Evangelho, perdoe-nos porque estamos ainda engatinhando quanto ao aprendizado do maior mandamento.

Plínio, também emocionado, lembrou-se do Livro Plenitude e disse:

– Posso citar-lhe, condizente com a história que nos conta, Zé, o livro Plenitude, de autoria espiritual de Joanna de Ângelis, psicografia de Divaldo Pereira Franco, capítulo V, Caminhos Para a Cessação do Sofrimento, que diz:

*"Mesmo os animais selvagens, sob domesticação, tornam-se amigos, e recebendo a vibração do amor alteram a constituição do instinto agressivo, mudando de comportamento, o que atesta a presença do psiquismo divino em germe, em tudo e em todos."*

– E, caro Zé – disse Edson – no Livro Conduta Espírita, do Espírito André Luiz, psicografia de Waldo Vieira, capítulo 33, Perante Os Animais, encontramos, em se tratando de rodeios ou qualquer tipo de "espetáculo" de diversão, como touradas, festa do boi, etc., ou mesmo esportes terríveis, tal qual pescaria, mesmo devolvendo o peixe à água, ou mesmo a caça:

*"Abster-se de perseguir ou aprisionar, maltratar ou sacrificar animais domésticos ou selvagens, aves e*

*peixes, a título de recreação, em excursões periódicas aos campos, lagos e rios, ou em competições obstinadas e sanguinolentas do desportismo. Há divertimentos que são verdadeiros delitos sob disfarce."*

Todos olharam os irmãos bovinos ali presentes, mais conscientes de que não se tratava de máquinas, como bem disse o Espírito da Verdade: *"Não são simples máquinas como supondes..."*

Sérgio, com os olhos lacrimejantes, ao acariciar Antonieta, citou tristemente:

– De repente, a frase do Espírito da Verdade, em trecho da questão 607ª de O Livro dos Espíritos, me pareceu uma realidade tão chocante, e percebo o quanto ainda não compreendemos a vida ao nosso redor e, portanto, o amor do Evangelho do Cristo. Cheio de imediatas desculpas para minhas inúmeras atitudes, posso me dizer ainda preso ao comodismo e me utilizando de todos os artifícios, que me prendem ao egoísmo, para não ter de rever meus hábitos, muito menos meu passado em relação aos animais. Mas a frase do Espírito Verdade me chama a atenção para a necessidade de progresso. Diz Ele:

*"...É nesses seres, que estais longe de conhecer inteiramente..."*

– Olhando estes companheiros – continuou Sérgio – carinhosos e queridos e ouvindo suas histórias, digo-lhe, amigo Zé, estamos mesmo longe de conhecê-los inteiramente.

– Meu amigo Sérgio – disse Edson –, isto ainda me lembra mais. Em capitulo que, fingi para mim mesmo não ter compreendido e busquei apagar da memória a todo custo no Livro Missionários da Luz, cap. 4, Vampirismo, para não ter de encontrar novos caminhos para viver que, hoje, compreendo como nunca, seriam muito mais condizentes com a verdade libertadora do Evangelho, encontrei pequena frase de profundidade surpreendente de Alexandre, o orientador de André Luiz no trabalho de aprendizado que desenvolve na espiritualidade, relatado no livro em questão; assim ele diz:

*"André, meu caro... devemos afirmar a verdade, embora contra nós mesmos..."*.

*O evangelho dos animais*

*Agora, junto aos companheiros animais aqui conosco, com lágrimas nos olhos, ouço na sinceridade de meu coração: Édson, meu caro... devemos afirmar a verdade, embora contra nós mesmos...*

– Posso lhe completar a colocação caro amigo – disse Zé –, pois que tal capítulo foi um salto para meu entendimento em relação às ações humanas no que tange aos animais em nosso planeta, e o trago em minha memória, pois me incluo em todas as colocações de Alexandre para André, como que se fossem meus ouvidos os alertados. Parti para a mudança sem negação após estudar o texto em questão. O trecho que você citou assim continua:

*"Em todos os setores da Criação, Deus, nosso Pai, colocou os superiores e os inferiores para o trabalho de evolução, através da colaboração e do amor, da administração e da obediência. Atrever-nos-íamos a declarar, por ventura, que temos sido bons para os seres que nos eram inferiores? Não lhes devastávamos a vida, personificando diabólicas figuras em seus caminhos?...*

Zé respirou e meditou. Olhou a todos ao redor, os animais, os novos amigos, sua esposa, o velho amigo Plínio, o sítio, o céu. Pensou o quanto aguarda Jesus que a humanidade acorde para a realidade do espírito. Rememorou rapidamente o quanto o estudo do livro Missionários da Luz, do Espírito André Luiz, psicografia de Francisco Candido Xavier, era urgente para a humanidade. Seus olhos, novamente, enchiam-se de lágrimas, pois aprendera, no contato com os animais do sítio, a colocar-se no lugar deles.

Sentiu no ar a possibilidade de rumos novos a partir daquela conversa. E, em seu íntimo, agradeceu a Deus.

## Capítulo 26

# NOVOS RUMOS
# PARA A HUMANIDADE

Em contato com os diversos animais do sítio, Zé os percebia tão próximos de si, tão carinhosos, tão inteligentes, que não podia deixar de compreender que traziam sentimentos em seu íntimo, e os manifestavam através de expressões, em alguns casos, muito semelhantes às expressões humanas de demonstrar emoção. Quantas e quantas vezes Zé não viu um carneiro expressar sorrisos quando feliz! E, analisando friamente em seu pensamento, quanto à possibilidade ou não de tratar-se de instinto, não foi difícil concluir que os sentimentos estavam intimamente ligados àquelas expressões, pois se davam em ocasiões muito especiais, que nada tinham a ver com o instinto primário de conservação dos animais, como a alimentação ou a reprodução. Adamastor, por exemplo, relembrou, sorria quando muito feliz, ao encontrá-lo pela manhã. Os cães abanavam o rabo e Adamastor sorria. Viu ali, em seu sítio, mais de uma vez, lágrimas nos olhos de Leôncio, em situações que faziam o grande boi como que reviver os tempos passados, quando sofrera tanto. Uma dessas ocasiões passou-se quando da visita de seu antigo tutor que, ao vê-lo, avançou para cima dele afastando-o e riu estridentemente, dizendo que Zé estava louco e que aquele

*O evangelho dos animais*

animal continuava tão feroz quanto antes. Leôncio, ao vê-lo aproximar-se e avançar em sua direção, reagiu de maneira mais violenta, mas seus olhos o traíram com medo e aflição, e lágrimas lhe correram da face. Zé correu a socorrê-lo e a acalmá-lo, esclarecendo Leôncio de que não se preocupasse, porque ali estava em paz, e ele nada permitiria que lhe acontecesse. Assim, com estas lembranças, Zé repetiu de memória a colocação do Livro Missionários da Luz, no capítulo 4, que o fez rever suas opções alimentares, de forma a estar mais condizente com as lições de amor de Jesus desdobradas na Doutrina Espírita:

*"Os seres inferiores e necessitados do planeta não nos encaram como superiores generosos e inteligentes, mas como verdugos cruéis. Confiam na tempestade furiosa que perturba as forças da Natureza, mas fogem, desesperados, à aproximação do homem de qualquer condição, excetuando-se os animais domésticos, que, por confiar em nossas palavras e atitudes, aceitam o cutelo no matadouro, quase sempre com lágrimas de aflição, incapazes de discernir com o raciocínio embrionário, onde começa nossa perversidade e onde termina a nossa compreensão...".*

Ao terminar a frase, Zé observou o olhar do grupo ao seu redor. Estarrecidos, todos o olhavam. Lúcia não pôde conter a emoção e, olhando para os animais ali, junto deles, chorou copiosamente, com dor no peito. Ana Paula abaixou a cabeça, sentindo-se envergonhada. Afinal, ela, mais do que todos, como médica veterinária, conhecia a realidade dos matadouros e frigoríficos, e a gritante miséria com que os animais eram tratados. Mais de uma vez, em suas visitas a estes locais de horror, junto de professoras e colegas de classe, quando realizando disciplina escolar acerca da inspeção de alimentos de origem animal, viu, nos corredores de abate bovinos, com lágrimas nos olhos, desesperados, tentando fugir, tentando encontrar outro caminho. Impedidos de forma, muitas vezes, torturante, pelos funcionários do local, não tinham outra saída senão adentrar o corredor da morte. E, então, seus jovens olhos testemunhavam as lágrimas referidas por André Luiz em Missionários da Luz.

Amanda, junto com Lúcia, chorava em arrependimento. Plínio parecia em choque com as colocações. Seu primeiro passo foi dizer:

– Li inúmeras vezes este livro e o titulo sempre me chamou a atenção: MISSIONÁRIOS DA LUZ. Agora, vejo que trabalhar em prol da implantação da luz e do amor no planeta é bem mais profundo do que imaginava.. Ah, não fosse a bendita Doutrina Espírita, não fossem os esclarecimentos de amor e esperança que ela nos traz, quanto não erraríamos nas estradas da vida! Li este livro, amigo Zé, mas concluo hoje que nunca o estudei realmente, pois se tal verdade encontra-se ali, porque a dificuldade de vê-la?

Manoela foi quem tomou a frente para responder:

– Lembro-me claramente de trazer para nossos estudos na casa Espírita que frequentávamos este capítulo do Livro Missionários da luz. Em mesa redonda que visava discussão acerca da obra de André Luiz, ouvi as coisas mais estranhas, como, por exemplo:

*"Não concordo com André Luiz nestas colocações sem nexo, isto não faz sentido, é muito radical...". Perguntei, então, ao companheiro de estudo se ele não acreditava, e foi, então, que ouvi: "Claro que não acredito." Disse-lhe então que assim ficava muito fácil, pois que acreditávamos em André Luiz no que nos convinha e não no que não nos convinha. Outro colega, tomando a defesa do confrade anterior me disse: "Ora, isto contraria Kardec, pois na questão 723 de O Livro dos Espíritos encontramos:*

*"A alimentação animal, com relação ao homem, é contrária a lei natural?*

***Resposta:*** *Em virtude de vossa constituição física, a carne alimenta a carne, do contrário o homem perece. Em obediência a lei de conservação, o homem tem o dever de preservar sua saúde e suas energias, para cumprir à lei do trabalho. Deve alimentar-se, pois, de acordo com as exigências de sua organização fisiológica."*

*O evangelho dos animais*

Edson olhou chocado, afinal, como pode? De repente, ele disse:

– Então, André Luiz está entrando em contradição com o Espírito da Verdade? Isto me parece estranho. Como pode André Luiz contradizer o Espírito da Verdade? Ah, e por esta resposta, então podemos nos alimentar da carne dos animais sem problemas!...ufa!...

Zé o olhou intrigado, por sua rápida conclusão e pelo alívio que pareceu apresentar. Então lhe disse:

– Não lhe pareceu estranho, Edson, meu caro – disse com o carinho que lhe era peculiar – que o Espírito da Verdade estivesse condizente com o sofrimento dos animais? E, se é para questionar André Luiz, então, questionemos tudo que ele escreveu, e não somente aquilo que nos incita à transformação.

Olhando para Edson, que parecia meio irritado, Zé continuou em tom carinhoso e amigo:

– Aliás, não pensou você que o Espírito da Verdade contrariava si mesmo, no que se refere à colocação que encontramos, na questão 607ª, referindo-se aos animais? Observemos:

*"Crer que Deus pudesse ter feito qualquer coisa sem objetivo e criar seres inteligentes sem futuro seria blasfemar contra a sua bondade, que se estende sobre todas as suas criaturas."*

– Perdoe-me o amigo – continuou Zé – mas a questão 723 parece que lhe caiu mais como a desculpa que precisava do que como a resposta para seu aprendizado e sua libertação nos caminhos do amor. Aproveite, Edson, você que está em frente a Leôncio agora, e diga-lhe, olhando nos olhos daquele que já foi tão massacrado e torturado em sua vida na Terra, que *"a carne nutre a carne..."* e que lamenta muito, mas precisa comer os bovinos, independente das lágrimas que eles derramam. Teria você coragem de matá-lo com as próprias mãos?

Edson envergonhou-se pela reação precipitada. E, então, mais tranquilo, relatou:

– Não compreendo então... Quem está com a Verdade? Porque, então, o Espírito da Verdade disse o que disse na questão 723? Se André Luiz está certo, porque a resposta do Espírito da Verdade não foi outra?

Foi Ana Paula quem veio em socorro dizendo:

– Simples, meus amigos, esta colocação foi feita já na primeira edição de O Livro dos Espíritos, em 1857. Estávamos no ano de 1857, meados do século XIX. Será que o mundo estava preparado para uma resposta diferente? Vejam bem, o Livro Missionários da Luz foi psicografado 80 anos depois. Quanto a humanidade não evoluiu neste período?

Plínio preparou-se para falar:

– Nós e nossa velha mania de esquecermo-nos de que tudo evolui. Mas não duvidemos que os preparativos para o futuro são sempre deixados em incógnita no passado, para serem revelados à medida que os Espíritos possam captar as verdades de amor. Para mim, o simples fato de Kardec perguntar já denotava, por parte do codificador, uma preocupação a respeito do tema. E no livro A Gênese, encontramos outra colocação muito, mas muito importante, acerca do tema, nos direcionando o futuro, no ano de 1868, onze anos depois da resposta do Espírito da Verdade em O Livro dos Espíritos, deixando as sementes do futuro.

*Capítulo III, O Bem e O Mal, Destruição dos Seres Vivos Uns pelos Outros, item 23:*

> *"... Porém, à medida que o senso moral predomina, a sensibilidade se desenvolve, a necessidade de destruição diminui, termina mesmo por se extinguir e por se tornar odiosa; então, o homem passa a ter horror do sangue".*

Plínio continuou:

– Analisemos com exatidão de caráter e sem subterfúgios que nos levarão a conclusões precipitadas, e veremos que fica muito claro no livro A Gênese que, somente à medida que o senso moral predominar e a sensibilidade se desenvolver, o homem passará a ter horror ao sangue. E este capítulo, somente para que não nos armemos de mais desculpas, fala acerca da Destruição dos seres vivos uns pelos outros, ou seja, não se refere ao homem derramando o sangue do próprio homem, mas de qualquer ser vivo. Encontramos também, na questão 724, de O Livro dos Espíritos, e para

*O evangelho dos animais*

que não haja dúvida, vou dizer-lhes que tal questão está logo após a 723, demonstrando a preocupação de Kardec em ressaltar o comportamento de quem, por amor, se abstém do consumo de carne, uma vez que as questões são colocadas uma em seguida da outra:

*"Questão 724: A abstenção de alimentos animais ou outros, como expiação, é meritória?*
*Resp: Sim,se o homem se priva em favor dos outros, pois Deus não pode ver mortificação quando não há privação séria e útil...".*

– Observemos com atenção – concluiu Plínio –, desde que, em beneficio de outros.

Ana Paula disse então:

– O que mais me chama a atenção é a colocação que o Espírito da Verdade faz acerca da conservação do corpo físico. Diz ele na questão 723:

*"... Em virtude de vossa constituição física, a carne alimenta a carne, do contrário o homem perece. Em obediência à lei de conservação, o homem tem o dever de preservar sua saúde e suas energias, para cumprir a lei do trabalho. Deve alimentar-se, pois, de acordo com as exigências de sua organização fisiológica."*

– Fica claro – continuou Ana Paula – que nossa constituição física não "comportaria" a alimentação sem a proteína animal. Mas, se estamos no ano de 1857, qual não era o conhecimento da ciência da época? Será que estaria condizente com as descobertas da ciência ao longo do século XX? Afinal, disse Kardec no livro A Gênese:

**Livro A Gênese, Capítulo I, item 55:**

**Um último caráter da revelação espírita, a ressaltar das condições mesmas em que ela se produz, é que, apoiando-se em fatos, tem que ser, e não pode deixar de ser, essencialmente progressiva, como todas as ciências de observação. Pela sua substância, alia-se à Ciência que, sendo a exposição das**

*leis da Natureza, com relação a certa ordem de fatos, não pode ser contrária às leis de Deus, autor daquelas leis. As descobertas que a Ciência realiza, longe de o rebaixarem, glorificam a Deus; unicamente destroem o que os homens edificaram sobre as falsas ideias que formaram de Deus...*

*... Caminhando de par com o progresso, o Espiritismo jamais será ultrapassado, porque, se novas descobertas lhe demonstrassem estar em erro acerca de um ponto qualquer, ele se modificaria nesse ponto. Se uma verdade nova se revelar, ele a aceitará.*

– Assim sendo – continuou Ana Paula – será que em 1857, a ciência havia se desenvolvido o suficiente para que o homem, que estava começando a ser educado para a própria espiritualidade, que acreditava que os animais fossem máquinas para servi-lo, que vivia sob o jugo do materialismo, compreendesse as necessidades reais do corpo físico? O Espírito da Verdade deixa claro, e creio que aí está a mensagem subliminar para o futuro:

*"...Deve alimentar-se, pois, de acordo com as exigências de sua organização fisiológica."*

Ana Paula sorria, dizendo:
– Qual era o entendimento da ciência em 1857 acerca das exigências da organização fisiológica do ser humano? E quanto será que este entendimento evoluiu 80 anos depois? Quanto não terá ganho em experiência acerca do tema o ser humano, em seus estudos científicos, e sobre alimentação, nestes 80 anos, até a publicação de Missionários da Luz? Será que, na época, havia estudos sobre as necessidades nutricionais do corpo humano? Será nosso corpo carnívoro? De que tipo de proteínas precisamos? Quanto já descobrimos?

Edson foi quem manifestou-se cabisbaixo:
– Nós e nossa mania de conclusões precipitadas! Agora, posso dizer-lhe Zé, quanto à pergunta que me fez, que a questão 723 mais do que tudo, me pareceu a desculpa ideal e rápida para não me modificar. Mas quando me pergunta se eu mataria um animal com minhas próprias mãos, a resposta é obvia: NÃO.

*O evangelho dos animais*

Plínio continuou com o raciocínio de Ana Paula dizendo:
– Kardec deixou também esclarecimento importantíssimo no Livro Obras Póstumas a respeito do caráter progressivo da Doutrina Espírita, quando diz:

*Livro Obras Póstumas, Constituição do Espiritismo, Dos Cismas:*

*"... O terceiro ponto, enfim, é inerente ao caráter essencialmente progressivo da Doutrina. Do fato de que ela não embala sonhos irrealizáveis para o presente, não se segue que se imobiliza no presente. Exclusivamente apoiada sobre as leis da Natureza, não pode mais variar do que essas leis, mas se uma nova lei é descoberta, deve a ela ligar-se;* **não deve fechar a porta a nenhum progresso, sob pena de se suicidar: assimilando todas as ideias reconhecidamente justas,** *de qualquer ordem que sejam, físicas ou metafísicas, não será jamais ultrapassada, e aí está uma das principais garantias de sua perpetuidade."*

– Se deixarmos de lado – disse Zé – nosso orgulho e nosso temor pelos erros cometidos, e deixarmos o coração falar, pensando na justiça de Deus, seria realmente compatível com o caráter de bondade infinita e imparcialidade do Pai o sacrifício de animais com capacidade de amar e sofrer, com consciência de si mesmos e do meio ao redor, para satisfazer o homem? Preferiria o Pai Espíritos em determinada fase de evolução em detrimento de outros em fases diferentes? O que é mais compatível com a justiça divina: o vegetarianismo, em que todos os seres vivem em paz, ou o carnivorismo, em que a violência impera? Pensemos e teremos a resposta sem nada mais precisar estudar!

– E podemos também relembrar – continuou Plínio – o texto de O Evangelho Segundo O Espiritismo, que nos esclarece bem:

O Evangelho Segundo o Espiritismo, capítulo 24, item 4:

*"Acontece com os homens, em geral, o mesmo que com os indivíduos. As gerações passam também*

SANDRA DENISE CALADO DITADO POR EQUIPE ESPIRITUAL DA ASSEAMA

*pela infância, pela juventude e pela madureza. Cada coisa deve vir a seu tempo, pois a sementeira lançada a terra, fora do tempo, não produz. Mas aquilo que a imprudência manda calar momentaneamente, cedo ou tarde, deve ser descoberto, porque, chegando a certo grau de desenvolvimento, os homens procuram por si mesmos a luz viva; a obscuridade lhes pesa".*

Foi então que, percebendo no grupo mais maturidade, Manoela disse:

– Tudo isso que estão questionando nós também questionamos, e fizemos adequado estudo sobre a evolução da ciência no final do século XIX até meados do século XX, e percebemos porque o Espírito da Verdade respondeu desta forma e o que significou a resposta, e porque, somente 80 anos depois, André Luiz pôde dizer outra coisa. E digo mais, encontramos profundos esclarecimentos em outras literaturas acerca do tema. Temos, por exemplo, Emmanuel, no Livro O Consolador, com a seguinte colocação:

*Livro O Consolador, autor espiritual Emmanuel, psicografia de Francisco Candido Xavier:*

*"Questão 129: É um erro alimentar-se o homem com a carne dos irracionais?*

**Resposta:** *A ingestão das víceras dos animais é um erro de enormes proporções, do qual derivam numerosos vícios da nutrição humana. É de lastimar semelhante situação, mesmo porque, se o estado de materialidade da criatura exige cooperação de determinadas vitaminas, estes valores nutritivos podem ser encontrados nos produtos de origem vegetal, sem a necessidade absoluta dos matadouros e frigoríficos.*

E, ainda, no Livro A Caminho da Luz, o querido mentor de Chico Xavier nos faz alerta importantíssimo acerca da evolução de nosso planeta e da questão do vegetarianismo, quando se refere à evolução do sistema Capela:

*Livro A Caminho da Luz, autor espiritual Emmanuel, psicografia de Francisco Candido Xavier, cap. III, O Sistema de Capela:*

*O evangelho dos animais*

*"Quase todos os mundos que lhe são dependentes já se purificaram física e moralmente, examinadas as condições de atraso moral da Terra, onde o homem se reconforta com as víceras dos seus irmãos inferiores, como nas eras pré-históricas de sua existência...".*

– Observem, caros amigos – continuou Manoela –, como Emmanuel nos esclarece perfeitamente que é nossa condição de atraso moral que nos faz termos este comportamento. Repetindo: *examinadas as condições de atraso moral da Terra, onde o homem se reconforta com as víceras dos seus irmãos inferiores, como nas eras pré-históricas de sua existência...",* e no livro ele nos esclarece que Capela passava por uma fase semelhante a fase atual de nosso Planeta Terra, transitando de provas e expiações para regeneração. E esta mudança se deu, inclusive, com a mudança de Capela para o vegetarianismo.

Foi Sérgio quem tomou a palavra:
– Mas não podemos pensar que o corpo físico dos habitantes de Capela fosse diferente do nosso, uma vez que se trata de outros planetas?

– É por isso mesmo – disse Ana Paula – que precisamos compreender a evolução do entendimento humano a cerca do próprio corpo físico humano e suas necessidades nutricionais nos últimos 150 anos, e a razão de os Espíritos amigos só nos trazerem estas verdades reveladoras nesta fase.

Manoela continuou:
– Não foram apenas André Luiz e Emmanuel que falaram a este respeito; temos também as colocações da própria Joanna de Ângelis no livro Plenitude, que diz:

*Livro Plenitude, autor espiritual Joanna de Ângelis, psicografia de Divaldo Pereira Franco, capítulo Caminhos para a Cessação do Sofrimento*
*"Da experiência de identificar a bondade nos seres em geral vem a extraordinária conquista de descobrir a presença de Deus em toda parte, em todas as criaturas...*
*A bondade é um pequeno esforço do dever de retribuir com alegria todas as dádivas que o homem frui, sem dar-se conta, sem nenhum esforço, por automatismo*

*– como o sol, a lua e as estrelas, o firmamento, o ar, as paisagens, a água, os vegetais, os animais – é que, inadvertidamente, o homem vem consumindo, poluindo com alucinação, **matando com impiedade...**".*

– Vejam, meus amigos, – continuou Manoela –, que esta colocação encontra-se no capitulo Cessação do sofrimento, esclarecendo-nos quanto à necessidade de aprendermos a amar os animais e a natureza e, obviamente, encerrarmos com o capítulo das matanças impiedosas para que nós próprios paremos de sofrer. Isto é uma verdade que devemos analisar. Mas antes, convido-os para retornarmos a casa, onde encontraremos deliciosa refeição, e posso lhes mostrar a pesquisa que fizemos sobre a evolução da ciência, desde a resposta do Espírito da Verdade na questão 723 e o quanto ele falou, nas entrelinhas, sobre o futuro, nesta questão.

*Capítulo* 27

# ILUMINANDO POR DENTRO

Conversando do curral até a casa, todos se encaminharam, seguindo Zé e Manoela, para a grande e simples sala de jantar. Grande mesa de madeira de aparência antiga, com detalhes esculpidos nos pés e nos cantos, dava a aparência de móvel do século XIX. As cadeiras, com estofamento simples e desgastado pelo tempo, também traziam a mesma escultura. Zé foi o primeiro a se aproximar, convidando todos a sentarem no local em que mais se sentissem confortáveis. Sérgio não conseguia deixar de admirar o conforto das cadeiras, embora o tempo lhes entregasse o desgaste. Manoela, ao lado de Zé, parecia exuberante. Sua beleza destacava-se ainda mais quando com as mãos nas mãos do esposo, pois que os olhos brilhavam iluminando todo o rosto.

Ana Paula ainda se intrigava um pouco, percebendo o quanto eles pareciam felizes. Olhando-os, jamais se acreditaria que, há poucos anos, estivessem em crise tão séria, a ponto de pensarem em separação. Qual terá sido a escolha que fez a maior diferença para que encontrassem a harmonia? – Pensava.

Em meio a ligeiro silêncio, que Zé propositalmente deixou para que o grupo meditasse frente às discussões anteriores, foi o próprio anfitrião quem tomou a palavra, dizendo:

– Estamos muito felizes com a presença de vocês aqui hoje, no lar desta imensa família, formada por Espíritos em fase de humanidade e por Espíritos em fase de animalidade, além de espíritos em fase de vegetais e minerais, e particularmente os companheiros animais com os quais estivemos há pouco, compartilhando a prazerosa presença. Convidamos vocês ao hábito adquirido na vida do campo, sempre antes de todas as refeições, que é a prece de gratidão a Deus por todas as dádivas concedidas a nós, neste planeta de infinitas belezas, que se faz nosso lar na presente reencarnação. Manoela trazia nas mãos um exemplar de O Evangelho Segundo o Espiritismo e, entregando-o ao esposo, aguardou em jubiloso silêncio pelo momento da prece.

Zé aproveitava o momento das refeições para o estudo do Evangelho, por isso, consciente de que o livro trazia lições que se completavam a medida que os capítulos iam sendo lidos, abriu na página marcada, no capítulo IX, Bem Aventurados Os que são Brandos e Pacíficos, item 8, Obediência e Resignação, parágrafo 2:

*"...Cada época é marcada, assim, com o cunho da virtude ou do vício que a tem de salvar ou perder.* **A virtude da vossa geração é a atividade intelectual, seu vício é a indiferença moral.** *Digo, apenas, atividade, porque o gênio se eleva de repente e descobre, por si só, horizontes que a multidão somente mais tarde verá, enquanto que a atividade é a reunião dos esforços de todos para atingir um fim menos brilhante, mas que prova a elevação intelectual de uma época. Submetei-vos a impulsão que vimos dar a vossos espíritos; obedecei à grande lei do progresso, que é a palavra de vossa geração. Ai do espírito preguiçoso, ai daquele que cerra o seu entendimento! Ai dele! Porquanto nós, que somos os guias da Humanidade em marcha, lhe aplicaremos o látego e lhe submeteremos a vontade rebelde, por meio da dupla ação do freio e da espora. Toda resistência orgulhosa terá de, cedo ou tarde, ser vencida. Bem aventurados, no entanto, os que são brandos, pois prestarão dócil ouvido aos ensinos."(Lázaro, Paris, 1863).*

Edson, então, perguntou:

*O evangelho dos animais*

– Podemos fazer algum comentário, ou você apenas lê o Evangelho e faz a prece?

– Sempre fazemos comentários – respondeu Zé –, pois ao ler o Evangelho, as lições são sempre tão profundas e belas que nos é impossível não falar, além do mais, cada um tem uma interpretação, segundo sua vivência e experiência e, com certeza, captamos ainda muito superficialmente o significado de suas lições. Então, caro amigo, esteja à vontade, teremos muito prazer em ouvi-lo.

Edson continuou:

– Já li e reli inúmeras vezes o texto que agora acabamos de ouvir juntos, mas jamais havia captado um detalhe que agora percebi. Sempre atribuí tais colocações àqueles que não desejassem ouvir a Doutrina Espírita e relutassem em compreender as verdades contidas na codificação. Mas, agora, me percebi, mesmo sendo Espírita, totalmente encaixado na significação do texto. Estudioso da Doutrina Espírita há tempos, tenho lido muito, pois ler sempre me fascinou e o entendimento das lições trazidas pela Doutrina sempre me instigaram; quanto mais eu lia, mais desejava ler.

Edson abaixou os olhos, tomou coragem e continuou:

– Mas, em meio à atividade intelectual por mim desenvolvida, adaptei muito dos textos à minha realidade, acreditando que o simples fato de vigiar meus pensamentos e descobrir minhas imperfeições fosse o suficiente para que me elevasse. Descubro, hoje, mediante todo o estudo acerca da espiritualidade dos animais e mesmo com a visita que temos o prazer de realizar em seu sítio que, embora a intensa atividade intelectual, me tornei, em inúmeras situações, indiferente à moral de transformação contida na Doutrina Espírita. Posso resumir dizendo que me tornei um intelectual Espírita, mas não um Espírita em plena transformação de si mesmo e que colabora para que a moral ensinada pela Doutrina Espírita, que é a moral do Cristo em sua pureza, se torne realidade. Intelectualizei os ensinamentos e deixei de lado a coragem de afirmar a mim mesmo os caminhos da verdade, e trabalhar para me modificar. Acreditava mesmo que amar os cães e gatos fosse o suficiente e me fizesse estar de acordo com as Leis Divinas. Percebo hoje, porém, que Deus não poderia ser parcial, Ao ouvir as histórias aqui contadas, ao conviver diretamente com os animais a nós apresentados e, principalmente, ao ouvir as colocações de André Luiz, Emmanuel e Joanna de Ângelis, me vi relutante em modificar a mim mesmo nos estreitos caminhos da verdade por eles apresentados.

Edson respirou e continuou:

– Porém, caro Zé, a verdade desfila aos nossos olhos através das colocações de diversos Espíritos iluminados, os quais temos como referência nos caminhos da conquista da luz, nos fazendo encarar a verdade. Descobri que o processo de transformação interior, ou seja, a reforma íntima, exige esforço, e muito esforço!

Foi Manoela quem continuou:

– Meu amigo, acerca do capítulo em questão, do livro Missionários da Luz, compreendi aqui, neste sítio (em que aprendemos a viver em paz com todas as criaturas de Deus, e fomos, então, surpreendidos com o ganho de nossa própria harmonia), algo mais profundo acerca da obediência e da resignação, pois obedecer as Leis Divinas não é tão simples. Constantemente, eu briguei com Deus quanto a seus desígnios superiores em minha vida, não conseguindo entender sua mão a me educar e estimular a evolução, ou mesmo criei variadas desculpas para não seguir os muitos textos estudados, até que compreendi que trata-se de imenso orgulho acreditar que sei mais que Deus, e acabo por me trair, enquanto Espírito, por relutar em construir minha própria felicidade, ao andar na contramão da felicidade de todos os filhos de Deus. A abnegação a que tanto nos referimos como Espíritas e como cristãos, que significa esquecer de si mesmo, não é como nós, equivocadamente, entendemos. Esquecer-se de si mesmo é abandonar o egocentrismo e o "homem velho" e viver o Evangelho de nosso Senhor Jesus Cristo, significa exatamente trabalhar por nossa própria evolução. Quanto mais nos rendemos à verdade e a vivemos, mais trabalhamos com caridade, mais desenvolvemos a fé, mais construímos a esperança dentro e fora de nós, mais abandonamos a mágoa do orgulho ferido, mais aceitamos os caminhos do Senhor para nós e para o Planeta, mais nos harmonizamos ao Universo. Quanto mais abnegados, mais felizes, pois mais despertamos nossa luz interior.

*O evangelho dos animais*

Foi Plínio quem continuou, comentando:
– Vale outra reflexão acerca do Evangelho Segundo O Espiritismo, se me permite amigo Zé – disse pegando o exemplar que se encontrava sobre a mesa, e abrindo no capítulo XVII, Sede perfeitos, item 4, Os bons Espíritas:

*"Reconhece-se o verdadeiro Espírita pela sua transformação moral e pelos esforços que emprega para domar suas inclinações más...".*

Amanda riu e completou:
– É por isso que digo sempre que sou aprendiz de Espírita...
Plínio continuou sério e disse:
– Mas, de que adiantaria, então, ter contato com a Doutrina libertadora e suas verdades, se nos colocamos à parte de nos trabalharmos intimamente? E quais as consequências desta "preguiça moral" para nós mesmos e para todo o Planeta Terra? Se a Doutrina Espírita é a doutrina que veio libertar a consciência humana através da verdade, e unir os homens na luz do amor; se veio criar as condições dentro do coração humano para impulsionar a regeneração; e se nós, Espíritas, a representamos, qual é a grave consequência de nossa indiferença moral frente às lições recebidas?
– E digo mais, amigo – continuou Sérgio –, frente a tudo que conversamos esta manhã, temos nos diversos livros, textos e autores, alertas e ensinamentos nos direcionando para o entendimento da alma dos animais e de nosso papel para com eles, bem como a urgente necessidade de mudarmos nossos hábitos para nos encaixarmos, como Espíritas, à Lei de amor, harmonizando-nos frente à criação divina... Mas como faremos isso se relutarmos em viver a verdade?
– Creio – disse Plínio – que devemos entender melhor a missão dos Espíritas, então, vamos continuar recorrendo ao Evangelho Segundo o Espiritismo:

*Cap. XX, item 4, Missão dos Espíritas:*
*"...Ó verdadeiros adeptos do Espiritismo!... sois os escolhidos de Deus! Ide e pregai a palavra divina. É chegada a hora em que deveis sacrificar à sua propagação os vossos hábitos..."*

– Frente a verdades tão reveladoras – continuou Plínio –, é preciso que nos conscientizemos da responsabilidade que nos cabe ao sermos cs intermediários aprendizes da nova era. É preciso que compreendamos, de uma vez por todas, que nos encontramos ligados uns aos outros, e não digo somente nós, homens, mas estamos ligados todos nós, criaturas de Deus. Cada ato nosso lesa ou auxilia outros; e como chegaremos à regeneração se relutamos em mudar nossos hábitos e sacrificar nossos costumes que nos prendem ao mundo de expiações e provas e geram sofrimentos, somente porque é o que aprendemos culturalmente? É preciso repensar nossos paradigmas. É preciso viver o que estudamos. É preciso abandonar o intelectualismo e praticar as verdades da luz Espírita, pois que:

*"Reconhece-se a árvore pelos frutos"*

Zé, feliz por ver-se envolvido em tão proveitosas discussões, terminou com a leitura de pequeno trecho do prefácio de O Evangelho Segundo O Espiritismo, que diz:

*"... Eu lhes digo em verdade, que são chegados os tempos em que todas as coisas hão de ser restabelecidas em seu verdadeiro sentido, para dissipar as trevas, confundir os orgulhosos e glorificar os justos.*
*... Nós vos convidamos, a vós homens, para o divino concerto... dizei do fundo de vosso coração, fazendo as vontades do Pai, que está no céu, Senhor! Senhor!... e podereis entrar no reino dos céus. (O Espírito da Verdade)*

O silêncio, então, reinou no ambiente, e todos ouviram a voz meiga de Manoela proferindo sentida prece:
– Senhor da vida, Pai de amor e bondade, que nos iluminou o caminho com o consolado prometido e nos deu a oportunidade, em sua misericórdia, de conquistarmos, com nosso próprio esforço, a harmonia que buscamos equivocadamente no supérfluo e no fácil. Afaste-nos, Pai, da larga porta da perdição que nos oferece o esforço pequeno e o mundo de facilidade, nos iludindo que, mantendo nossos

*O evangelho dos animais*

hábitos arraigados por milênios, viveremos de acordo com Suas leis. Mas ajude-nos Senhor a ver a porta estreita, que vivencia o amor verdadeiro por todas as suas criaturas, que nos faz mergulhar na Lei de Amor, e que, mediante o esforço supremo de aprender a amar, nos permite viver a paz que nos deixou e construir a paz ao nosso redor. Que Sua luz de bondade e esperança se derrame sobre nós neste momento. Obrigada, Senhor, pela mesa digna que temos a nossa frente, mesa essa que jamais nos fará envergonhar de recebê-lo junto a nós em nossas refeições, pois respeita o amor ao próximo pelo Senhor ensinado. Jesus,em nossa pequenez, o convidamos para estar conosco, agradecendo ao Pai dos Céus pela alegria da vida e da evolução. Assim seja.

Zé, então, sorriu com e convidou a todos para que junto cantassem a oração de Francisco de Assis. Assim se dirigiu ao grupo:

– Aqui, nesta humilde e feliz casa, além de Espíritas, somos grandes admiradores deste Espírito de luz resplandecente que exemplificou o amor aos animais. Francisco de Assis passou a ser, para nós outros, um modelo a ser seguido, porque vivenciou o Evangelho puro e simples, amou ao Cristo e a Deus sobre todas as coisas, e expandiu esse amor ao seu redor se fazendo luz para o menor e para o maior. Seu amor pelos animais e pelos homens é histórico, e ele viveu cada palavra do que falou.

Levantou-se, então, e pegou um violão que se encontrava sobre uma das confortáveis poltronas da sala. Continuou a falar:

– O violão é a musica em minha vida. Uma noite, após exaustivo trabalho de auxilio a um de nossos companheiros cordeiros, o Severino, que se encontrava sensivelmente doente, sentei-me grato pela prece ouvida. Em momentos que ele parecia agonizar, gemendo baixinho, meu coração se condoía, e ele me olhava angustiado, solicitando meu auxilio.

Emotivo, Zé continuou com a voz embargada:

– O veterinário havia passado todos os medicamentos, mas ele parecia que dificilmente melhoraria. Já cansado, ajoelhei-me ao seu lado e orei implorando o auxilio de Francisco de Assis, dizendo assim: *"Francisco, irmão de luz cuja bondade se estende sobre todos os filhos de Deus. Tu que nos ensinaste, acima de tudo, com teus exemplos de amor, vem em socorro de meu querido irmão Severino. Jovem ainda no mundo, sofre tanto... Francisco, curaste a tantos, aliviaste tantos, estendeste tuas mãos luminosas representando ao Médico de todas as almas, Jesus, para tantos. Severino te aguarda o concurso segundo a vontade de Deus, nosso Pai. Para mim, nada posso solicitar, pois já tive todas as benesses que podia esperar ao conhecer o amor belo, simples e incondicional dos animais, e muito amado, e muito amando, conheci a rede de afeições e luz que pode ocorrer entre os irmãos em Deus. Mas peço-te pelo Severino, peço-te que se assim puderes, socorre-o...*

Em instantes, como a água é água e como o dia é dia, vi a sala se iluminar. Nada enxergava, a não ser luz ao meu redor. Ouvia em meus ouvidos a melodia da Oração de Francisco de Assis. Severino olhou-me e eu lhe disse baixinho que ficasse tranquilo. Durante algum tempo, ouvi a melodia, modificada para palavras de maior significação. Severino fechou os olhos. Ficamos assim durante algum tempo; eu permaneci em prece e extasiado diante do que sentia. Então, a luz e a melodia sumiram. Severino dormia tranquilamente, parou de gemer, respirava normalmente. Minha emoção era tanta que cai em lágrimas. Levantei-me e tomei o violão, repetindo a canção que ouvi, e hoje a cantarei para que juntos, possamos refletir acerca da Oração de Francisco de Assis, que se fez para mim, a partir de então, uma sinopse, por assim dizer, do Evangelho.

Zé, então, fechou os olhos e cantou comovido a Oração de Francisco de Assis, com as modificações que ouvira naquela noite:

*"Senhor, faze de mim um instrumento de tua paz,*
*Para mim mesmo, em primeiro lugar, para aprender*
*então a levar a paz para o mundo.*
*Onde houver ódio dentro de mim, que eu leve o*
*amor de Teu Evangelho.*
*Para então me fazer representante deste amor para*
*o mundo.*
*Onde houver ofensa dentro de mim, que eu leve o*
*perdão que nos ensinaste.*

*O evangelho dos animais*

*Para então aprender a perdoar no mundo.*
*Onde houver discórdia dentro de mim, quanto as tuas divinas leis*
*Que eu leve a união, de forma que minha alma possa estar unida a tua luz e a tua paz*
*Onde houver dúvidas dentro de mim, que eu leve a fé, no consolador que nos prometestes, nas verdades que nos enviaste, em teu propósito. .*
*Onde houver erro dentro de mim, que eu leve a verdade de Tuas leis, e então viva em harmonia com o mundo, levando a verdade em meus atos e não somente em minhas palavras.*
*Onde houver desespero dentro de mim, que eu leve a esperança de que, aprendendo a praticar as luzes que nos enviaste, eu conquiste a verdadeira vida no seio de teu amor, e então poderei levar a esperança e a misericórdia para aqueles que me cercam.*
*Onde houver tristeza dentro de mim, que eu leve a alegria de estar contigo, em tudo e com tudo, e aprenda a ver-te nas menores quanto nas maiorias criaturas com as quais compartilho a vida. .*
*Onde houver trevas dentro de mim, que eu leve, através do teu Evangelho, o despertar da luz!*
*Ó Mestre, faze que eu procure mais consolar a mim mesmo em primeiro lugar, para então consolar ao outro, pois a caridade começa conosco.*
*Compreender a mim mesmo em primeiro lugar, sem ser conivente com minhas dificuldades, mas aprendendo a recomeçar, .segundo as lições que me ensinaste, para então compreender o mundo em suas diversas nuances*
*Amar a mim mesmo em primeiro lugar, pois que amar a mim mesmo é me amar enquanto Espírito, e trabalhar por minha própria evolução, para depois estender este amor ao mundo. .*
*Pois é dando, de mim para o mundo, que recebo de Teu amor,*
*É perdoando e corrigindo meus erros, que serei perdoado.*
*E é morrendo com o homem velho, em seus hábitos pertinentes ao planeta de expiações que está por se*

*extinguir em sua expressão vibratória, que viverei para a eternidade, harmonizado junto à regeneração, onde a lei do amor irá imperar acima dos desvios provocados pelo homem, para todos os Teus filhos Senhor, inclusive para mim mesmo, se assim eu desejar, segundo o livre-arbítrio que me deste, para que eu possa, ao conhecer Tuas Leis, escolher entre a felicidade e a humildade futura, ou a infelicidade reticente nas expiações do mundo e do Universo!"*

*Assim seja.*

Em seguida, Zé abriu os olhos e viu todos tomados de emoção; fechando novamente os olhos, cantou a oração de Francisco de Assis, desta vez, acompanhado por todos, porque todos a conheciam na forma tradicional:

*Senhor, fazei de mim um instrumento de vossa paz.*
*Onde houver ódio que eu leve o amor.*
*Onde houver ofensa que eu leve o perdão.*
*Onde houver discórdia que eu leve a união.*
*Onde houver duvidas, que eu leve a fé.*
*Onde houve erro que eu leve a verdade.*
*Onde houver desespero, que eu leve a esperança.*
*Onde houver tristeza que eu leve a alegria.*
*Onde houver trevas que eu leve a luz.*
*Ó mestre,*
*Fazei que eu procure mais.*
*Consolar que ser consolado.*
*Compreender que ser compreendido.*
*Amar que ser amado.*
*Pois é dando que se recebe.*
*É perdoando que se é perdoado.*
*E é morrendo que se vive para a vida eterna!*

Levantou-se feliz e se acomodou novamente na mesa. Foi Ana Paula que rompeu o silencio, perguntando:

– Zé, o que aconteceu com Severino depois disso?

– Ficou curado – respondeu Zé. – Naquela noite senti o poder da prece e o amor de Francisco pelos animais. Severino

*O evangelho dos animais*

vive até hoje em nosso sítio, e é um dos mais próximos amigos de Adamastor, porém, mais reservado, não se aproxima quando há visitas.

Manoela então convidou a todos para a refeição, que havia colocado no fogo para esquentar enquanto Zé pegava o violão. Cheiro delicioso estava no ar. Ela disse:

– Como já devem imaginar, temos à mesa deliciosa comida vegetariana. Alguém aqui já comeu comida vegetariana?

Foi Sérgio quem respondeu:

– Devo confessar que tenho certo preconceito quanto ao sabor e à variedade. Digo isso porque, sempre que penso em comer sem carne, o que na minha mente, seria sem "mistura", não consigo pensar no que comer. Afinal, como fazer?

Manoela respondeu:

– Não temos a cultura da alimentação vegetariana, então fica difícil que formemos, de cara, uma possibilidade de sabor e variedade como acreditamos ter na cozinha tradicional do mundo, que ainda se utiliza dos restos físicos de nossos irmãos animais. Consideremos, no entanto, a variedade da natureza e a beleza extasiante do mundo vegetal que se estende no planeta. De um lado vemos a opção da carne e, de outro, toda a natureza que Deus nos forneceu. Cabe-nos aprender a aproveitar esta dádiva, que não promove sofrimento a ninguém, e nos faz mais felizes.

Lúcia perguntou:

– Mas, será que vegetais não sentem dor? Por que podemos comê-los e não podemos comer aos animais?

– Simples Lúcia – disse Ana Paula –, os animais têm sistema nervoso, e sentem dor, além do mais, têm consciência do próprio sofrimento e do meio ao redor. Hoje, estudos já demonstram até mesmo o nível de consciência dos peixes que, antigamente, acreditávamos incapazes de sofrer; estudos recentes provam cientificamente que os peixes têm percepção do que acontece ao seu redor, dor e sofrimento, porque as mesmas estruturas cerebrais que detectam o sofrimento e a dor em nós, também detectam neles. As mesmas reações fisiológicas que apresentamos quando em sofrimento ou estresse, os peixes também apresentam. O mesmo não acontece com as plantas, que não têm células nervosas; assim, não têm dor.

– Uau, até peixes! – disse Lúcia.
– Sim querida, até peixes – respondeu Ana Paula.
Manoela então disse:
– Fizemos para vocês uma feijoada vegetariana, torresmo vegetariano, linguiça vegetariana, couve, farofa e arroz.
Amanda olhou inconformada. Feijoada vegetariana? Pensou: *"deve ter um gosto, no mínimo, esquisito, deve ser mais um ensopado de legumes com feijão preto, mas não posso ser ma- educada, então vamos lá".*
Edson foi o primeiro a experimentar. Após alguns segundos, olhou para Manoela estupefato, comentando:
– Não é possível! Essa feijoada não pode ser vegetariana. Você está brincando! Tem gosto de feijoada normal. Mas como? Como pode? E esse torresmo – disse com a boca cheia, porque não conseguia esperar engolir para falar, de tão ansioso – que delicia! Do que é? Como consegue reproduzir o sabor assim?
Enquanto isso, era Amanda quem ruborizava, lembrando do pensamento que tivera há pouco. Ao experimentar a feijoada, ficou surpresa e, ao mesmo tempo, sentia o sabor. Seu pensamento agora era outro: *"se ninguém me dissesse, jamais acreditaria tratar-se de um prato vegetariano. É absolutamente delicioso e igual à feijoada convencional! Como será que é feito?!*

Lúcia disse:
– Com pratos assim, ser vegetariano é fácil!
Plínio então comentou:
– E essa linguiça, tem certeza de que não se enganou? Como se faz linguiça vegetariana? Meu Deus, é delicioso!
Sérgio só balançava a cabeça e saboreava os pratos, entre sorrisos e olhares de surpresa. Nunca imaginara que comeria tão bem com comida vegetariana. Começou a dizer:
– Manoela, pena que o Zé a descobriu primeiro... Desculpe, amigão, mas essa mulher me pegaria pelo estômago!
– Então, vai ter que casar comigo, amigo – disse Zé, gargalhando –, pois que o cozinheiro da casa sou eu. Manoela fez os torresmos e a couve, mas a linguiça e a feijoada partiram de meus dotes culinários.
Todos riram.

*O evangelho dos animais*

Manoela, então, tomou a palavra:

– Hoje, diferente da época de Kardec, dispomos de inúmeros meios de nos alimentar sem os despojos de nossos irmãos animais. Houve grande desenvolvimento da indústria alimentícia, bem como do estudo da fisiologia e fisiopatologias relacionadas à alimentação.

– Ah é – disse Amanda, limpando a boca com um guardanapo! – Você ia nos dizer a respeito das pesquisas que vocês fizeram sobre a evolução da ciência desde a resposta do Espírito da Verdade, em 1857, na questão 723 de O Livro dos Espíritos:

> *Em virtude de vossa constituição física, a carne alimenta a carne, do contrário o homem perece. Em obediência à lei de conservação, o homem tem o dever de preservar sua saúde e suas energias, para cumprir a lei do trabalho. Deve alimentar-se, pois, de acordo com as exigências de sua organização fisiológica."*

Ana Paula engoliu mais uma garfada generosa e continuou:

– Fiquei curiosa sobre as descobertas, porque acredito que me esclarecerão quanto à diferença entre as colocações de André Luiz e Emmanuel, em contradição com o Espírito da Verdade.

– Contradição aparente – disse Zé. – Veremos que o Espírito da Verdade não mentiu, de forma alguma, assim como Emmanuel e André Luiz também não. Estavam falando a mesma coisa, mas o Espírito da Verdade, em 1857, não podia falar claramente. Afinal, se já era difícil o homem compreender que tinha alma e que existia vida após esta vida, a existência de Deus, as Leis Divinas e a reencarnação, quem dirá, compreender acerca da alimentação vegetariana por amor aos espíritos em todas as fases de evolução e, portanto, em cumprimento ao maior mandamento, numa época em que não existiam alimentos industrializados, a não ser açúcar e sal, e outros poucos, todos vendidos em sacos grandes. E também nenhum estudo comprovado cientificamente sobre alimentação. Eu diria assim: como falar para um aluno do primeiro ano escolar sobre raiz cúbica? Ele ainda não aprendeu as quatro operações básicas de matemática e você já quer ensinar-lhe sobre as operações mais complexas?

Sérgio, que repetia a refeição, enchendo novamente o prato, tentando ser discreto para não passar por guloso, disse:

– Concluímos o mesmo acerca do estudo da espiritualidade dos animais.

Foi Ana Paula quem continuou:

– E, sem duvida, a questão do vegetarianismo, na forma como é tratada por Emmanuel e André Luiz, está diretamente ligada ao entendimento dos animais como nossos irmãos menores. Observando atentamente os textos que vocês nos apresentaram, veremos que o principal caminho que eles tomam é o caminho moral. Ou seja, de forma alguma, Emmanuel ou André Luiz atentam para nosso egoísmo em preservar-nos, assim como a própria Gênese; levam-nos ao entendimento moral e aplicação do maior mandamento ao nos falar da necessária e urgente mudança em nossos hábitos alimentares.

– É verdade, Ana Paula – disse Edson –, não tinha observado por este ângulo. André Luiz nos acorda para o intenso sofrimento dos animais no abate; Emmanuel nos direciona para o terrível erro e para nossa inteligência já apta para localizar meios melhores de nos alimentarmos, condizentes com o amor; o livro A Gênese nos fala acerca do desenvolvimento moral do homem e do seu "horror" ao sangue quando mais condizente com as leis divinas e Joanna de Ângelis diz que matamos com impiedade. Tudo nos apela acerca das leis inscritas em nossa consciência, e sem meias palavras ou subterfúgios, para que fique bem claro qual nosso caminho diante da evolução de nós mesmos, do planeta e, principalmente, para que não nos façamos agentes do sofrimento de nossos irmãos, com a desculpa de que somos mais importantes do que eles, os animais, sejam quais forem.

– Mas – disse Zé – para que não houvesse o argumento de que nosso corpo necessita da carne, foi necessário que a ciência precisasse vir em socorro do próprio homem, acordando-o para nova fase, e o próprio homem assistisse, diante dos olhos, ao consumo absoluto de carne aumentando vertiginosamente no século 20, com a industrialização da produção de despojos animais, e, em paralelo, um aumento vertiginoso de mortes por doenças do coração, câncer, diabetes, etc. E, nos últimos anos, basta um pouco de pesquisa,

*O evangelho dos animais*

para que encontremos estas diversas doenças relacionadas ao alimento à base de carne, e outras pesquisas em contramão do consumo de carne, os quais mesmo com a indústria da carne tentando impedir sua divulgação e popularização, indicam que a alimentação vegetariana é mais saudável.

Basta um pouco de leitura para observarmos médicos e nutricionistas mais atentos indicando a redução do consumo de carne e, em quadros graves de fígado, diabetes, colesterol alto, a redução drástica, senão a retirada, por parte do paciente, por indicação do profissional, dos alimentos à base de carne.

– Isso é verdade – disse Plínio – minha mãe é diabética e os médicos lhe restringiram sensivelmente a alimentação e, entre outros alimentos, como o óbvio açúcar, a carne foi drasticamente reduzida.

– Completando sua colocação, Ana Paula – disse Manoela –, trarei um texto do Livro Missionários da luz, do capítulo 4, nos alertando quanto à mudança em nosso padrão moral acerca da alimentação, acordando-nos a consciência:

*"A pretexto de buscar recursos proteicos, exterminamos frangos e carneiros, leitões e cabritos incontáveis... **não contentes em matar os pobres seres, que nos pediam roteiros de progresso e valores educativos, para melhor atenderem a obra do Pai, dilatávamos os requintes da exploração milenária...** Em nada nos doía o quadro comovente das vacas mães em direção ao matadouro, para que nossas panelas transpirassem agradavelmente.** Encarecíamos, com toda a responsabilidade da ciência, a necessidade de proteínas e verduras diversas, mas esquecíamos de que nossa inteligência, tão fértil na descoberta de comodidade e conforto, teria recursos de encontrar novos elementos e meios de incentivar os suplementos proteicos ao organismo, sem recorrer às indústrias da morte".*

E uma das colocações que mais nos chocou – continuou Manoela:

*"... temos sido vampiros insaciáveis dos seres frágeis que nos cercam, entre as formas terrenas..."*.

Neste instante, todos pararam de comer ou de falar. De olhos estarrecidos, olhavam Manoela sem conseguir reagir. Após alguns minutos, foi Edson quem teve coragem de falar: – Isto está no livro Missionários da Luz? André Luiz fala isso? Como não percebi ao ler? Meu Deus!
– Meu Deus, meu Deus! – disse Amanda, com o garfo parado entre o prato e a boca – Você disse vampiros?
Foi Manoela quem falou:
– Eu não, minha querida, André Luiz, no Livro Missionários da Luz, cap. 4, Vampirismo. E esta colocação encontra-se no final do capítulo. Vou ler o parágrafo todo:

*"...sem amor para com os nossos inferiores, não podemos aguardar a proteção dos superiores;* **sem respeito para com os outros, não podemos aguardar o respeito alheio. Se temos sido vampiros insaciáveis dos seres frágeis que nos cercam, entre as formas terrenas, abusando de nosso poder racional** *ante a fraqueza da inteligência deles, não é demais que, por força da animalidade que conserva desveladamente, venha a cair a maioria das criaturas em situações enfermiças pelo vampirismo das entidades que lhes são afins, na esfera invisível."*

– Senhor do Céu, ainda não assimilei esta aterradora verdade! – disse Plínio. – Estudo a Doutrina Espírita tão atentamente e nunca havia percebido esta colocação, embora já tenha lido o livro Missionários da Luz inúmeras vezes. Senhor, o que estamos fazendo, vampirizando nossos irmãos animais?! Gostaria que isto fosse um pesadelo do qual eu pudesse acordar a qualquer momento. Estou chocado! Se não viesse de André Luiz, através de um livro tão respeitado e tão belamente citado por nossos mais estudiosos confrades, ah, Senhor!... Quanto não estudei no mesmo livro sobre a mediunidade, sobre a reencarnação de Segismundo, sobre os planejamentos reencarnatórios, sobre o passe, sobre a responsabilidade de um trabalho mediúnico?! Quanto não

*O evangelho dos animais*

desdobramos diversos capítulos deste livro, considerando-lhe a importância? Por que não prestei atenção em simples frase?

– Agora eis o desafio – disse Sérgio – poderíamos ignorar tal aprendizado e ficar somente com o que nos interessa, mas.. seria mentir para nós mesmos, seria fingir que não está lá, que André Luiz nada disse. Ou pior, poderíamos simplesmente dizer que André Luiz se enganou, mas, então, novamente repetimos, teríamos que acreditar que ele se enganou quanto a tudo, que não é verdade, seria adaptar a Doutrina aos nossos erros reticentes, e não admitir os erros e buscar os caminhos da autoiluminação.

Olhando para todos, Lúcia tomou a palavra:

– Entendi que temos sido vampiros dos animais. Mas como? Nunca vi ninguém furando o pescoço de nenhum animal e sugando seu sangue e, pelo que você leu Manoela, a maioria das criaturas humanas encontra-se nesta categoria.

– Compreendo sua dúvida, querida irmã – respondeu Manoela. – André Luiz refere-se a um tipo de vampirismo do ponto de vista espiritual. A imagem do vampiro que temos em mente é simplesmente um símbolo cinematográfico sobre uma realidade espiritual muito mais estarrecedora. Vamos, então, estudar juntos o capítulo. Vale a pena meditarmos acerca do aprendizado, e encararmos a verdade, observarmos a realidade da alimentação à base de despojos animais e verificarmos como mudar esta realidade.

Foi Zé quem falou:

– Todos terminaram de comer? Penso que aprofundar neste texto exige que tenhamos acabado de comer, pois a leitura e a reflexão, embora de profunda meditação, trazem verdades que parecem distantes de nós mesmos, mas nos chocam ao percebermos que são nossa própria realidade. Não é como ler um romance que fala da vida de outras criaturas, mas, sim, é a leitura de quadros que se repetem em nosso dia a dia, em várias de nossas refeições. É um despertar necessário, mas difícil, porque nos inclui de maneira gritante.

Todos terminaram suas refeições e ingeriam, em seguida, deliciosa salada de frutas. Edson comentou:

– Queria dizer uma coisa. Sempre que comi uma feijoada tradicional, que usa os despojos animais, terminei a refeição e, por menos que houvesse ingerido me sentia pesado e sonolento. Mas, desta vez, embora tenha comido muito, me sinto leve, disposto e satisfeito. Ao que tudo indica, a velha piadinha no Brasil sobre o peso da feijoada não vale para este delicioso prato vegetariano. Todos comentaram que perceberam o mesmo. Amanda era a mais empolgada, mudando completamente sua impressão inicial após ter almoçado. Manoela convidou a todos, então, para sentarem-se na sala de estar e pegou quatro volumes do livro Missionários da Luz, explicando:

– Consideramos o estudo deste livro tão importante aqui em casa, em particular dos capítulos 4 e 11, os quais com o passar do tempo nos trouxeram inúmeros esclarecimentos que foram decisivos para a mudança alimentar de toda a família. Encaramos que precisávamos viver mais junto da luz e do amor, e libertar-nos destes processos dolorosos em que nos mantínhamos, inicialmente, por ignorância, e, depois, por pura negligência diante das luzes novas que a Doutrina Espírita nos trouxe. Desejávamos, inicialmente, mudar a alimentação, mas sem nenhum esforço para isso. Com o estudo em família e, em particular, de cada um de nós quatro, fomos concluindo pela mudança e buscando alternativas. Ficamos, então, surpresos com a variedade de sabores e texturas da comida vegetariana, e do quanto nos sentimos melhor física e emocionalmente. Não deixamos de ter as dificuldades do dia a dia, mas a harmonia conquistada foi imensamente ampla. E Pedro Luiz, nosso filho mais velho, que possui mediunidade expressiva, viu desenvolver sua capacidade de intermediar a espiritualidade de forma impressionante, concluindo que, deixando as energias maléficas que obtinha através da alimentação, se tornou um canal mais apto e vibrando melhor para que a espiritualidade superior pudesse por ele se manifestar. Sabemos bem, que, simplesmente se tornar vegetariano não faz de ninguém um Espírito de luz, mas, hoje, ao conhecer o que agora todos vamos estudar, concluímos que ser vegetariano é parte inevitável do processo de evolução, uma das mais importantes disciplinas da escola do amor, abrindo novos campos para a evolução de nós mesmos e do Planeta Terra.

## Capítulo 28

# O QUE JESUS ESPERA
# DE NÓS

Os exemplares de Missionários da Luz foram distribuídos entre o grupo. Ao seu lado, na mesa, Zé deixou também um exemplar do livro O Consolador e do livro A Gênese. Amanda respirou fundo como que tomando coragem. Sabia que o estudo traria uma estrada sem volta para ela, mas intuía que esta estrada seria uma estrada de luz e amor e pensou: *"de que adianta fugir e viver num pântano de sombras, fingindo que não está acontecendo. Melhor encarar a verdade e ganhar a oportunidade de caminhar para a estrada que se abre, segurando as mãos iluminadas do conhecimento que se estendem para mim, e me libertar encontrando, através da humildade e do esforço próprio, um jardim de flores e de paz."*

Foi Edson quem disse, também tomando coragem. Sentia-se nervoso e inquieto com o que iria ler:
– Já disse Jesus:

*"Conhecereis a verdade e a verdade vos libertará."*

Lúcia parecia ser a única mais relaxada, além de Zé e Manoela. Sua ignorância completa a respeito do tema fazia com que acreditasse que estava prestes a desvendar mistério semelhante a filmes de suspense do que mesmo ouvir uma descrição acerca de um processo de permuta negativa. Os outros amigos, conhecedores da Doutrina Espírita, alguns mais, outros menos, guardavam-se em expectativa, pois sabiam que, com o olhar atento do cristão sincero, que estavam começando a aprender a ser, buscando dentro do Consolador Prometido os caminhos da transformação sincera junto ao Evangelho, abandonando pouco a pouco o intelectualismo sem frutos, tudo que a Doutrina lhes apresentasse serviria como nova estrada, novo caminho. Foi Plínio quem disse:

– De repente, percebo a responsabilidade do saber. Quando decidi por estudar acerca da espiritualidade dos animais e aprofundar minha relação com eles, responder a perguntas antigas, abandonando os pré-conceitos formados ao longo do estudo que realizei da Doutrina Espírita, não tinha me dado conta de que o foco que tal decisão abrange é muito maior do que eu conseguia ver. Aos poucos, percebo minha consciência se ampliando, mas sob o custo de aprender a viver o que estudo. Para mim, é como se houvesse um mundo a parte, onde um número incontável de espíritos transitam em diferentes posições evolutivas, a parte da humanidade perdida em si mesma e pouco ou não consciente da realidade, sob o ângulo espiritual que a cerca, mas todos estes espíritos, cuidados e amparados por Deus. Então, com o estudo, percebo-me adentrando este novo mundo, que sempre existiu caminhando em compartilhamento com a minha própria existência, mas eu nunca soube. E uma vez que adentrei este novo mundo, em que o amor divino se faz presente sob novas formas, novas manifestações, outro brilho, é como se tivesse adentrado uma nova porta na revelação Espírita, sem retorno para a minha consciência. Sinto que, a partir de hoje, tomarei parte de uma outra dimensão de conhecimentos e, ao que tudo indica, através de tantos abnegados Espíritos do plano maior, que têm nos instruído acerca da realidade espiritual e de nosso papel nos processos de evolução de nós mesmos, de nossos irmãos no Planeta que habitamos e do próprio planeta, como André Luiz, Emmanuel e tantos outros, adentrarei esta porta que

*O evangelho dos animais*

significará uma revolução na forma de tratar os animais e de me inserir no mundo. A ajuda inicial que pretendia dar a eles se faz agora mais séria, mais concreta, mais dinâmica. Finalmente, começa a tomar forma para mim a colocação de Jesus:

*"Entrai pela porta estreita, porque larga é a porta da perdição".*

Amanda olhou nos olhos de Plínio e segurou suas mãos, como que transmitindo ao amigo que o sentimento que trazia dentro de si era o mesmo.

Manoela, então, convidou o grupo para a prece, consciente de que, em todos os momentos de estudo e de reunião, sempre a luz do amor do Mestre abençoa os caminhos que se farão a esperança do amanhã:

– Mestre amigo, a obra da Doutrina Espírita é o consolador que prometeste a todos nós. E é a verdade de Deus nosso Pai que se faz presente na Terra. Foste tu, Mestre amigo, o médium por excelência, que nos trouxe o Evangelho, luz divina a conduzir todo o Universo. Foste tu, através de teu amor junto a Deus, que iluminaste nosso caminho com a fonte de redenção, paz e consolação, através dos ensinamentos que nos deixaste. Repete-se agora, no mundo, as belas lições de amor através da Doutrina Espírita, e reviveremos, desta vez sob o manto de nossa consciência, através de nosso livre-arbítrio, os primorosos dias em que estiveste junto a nós, através das belas poesias de transformação que esta maravilhosa Doutrina (que se faz o desdobramento na lógica e no amor, do Evangelho) nos traz. Ensina-nos, Jesus, a não fugir de Tuas lições novamente. Que, desta vez, possamos reconhecê-lo nas obras que nos enviaste, que possamos viver junto de Ti. Ah! Senhor Jesus, tantos têm sido os percalços no caminho que traçamos nestes últimos 2000 anos, tanto sofremos por estarmos distantes de Ti, embora Teus avisos:

*"Aquele, pois, que ouve estas minhas palavras e as pratica, será comparado a um homem prudente que construiu sobre a rocha sua casa...*

*... Aquele, que violar um destes menores mandamentos e que ensinar os homens a violá-los, será considerado como último no reino dos céus; mas será grande no reino dos céus aquele que os cumprir e ensinar."*

Manoela continuou:
– Que façamos como Paulo na estrada de Damasco, ao ouvir Teu chamado a nossas almas, e deixemos de te perseguir por nosso orgulho de saber, e aprendamos a viver segundo aquilo que aprendemos contigo, pois que:

*"Nem todos os que dizem: Senhor! Senhor! Entrarão no reino dos céus; apenas entrará aquele que faz a vontade de meu Pai, que está nos céus."*

Tomada de indefinível emoção, Manoela sentia fluir de seus lábios as belas palavras da prece:
– Que Tua luz de amor se faça presente em nossa alma, para que nossos olhos possam enxergar com Teus olhos de amor, e compreender Deus se manifestando em todas as criaturas. Bendito sejas Tu, Mestre amigo, por ter nos enviado o Consolador Prometido. Fonte de intensa lógica, que derrama sobre a ciência do mundo a ciência de Deus, sem deixar de acompanhar a capacidade da humanidade de entender e praticar. Filosofia magnífica que abranda os pensamentos humanos com o Pensamento Divino. Acima de tudo, Mestre, não nos esqueçamos de que, embora ciência e filosofia, a Doutrina Espírita é, acima de tudo, o retorno do Cristianismo em sua feição mais pura, chamando os cristãos ao trabalho de edificação do reino dos céus na Terra, através da edificação do reino dos céus em si mesmos. Por que Jesus Cristo, a ciência que a Doutrina Espírita representa é a ciência Divina, a criação de Deus em suas mais profundas manifestações. E a filosofia que a Doutrina Espírita nos traz é a resposta para todos os questionamentos do Espírito, e tudo isso se liga à presença de Deus iluminando a Terra como sempre esteve mas, desta vez, com a consciência humana a percebê-lo nas mais sutis e sublimes manifestações. Abre nossos olhos, então, querido Mestre, para enxergarmos e vivermos Deus, dentro e fora de nós. Fique conosco, agora e sempre. Assim seja.

*O evangelho dos animais*

Todos respiraram fundo e abriram o Livro Missionários da Luz no capítulo 4. Foi Zé quem tomou a palavra e explicou:
– André Luiz e Alexandre, seu orientador no plano espiritual quando de seu aprendizado descrito no Livro Missionários da luz, ambos desencarnados, acompanhavam aqui na Terra uma sessão de desenvolvimento mediúnico. Finda a sessão, comentavam juntos os resultados. Assim começa o capítulo 4. Dito isto, Zé começou a leitura:

*"A sessão de desenvolvimento mediúnico, segundo deduzi da palestra entre os amigos encarnados, fora muito escassa em realizações para eles. Todavia, não se verificava o mesmo em nosso ambiente, onde se podia ver enorme satisfação em todas as fisionomias, a começar de Alexandre, que se mostrava jubiloso.*

*Os trabalhos haviam tomado mais de duas horas e, com efeito, embora me conservasse retraído, ponderando os ensinamentos da noite, minúcia a minúcia, observei o esforço intenso despendido pelos servidores de nossa esfera. Muitos deles, em grande número, não somente assistiam os companheiros terrestres, senão também atendiam a longas filas de entidades sofredoras de nosso plano.*

*Alexandre, o instrutor devotado, movimentara-se de mil modos. E tocando a tecla que mais me impressionara, no circulo das observações do nobre concerto de serviços, acentuou, satisfeito, se reaproximando de mim:*
*– Graças ao Senhor, tivemos uma noite feliz. Muito trabalho contra o vampirismo.*

*Oh! Era o vampirismo a tese que me preocupava. Vira os mais estranhos bacilos de natureza psíquica, completamente desconhecidos da microbiologia mais avançada... formavam também colônias densas e terríveis.*

Foi Edson quem interrompeu:
– Creio que poderíamos voltar um pouco no capítulo anterior, na parte em que André Luiz observa as larvas aqui referidas, a título de relembrarmos.
Zé anuiu com a cabeça e todos voltaram à parte indicada pelo amigo, no capítulo 3 do Livro Missionários da Luz:

*"– Repara no aparelho genital – aconselhou-me o instrutor gravemente.*

*Fiquei estupefato.* **As glândulas geradoras emitiam fraquíssima luminosidade, que parecia abafada por aluviões de corpúsculos negros, a se caracterizarem por espantosa mobilidade.** Começavam a movimentação sob a bexiga urinária e vibravam ao longo de todo cordão espermático, formando colônias compactas, nas vesículas seminais, na próstata, nas mucosas uretrais, invadiam os canais seminíferos e lutavam com as células sexuais, aniquilando-as. As mais vigorosas daquelas feras microscópicas situavam-se no epidídimo, *onde absorviam, famélicas, os embriões delicados da vida orgânica."*

– Meu Deus! – comentou Sérgio – não me lembrava desta descrição tão arrasadora. E estas larvas que vemos descritas em todo sistema geniturinário do rapaz em questão, que, agora me lembro bem, é um estudante do curso de Doutrina Espírita, na busca de desenvolvimento mediúnico, cujo "sonho" era ser médium psicógrafo. E estas larvas, que estamos vendo descritas no livro, não são larvas físicas, mas sim psíquicas, só detectáveis, por enquanto, do ponto de vista espiritual. Até hoje, a medicina terrena não consegue identificá-las, e muitas vezes o médico não consegue diagnosticar, na Terra, a razão do distúrbio do paciente, porque não dispomos de aparelhos para este tipo de diagnóstico.

Agora foi Lúcia quem falou, chocada:

– Quê?! Está me dizendo que estas larvas que ele está falando aí não são as bactérias normais que conhecemos? Então, como elas apareceram? Parecem terríveis, e de ação devastadora!...

– Vamos continuar – disse Zé – e logo terá a resposta para sua duvida, Lúcia.

O grupo continuou a leitura:

*"... Estava assombrado. Que significava aquele acervo de pequeninos seres escuros? Seriam expressões mal conhecidas da sífilis?*

*Enunciando semelhante indagação íntima, explicou-me Alexandre, sem que eu lhe dirigisse a palavra falada:*

*O evangelho dos animais*

– Não, André. *Não temos sob nossos olhos o espiro-queta de Schaudinn, nem qualquer nova forma susce-tível de análise material por bacteriologistas humanos.* **São bacilos psíquicos da tortura sexual, produzidos pela sede febril de prazeres inferiores**. *O dicionário médico não os conhece e na ausência de terminologia adequada aos seus conhecimentos, chamemo-lhes larvas, simplesmente. Têm sido cultivados por este companheiro, não só pela incontinência nos domínios das emoções próprias, através de experiências sexuais variadas, senão também pelo* **contato com entidades grosseiras, que se afinam com as predileções dele, entidades que o visitam com frequência, à maneira de imperceptíveis vampiros..."**

– Santo Deus! – disse Lúcia –, quero entender bem. Calma! Quer dizer que pelos desvios do sexo no moço a que se refere André Luiz, ele começou a produzir larvas, como posso dizer... através da mente, ou seja, psíquicas, que ficam sugando suas energias e destruindo suas células em toda região dos órgãos urinários e sexuais? É isso?

– Também, querida Lúcia, também – respondeu Edson –, acontece que os desvios sexuais a que se referiu você também atraem Espíritos inferiores que buscam as sensações expe-rimentadas pelo rapaz, em suas aventuras sexuais e se afini-zam com ele em suas preferências, também sugando suas energias, buscando sentir, através dele, estas sensações. São Espíritos que, enquanto encarnados, também se com-praziam nas atividades sexuais variadas, tal qual o rapaz, e hoje buscam, mesmo desencarnados, através dele, repetir as sensações, tornando-se vampiros do mesmo, já que não têm mais o corpo físico para obterem por si mesmos as sen-sações viciantes do sexo desvairado.

Lúcia estava boquiaberta e horrorizada. Sua mente pulu-lava de perguntas. Resolveu aguardar porque acreditou que talvez a leitura lhe esclarecesse parte delas.

Foi Sérgio quem continuou:

*"... O pobrezinho ainda não pode compreender que o corpo físico é apenas leve sombra do corpo perispiritual,*

*não se capacitou de que a prudência, em matéria de sexo, é equilíbrio da vida e, **recebendo nossas advertências sobre a temperança, acredita ouvir remotas lições de aspecto dogmático, exclusivo no exame da fé religiosa. A pretexto de aceitar o império da razão pura, na esfera da lógica, admite que o sexo nada tem a ver com a espiritualidade, como se essa não fosse a existência em si.Esquece-se de que tudo é espírito, manifestação divina e energia eterna.** O erro de nosso amigo é o de todos os religiosos que supõem a alma absolutamente separada do corpo físico, quando todas as manifestações psicofísicas se derivam da influenciação espiritual."*

Edson, observando que Zé anotava em bloco separado algumas frases que traziam o texto curioso, perguntou:

– Zé, por que as anotações?

– Para posterior análise acerca dos pontos mais importantes. Na faculdade, aprendi diversos métodos de estudo, e todos diziam que, além da leitura geral, é preciso compreender as fontes de maior destaque do estudo, porque levarão a conclusões mais precisas quando da análise do que foi lido.

Ana Paula, voltando ao texto de André Luiz, comentou:

– Observem só, Alexandre disse que de diversas formas buscavam "avisar"o rapaz, mas este, preso às sensações que lhe dariam muito trabalho para abandonar, preferiu acreditar que tudo era apenas dogma religioso, distanciando-se da necessidade de transformação. E duas coisas me chamam a atenção, e gostaria de destacá-las, pois acho que nos cabe em diversas situações:

*"...espiritualidade, como se essa não fosse a existência em si..."*

*"... A pretexto de aceitar o império da razão pura, na esfera da lógica, admite que o sexo nada tem a ver com a espiritualidade..."*

– A afirmação de Alexandre – continuou Ana Paula – de que a espiritualidade é a existência em si é motivo para meditação e avaliação. Nossos atos, nossas manifestações, todas elas,

*O evangelho dos animais*

a forma como agimos, pensamos, sentimos, nos alimentamos, encaramos o sexo, a vida, o lazer, é a própria manifestação da espiritualidade e de nossa forma, espiritualmente falando, de nos manifestar no mundo. Não mais é tempo de vivermos como nas épocas do antigo dogmatismo religioso, em que se frequentava o templo, seja qual fosse, uma ou algumas vezes por semana; e quanto a nós, Espíritas, vamos receber o passe, algumas vezes trabalhar, e, ao sair do centro, vivemos como se a vida em si nada tivesse a ver com os preceitos religiosos. Acontece que os ensinamentos do Evangelho não são dogmas de uma igreja, mas caminhos de vida, forma de libertação. Não é o passe ou o estudo, nem mesmo o trabalho dentro do centro Espírita que nos libertarão das amarras do orgulho, do egoísmo e, portanto, do desequilíbrio espiritual, mais ou menos acentuado, mas a vivência da Doutrina Espírita em nosso dia a dia, porque ainda tratamos espiritualidade (repetindo o que disse Alexandre nesta belíssima lição de conotação tão profunda): *"como se essa não fosse a existência em si..."*

Ana Paula respirou um pouco e continuou:
– Creio mesmo que a palavra sexo colocada na frase que destaquei em seguida poderia ser substituída por muitas de nossas atividades, desta forma:

*"... A pretexto de aceitar o império da razão pura, na esfera da lógica, admite que o sexo nada tem a ver com a espiritualidade..."*

*"... A pretexto de aceitar o império da razão pura, na esfera da lógica, admite que o trabalho nada tem a ver com a espiritualidade..."*

*"... A pretexto de aceitar o império da razão pura, na esfera da lógica, admite que a alimentação nada tem a ver com a espiritualidade..."*

Feliz, Ana Paula concluiu:
– E assim por diante, porque, segundo nos ensinou Alexandre, a espiritualidade é a existência em si!

– Só chegaremos à regeneração se praticarmos o Evangelho e a Doutrina Espírita em sua totalidade – disse Plínio –, sem subterfúgios, entendendo, em nosso dia a dia, dentro e fora do centro, que a espiritualidade é a existência em si, portanto, como Espíritas, nossa existência tem que refletir, pouco a pouco, a Doutrina Espírita, para que ela se reflita no mundo, porque, reafirmando, a espiritualidade é a existência em si.

Zé sorria satisfeito e olhava Manoela. A esposa adivinhava-lhe os pensamentos pela própria intimidade, e sabia que Zé estava satisfeito com o quanto o estudo renderia, percebendo a disposição do grupo e a maturidade dos membros, que denotavam sincero desejo de aprender e praticar. Em seu coração, Zé dava graças a Deus por sua casa servir a tão belo colóquio acerca das necessidades da vida, e Manoela compartilhava-lhe os sentimentos e pensamentos. Foi ela quem continuou a leitura:

– Vamos pular só um pedacinho para alcançarmos as descrições que nos interessam, de forma a retornar ao capítulo 4 e estudá-lo na íntegra. Alexandre chama a atenção de André Luiz para outro companheiro encarnado:

*"... – Observe este amigo – disse-me, com autoridade –, não sente um odor característico?*

*Efetivamente, em derredor daquele rosto pálido, assinalava-se a existência de atmosfera menos agradável. Semelhava-se-lhe o corpo a um tonel de configuração caprichosa, de cujo interior escapavam certos vapores muito leves, mas incessantes. Via-se-lhe a dificuldade para sustentar o pensamento com relativa calma. Não tive qualquer duvida. Deveria ele usar alcoólicos em quantidade regular...*

*... O aparelho gastrintestinal parecia totalmente ensopado em aguardente, porquanto essa substância invadia todos os escaninhos do estômago e, começando a fazer-se sentir nas paredes do esôfago, manifestava a sua influência até o bolo fecal. Espantava-me o fígado enorme. **Pequeninas figuras horripilantes postavam-se vorazes, ao longo da veia porta,** lutando desesperadamente com os elementos sanguíneos mais novos. Toda a estrutura do órgão se mantinha alterada..."*

*O evangelho dos animais*

– Ai! meu querido esposo – disse Lúcia, lembrando o marido, com os olhos marejados –, sei que ele não é grande coisa, brigamos muito. Mas... imaginar que ele sofre do mesmo mal dos alcoólatras, e que traz em si todas estas alterações, além das tais larvas psíquicas... valei-me meu Deus!

– Calma, querida – disse Ana Paula –, Deus a todos ampara, dentro das possibilidades da evolução e da lei de justiça, mas tudo se renova, uma hora há de lhe chegar a redenção. Até lá, busquemos a prece renovadora. Plínio encontrava-se introvertido. Lembrava-se do período difícil de sua vida em que esteve viciado. Da luta da mãezinha querida que nunca o abandonou, do tratamento espiritual e suas dádivas, mas também de seu esforço pessoal em se modificar, em suportar os reveses do organismo em troca da liberdade da mente, na abstinência sofrida, e em, até hoje, cuidar com o máximo desvelo de si mesmo quanto ao pensamento, para que não caia novamente no mesmo abismo. Utilizou-se e utiliza-se ainda do trabalho com Cristo para manter-se firme na cura da alma, antes da cura do corpo. Foi assim que tomou coragem para encarar de frente o amigo Zé, porque, percebendo seus equívocos nas interpretações quanto aos animais, achou e agora teve certeza, que ouvir o amigo também traria um caminho condizente com a Doutrina e com o amor.

Manoela continuou a leitura, indo para o próximo caso:

*"O instrutor colocou-me, em seguida, ao lado de uma dama simpática e idosa. Após examiná-la, atencioso, acrescentou:*

*– Repare nesta nossa irmã, é candidata ao desenvolvimento da mediunidade de incorporação.*

*"Fraquíssima luz emana de sua organização mental e, desde o primeiro instante, notara-lhe as deformações físicas. O estômago dilatara-se-lhe horrivelmente e os intestinos pareciam sofrer estranhas alterações. O fígado, consideravelmente aumentado, demonstrava indefinível agitação. Desde o duodeno ao sigmóide, notavam-se anomalias de vulto. Guardava a ideia de presenciar não o trabalho de um aparelho digestivo usual, e, sim, de **vasto alambique, cheio de pastas de***

*carne e caldo gordurosos, cheirando a vinagre de condimentação ativa. Em grande zona do ventre superlotado de alimentação, viam-se muitos parasitos conhecidos, mas, além deles, divisava outros corpúsculos semelhantes a lesmas voracíssimas, que se agrupavam em grandes colônias, desde os músculos e a fibras do estômago até a válvula íleo-cecal. Semelhantes parasitos atacavam os sucos nutritivos, com assombroso potencial de destruição...*
*— Temos aqui uma pobre amiga desviada nos excessos de alimentação... Descuidada de si mesma, caiu na glutonaria crassa, tornando-se presa de seres de baixa condição."*

— Mas estas condições de vampirismo são somente para viciados? – Perguntou Lúcia.

— Logo veremos, ao longo do estudo – respondeu Zé – que o vício sob o ângulo espiritual tem um aspecto mais profundo e de significação muito mais sutil do que aquilo que imaginamos, querida Lúcia. Sob nossos olhos ainda turvos quanto aos aspectos espirituais, vemos os grandes vícios, como aspectos próprios do vampirismo. Mas logo concluiremos, se nossa sinceridade e humildade forem capazes de admitir, que todos somos viciados da alma em busca de tratamento e redenção. Aguardemos um pouco e concluiremos por nós mesmos.

— Continuemos – disse Edson, lendo:

*"E porque me conservasse em silêncio, incapacitado de argumentar, ante ensinamentos tão novos, o instrutor considerou:*
*— Perante estes quadros, você pode avaliar a extensão das necessidades educativas na esfera da Crosta. A mente encarnada engalanou-se com os valores intelectuais e fez o culto da razão pura, esquecendo-se de que a razão humana precisa da luz divina. O homem comum percebe muito pouco e sente muito menos. Ante a eclosão de conhecimentos novos, em face da onda regeneradora do Espiritualismo que banha as nações mais cultas da terra, angustiada por longos*

*O evangelho dos animais*

*sofrimentos coletivos, necessitamos acionar as melhores possibilidades de colaboração, para que os companheiros terrestres valorizem as suas oportunidades benditas de serviço e redenção.*

*Compreendi que Alexandre se referia, veladamente, ao grande movimento espiritista, em virtude de nos encontrarmos nas tarefas de uma casa doutrinária...".*

Foi Amanda quem falou, respirando profundamente, ao compreender, nas palavras do orientador Alexandre, um chamamento para os Espíritas, como detentores do conhecimento do Consolador Prometido e trabalhadores da última hora;

– Compreendia a tarefa como Espírita e médium exclusivamente no trabalho dos cursos na casa Espírita ou no trabalho de orientação aos espíritos. Via que a caridade e o consolo dentro da Doutrina promoveriam o acordar de toda a humanidade, em minha ingenuidade. Mas, diante desta leitura, que, devo confessar, já havia feito antes, sem, no entanto, atinar para tantos detalhes, observo com mais profundidade a tarefa do Espírita neste momento crucial que atravessamos no planeta. Cabe a cada um de nós viver com humildade a Doutrina Espírita, e educar com amor, mas energia, aqueles que nos cercam, para que o planeta se localize nos caminhos da regeneração. Não haverá um milagre vindo dos céus, porque senão, qual nossa tarefa? Temos a oportunidade concedida pelo Pai misericordioso de trabalharmos nas hostes do bem, construindo a verdade, e transformando a vibração do nosso planeta. Valorizar esta oportunidade é nos trabalhar por fora e por dentro. Neste pequeno último parágrafo muita coisa me chamou a atenção, como:

*"...você pode avaliar a extensão das necessidades educativas na esfera da Crosta..."*

Não há como educar sem se fazer exemplo, assim já nos demonstrou Jesus. Em se tratando da Doutrina Espírita, os fins não justificam os meios, porque, acima de tudo, a humanidade observará nossos atos, antes de observar nossas palavras. Mas que Deus nos proteja, para não vivermos somente na razão, com o conhecimento na mente e sem praticá-lo no coração. Em se tratando de nossos irmãos animais então... vejamos:

*"...A mente encarnada engalanou-se com os valores intelectuais e fez o culto da razão pura, esquecendo-se de que a razão humana precisa da luz divina...".*

– Continuemos – disse Manoela – porque os ensinamentos acerca de tão vasto tema somente começam, e veremos agora os esclarecimentos de Alexandre aos Espíritas, quanto a nossa tarefa:

*"... – O Espiritismo cristão é a revivência do Evangelho de Nosso Senhor Jesus Cristo, e a mediunidade constitui um de seus fundamentos vivos. A mediunidade, porém, não é exclusiva dos chamados <<médiuns>>. Todas as criaturas a possuem, porquanto significa percepção espiritual, que deve ser incentivada em nós mesmos. Não bastará, no entanto, perceber, é imprescindível santificar essa faculdade, convertendo-a no ministério ativo do bem...".*

– Jamais devemos nos esquecer – continuou Manoela –, assim como nos ensina Alexandre, de que somos todos médiuns. Na busca de compreender as leis divinas, nos cabe trilhar caminhos de autotransformação para o bem. Os mentores amigos jamais nos abandonam na senda do progresso, mas nosso livre-arbítrio promove nossos atos e tais escolhas definem quais serão nossas companhias mais íntimas. Adentramos a Era do Espírito, e os tempos que, nesta fase da psicografia de Chico Xavier, quando este livro foi trazido ao mundo, ainda estavam se aproximando, agora são chegados, com a virada do século e a entrada do terceiro milênio, quando adentramos também a era do Espírito. Cabe-nos, como trabalhadores da última hora, unidos a todos que desejam o bem, construirmos os alicerces da regeneração. Grandiosa é a tarefa, profundo o caminho, que exigirá de todos nós seguir sinceramente o Cristo, porque a obra é Dele, Ele administra o Planeta, e sabe qual a forma que terá a regeneração. Mandou-nos, porém, o mapa do caminho, no Evangelho e em toda a obra Espírita. Que, desta

*O evangelho dos animais*

vez, aprendamos a fazer segundo deseja o Mestre, porque a pergunta mais importante que devemos nos fazer, calando todas as nossas expectativas infantis, é: "O QUE JESUS ESPERA DE MIM?"

Com os olhos brilhando, Manoela continuou:
– Antes de voltar ao capítulo 4, gostaria de acrescentar uma leitura de O Evangelho Segundo O Espiritismo, capitulo XX, item 5, Os Obreiros do Senhor:

*"Aproxima-se o tempo em que se cumprirão as coisas anunciadas para a transformação da Humanidade. Ditosos serão os que houverem trabalhado no campo do Senhor, com desinteresse e sem outro móvel senão a caridade! Seus dias de trabalho serão pagos pelo cêntuplo do que tiverem esperado. Ditosos os que hajam dito a seus irmãos: "Trabalhemos juntos e unamos os nossos esforços, a fim de que o Senhor, ao chegar, encontre acabada a obra", porquanto o Senhor lhes dirá: "Vinde a mim, vós que sois bons servidores, vós que soubestes impor silêncio aos vossos ciúmes a às vossas discórdias, afim de que daí não houvesse dano para a obra!"*

*Mas ai daqueles que, por efeito de suas dissensões, houverem retardado a hora da colheita, pois a tempestade virá e eles serão levados no turbilhão!...*

*... Cumprir-se-ão estas palavras: "os últimos serão os primeiros e os primeiros serão os últimos no reino dos céus." (O Espírito de Verdade)*

– Jesus nos abençoes – disse a querida Manoela – para que não obstemos os caminhos da regeneração, mas que, antes, nos tornemos os servidores fiéis e humildes, que calam as próprias pretensões do saber, porquanto, somente a Deus pertence toda a Verdade, e que possamos, conforme Espíritas que nos fazemos, ouvir os chamamentos do Cristo para esta hora de testemunho na abnegação e na obediência, frente às adversidades do mundo e de nós mesmos, para que a Verdade esteja alicerçada, e o Cristo surja, diante de nossos olhos, no estabelecimento da paz.

*Capítulo 29*

# DO INCONSCIENTE COLETIVO PARA A CONSCIÊNCIA INDIVIDUAL

Todos do grupo, já envolvidos pela leitura e pelas discussões, meditaram sobre o trecho lido do Evangelho. Perceberam que nova fase se iniciava no Espiritismo, que exigia de todos os adeptos o completo esquecimento de si mesmos, a conduta cada vez mais próxima dos preceitos pregados, a visão cada vez mais clara de que o planeta passava por uma transição, e que não cabia a outros, senão aos próprios cristãos, e particularmente aos Espíritas, estar com o Cristo, que conduz o planeta para novo patamar.

Patamar este que, sabiam, não mais comportava o falatório sem ação, ou a desculpa sem razão. Muito acima do conhecimento estava a real vivência do Evangelho e da vida eterna, do amor ao próximo, da fé, da caridade. Muito acima da caridade que fornece pão ou a sopa do centro Espírita, ou as palavras de consolo aos assistidos que procuram o Espiritismo, ou o passe, ou as cestas básicas, enfim, todas as atividades que, sem dúvida, trazem a luz de Jesus e acalentam corações. Estas atividades estabeleceram o "formato" da Doutrina Espírita ao longo do século XX, junto com os traba-

*O evangelho dos animais*

lhos de orientação aos Espíritos ou desobsessão, que ampararam tantas almas sofredoras e as escolas de médiuns, que garantem o estudo e o preparo adequado dos trabalhadores Espíritas.

Mas o Espiritismo, nesta nova fase, exige do adepto, que aprendeu a caridade santa nos caminhos do amparo, para ter esteio seguro para novos degraus na construção da escada da regeneração, a vivência das lições contidas nas obras Espíritas, que são os desdobramentos do Evangelho. Pois o amparo de todas as formas, com as palestras que iluminam, com o pão que acalenta o estômago, com a roupa que esquenta o frio e cobre o corpo desnudo, o ensinamento do Evangelho no lar que direciona a abertura das almas para o estudo e a fé, as escolas de médiuns e os estudos sistematizados da Doutrina Espírita que ampliam consciências, agora, precisavam de novo amadurecimento, unindo tudo isso ao exemplo. O século XX promoveu a expansão do Espiritismo e toda uma gama de informações e projetos de caridade que direcionaram milhares de almas, mas, no atual momento, em que os tempos são chegados, o Espiritismo solicitava dos Espíritas o exemplo para o mundo das verdades que a Doutrina trouxe. Além de toda a caridade, é preciso vivê-la em sua forma mais pura, para que a atmosfera do planeta possa respirar os ares do amor, e as luzes de Jesus tenham livre passagem pela Terra, iluminando almas. O Espiritismo chegou a sua fase de amadurecimento, e chama os Espíritas para crescerem e se tornarem os discípulos do Mestre, trabalhando como nos primeiros anos de estabelecimento do Cristianismo, com seus exemplos de amor e fé, que ficaram gravados na memória da humanidade para sempre.

Após os momentos de silêncio do grupo, em que os pensamentos fluíram, mesmo sem o perceberem, na mesma direção, considerando a responsabilidade do Espírita na Era do Espírito, Manoela solicitou a todos que retomassem a leitura do livro Missionários da Luz. Reiniciaram o capítulo 4, no trecho onde o haviam interrompido para buscar as explicações necessárias no capítulo 3:

*"Oh! era o vampirismo, a tese que me preocupava.*
*Vira os mais estranhos bacilos de natureza psíquica,*
*completamente desconhecidos da microbiologia mais*

*avançada... formavam também colônias densas e terrí-
veis. Reconhecera-lhes o ataque aos elementos vitais
do corpo físico, atuando com maior potencial destrutivo
sobre as células mais delicadas.
Que significava aquele mundo novo? Que agentes
seriam aqueles, caracterizados por indefinível e perni-
cioso poder? Estariam todos os homens sujeitos a sua
influenciação?
Não me contive. Expus ao orientador, francamente,
minhas dúvidas e temores...
... – Sem nos referirmos aos morcegos sugadores,
o vampiro, entre os homens, é o fantasma dos mortos,
que se retira do sepulcro, alta noite, para alimentar-se
do sangue dos vivos. Não sei quem é o autor de semelhante definição, mas, no fundo, não está errada.
Apenas cumpre considerar que, **entre nós, vampiro
é toda entidade ociosa que se vale, indebitamente,
das possibilidades alheias** e, em se tratando de vampiros que visitam os encarnados, é necessário considerar que eles atendem aos propósitos a qualquer
hora, desde encontrem guarida no estojo de carne dos
homens.*

Manoela fez ligeiro intervalo. Edson aproveitou para me-
morizar a informação de Alexandre em que definia o vampiro
sob o ângulo espiritual. Solicitou a palavra:
– Creio que uma vez que vamos estudar todo o capítulo
acerca do vampirismo, é preciso que tenhamos bem defi-
nido o significado do vampiro do ponto de vista espiritual.
Gostaria então de repetir:

**"...vampiro é toda entidade ociosa que se vale,
indebitamente, das possibilidades alheias...".**

– Importante observarmos – disse Zé – que, sob esta definição, o vampirismo passa a ter caráter muito mais signifi-
cativo do que nos filmes que tratam a respeito do tema. Sob
o ângulo espiritual, o vampirismo é bem mais profundo. O
vampiro não é uma criatura de capa, que sai à noite, com caninos afiados, e que se afasta com o crucifixo, a água benta

*O evangelho dos animais*

ou o alho. Mas o vampiro é, sim, um ser que se utiliza, vejam bem, das possibilidades de outro. Importante que tenhamos isto em mente: O VAMPIRO SE UTILIZA, **INDEBITAMENTE**, DAS POSSIBILIDADES DE OUTRO SER!. Assim, sem sombra de dúvida, ele tira o que não lhe pertence, mesmo em se tratando dos viciados que vimos há pouco.

Lúcia, agora mais consciente acerca do vampirismo, diferente do início do estudo, estava também apreensiva como os outros do grupo. Mas, ansiosa, queria saber o "final da história".

Foi Zé quem continuou a leitura:

*"... Alexandre... continuou:*
*– ... André, meu amigo, as doenças psíquicas são muito mais deploráveis. A patogênese da alma está dividida em quadros dolorosos. A cólera, a intemperança, os desvarios do sexo, as viciações de vários matizes, formam criações inferiores que afetam profundamente a vida íntima. Quase sempre o corpo doente assinala a mente enfermiça...*
*Não sopitei a curiosidade. Recorrendo à admirável experiência de Alexandre, perguntei:*
*– Ouça, meu amigo. Como se verificam os processos mórbidos de ascendência psíquica? Não resulta afecção do assédio de forças exteriores? Em nosso domínio, como explicar a questão? É a viciação da personalidade espiritual que produz as criações vampirísticas ou estas que avassalam a alma, impondo-lhe certas enfermidades? Nesta última hipótese, poderíamos considerar a possibilidade de contágio?*

Lúcia foi quem interrompeu, com cara de dúvida:

– Gente, espere aí um pouquinho. Desculpe, às vezes, não consigo acompanhar. O Alexandre disse para o André Luiz que as doenças psíquicas, ou seja, as doenças que vêm da mente, que, pelo que eu estou vendo, tem outro entendimento lá no plano espiritual, é que formam as tais larvas que ele descreveu antes, certo?

Edson sorriu e com carinho respondeu:

– Isto mesmo, Lúcia. Veja que ele citou como doenças psíquicas não somente aquelas que a medicina tradicional compreende, importante que observemos isto. Alexandre refere-se às doenças psíquicas da alma e as cita para André Luiz, como a cólera, a intemperança, os desvarios do sexo, e todas as viciações. Vamos até refletir acerca de suas colocações: a cólera e a intemperança nada mais são do que os diversos níveis de irritação do ser humano, expressadas em raiva, às vezes ódio, a mágoa, pequenas reações de agressividade em situações muitas vezes irrisórias, as irritações no trânsito, o mau humor constante, tudo isso, repetidamente, são reações de impaciência e intolerância, que refletem enfermidades da alma, e que, por isso mesmo, quando constantes, acontecendo repetidamente, promovem patogêneses espirituais.

– Poderíamos, também, falar sobre os desvarios do sexo – disse Amanda –, que hoje no mundo são vistos como normais. Mas o sexo é uma força da alma, força criadora e importante, porém deve ser tratado com o devido respeito, como uma força emprestada pelo Pai para as possibilidades de desenvolvimento do Espírito. Não fazemos, de forma alguma, apologia à abstinência sexual, mas a Doutrina Espírita nos ensina que devemos respeito a todas as coisas divinas, e o sexo é divino; importante condensador de energias, deve estar sempre aliado ao amor, ao respeito mútuo e ao respeito por si mesmo. Há inúmeras literaturas a respeito, como o Livro Vida e Sexo, de Emmanuel, e o próprio Livro Missionários da Luz, no capítulo 13, traz importantes esclarecimentos sobre o tema, sem contar o livro de André Luiz, também de psicografia de Francisco Candido Xavier, Sexo e Destino. Há também Sexo e Obsessão de psicografia de Divaldo Pereira Franco. Enfim, os desvios promovidos pela banalização de tão sublimes energias, têm causado graves patologias na alma.

– Importante observarmos, amigo – disse Plínio –, que o instrutor Alexandre refere-se a viciações de diversos matizes. Pensamos nas mais óbvias, como as drogas em geral, a bebida, etc., mas temos as menos aparentes, porque ainda aceitas como "normais" por nós, em nosso atual estágio evolutivo, como os vícios de comportamento que geram as enfermidades da alma. Saibamos identificá-los porque tam-

*O evangelho dos animais*

bém causam diversas consequências para o Espírito.

– Minha nossa senhora, então tudo isso causa estes problemas? – disse Lúcia – Santo Deus, nós precisamos mesmo estudar a Doutrina Espíritas e a nós mesmos!

Respirando para assimilar a ideia, Lúcia continuou:

– Muito bem, até aqui eu entendi. Mas da segunda parte que lemos, não entendi nada! Esse negócio que ele falou de *"processos mórbidos de ascendência psíquica"*, não faço a menor ideia do que sejam. Sem contar essa tal de *"afecção do assédio de forças exteriores"*. Não consegui entender a pergunta de André Luiz para Alexandre, então acho que também não vou entender a resposta, vocês podem me explicar?

– Claro, querida – respondeu Ana Paula – André Luiz quer saber o seguinte: por exemplo, como é que se adquire uma gripe, Lúcia?

– Ah, esta é fácil – respondeu Lúcia –, nós "pegamos" gripe em contato com alguém com gripe. A pessoa "passa" a gripe para nós.

– Isso mesmo, Lúcia – continuou Ana Paula –, isto acontece porque a gripe é causada por um vírus. Então, quando em contato com alguém com gripe, o vírus é transmitido de uma pessoa para outra, certo? Chamamos isso de contágio. Nós não falamos que gripe é contagioso? Então...

Ana Paula continuou:

– Agora me diga, câncer é contagioso? Ou seja, uma pessoa pode passar câncer para outra?

– Isso eu sei que não, Ana Paula – respondeu Lúcia –, se eu tiver contato com alguém com câncer, abraçar, segurar nas mãos, ou até tiver relacionamento sexual, sei que não pegarei câncer, porque não passa, não é contagioso. Pode até ser hereditário, mas aí é outra coisa, não é?

– Não vamos abordar este aspecto – disse Ana Paula – porque não é nosso foco. Estamos aqui observando o que significa ser contagioso. Bem, você entendeu a diferença?

– O que você disse sim – respondeu Lúcia –, mas você pode relacionar com o que disse André Luiz?

– Claro – respondeu Ana Paula – André Luiz quer saber como é que começa a formação das larvas psíquicas nas descrições que vimos. Se o próprio doente as produz ou se elas são transmitidas para ele. Ele quer saber também se é contagioso, ou seja, se uma pessoa pode transmitir larvas psíquicas para outra pessoa.

– Ah! – respondeu Lúcia – agora entendi. Nossa... será que pode ser contagioso?

Todos riram mediante a expressão de espanto de Lúcia, que, somente, agora havia abrangido a extensão da pergunta de André Luiz para Alexandre e sua importância.

– Vamos então – disse Ana Paula –, ouvir a resposta de Alexandre sobre tão importante pergunta?

*"– ...Você está observando o setor das larvas com justificável admiração. Não tenha dúvida. Nas moléstias da alma, como nas enfermidades do corpo físico, antes da afecção existe o ambiente. As ações produzem efeitos, os sentimentos geram criações, os pensamentos dão origem a formas e consequências de infinita expressão. E, em virtude de cada Espírito representar um universo por si, cada um de nós é responsável pela emissão de forças que lançamos em circulação, nas correntes da vida.*

Foi Edson quem tomou a palavra, admirado:

– Fica claro que, com nossos comportamentos, que são nossas ações, produzimos efeitos que são acompanhados de sentimentos, que vão gerar pensamentos, e estes pensamentos dão origem às larvas psíquicas que vimos há pouco. Mas tais larvas necessitam do ambiente propício para se multiplicarem, ambiente este encontrado ao nosso redor, pelos pensamentos que geramos, mas, principalmente, dentro de nós mesmos, pela forma como vibramos, ou seja, de acordo com o ambiente energético que criamos dentro e fora de nós.

Lúcia fez cara de dúvida, e disse:

– Acho que entendi, mas ainda assim fiquei confusa. Vamos por partes. Primeiro vêm nossos atos, certo?

– Sim – Edson respondeu, aguardando que Lúcia concluísse o raciocínio por si mesma.

– E estes atos geram efeitos, claro? – continuou Lúcia.

– Isso mesmo – respondeu Edson.

– Estes atos e estes afeitos são acompanhados de nossos

*O evangelho dos animais*

sentimentos, estou entendendo? – continuou Lúcia.
– Exatamente – disse Edson
– E estes sentimentos, obviamente, vão gerar pensamentos, que criam as larvar a que o André Luiz se refere? – Perguntou Lúcia.
– Exato – continuou Edson – mas tanto para que estas larvas psíquicas sejam criadas, quanto para que se reproduzam e permaneçam em nós, e ao nosso redor, é preciso o ambiente adequado, e este ambiente é gerado por nossas ações, que, como num ciclo vicioso, continuam gerando efeitos, e tudo isso acompanhado por nossos sentimentos, que continuam gerando pensamentos, que vão produzindo e mantendo as larvas psíquicas.
Ana Paula, então, disse:
– Então, a mudança de nossas ações e de nossos sentimentos, mudariam tanto o ambiente energético que produzimos quanto nossos pensamentos, o que, consequentemente, poderia eliminar as larvas psíquicas.
– Sem dúvida – disse Zé. – Uma vez conscientes e desejosos de buscar o bem, com os sentimentos elevados pela prece, junto ao tratamento espiritual com o passe, e a mudança de nossas ações, promovemos uma quebra no ciclo e, consequentemente, uma mudança no ambiente, eliminando as larvas.
– Incrível – disse Sérgio –, então, a colocação inicial que fez Alexandre, referindo-se a sermos responsáveis pelas forças que lançamos...

*"... cada um de nós é responsável pela emissão de forças que lançamos em circulação, nas correntes da vida...".*

– Nos faz responsáveis – continuou Sérgio – pelas larvas psíquicas que criamos e mantemos em nós e ao nosso redor, assim como também nos faz responsáveis pelo ambiente que cultivamos dentro e fora de nós... mas também coloca em nossas mãos mudar esta situação, a partir da mudança em nós mesmos. Fantástico!
– Também achei incrível – disse Lúcia –, só que ainda não entendi se é ou não contagioso.
Manoela foi quem tomou a iniciativa de continuar:

– Vamos ver o que nos diz a continuidade do texto de Missionários da Luz:

*"... A cólera, a desesperação, o ódio e o vício oferecem campo a perigosos germens psíquicos na esfera da alma. E, qual acontece nas enfermidades do corpo, o contágio aqui é fato consumado, desde que a imprevidência ou a necessidade de luta estabeleçam ambiente propício, entre os companheiros do mesmo nível... Cada viciação particular da personalidade produz as formas sombrias que lhe são consequentes, e estas formas, como as plantas inferiores, se arrastam no solo, por relaxamento do responsável, são extensivas às regiões próximas, onde não prevalece o espírito de vigilância e defesa.".*

– Nossa, é contagioso! – disse Lúcia, parecendo horrorizada.

Foi Zé quem veio em defesa do raciocínio lógico:

– Sim, é contagioso. Mas somente entre Espíritos, e aqui coloco Espíritos no sentido de ser eterno, encarnado ou desencarnado, que, encontrando-se no mesmo nível de evolução e que, invigilantes, através dos próprios sentimentos e pensamentos criam em si mesmos o ambiente adequado para receber as larvas psíquicas produzidas por outros, e a permitir que elas se multipliquem. Diz o texto:

*"...desde que a imprevidência ou a necessidade de luta estabeleçam ambiente propício, entre os companheiros do mesmo nível... são extensivas às regiões próximas, onde não prevalece o espírito de vigilância e defesa.".*

– Bem – disse Ana Paula –, não foi à toa que o Mestre Jesus nos alertou:

*"Orai e vigiai...".*

– Ah! a prece. Ainda temos imensas dificuldades em nos manter em elevados padrões de amor e bondade – disse Manoela – porque ainda trazemos inúmeros vícios dentro de

*O evangelho dos animais*

nós, mas a prece nos auxilia deveras, nos permitindo subir o padrão vibratório em que nos encontramos, e buscar o auxílio da espiritualidade superior.

Mas, sem a vigilância de nossos atos, sentimentos e pensamentos, burilando a nós mesmos, não é possível evitar os tormentos a que se refere André Luiz em tão importante alerta. Se, simplesmente, a prece nos livrasse de tudo, nos acomodaríamos na condição evolutiva em que nos encontramos, sem buscar a elevação espiritual. É por isso que, a prece, nos abre o campo para encontrarmos os caminhos para a mudança, e também para encontrarmos o auxílio para estas mudanças.

– Sem dúvida – disse Plínio –, a prece é o remédio santo do Senhor que, somada ao desejo sincero de cura, pode nos conduzir a estradas diferentes e nos libertar dos processos que nós mesmos construímos. A busca de luz e paz e a prece renovadora e sincera do coração humilde que conversa com o Cristo, solicitando o amparo, consciente da necessidade de encontrar a cura de si mesmo, serão sempre o bálsamo que nos impulsionará para frente. Para isso, no entanto, é preciso que todos nós, com humildade, nos conscientizemos de nossos vícios morais, que geram nossos vícios materiais, refletindo em nossas ações. Somente a renovação de nossos sentimentos e o entendimento de nossas responsabilidades, através do estudo do Evangelho e de todas as suas consequências, bem como suas aplicações em nossas vidas, é que promoverão a mudança definitiva em nossas ações, e, consequentemente, nos libertarão pouco a pouco do ambiente propício para a criação, manutenção e multiplicação das larvas psíquicas, de infinitas ações e formas, de acordo com o mundo interior em que vivemos, na maioria das vezes, sem nos darmos conta, por invigilância e falta de humildade, única virtude que pode nos propelir para caminhos mais elevados, porque a humildade faz com que nos reconheçamos como somos, com as virtudes que já conquistamos e que nos cabe estimular para continuarmos a evoluir, bem como com os vícios que ainda temos, aliados a nossas imperfeições morais, que nos cabe transformar para novos passos na evolução.

– Plínio – disse Zé – você concluiu com maestria esta fase inicial do estudo. Então, agora, vamos continuar com a leitura:

*"Evidenciando extrema prudência no exame dos fatos e prevenindo-me contra qualquer concepção menos digna, no círculo de apreciações da obra Divina, acrescentou:*
*– Sei que a sua perplexidade é enorme; no entanto,* **você não pode esquecer a nossa condição de velhos reincidentes no abuso da lei.** *Desde o primeiro dia de razão na mente humana, a ideia de Deus criou os princípios religiosos, sugerindo-nos as regras de bem--viver. Contudo,* **à medida que se refinam conhecimentos intelectuais, parece que há menos respeito do homem com as dádivas sagradas..."**

– Observemos bem estas colocações de Alexandre antes de continuarmos o resto do parágrafo – disse Zé –; duas coisas nos chamam a atenção e merecem mais profunda análise. A primeira colocação importante é:

*"...de velhos reincidente no abuso da lei..."*

– Alexandre nos classifica – continuou Zé –, a todos, como reincidentes no abuso das leis divinas. Portanto, cabe-nos meditação séria sobre a maneira como temos nos integrado a tudo que Deus nos fornece para a dádiva da evolução. Sincero raciocínio acerca do despertar de nossa consciência quanto a tudo que nos cerca, às forças que nos são emprestadas pelo Pai para nosso progresso. Se, até hoje, temos agido de forma inconsciente quanto a diversos fatores ao nosso redor, nos deixando levar pelo automatismo comportamental cravado em nossos instintos, adquirido por milênios, é preciso que nos conscientizemos de que é o momento de acordar o Espírito, e começar, através do conhecimento adquirido pelo estudo das obras do Consolador Prometido, e comprovado pela ciência, a criar novos rumos para nossa experiência individual e coletiva enquanto humanidade.
– Você quer dizer que temos nos deixado levar pela vida, sem observarmos nossos atos quanto a tudo o que ela nos oferece? – Perguntou Amanda
– Isso mesmo, Amanda – respondeu Zé –, mas o livro que hoje estudamos nos chama à profundos raciocínios neste sentido. Há, ainda, a observar o fato de que, em nosso de-

*O evangelho dos animais*

senvolvimento intelectual, muitas vezes, nos afastamos de nossos caminhos morais. Simplesmente porque o homem não compreendeu ainda que todo desenvolvimento intelectual são as descobertas das dádivas divinas e de tudo que Deus criou, e, portanto, nos comprova nossa origem de filhos de Deus. Por isso o texto nos alerta:

*"...à medida que se refinam conhecimentos intelectuais, parece que há menos respeito do homem com as dádivas sagradas..."*

– E este desrespeito quanto às dádivas divinas – completou Zé – tem nos trazido serias consequências. A natureza vem nos alertando, mas ainda nos encontramos na superficialidade das mudanças necessárias. Veremos, ao longo do estudo, quanto é mais profundo o que precisamos transformar. Continuemos com a leitura:

*"Os pais terrestres, com raríssimas exceções, são as primeiras sentinelas viciadas, agindo em prejuízo dos filhinhos...".*

Amanda e Edson se entreolharam. Podiam quase ver o pensamento um do outro refletindo a imagem do pequeno que havia ficado com a avó. Gabriel era a razão de viver da casa, e tudo faziam para que ele pudesse ser educado segundo o que aprendiam na Doutrina Espírita. Conscientes de que tinham nas mãos uma alma que lhes foi confiada por Deus, queriam o melhor para Gabriel enquanto Espírito. E a frase contida no meio do parágrafo, num capítulo do livro Missionários da Luz, que sempre lhes passou despercebido, agora saltou aos olhos de forma impressionante, e Amanda sentiu até mesmo um arrepio na "espinha". Edson respirou profundamente, dizendo:

– Minha nossa! Alexandre diz para André Luiz que os pais, e vejam bem, ele fala sobre a grande maioria dos pais no Planeta Terra; repetindo, os pais, como viciados inconscientes, têm ensinado o mesmo para os filhos? É isso que entendi?

– Infelizmente, caro amigo – disse Manoela –, é isso mesmo. Uma vez que, devido à ignorância própria da evolução, nos tornamos viciados em nossos comportamentos, trazendo enfermidades da alma, também educamos nossos filhos, que iniciam a nova reencarnação, para o mesmo processo.

– Mas isso gera um ciclo vicioso gravíssimo – disse Amanda –, porque uma vez que as crianças são educadas desta forma, também se tornarão adultos viciados inconscientemente, e isto promoverá novos pais viciados e grande ciclo de larvas psíquicas e vampirismo. Meu Deus!...

– O mais importante é que prestemos atenção! – continuou Zé – quanto ao conhecimento espiritual adquirido. Uma vez que, se tal literatura já se encontra entre nós desde a década de 40, já nos encontramos aptos, enquanto humanidade, a começar a mudar isso. Se temos acesso à informação, não existe mais a desculpa da ignorância espiritual e, portanto, já passamos a ser responsáveis pelos caminhos que traçamos para nós mesmos e para nossos filhos de forma mais consciente. Este texto de Missionários da Luz é de suma importância, porque nos traz novos parâmetros de entendimento e nos abre as portas para novas portas, que, porém, devemos escolher, conscientes de que caminhamos na direção das Leis Divinas. Ele nos traz a porta estreita, porque tal implantação não se faz sem esforço e trabalho, uma vez que nossos hábitos automáticos, adquiridos durante milênios, nos impulsionam para permanecermos na cômoda posição em que já nos encontramos, já que toda mudança é difícil. Porém, a Doutrina Espírita nos chama ao trabalho de nós mesmos e à modificação de nossos sentimentos, pensamentos e criações. Vamos continuar:

*"Cumpre, ainda, reconhecer que nós mesmos, em todo curso das experiências terrestres, na maioria das ocasiões, fomos os campeões do endurecimento e da perversidade contra as nossas próprias forças vitais. Entre os abusos do sexo e da alimentação, desde os anos mais tenros, nada mais fazíamos que desenvolver as tendências inferiores, cristalizando hábitos malignos. Seria, pois, de admirar tantas moléstias do corpo e degenerescências psíquicas?..."*

– Caramba! – disse Sérgio –, parece mesmo que precisamos rever nossos comportamentos em relação a nós mesmos, para quebrar o ciclo que propicia o ambiente às

*O evangelho dos animais*

larvas psíquicas e também gera o desgaste de nossas forças vitais. Cabe-nos rever nossos comportamentos e nossos hábitos. Se a cólera, a irritação e a maledicência geram graves alterações no ambiente, também os desvios do sexo e nossa alimentação os geram. Havemos de considerar também os vícios mais óbvios, como as drogas, as bebidas, a dependência de medicamentos... E, se observarmos a nós mesmos, enquanto Espíritas, não estamos distantes dessa realidade descrita por André Luiz. Nem sequer considerei, até hoje, que a alimentação tivesse tanta importância na evolução do Espírito.

– Você não viu nada ainda – disse Manoela –, veremos que o estudo nos levará a conclusões ainda mais preocupantes, porque refletem nossos hábitos milenares. E hábitos milenares e culturais são difíceis de quebrar, porque formatados no inconsciente coletivo.

Lúcia foi quem perguntou:

– O que é inconsciente coletivo?

Ana Paula respondeu:

– De forma simples, o nome diz: inconsciente coletivo. É algo que está no inconsciente da grande maioria das pessoas, que gera atos automáticos, que vemos em nosso dia a dia, e que a grande maioria faz, achando normal, mas que é patológico, na maioria das vezes, e ocorre por ignorância espiritual.

– Então – disse Lúcia –, traduzindo, é uma coisa que todo mundo está acostumado a fazer, e acha normal, mas não está condizente com as Leis Divinas e nos afasta da felicidade, é isso? – Perguntou Lúcia.

– Isso mesmo –, respondeu Manoela.

Zé respirou e sugeriu:

– Muito há de se aprender com o texto em questão. Penso mesmo ser importante que tomemos consciência da urgente necessidade de mudança, saindo do comodismo espiritual de quem se admira com as belezas das revelações, mas pouco espera de si mesmo na vivência das mesmas. Antes de continuarmos, eu gostaria de ler um trecho da Introdução de Missionários da Luz, sob o título Ante os tempos novos, de autoria de Emmanuel:

*"Enquanto os Espíritos Sábios e Benevolentes trazem a visão celeste, alargando o campo das esperanças humanas, todos os companheiros encarnados nos ou-*

*vem extáticos, venturosos. É a consolação sublime, o conforto desejado. Congregam-se os corações para receber as mensagens do céu. Mas, se os emissários do plano superior revelam alguns ângulos da vida espiritual, falando-lhes do trabalho, do esforço próprio, da responsabilidade pessoal, da luta edificante, do estudo necessário, do autoaperfeiçoamento, não ocultam a desagradável impressão. Contrariamente às suposições da primeira hora, não enxergam o céu das facilidades, nem a região dos favores, não divisam acontecimentos milagrosos nem observam a beatitude repousante. Ao invés do paraíso próximo, sentem-se na vizinhança de uma oficina incansável, onde o trabalhador não se elevará pela mão beijada do protecionismo e sim à custa de si mesmo, para que deva à própria consciência a vitória ou a derrota...*

*... A maioria espanta-se e tenta o recuo. Pretende um céu fácil depois da morte, que seja conquistado por meras afirmativas doutrinárias."*

– Nossa! – disse Edson –, este texto está na introdução de Missionários da Luz? Agora, estudando este capítulo, Vampirismo, entendo a dimensão da colocação do amigo espiritual Emmanuel, nos alertando para a necessidade de vivermos o que estudamos, com humildade e desejo de melhora, para galgarmos, por nosso próprio esforço, os caminhos da luz e para conquistarmos pelo esforço, enquanto humanidade, o planeta de regeneração, que não cairá do céu, de presente, em nossas mãos. Devemos fazer por merecê-lo!

## *Capítulo* 30

# A VERDADE VOS LIBERTARÁ

Edson pensava sobre quantas lições estavam contidas em poucas páginas do livro Missionários da Luz. Sua mente vagueava no quanto era preciso estudar mais a fundo a Doutrina Espírita. Compreendera que os ensinamentos são mais amplos, mais profundos, e geram mudanças definitivas para o Espírito. Tomava consciência disso pouco a pouco, desde que iniciaram os estudos acerca da espiritualidade dos animais. Concluía ele que, objetivando aprofundar-se em um tema, acabara por abranger mais assuntos que já havia visto, mas, de forma mais ampla agora, eles passavam a ter outra dimensão. Confessava a si mesmo, nos recônditos da mente, quantas e quantas vezes realizara o Evangelho no lar, lendo e relendo as mesmas partes, e começava achar aquilo entediante. Pensava consigo mesmo, sem coragem de confessar à esposa: *"já sei tudo o que é possível sobre o Evangelho"*, e, muitas vezes, sua posição em relação à André Luiz não foi diferente. Mas, com o novo campo de estudos, tudo se modificara.

Olhou com carinho ao seu redor. Observou uma casa simples, mas ampla e acolhedora. Olhou para Zé e para Manoela e sentiu íntima admiração pela coragem que eles demonstravam de viver mais fidedignamente as lições que estudavam. Observou a coragem de abandonar as convenções do mundo, sem condená-las, mas reconhecendo que para si mesmos havia caminhos melhores, a resignação perante as lições da vida, a humildade em reconhecer a necessidade de mudança e aprendizado. Sentiu como se estivesse diante dos primeiros cristãos. Percebeu que viver o Cristianismo primitivo, aderir em sentimentos e, consequentemente, pensamentos e ações aos ensinamentos do Consolador Prometido, não mais exigia a morte nas arenas como na primeira era cristã, mas, com absoluta certeza, o nascimento do homem novo e lúcido, para o qual o testemunho junto a Jesus não é palavra vã e a fé não é uma teoria, a lógica não é uma fuga e o amor não é utopia, mas são verdades que a alma conhece e vive profundamente. Edson ali, em ambiente simples, reconheceu que, embora os tempos novos, o Cristianismo, na porta estreita, ainda exigia o testemunho e a força do amor, e que não havia, sob nenhuma hipótese, transformação e elevação sem esforço intenso, abnegação dos sentimentos que são gerados pelo egoísmo e orgulho e obediência às lições primorosas trazidas pelo Espiritismo redentor.

Acordou dos próprios pensamentos com a voz de Zé, reiniciando a leitura do capítulo 4 de Missionários da Luz:

*"O plano superior jamais nega recursos aos necessitados de toda ordem..."*

– É importante que observemos esta colocação de Alexandre – disse Plínio –; embora nossos erros reticentes e nossa persistência nos desvios do caminho, jamais estamos abandonados à própria sorte. Jesus, em sua misericórdia infinita, nos ampara sempre. Mas, muitas vezes, este amparo vem através do conhecimento das verdades, das provas da vida, junto aos amigos da espiritualidade que nos orientam os passos.

– Ora – disse Lúcia –, é por isso que Deus deixou cada um com um anjo da guarda. Ele está sempre com a gente. De vez em quando, nós o esquecemos e vivemos a vida, deixando-nos levar. Mas jamais estamos sozinhos. Quando rezamos, é ele que nos ajuda, nos ouve, nos auxilia, nos pequenos e nos grandes problemas.

– Com certeza, Lúcia – disse Ana Paula –, muitas vezes, ele nos coloca um livro nas mãos, nos faz encontrar a fonte

*O evangelho dos animais*

do consolo, nos estimula intuitivamente a esperança e a fé, e também nos mostra os caminhos do bem e do amor. O mentor que nos orienta individualmente os passos jamais nos deixa a sós, e outros abnegados servidores do Cristo se fazem também nossos mentores nos processos do aprendizado.

– Há de se considerar – disse Sérgio – que Alexandre, quando em sua conversa com André Luiz, não deixa também de ser nosso orientador quanto aos caminhos a seguir. Quando estudamos o livro Missionários da Luz, por exemplo, ele se faz este missionário da luz para o mundo e para nós mesmos. Quando lemos, é como se falasse para nós, como se estivesse se referindo a nossos comportamentos e a nossa necessidade de mudança. É muito mais que um simples livro, um romance, é um ensinamento, uma escola para a verdadeira vida, a vida do Espírito, e para a evolução. Que tenhamos a consciência disso, para não nos abstermos da necessidade de transformação pessoal e não fugirmos pela porta larga do comodismo, adiando para amanhã o que podemos e devemos começar hoje, pois:

*"A cada um segundo suas obras!"*

– Somos Espíritas – continuou Sérgio –, que sejam nossas obras as do cristão dos tempos modernos, que funciona como um farol de amor e exemplo àqueles que os cercam.

– Bem, estamos cercados do amor Divino – disse Amanda – e das luzes da verdade que nos clareiam a escuridão com a literatura espírita. O Planeta Terra está em transição para nova fase, a regeneração, fase esta em que as luzes do Evangelho se farão muito mais presentes. Espíritos em numero incontável estão trabalhando por este processo. Acredito que nos caiba decidir como desejamos participar disso. E, uma vez que decidirmos pelo amor, não nos faltará ajuda.

– E se decidirmos pelos caminhos inversos, ou seja, e se decidirmos pelo comodismo, por nos manter como estamos? – Perguntou Lúcia.

– O próprio texto nos diz – respondeu Zé – que não estaremos abandonados à própria sorte, mas...

– Vamos continuar – disse Manoela – e compreenderemos melhor para lhe responder, Lúcia.

– Só quero dizer – continuou Zé – que a misericórdia Divina é infinita, e que o tempo todo somos chamados para a construção da paz dentro e fora de nós, mas também nosso livre-arbítrio é respeitado. O auxílio é constante, mas a decisão pelo amor ou não é nossa. Continuemos nosso estudo:

*"O Plano Superior jamais nega recursos aos necessitados de toda ordem e, valendo-se dos mínimos ensejos, auxilia os irmãos de humanidade na restauração de seus patrimônios... Apesar disso, porém, o cipoal da ignorância é ainda muito espesso. E o vampirismo mantém considerável expressão, porque, se o Pai é sumamente misericordioso, é também infinitamente justo. Ninguém lhe confundirá os desígnios, e a morte do corpo quase sempre surpreende a alma em terrível condição parasitária..."*

*– Minha nossa! – disse Lúcia, com olhar estarrecido –, quer dizer que estas tais larvas psíquicas acompanham os Espíritos depois da morte, quero dizer, depois do desencarne, como vocês dizem?*

*– Sim Lúcia – respondeu Manoela –, é exatamente o que diz o texto. E veja que a ignorância é assim citada:*

*"...o cipoal da ignorância é ainda muito espesso..."*

– A ignorância – continuou Manoela – é um fator importante no vampirismo ainda alastrado no mundo, porque o desconhecimento acerca do tema, suas causas e seus efeitos gera a "infecção parasitária psíquica", se assim posso me referir, por ser doença que passa desapercebida e cujas causas estão além do entendimento da ciência humana. Estão no comportamento humano. Ainda que sem conhecer tais processos, se vivêssemos o Evangelho em sua verdade sublime, tais infecções não seriam, em absoluto, tão alastradas no planeta, porque os homens teriam transformado seu comportamento e, mais elevados, mais puros, mais livres, seriam mais felizes. Mas ainda não vivemos o Evangelho e, consequentemente, ainda damos vazão ao ambiente que propicia a multiplicação devastadora das larvas psíquicas.

*O evangelho dos animais*

– Nossa! mas será que ainda é tão frequente? – Perguntou Amanda.
– Vamos continuar estudando e encontraremos sua resposta, Amanda – respondeu Manoela.

*"Absolutamente animalizado e tendo vivido muito mais de sensações animalizadas que de sentimentos e pensamentos puros, as criaturas humanas, além do túmulo, em muitíssimos casos, prosseguem imantadas aos ambientes domésticos que lhes alimentavam o campo emocional... Aos infelizes que caíram em semelhante condição de parasitismo, as larvas que você observou servem de alimento habitual".*
*– Deus meu! – Exclamei sob forte espanto.*
*Alexandre, porém, acrescentou:*
*– Semelhantes larvas são portadoras de vigoroso magnetismo animal."*

Lúcia, com o olhar espantado e os lábios delatando nojo, perguntou:
– Se entendi bem, quando Espíritos que viviam assim, como dizer, no vício, tanto os vícios conhecidos como o cigarro, a bebida, as drogas, etc., quanto os vícios de comportamento, como a cólera, a irritação, a exasperação e outros, quando desencarnam, continuam no lar e em outros lares, na Terra, se alimentando das larvas psíquicas de outras pessoas que ainda estão encarnadas? É isso mesmo que entendi?
– Exato, é isso mesmo – disse Manoela. – Embora chocante, esta é a verdade, como nos demonstra o texto. Vamos ver agora a explicação de Alexandre para André Luiz sobre a forma como isso acontece:

*"– Naturalmente que a fauna microbiana em análise não será servida em pratos; bastará ao desencarnado agarrar-se aos companheiros de ignorância ainda encarnados, qual erva daninha aos galhos das árvores, e sugar-lhes a substância vital.*
*Não conseguia dissimular o assombro que me dominava."*

– Nossa! deixe-me ver se entendi – disse Lúcia novamente.

– Então, temos três situações:

Primeira: a formação de larvas psíquicas por nossos sentimentos, ações e pensamentos distantes do Evangelho

Segunda: a proliferação e manutenção destas larvas pelo comportamento, sentimentos e pensamentos constantes, distantes das leis divinas, que propiciam ambiente para que elas se multipliquem e contagiem outros, se estes outros derem, por assim dizer, abertura para tanto, por invigilância.

Terceira: e Espíritos desencarnados que se agarram a nós como vampiros de filmes de terror, sugando nosso fluido vital a fim de obter a energia das larvas psíquicas, porque eles também são viciados, e, uma vez desencarnados, sentem necessidade de continuar recebendo a energia destas larvas.

É isso mesmo que entendi? As três coisas acontecem juntas e uma estão interligadas?

– Exato, Lúcia – respondeu Zé – é isso mesmo que você compreendeu.

– Gente! Espere um pouco – disse Sérgio –, que criemos as tais larvas por nossa ignorância, sei lá! Conforme a gente vai aprendendo e estudando, por exemplo, o Evangelho, agente vais se transformando, mas, ainda assim, teremos vampiros espirituais ligados a nós e sugando a energia? E a tal proteção divina de que Alexandre falou para André Luiz? Como eles permitem isso? Não estamos tentando mudar?

– Vamos continuar o estudo – disse Zé –, porque sua dúvida também foi a de André Luiz. Vamos ver como respondeu Alexandre:

*"Porque tamanha estranheza? – perguntou o cuidadoso orientador – e nós outros, quando nas esferas da carne? Nossas mesas não se mantinham à custa das vísceras dos touros e das aves? A pretexto de buscar recursos protéicos, exterminávamos frangos e carneiros, leitões e cabritos incontáveis. Sugávamos os tecidos musculares, roíamos os ossos..."*

– Alexandre está dizendo a André Luiz – disse Sérgio – que, ao comer carne, estamos fazendo o mesmo que estes

*O evangelho dos animais*

Espíritos desencarnados? Ele nos compara aos vampiros, é isto? Devo ter entendido mal...
– Meu amigo – respondeu Zé –, você não entendeu mal, é exatamente ao que se refere Alexandre. Quando estudamos este capítulo em família, demoramos para aprofundar no tema, porque tal ideia nos chocou prontamente. Fiquei até ofendido com Alexandre. Vamos aprofundar neste parágrafo e não fujamos do aprendizado porque as lições nos ferem a sensibilidade. Lembremos das lições do Cristo:

*"Conhecereis a verdade, e a verdade vos libertará..."*

Se acreditamos em André Luiz, se tantos têm sido os esclarecimentos que ele nos trouxe para que busquemos estradas melhores quanto à vida espiritual, à mediunidade, à pratica do Evangelho; se estivermos conscientes das luzes derramadas através deste Espírito em nossas mãos, não cometamos o erro milenar dos cristãos, por séculos, adaptando a Doutrina Espírita e retirando-a de sua pureza, que a torna a revivência do Cristianismo primitivo, para que possamos permanecer em nossas dificuldades. Aprendamos a ouvir as lições e a promovê-las a agentes de transformação, sem nos acomodarmos somente porque é difícil. Que seria do mundo se os cristãos primitivos fugissem ao testemunho? Que seria do Cristianismo não fosse a coragem de Saulo, ao ouvir Jesus na estrada de Damasco, com coragem de enxergar a si mesmo, transformar-se e trabalhar pelo Evangelho? Tenhamos a coragem de encarar a verdade, para aprendermos a construir a paz. Porque se disse, por muitos anos, no meio espírita, que os tempos estavam chegando, e que precisávamos nos preparar para eles; mas, agora, os tempos são chegados, e não mais é tempo de adiar, mas de viver. Aprendamos os caminhos da luz, olhando as dificuldades. Continuemos:

*"... Não contentes em matar os pobres seres que nos pediam roteiros de progresso e valores educativos..."*

– Apesar da narrativa dolorosa para mim – disse Amanda –, porque amo os animais, e percebo que amá-los vai além de amar somente os cães e gatos, acredito ser importante ressaltar esta última colocação feita por Alexandre, porque nos fala acerca de nosso papel para com os animais, o papel a nós confiado por Deus, enquanto seres humanos:

*"...seres que nos pediam roteiros de progresso e valores educativos..."*

Nesta colocação – continuou Amanda –, Alexandre é claro em nos alertar que os animais não estão aqui para nos servir, da forma como entendemos, mas para que os auxiliemos na educação e no progresso.

– Compreendo, Amanda – disse Plínio –, mas a Doutrina Espírita não diz que os animais foram criados para nos servir?

– Pensemos com clareza evangélica, caro amigo – respondeu Zé –, e busquemos a resposta junto ao próprio Livro dos Espíritos, no final da questão 540:

*"...É assim que **tudo serve, que tudo se encadeia na Natureza**, desde o átomo primitivo até o arcanjo, que também começou por ser átomo. Admirável lei de harmonia, que o vosso acanhado espírito ainda não pode apreender em seu conjunto!"*

Continuemos na questão 677:
*"Tudo em a Natureza trabalha. **Como tu, trabalham os animais...".***

Busquemos o Livro A Gênese, que já comentamos, capítulo VII, Esboço Geológico da terra:
*32. – **O orgulho levou o homem a dizer que todos os animais foram criados por sua causa e para satisfação de suas necessidades.** Mas, qual o número dos que lhe servem diretamente, dos que lhe foi possível submeter, comparado ao número incalculável daqueles com os quais nunca teve ele, nem nunca terá, quaisquer relações? Como se pode sustentar semelhante tese, em face das inumeráveis espécies que*

*O evangelho dos animais*

*exclusivamente povoaram a Terra por milhares e milhares de séculos, antes que ele aí surgisse, e que afinal desapareceram? Poder-se-á afirmar que elas foram criadas em seu proveito? Entretanto, tinham todas a sua razão de ser, a sua utilidade. Deus, decerto, não as criou por simples capricho da sua vontade, para dar a si mesmo, em seguida, o prazer de as aniquilar, pois que todas tinham vida, instintos, sensação de dor e de bem-estar. Com que fim ele o fez? Com um fim que há de ter sido soberanamente sábio, embora ainda o não compreendamos.* **Certamente, um dia, será dado ao homem conhecê-lo, para confusão do seu orgulho;** *mas, enquanto isso não se verifica, como se lhe ampliam as ideias ante os novos horizontes em que lhe é permitido, agora, mergulhar a vista, em presença do imponente espetáculo dessa criação, tão majestosa no seu lento caminhar, tão admirável na sua previdência, tão pontual, tão precisa e tão invariável nos seus resultados!*

– Sem dúvida, Plínio – continuou Zé –, os animais nos servem. Sem dúvida, eles trabalham, mas acreditar que eles estão aqui exclusivamente para nos servir é próprio de nosso orgulho esquecido da principal lição do Mestre, que, infinitamente superior a nós, se fez homem, iluminou nossos caminhos, para nos servir, e, para que não houvesse dúvidas, disse:

*"Eu não vim para ser servido, mas para servir...".*

– E nós outros – disse Zé –, presos ainda à animalidade, iniciando o despertar do amor conscientemente, compreendendo nossa função no universo, acreditamos que Deus, em sua bondade infinita, em seu amor supremo, em sua luz imbatível, em sua caridade e misericórdia incomparáveis, criou criaturas dotadas da capacidade de sentir dor, sofrer, reagir ao sofrimento, sentir, amar, expressar emoções, para nos servir? Qual desvio das leis divinas e da humildade nos faria acreditar em um deus que nos favorecesse dessa maneira, à custa do sofrimento de outros de seus filhos? Que pai, na Terra, ainda preso as suas dificuldades, ofereceria a vida de um filho para preservar a vida de outro? Quanto nosso antropocentrismo, nosso orgulho, nos desviou do entendimento do que é Deus? Não mais nos enganemos, busquemos mudar a lente dos equívocos milenares de nosso orgulho e assistir à Doutrina Espírita em sua pureza primitiva, que são as Leis Div nas.

Zé respirou, com os olhos brilhando de emoção e tomado de sentimentos de amor e compaixão, continuou envolvendo a todos:

– Sim, os animais nos servem, e servindo-nos aprendem, mas nós também os servimos, e, servindo-os, aprendemos a amar, aprendemos a humildade, e aprendemos a servir a Deus. Se cabe a eles o trabalho e o desenvolvimento; não nos cabem tarefas diferentes, embora em patamares diferentes de complexidade. E o próprio Espírito da Verdade afirma tais colocações, no final da questão 607a, no item Os Animais e O Homem, quando do se refere aos animais:

*"...Acreditar que Deus haja feito, seja o que for, sem um fim, e criado seres inteligentes sem futuro, fora blasfemar da Sua bondade, que se estende por sobre todas as suas criaturas."*

– E, para que não tenhamos dúvida – continuou Zé –, observemos a verdade afirmada pelo Espírito da Verdade nesta resposta, quando se refere aos animais:

*"...seres inteligentes...".*

– Desta forma – disse Manoela –, o Espírito da Verdade também cala nossa pretensão de considerá-los somente dotados de instinto, enquanto as observações dizem o contrário. Não nos deixa também sozinhos Emmanuel, ao afirmar nossa obrigatoriedade em amparar os animais. Vejam esta colocação do Livro Emmanuel, psicografia de Francisco Cândido Xavier, capítulo XVII, Sobre Os Animais:

*"...recebei como obrigação sagrada o dever de amparar os animais na escala progressiva de suas posições*

*O evangelho dos animais*

*variadas no planeta. Estendei até eles a vossa concepção de solidariedade..."*

– Meus amigos – disse Zé –, que seria de nós, digam-me, vocês que tanto conhecem a Doutrina Espírita, se em nossas angústias e sofrimentos, quando adentramos um templo, uma casa Espírita, com a alma em aflição, lágrimas nos olhos, e imploramos a mão amiga da espiritualidade superior em nosso socorro, que seria de nós, se eles nos virassem as costas? Diga-me, caro Plínio, se ao invés do amparo acolhedor recebêssemos o cutelo devastador? Que seria, se ao invés da educação e entendimento, recebêssemos a perversidade e o desamor? Que seria de nós outros? Você, Plínio, que recebeu do Mestre e de Espíritos abnegados o socorro e o amparo quanto a sua difícil situação, que seria se solicitasse o amor e recebesse a miséria e o descaso? Todos estavam em lágrimas. Amanda chorava incontidamente. Edson não tinha coragem de levantar a cabeça. Ana Paula estava chocada, olhos avermelhados, lágrimas correndo na face.

Zé continuou:

– Plínio, sejamos sinceros, amigo. Somos nós os "Espíritos amigos" encarregados de "ouvir"os apelos dos animais em sua linguagem incompleta aos nossos sentidos, e ampará-los em suas dores, acordando-lhes a alma para o amor, auxiliando-os a compreender a luz, exemplificando-lhes a harmonia como Jesus fez conosco. Nós somos os Espíritos em estágio evolutivo superior para eles. No entanto, perdidos das Leis Divinas, ao invés dos mentores fiéis a elas, nos tornamos os vampiros vorazes, algozes da dor, testemunhas da escuridão. Quando foi que nos perdemos, meu amigo, meu irmão? Que Jesus tenha misericórdia de nós. Acordemos com a Doutrina Espírita, enquanto é tempo, assumindo a função de pais para as almas tenras que gravitam na animalidade; abandonemos as teorias improfícuas e busquemos a vivência, sem nos condenar pelo passado sem volta, mas também sem fugir à remissão do futuro, e nos tornemos os filhos pródigos que, agora, estendem as mãos e amam, amparam, auxiliam. Sejamos nós os trabalhadores da última hora, vivendo a verdade renovadora do amor, transformando a nós mesmos!

O silêncio reinou soberano. Ninguém tinha coragem de proferir palavra. As colocações de Zé vibravam no ambiente. Leve brisa adentrou pela janela. Adamastor levantou-se e olhou Manoela. Esta sugeriu:

– Continuemos firmes na busca da verdade, sem subterfúgios, e encontraremos os caminhos da redenção, pois já disse Jesus:

*"O amor cobrirá a multidão de vossos pecados".*

Vamos continuar – disse Manoela – a leitura dos caminhos da Doutrina Espírita:

*"... Não contentes em matar os pobres seres que nos pediam roteiros de progresso e valores educativos, para melhor atenderem a Obra do Pai, dilatávamos os requintes da exploração milenária e infligíamos a muitos deles determinadas moléstias para que nos servissem ao paladar, com a máxima eficiência. O suíno comum era localizado por nós em regime de ceva, e o pobre animal, muita vez, à custa de resíduos, devia criar para nosso uso certa reserva de gordura, até que se prostrasse, de todo, ao peso de gorduras doentias e abundantes..."*

– E nada mudou – disse Manoela –, continuamos adotando formas cada vez mais tecnológicas de engordá-los mais rápido, com menos custo, mais eficiência, de forma a obtermos os pratos variados de nossa mesa à custa de tanta dor! Continuemos:

*"... Colocávamos gansos nas engordadeiras para que hipertrofiassem o fígado, de modo a obtermos pastas substanciosas destinadas a quitutes que ficariam famosos, despreocupados das faltas cometidas com a suposta vantagem de enriquecer os valores culinários..."*

– Refere-se Alexandre – comentou Zé –, neste texto, ao "foie gras", mas podemos citar inúmeras atrocidades que vêm se fazendo presentes. Temos o "baby" bife, a carne de cordeiro,

*O evangelho dos animais*

e inúmeras especiarias que pedem animais mortos em tenra idade, mantidos em regime de prisão devastadora, afastados da mãe muito jovens, submetidos a inúmeras torturas e, para quê mesmo? Porque a carne deste bezerro é mais macia? Quanto sofrimento, quanta dor desnecessários, absolutamente desnecessários! Desconsideramos os vínculos familiares que os animais têm, desconsideramos a capacidade de amar, ignoramos que os animais sentem e sofrem e nos acomodamos a acreditá-los máquinas, enquanto sofrem e urram nos quadros de tortura e abate, tal qual acontece até hoje, porque nos é cômodo acreditar assim. Mas não é a verdade, embora nos pareça aterrador? Pois que nos disse o Espírito da Verdade, na questão 595 de O Livro dos Espíritos:

> *"Os animais não são simples máquinas, como supondes..."*

– Continuemos com a leitura de Missionários da Luz:

> *"... Em nada nos doía o quadro comovente das vacas-mães, em direção ao matadouro, para que nossas panelas transpirassem agradavelmente. Encarecíamos, com toda a responsabilidade da ciência, a necessidade de proteínas e gorduras diversas, mas esquecíamos que a nossa inteligência, tão fértil na descoberta de comodidade e conforto, teria recursos de encontrar novos elementos e meios de incentivar os suprimentos protéicos ao organismo, sem recorrer às indústrias da morte..."*

– Tenho uma dúvida – disse Edson –, em se tratando da morte dos animais em si, se não nos fazemos pessoalmente os carrascos, mas apenas nos aproveitamos da carne de um animal que já foi morto, será que nossa responsabilidade é a mesma?

– Excelente pergunta – disse Zé. – Já ouvi este questionamento inúmeras vezes. O Livro dos Espíritos nos orienta perfeitamente, neste sentido, através da questão 640. Vejamos:

*640. Aquele que não pratica o mal, mas que se aproveita do mal praticado por outrem, é tão culpado quanto este?*

*"É como se o houvera praticado. Aproveitar do mal é participar dele. Talvez não fosse capaz de praticá-lo; mas, desde que, achando-o feito, dele tira partido, é que o aprova; é que o teria praticado, se pudera, ou se ousara."*

– O Espírito da Verdade deixa claro – continuou Zé – que, ainda que se trate de apenas nos utilizarmos no mal praticado pelo carrasco, que, na verdade, está ali para fazer o que não temos coragem ou oportunidade, nos tempos modernos, de fazer com as próprias mãos, isso nos torna tão responsáveis como se o fizéssemos. Assim, a Lei Divina é clara, e não podemos infringi-la sem por isso responder.

– Meus amigos – disse Plínio –, que seria de nós sem a Doutrina Espírita a nos alertar? Não fujamos do alerta e não criemos subterfúgios. Que fique bem claro, pois que muitos dirão que, enquanto aprendizes do Evangelho, ainda somos maledicentes, ainda mentimos, ainda somos orgulhosos, ainda nos falta fé. Mas, em nenhuma destas faltas graves, nós matamos ou compactuamos com a morte de um filho de Deus. Não criemos desculpas, porque nos tornar vegetarianos é romper com nossa convivência com a morte, a tortura, enfim, o assassinato de nossos irmãos! Não nos faz imunes, de forma alguma, a realizar todas as mudanças necessárias em nosso íntimo, mas, sem sombra de dúvida, é imprescindível no processo de evolução.

– E digo a vocês – afirmou Manoela – que muito se progrediu em termos de alimentação. Desde a psicografia deste livro, que data da década de 1940, até os dias de hoje, quantos não são os recursos para adquirir proteínas? Temos a soja e suas inúmeras utilidades. Além da soja em grão, da soja texturizada, que encontramos prontas no comércio, temos salsicha de soja, hambúrguer de soja, quibe de soja, linguiça de soja, e, se procurarmos com mais insistência, encontraremos o tofu defumado, a ricota defumada, a glutadela, que substitui a mortadela, o presunto vegetal, o salame vegetal... Hoje, os recursos são infinitos. Legumes e

*O evangelho dos animais*

verduras a preços acessíveis, frutas, leguminosas que não somente a soja, como lentilha, grão de bico, feijão, etc. Cabe-nos o desejo da mudança, e temos muitos recursos à mão.

– Como em todo processo de alimentação – disse Zé –, temos profissionais formados que podem nos servir de orientadores eficazes nesta mudança, embora a necessidade, por parte deles, do conhecimento sobre a dieta vegetariana, mas encontraremos os nutrólogos e os nutricionistas com conhecimento para nos direcionar para a alimentação da nova era, em que não mais seremos coniventes com a dor de nossos irmãos animais. Os caminhos estão formados, não mais precisamos de todo este trabalho da ciência, ele já aconteceu. Observemos o final do texto:

*"...tempos virão, para a Humanidade terrestre, em que o estábulo, como o lar, será também sagrado..."*

Edson sorriu. Tantas vezes leu o texto ali estudado, mas nunca percebeu tantas nuances. Porém, a última frase lhe chamou profundamente a atenção, comentou:

– Então, estamos destinados a isso. O mundo se tornará vegetariano. É o futuro. O texto é claro:

*"...tempos virão, para a Humanidade terrestre, em que o estábulo, como o lar, será também sagrado..."*

– Meus queridos amigos – disse Zé –, a regeneração não se fará sem esta mudança imprescindível ao Planeta Terra. Relembremos Capela, em seu processo de transição. Consultemos novamente o Livro A Caminho da Luz, de autoria espiritual de Emmanuel, psicografia de Francisco Cândido Xavier, capítulo III, O Sistema de Capela:

*"Quase todos os mundos que lhe são dependentes já se purificaram física e moralmente, examinadas as condições de atraso moral da Terra, onde o homem se reconforta com as vísceras dos seus irmãos inferiores, como nas eras pré-históricas de sua existência.."*

– Nossa! – disse Ana Paula –, Emmanuel colocou:

*"...onde o homem se reconforta com as vísceras dos seus irmãos inferiores, **como nas eras pré-históricas de sua existência..**"*

– Com uma colocação dessas – continuou Ana Paula –, não há dúvida de que a dieta vegetariana nos libertará de um comportamento deveras primitivo.

– Vai além disso, Ana Paula – disse Zé –, para adentrarmos a regeneração, para conquistarmos a paz na Terra, é imprescindível estendermos o Evangelho até nossos hábitos, e compreender os passos que devemos dar no sentido de viver o amor, segundo nos ensina a Doutrina Espírita. Assim é que se fará o Homem de bem a que se refere o Evangelho. Vamos repetir o texto do livro A Gênese, no capítulo III, O Bem e O Mal, Destruição dos Seres Vivos Uns Pelos Outros, item 24:

*"...No Homem, há um período de transição em que ele mal se distingue do bruto. Nas primeiras idades, domina o instinto animal e a luta ainda tem por móvel a satisfação das necessidades materiais. Mais tarde, contrabalançam-se o instinto animal e o sentimento moral; luta, então, o homem, não mais para se alimentar, porém, para satisfazer à sua ambição, ao seu orgulho, à necessidade, que experimenta, de dominar. Para isso, ainda lhe é preciso destruir. **Todavia, à medida que o senso moral prepondera, desenvolve-se a sensibilidade, diminui a necessidade de destruir, acaba mesmo por desaparecer, por se tornar odiosa. O homem ganha horror ao sangue.**"*

– Cabe-nos a compreensão do amor acima de tudo – disse Zé –, cabe-nos desenvolvê-lo. Somos os futuros arcanjos. Felizmente, chegamos ao ponto de compreender mais e melhor, e de libertar do sofrimento angustiante tantos irmãos animais e a nós mesmos. São chegados os tempos, é a hora da verdade, da construção da paz!

*O evangelho dos animais*

– Embora sumamente convencido – disse Plínio – queria retomar a pergunta 723 de O Livro dos Espíritos, para que a possamos compreender melhor. Podemos?

– Excelente lembrança, Plínio – disse Manoela –, vamos retomá-la e observar o progresso da humanidade desde então, para não parecer que André Luiz, Emmanuel e Joanna de Ângelis estejam em contradição com o Espírito da Verdade. Vamos lá?

*Capítulo 31*

# TUDO TEM SEU TEMPO

*O Livro dos Espíritos*, **questão 723:**
**"A alimentação animal, com relação ao homem, é contrária a lei natural?**
*Resposta: Em virtude de vossa constituição física, a carne alimenta a carne, do contrário o homem perece. Em obediência à lei de conservação, o homem tem o dever de preservar sua saúde e suas energias, para cumprir a lei do trabalho. Deve alimentar-se, pois, de acordo com as exigências de sua organização fisiológica."*

– É importante considerarmos um fato – disse Zé –. A grande maioria da população não tem mais que 80 anos, portanto, tendo reencarnado de 1930 para cá. Na fase da primeira guerra mundial, alguns de nós éramos crianças, com exceções, claro, e outros de nós não haviam reencarnado. Nossa noção, portanto, acerca de como era a vida em 1857, por ocasião da codificação da Doutrina Espírita, é vaga e baseada em descrições históricas, uma vez que nossa memória presente não traz essa informação. Embora, sem dúvida, alguns de nós estivemos reencarnados em meados do século XIX, tal memória encontra-se em nosso passado espiritual, sem acesso a esta atual vida. Por isso, é tão difícil, para nós, compreendermos que o mundo nem sempre foi como ele é hoje.

*O evangelho dos animais*

– Interessante colocação – disse Ana Paula –, porque temos tendência de vivermos segundo a realidade atual.

Mesmo aqueles que viveram as fases anteriores, o início do século, a não existência da televisão, a falta de luz elétrica em muitos lugares, isto fica apenas entre histórias que contamos, documentos históricos, reportagens de televisão. Mas, ainda com tudo isso, só estamos acostumados é com o momento presente.

Amanda começou a rir e todos olharam para ela, que disse:
– Desculpe, mas lembrei-me de algo. Não precisamos ir ao início do século, basta voltarmos vinte anos atrás. Outro dia, assistia a um programa de televisão em um canal famoso. O programa era feito por um psicólogo conhecido que conversava com um grupo de cerca de 25, talvez 30 jovens, não sei exatamente. Mas, eles falavam acerca do uso, pelos jovens, da tecnologia atual, como mp3, CDs, etc. De repente, um jovem disse: *"vocês sabiam que, antigamente, existia um negócio chamado disco de vinil? Era um enorme disco preto, que dava uns 4 CDs de diâmetro, e se colocava numa vitrola que tinha uma agulha que passava no tal disco para tocar a música que se escolhia..."*. Outro jovem disse: *"e existia uma fita-cassete que, para se ouvir uma música era preciso ficar indo para frente e para trás de forma mecânica... Estranho né?!*

Amanda riu, junto com todo o grupo. Manoela parecia inconformada. Amanda continuou:
– Esta fase a que os jovens se referiam foi minha adolescência. Senti-me tão velha!

– Pois, então – disse Zé, também rindo –, se é difícil para os jovens de hoje compreenderem o que é um disco de vinil e uma fita cassete, quem dirá para nós outros entendermos um mundo onde não havia tecnologia de alimentos, nem imprensa, nem aparelho de raio X?

– Espere ai – disse Edson –, você está dizendo que, em 1857, não havia aparelho de Raio-X? Mas, então, a coisa era bem diferente do que até eu mesmo imaginava!

Enquanto isso, Manoela trazia nas mãos anotações e vários papéis, e começou a falar:
– Não é difícil fazermos uma ideia acerca da evolução da ciência médica e da ciência da alimentação desde 1857. E

ficaremos todos surpresos com os resultados. Basta pesquisar. Vejam só os resultados:

Até o final do século 19, as enfermidades eram tratadas pela medicina tradicional com laxantes, sanguessugas e sangrias.
– Está me dizendo que os tratamentos mais utilizados pela ciência na época de Kardec eram esses? Credo!... – Disse Lúcia, não podendo se conter.
– Tem mais, e falaremos aqui de coisas muito superficiais, vejam só:

O estetoscópio foi descoberto no final do século XIX
A anestesia foi descoberta em 1842.
A tabela periódica foi descoberta em 1869.
– Estetoscópio? – disse Lúcia.
– O que é estetoscópio?
– Estetoscópio – disse Ana Paula – é o aparelho que o médico utiliza, conectado ao ouvido, para analisar, por exemplo, o coração e o pulmão do paciente.
– Nossa! – disse Lucia -, Então na época de Kardec, ele ainda não existia? Gente do céu!
– Nem a tabela periódica – continuou Manoela –, só foi descoberta em 1869, 12 anos após o lançamento de O Livro dos Espíritos. Então, o entendimento acerca dos elementos químicos ainda era muito menor. Todos nós aprendemos a tabela periódica na escola. Vejam só, para se compreender a necessidade nutricional do corpo, é preciso compreender a cerca dos elementos químicos que o compõem, e qual sua atuação no organismo. Por exemplo, como entender que o ferro, como todos sabem, é importante para não ficar anêmico, se não sabemos exatamente como atua o ferro no corpo?
– Exatamente – disse Zé –, muitos elementos químicos já eram conhecidos na época de Kardec e muito da constituição básica do organismo também, mas comparando aos conhecimentos de hoje, longo caminho ainda teríamos pela frente. Somente depois de algum tempo, foi possível compreender como os elementos químicos atuam na alimentação das células e de que forma isto afeta o funcionamento do corpo.
Continuemos:

*O evangelho dos animais*

O microscópio e, consequentemente, os micróbios, foram descobertos por Pasteur em 1881.

– Nossa! – disse Sérgio – então, o tratamento de infecções nesta fase... Ironicamente, hoje lutamos contra a resistência a antibióticos e às infecções hospitalares.

– Pois é – disse Manoela –, mas os antibióticos ainda não existiam no século XIX, só haviam sido descobertos os microorganismos causadores de infecções. Veja:

Raio-X só foi inventado em 1885.
Os antibióticos só foram inventados em 1928.

– Caramba! – disse Ana Paula – hoje, a radiografia é considerada um exame superficial, pouco preciso. Mesmo o ultrassom, que veio muito depois, está ultrapassado quando se precisa de detalhes maiores. Hoje temos ultrassonografia em 3 dimensões, tomografia, ressonância. Como é incrível o quanto evoluímos intelectualmente, no século XX! Não fazia ideia de que tinha sido tanto assim...

– E vejam – disse Zé –, o estudo da nutrição humana se deu apenas a partir da década de 30:

A ciência da nutrição foi iniciada na década de 1930.
A disponibilidade de alimentos só se concretizou após a revolução industrial de 1920, sendo que os alimentos industrializados e empacotados não existiam na época de Kardec.

– Nossa! – disse Plínio – então, o entendimento das necessidades nutricionais do corpo humano só aconteceu após esta fase. Somente, então, a ciência se aprofundou em compreender como é que nossas células trabalham, como deve ser a alimentação, etc. Como o Espírito da Verdade poderia ter respondido de outra forma? Nós não estávamos aptos a compreender outra resposta. Não tínhamos conhecimento, nem disponibilidade de alimento para que se fizesse possível a introdução e manutenção de uma dieta vegetariana com o conhecimento da ciência e a disponibilidade dos produtos, já que, lamentavelmente, o homem já havia se desviado, no que tange à alimentação, e não confiaria em outras formas desconhecidas para ele mesmo. Além do quê, o ser humano via os animais como criaturas que o serviam, máquinas, como já vimos antes. Daí, como diria o Espírito da Verdade que o homem não deveria se alimentar deles? Era preciso também a evolução do entendimento da alma dos animais e do significado do amor, bem como da evolução do espírito, do átomo ao arcanjo.

– Exato – disse Zé –, mas tem mais. Vejam:

Por volta de 1900, inicia-se a era biológica, relacionando os nutrientes com seu papel biológico.

Houve uma "explosão" da pesquisa científica após a segunda guerra mundial (década de 1940), com estudos visando o desenvolvimento da prevenção das enfermidades, o que permitiu o entendimento da alimentação na prevenção de doenças. A partir de então, deu-se grande impulso no desenvolvimento da medicina e da nutrição.

– Portanto, somente após a segunda guerra mundial, a medicina deu este salto evolutivo e a prevenção contra doenças se fez uma forma cientifica de pensar. A nutrição trabalha muito com a prevenção, embora também com o tratamento de doenças.

– E a ciência vem provando – disse Manoela – o quanto a dieta vegetariana é saudável, aliás, muito mais saudável do que a dieta carnívora. Somos onívoros, e não carnívoros. Nosso intestino é muito mais longo que de um carnívoro. Absorvermos os nutrientes da carne na parte inicial do intestino e depois a carne vai entrando em putrefação ainda em nosso intestino, e vamos absorvendo as toxinas. Isto gera uma série de doenças e também predispõe a uma chance bem maior de desenvolvermos câncer de intestino. O intestino de um carnívoro, ao contrário do nosso, é curto. O carnívoro absorve os nutrientes e já elimina a carne.

– Hoje – disse Zé – há inúmeros estudos relacionando o consumo de produtos de origem animal a incidência de câncer e outras doenças.

– Que interessante – disse Ana Paula – você poderia falar-nos um pouco a respeito?

– Com certeza – respondeu Zé –, estudos diversos demonstram que há componentes nos alimentos que podem favorecer o crescimento e manutenção de diversos tipos de tumores no corpo e que também há substâncias em outros tipos de alimentos que têm exatamente a função contrária.

*O evangelho dos animais*

– Deixa eu ver se eu entendi – disse Lúcia -. Você está dizendo que alguns alimentos favorecem o desenvolvimento de câncer no corpo e outros alimentos podem inibir o câncer? É isso?

– Exatamente – respondeu Zé, sorrindo –; veja, de maneira bem simples, posso lhe dizer que um tumor para crescer e se manter precisa se "alimentado", como todas as células e tecidos do corpo, através do sangue. O câncer também precisa, por assim dizer, ser "ignorado" por nossas defesas imunológicas para que possa se manter no corpo, uma vez que tratam-se de células estranhas, doentes, e que afetam o organismo como um todo.

– Nossa! – disse Amanda – Nunca havia pensado por este ângulo. Então o câncer nada mais é do que células do corpo que se alteraram?

– Isto mesmo Amanda – continuou Zé – mas não basta que estejam alteradas. Todos sabem que o maior problema dos tumores é o crescimento e também o fato de se espalhar por várias partes do corpo. Mas para crescer é preciso que, como qualquer parte do corpo, receba a necessária "nutrição", caso contrário, o câncer morre. E, para receber a nutrição, é preciso que o corpo seja capaz de criar vasos sanguíneos que levarão as substâncias necessárias para o crescimento e manutenção do tumor ou tumores.

– Nossa! – disse Lucia, com o olhar espantado.

– Pois é Lucia – continuou Zé – o mais incrível é que nosso sistema de defesa, ou seja, nosso sistema imunológico possui células para "matar" o câncer. Há determinados glóbulos brancos que quando ativados, impedem o crescimento do tumor.

– Quer dizer – comentou Edson – que os geneticistas de Jesus, os magníficos trabalhadores do Cristo, como já vimos anteriormente, no minucioso trabalho de moldar o corpo físico, criaram até mesmo defesas contra o câncer?

– Exatamente – disse Zé – não só criaram as defesas contra o câncer em nosso corpo, como também dotaram os vegetais e as frutas com substâncias que nos auxiliam a combater e eliminar o câncer, ativando nossas defesas naturais.

– Incrível – disse Amanda – Isto é muito importante, porque sabemos que nossos pensamentos e sentimentos são importantes fatores que acabam por afetar nosso sistema imunológico e, quando em desequilíbrio, favorecem o desenvolvimento do câncer.

– Exato – disse Zé – mas imaginem vocês que, enquanto ainda não nos encontramos, evolutivamente, falando, em condições de não mais sentir medo, ou raiva, ou ódio, ou desprezo, ou mágoa, ou inveja; a natureza nos forneça, através de uma alimentação cheia de amor e luz, os necessários elementos a suprimir os cânceres em fase inicial que se desenvolvem no corpo físico.

– Agora – disse Manoela – e se fizermos o inverso, e se ingerirmos alimentos que ao invés de combater o câncer estimulem seu crescimento? E mais, e se ainda por cima, nós, que solicitamos o auxílio divino para nós mesmos nestas situações, através da prece, pedindo a Jesus o amparo contra o desencarne diante desta enfermidade do corpo e da alma, ainda assim, estivemos colaborando com o sofrido desencarne de nossos irmãos animais, que possuem consciência do sofrimento, que choram em dolorosas lágrimas? Não seria um contrassenso? Não estamos solicitando o amor do superior colaborando com a sofrida miséria do inferior?Não estamos indo na contramão de nossa própria miséria espiritual? Pedimos alívio para nosso sofrimento e, através da alimentação, ao mesmo tempo, provocamos o sofrimento em nossos irmãos?

– Meu Deus! – disse Edson – Quanta coisa ignoramos!

– Veja meu amigo – disse Zé – amor divino não nos falta, porém, este amor leva em consideração a necessidade espiritual de todos nós, porque acima da matéria está o Espírito. A matéria é importante porque propicia a evolução, mas o Espírito é que importa. E o Espírito em fase de humanidade responde pela Lei de Ação e Reação, e Deus, bondade suprema, imparcial, olha por todos os filhos e, para nossa própria evolução, precisamos aprender a amar a todos os nossos irmãos. É preciso, por nós mesmos e pelo próximo, que nossa alimentação esteja isenta de promover o sofrimento de outros e condizente com o melhor para nós mesmos, enquanto Espíritos.

Zé respirou um pouco e continuou:

– Bem, livros como ANTICANCER – Prevenir e Vencer Usando Nossas Defesas Naturais, do médico David Servan

*O evangelho dos animais*

Schereiber, ou Lugar de Médico é na Cozinha, do médico Alberto Peribanez Gonzales, ou ainda Prevenção de Doenças Crônicas, o melhor investimento, do médico Sidney Federman, entre muitos outros, citam inúmeras pesquisas feitas em todo mundo, com milhares de pessoas, demonstrando duas coisas:

Alimentos de origem animal, como carne vermelha, carne de porco, de frango, etc – contém substâncias, inclusive em seus derivados, que estimulam a formação de vasos sanguíneos que alimentam o câncer, inibem os glóbulos brancos que combatem o câncer e estimulam a inflamação do corpo, que promove o crescimento do câncer.

Verduras, legumes e frutas, ao contrário, contém substancias que inibem a formação de vasos sanguíneos que alimentam o câncer; estimulam nossos glóbulos brancos, o que combate os tumores logo no início e; por fim, inibem a inflamação do corpo, de tal forma a combater o crescimento dos tumores.

– Então – disse Ana Paula – em resumo, os alimentos de origem animal estimulam o câncer e os alimentos de origem vegetal inibem o câncer?

– Exatamente – disse Zé – ou seja, os alimentos de origem animal agem a favor do câncer e contra a vida do corpo físico, enquanto os alimentos de origem vegetal agem contra o câncer e a favor da vida do corpo físico.

– Além disso, a dieta vegetariana, por não conter a gordura animal – continuou Manoela – também reduz o risco de infartos, diabetes, e outras doenças mais, decorrentes da alimentação à base de gordura animal.

– E estamos falando – disse Zé – somente dos aspectos físicos imediatos, percebidos pela ciência. Logo veremos a grave absorção de energias maléficas pelo nosso corpo através da carne.

– Então – disse Plínio – a resposta de Emmanuel, no Livro O Consolador, da década de 1930, estava atualizadíssima, já antecedendo as descobertas científicas:

Livro O Consolador, autor espiritual Emmanuel, psicografia de Francisco Candido Xavier:

**"Questão 129: É um erro alimentar-se o homem com a carne dos irracionais?**

**Resposta:** *A ingestão das vísceras dos animais é um erro de enormes proporções, do qual derivam numerosos vícios da nutrição humana. É de lastimar semelhante situação, mesmo porque* **se o estado de materialidade da criatura exige a cooperação de determinadas vitaminas, estes valores nutritivos podem ser encontrados nos produtos de origem vegetal, sem a necessidade absoluta dos matadouros e frigoríficos.**

– É por isso que gosto da Doutrina Espírita – disse Plínio, empolgado – está aí Emmanuel, com magnífica resposta, nos alertando quanto a conservação de nosso corpo físico, já falando a uma humanidade que se tornava apta a começar a compreender. A Doutrina Espírita nunca fica ultrapassada, mas somos nós Espíritas que nos esquecemos de uma das mais importantes orientações do codificador no livro Obras Póstumas, e assim estacionamos, porque é mais cômodo, nos esquecendo do aspecto progressivo da Doutrina Espírita, aspecto sem o qual a faria se perder em meio ao progresso da humanidade. Mas os Espíritos aguardam o tempo certo para nos esclarecer, como os diz o Evangelho Segundo O Espiritismo:

*O Evangelho Segundo o Espiritismo, capítulo 24, item 4:*

*"Acontece com os homens, em geral, o mesmo que com os indivíduos. As gerações passam também pela infância, pela juventude e pela madureza.* **Cada coisa deve vir a seu tempo, pois a sementeira lançada a terra, fora do tempo não produz. Mas aquilo que a prudência manda calar momentaneamente cedo ou tarde deve ser descoberto,** *porque, chegando a certo grau de desenvolvimento, os homens procuram por si mesmos a luz viva; a obscuridade lhes pesa".*

– E a Doutrina Espírita não somente acompanhou a progressão da ciência quanto se antecipou a muitas das

*O evangelho dos animais*

descobertas sobre a alimentação, com Emmanuel já falando, na década de 1930, acerca do assunto:

*"...mesmo porque **se o estado de materialidade da criatura exige a cooperação de determinadas vitaminas, estes valores nutritivos podem ser encontrados nos produtos de origem vegetal, sem a necessidade absoluta dos matadouros e frigoríficos...**"*

Acompanhado por André Luiz em Missionários da Luz, na década de 40:

*Encarecíamos com toda a responsabilidade da ciência, a necessidade de proteínas e gorduras diversas, mas esquecíamos que a nossa inteligência, tão fértil na descoberta de comodidade e conforto, teria recursos de encontrar novos elementos **e meios de incentivar os suprimentos protéicos ao organismo, sem recorrer às indústrias da morte...***"

– E estão aí as descobertas da ciência – continuou Plínio – sobre as necessidades nutricionais do nosso corpo, como acabamos de ver. Hoje, o vegetarianismo é estudado de forma séria, e o estudo das comunidades vegetarianas demonstra que os vegetarianos mantêm força e lucidez mental de forma impressionante, vivem mais e com melhor qualidade de vida do que os carnívoros, têm uma chance muito menor de desenvolver determinados tipos de câncer, têm colesterol, triglicérides muito mais estabilizados, etc.

– Então, como sempre, o Espiritismo, está na vanguarda das informações – disse Manoela – por isso, sugiro que continuemos estudando o livro Missionários da Luz, para retomarmos com mais segurança a questão 723 de O Livro dos Espíritos, falando não somente acerca da ciência humana, mas agora compreendendo a ciência Divina, as energias e seu impacto em nosso corpo, lembrando-nos de que isso também afeta a conservação do corpo físico, o qual, como nos disse o Espírito da Verdade, temos obrigação de manter. Então, estudemos, porque compreender respostas do Espírito da Verdade exige dedicação e humildade. Felizmente, temos os desdobramentos da Doutrina Espírita e, com eles, as respostas que explicam a fala amorosa e enérgica contida em O Livro dos Espíritos. Busquemos, agora, o capítulo 11 do Livro Missionários da Luz:

> *Livro Missionários da Luz, Espírito André Luiz, psicografia de Francisco Candido Xavier, capítulo 11, Intercessão:*
>
> *"... Em pouco tempo, distanciando-nos dos núcleos urbanos, encontramo-nos nas vizinhanças de grande matadouro... Pelas vibrações ambientes, reconheci que o lugar era dos mais desagradáveis que conhecera... diante do local em que se processava a matança dos bovinos, percebi um quadro estarrecedor. Grande número de desencarnados, em lastimáveis condições, atiravam-se aos borbotões de sangue vivo, como se procurassem beber o líquido em sede devastadora... Poucas vezes, em toda a minha vida, eu experimentara tamanha repugnância. As cenas mais tristes das zonas inferiores... não me causaram tamanho amargor...*
> *Alexandre, contudo, solícito como sempre, acercou-se mais carinhosamente de mim e explicou:*
> *– Por que tamanha sensação de pavor, meu amigo? Saia de si mesmo e venha para o campo largo da justificação. Não visitamos, nós outros, na esfera da Crosta, os açougues mais diversos? Lembro-me de que em meu antigo lar terrestre havia sempre grande contentamento familiar pela matança dos porcos. A carcaça de carne e gordura significava abundância da cozinha e conforto do estômago. Com o mesmo direito, acercam-se os desencarnados, tão inferiores quanto já fomos, dos animais mortos, cujo sangue fumegante lhes oferece vigorosos elementos vitais..."*

Desta vez, ao levantar os olhos, Manoela deparou-se com olhares estarrecidos e expressões de nojo. Foi Ana Paula quem falou em nome do grupo:

– Senhor, meu Deus! Impressionou-me deveras não somente a descrição de Alexandre de nossos irmãos estacionados no matadouro, mas também a comparação que fez

*O evangelho dos animais*

ele com nossas visitas ao açougue e nosso comportamento de ingerir a carne. Gostaria de frisar estas colocações:

*"... encontramo-nos nas vizinhanças de grande matadouro... Grande número de desencarnados, em lastimáveis condições, atiravam-se aos borbotões de sangue vivo, como se procurassem beber o líquido em sede devastadora... Por que tamanha sensação de pavor, meu amigo? Saia de si mesmo e venha para o campo largo da justificação. Não visitamos, nós outros, na esfera da Crosta, os açougues mais diversos?..."*

– Eis o momento – disse Zé – de sairmos nós do campo da justificação e sermos absolutamente sinceros, lógicos e justos. Acreditam vocês, meus amigos, meus confrades Espíritas, que o Espírito da Verdade, em sua resposta na questão 723 de O Livro dos Espíritos compactuaria com tal quadro estarrecedor, nos estimulando a manter tal comportamento, que como vimos, é deficiente para nosso corpo físico do ponto de vista material e, sem dúvida, do ponto de vista espiritual? Com qual tipo de energia estamos alimentando nossas células? Sinceramente, estamos conservando ou deteriorando nosso corpo? Após algum tempo de estudos na Doutrina Espírita, sabemos o quanto as energias maléficas podem atingir o corpo. Nossos pensamentos viciados produzem doenças. E ingerir a carne que traz a energia de sofrimento e desespero dos animais e a energia de vampiros que se encontravam, há pouco, nos matadouros é saudável? Está de acordo com a manutenção do corpo físico? Vamos colocar junto à questão 723 com as afirmações de Emmanuel e André Luiz e analisar:

*"A alimentação animal, com relação ao homem, é contrária à lei natural?*

**Resposta:** *Em virtude de vossa constituição física, a carne alimenta a carne, do contrário o homem perece...* **(A ingestão das vísceras dos animais é um erro de enormes proporções...se o estado de materialidade da criatura exige a cooperação de determinadas vitaminas, estes valores nutritivos podem ser**

*encontrados nos produtos de origem vegetal, sem a necessidade absoluta dos matadouros e frigoríficos...) encontramos nas vizinhanças de grande matadouro... Grande número de desencarnados, em lastimáveis condições, atiram-se aos borbotões de sangue vivo, como se procurassem beber o líquido em sede devastadora...* Em obediência à lei de conservação, o homem tem o dever de preservar sua saúde e suas energias, **para cumprir a lei do trabalho. Deve alimentar-se, pois, de acordo com as exigências de sua organização fisiológica.** A carne e derivados que trabalham a favor do câncer, colesterol ruim, infartos, diabetes e outros males e, contra sua organização fisiológica, os vegetais, legumes e frutas, ao contrário, contém substâncias que trabalham contra o câncer, colesterol ruim, infartos, diabetes e outros males e a favor de sua organização fisiológica, cujo intestino, muito mais longo do que de um carnívoro, foi preparado para digerir os alimentos de origem vegetal, que não entram em putrefação ao longo do mesmo.

– Meus amigos – continuou Zé –, não temos aqui a pretensão de completar a resposta do Espírito da Verdade. Apenas, reunimos a resposta de Emmanuel, de André Luiz, junto com as descobertas da ciência, para que visualizemos os caminhos da Era do Espírito. Em 1857, não era possível dizer diferente. Mas, hoje, somos perfeitamente capazes de compreender que "a carne alimenta a carne" quer dizer que "a proteína alimenta a proteína" e, sem duvida, como diz Emmanuel: "...**se o estado de materialidade da criatura exige da cooperação de determinadas vitaminas, estes valores nutritivos podem ser encontrados nos produtos de origem vegetal, sem a necessidade absoluta dos matadouros e frigoríficos...".** Não há como negar que estamos em estágio, intelectualmente falando, e moralmente também, capazes de compreender que a alimentação vegetariana está de acordo, sem sombra de dúvida, tanto do ponto de vista material quanto do ponto de vista espiritual, com nossa constituição fisiológica.

## *Capítulo* 32

# O FACHO DA
# CLEMÊNCIA DIVINA

Manoela passava os olhos pelo livro, buscando o trecho em que haviam parado o estudo. Decidiu retomar o último parágrafo por completo, dizendo:

– Somente para que nos localizemos, vamos retomar o último parágrafo que estudávamos no capítulo 4 do livro Missionários da Luz, mas sem comentários em relação a ele, uma vez que já conversamos acerca dos diversos textos. Alexandre dizia a André Luiz:

*"Por que tamanha estranheza? – perguntou o cuidadoso orientador – e nós outros, quando nas esferas da carne? Nossas mesas não se mantinham à custa das vísceras dos touros e das aves? A pretexto de buscar recursos protéicos, exterminávamos frangos e carneiros, leitões e cabritos incontáveis. Sugávamos os tecidos musculares, roíamos os ossos. Não contentes em matar os pobres seres que nos pediam roteiros de progresso e valores educativos, para melhor atenderem a Obra do Pai, dilatávamos os requintes da exploração milenária e infligíamos a muitos deles determinadas moléstias para que nos servissem ao paladar, com a máxima*

*eficiência. O suíno comum era localizado por nós em regime de ceva, e o pobre animal, muita vez à custa de resíduos, devia criar para nosso uso certa reserva de gordura, até que se prostrasse, de todo, ao peso de gorduras doentias e abundantes. Colocávamos gansos nas engordadeiras para que hipertrofiassem o fígado, de modo a obtermos pastas substanciosas destinadas a quitutes que ficariam famosos, **despreocupados das faltas cometidas com a suposta vantagem de enriquecer os valores culinários**. **Em nada nos doía o quadro comovente das vacas-mães, em direção ao matadouro**, para que nossas panelas transpirassem agradavelmente. Encarecíamos, com toda a responsabilidade da ciência, a necessidade de proteínas e gorduras diversas, mas esquecíamos que a nossa inteligência, tão fértil na descoberta de comodidade e conforto, teria recursos de encontrar novos elementos **e meios de incentivar os suprimentos protéicos ao organismo, sem recorrer às indústrias da morte.** Esquecíamo-nos de que o aumento dos laticínios, para enriquecimento da alimentação, constituí elevada tarefa, porque tempos virão, para a Humanidade terrestre, em que o estábulo, como o lar, será também sagrado."*

O parágrafo, lido por completo, ainda era um choque. Edson lembrara-se do quanto o ignorou quando o estudou pela primeira vez, anos atrás, pensando consigo na época: *"tenho tanta coisa para aprender com a Doutrina Espírita, isto nós vemos depois"*. Súbito arrependimento lhe dominava a alma, porque, ao estudar detalhadamente o texto, e se ver obrigado a compreendê-lo a fundo, percebeu a importância do que Alexandre dizia para André Luiz.

Plínio pensava que não havia aprofundado a ponto, até então, de compreender o quanto a mudança da relação entre homens e animais é prioritária para a evolução do planeta para planeta de regeneração, e que adiar este entendimento somente retarda a transformação necessária, uma vez que, em se tratando da forma como o homem interage com aqueles animais que, erroneamente, classifica como animais

*O evangelho dos animais*

de consumo, promove a morte de muitas criaturas de Deus. Pensava qual a gravidade disto na vibração do planeta Terra como um todo, e estudava quanto será que isto poderia estar atravancando a energia da Terra, que já deveria, na Era do Espírito, estar adentrando novo campo de amor. Um arrepio lhe passou na espinha ao compreender o quanto a Doutrina Espírita nos alerta, e o quanto tudo que é trazido pela espiritualidade superior é importante de ser estudado a fundo. Imaginou como seria diferente se ele mesmo tivesse levado mais à sério esta parte de Missionários da Luz. O sol da responsabilidade lhe iluminava a alma, mas a consciência não deixava de acusá-lo de prontidão pela negligência escolhida, por comodismo. Lembrou-se de pequeno trecho de O Evangelho Segundo O Espiritismo e solicitou a palavra com o mesmo nas mãos:

– A cada momento de nossos estudos tenho feito outra ideia acerca de diversas partes da Doutrina Espírita. Um texto de O Evangelho Segundo o Espiritismo agora me clama fundo na alma, porque atinge diretamente meu desejo de trabalhar junto ao Cristo por um mundo transformado, em que a Lei de Amor reine, em que sua obra de luz se faça presente, em que a paz encontre os corações. Sempre imaginei que tudo isso estivesse reservado somente ao homem, por compreender somente o homem com estes direitos, inconscientemente. Hoje, porém, com todos os estudos da própria Doutrina Espírita, ouvindo as informações, vejo-me ao encontro do alerta do Espírito da Verdade:

*Evangelho Segundo O Espiritismo, cap. VI, item 5*

*"Homens fracos que compreendeis as trevas das vossas inteligências, **não afasteis o facho que a clemência divina vos coloca nas mãos para vos clarear o caminho e reconduzir-vos, filhos perdidos, ao regaço de vosso pai.***

*Sinto-me por demasiado tomado de compaixão pelas vossas misérias, pela vossa fraqueza imensa, para deixar de estender mão socorredora aos infelizes transviados que, vendo o céu, caem nos abismos do erro. **Crede, amai, meditai sobre as coisas que vos são reveladas;***

*não mistureis o joio com a boa semente, as utopias com as verdades.*
*Espíritas! Amai-vos, este o primeiro ensinamento;* **instruí-vos, este o segundo.** *No Cristianismo encontram-se todas as verdades; são de origem humana os erros que nele se enraizaram. Eis que do além-túmulo, que julgáveis o nada, vozes vos clamam: Irmãos, nada perece.* **Jesus Cristo é o vencedor do mal, sede os vencedores da impiedade."**

**O Espírito da Verdade**

Respirando fundo, Plínio continuou:
– Inúmeras vezes, fingi que este texto do Livro Missionários da Luz não estava aí. Acreditei que ele não era importante, e que falava de uma mudança necessária somente para um futuro distante e que muito havia por ser feito antes. Outras vezes, me iludia dizendo que André Luiz havia se enganado a respeito do vegetarianismo, adaptando, na verdade, a Doutrina Espírita ao que eu desejava. Mas, André Luiz e Emmanuel falando sobre a alimentação carnívora como um crime aos olhos Divinos, pois contraria as leis divinas, Joanna de Ângelis nos clareando a mente, dizendo que temos matado com impiedade, o livro A Gênese esclarecendo que à medida que vamos evoluindo moralmente passamos a ter horror ao sangue.

Plínio, voltando à introdução de O Evangelho Segundo O Espiritismo continuou:
– Kardec nos recomendou para que atentássemos para as novas revelações, deixou orientação na Introdução do Evangelho, no item Autoridade da Doutrina Espírita:

*"Com extrema sabedoria procedem os Espíritos Superiores em suas revelações. Não atacam as grandes questões da Doutrina senão gradualmente, à medida que a inteligência se mostra apta a compreender verdade de ordem mais elevada e quando as circunstâncias se revelam propícias à emissão de uma ideia nova. Por isso é que logo de princípio, não disseram tudo, e tudo ainda hoje não disseram...".*

*O evangelho dos animais*

– São diversos Espíritos – continuou Plínio –, como André Luiz, Emmanuel, Joanna de Ângelis, desdobrando as colocações do livro A Gênese e esclarecendo-nos, no momento propício, quando a ciência já o permite, em concordância com as orientações de Kardec. É a autoridade da Doutrina Espírita que se faz, com várias informações, sobre o assunto desenvolvido, através de médiuns respeitados e Espíritos com credibilidade inquestionável. Eles nos alertam quanto à triste relação que mantemos com a natureza e os animais. Não querer enxergar isso agora, para mim, é como que afastar o *"...facho que a clemência divina"* nos coloca nas mãos, para clarear os caminhos, nos afastando das construções milenares que fazemos como nas eras pré-históricas, segundo a descrição de Emmanuel no livro A Caminho da Luz, como todos vimos há pouco.

– É, meu amigo – disse Zé –, compreender isto também não foi fácil em nossa família. Entender que o fato de nos fazermos como vampiros para os animais, como descreve André Luiz, nos coloca como devedores das Leis Divinas foi um choque enorme. E para André Luiz, na conversa com Alexandre, não foi diferente, tanto que ele ainda permanecia inconformado e relatou a Alexandre, como veremos agora:

*"Contudo, meu amigo – propus-me a considerar, a ideia de que muita gente vive à mercê de vampiros invisíveis é francamente desagradável e inquietante. E a proteção das esferas mais altas? E o amparo das entidades angélicas, a amorosa defesa de nossos superiores?*

– Ah – disse Sérgio –, não fui só eu que questionei isto! Puxa! André Luiz pensou como pensei, afinal, como fica a proteção divina? Caramba! Realmente é horrível imaginar que a maioria de nós vive com vampiros sugando nossas energias... creio que Alexandre nos trará a resposta esclarecedora e veremos que a situação não é tão grave quanto até agora entendemos. Ufa!

– Aguarde o resto do texto para respirar tão aliviado – disse Manoela. – Vamos continuar?

Todos anuíram com a cabeça, ansiosos por uma resposta para que se sentissem aliviados, e voltaram os olhos para o livro:

*– André, meu caro – falou Alexandre, benevolente*
**–, devemos afirmar a verdade, embora contra nós mesmos..."**

– Ah, meu Deus – disse Lúcia, mordendo os lábios –, creio que o que vou ler não será o que espero! Esta história de afirmar a verdade, embora contra nós mesmo, me indica que ele diz que não podemos mais nos esconder embaixo de nossas ilusões, precisamos encarar a realidade de nossos próprios atos... Senhor, meu Deus, dê-nos coragem! O silêncio era a tônica do grupo. Zé continuou:

*"Em todos os setores da Criação, Deus, nosso Pai, colocou os superiores e os inferiores para o trabalho de evolução, através da colaboração e do amor, da administração e da obediência. Atrever-nos-íamos a declarar, porventura, que fomos bons para os seres que nos eram inferiores?*

– Só para que fique bem claro para mim – disse Lúcia –, os superiores, a que se refere Alexandre, somos nós, os seres humanos, e os inferiores, segundo o ponto de vista da evolução, e não de nosso orgulho, são os animais? – Exato, Lúcia – respondeu Manoela –, você compreendeu perfeitamente. Continuemos:

*"...Não lhes devastávamos a vida, personificando diabólicas figuras em seus caminhos? Claro que não desejamos criar um princípio de falsa proteção aos irracionais, obrigados, como nós outros, a cooperar com a melhor parte de suas forças e possibilidades no engrandecimento e na harmonia da vida..."*

– Aqui – disse Plínio –, percebo que Alexandre não isenta os animais do trabalho, porque *"tudo serve na Natureza"*, mas esclarece que o trabalho que devem prestar ao mundo

*O evangelho dos animais*

não os faz escravos do homem. Creio que retomar a questão 136 do Livro O Consolador possa ser esclarecedor nesta parte:

Parte da resposta da questão 136 do Livro O Consolador:

*"Os animais e os homens quase selvagens...* **servem para estabelecer a realidade triste da mentalidade do mundo, ainda distante da fórmula do amor, com que o homem deve ser legítimo colaborador de Deus,** *ordenando com sua sabedoria paternal.* **Sem saberem amar os irracionais** *e os irmãos mais ignorantes colocados sob a sua imediata proteção,* **os homens mais educados da Terra exterminam os primeiros, para a sua alimentação,** *e escravizam os segundos para objeto de explorações grosseiras, com exceções, de modo a mobilizá-los a serviço de seu egoísmo e da sua ambição".*

– Os animais trabalham – continuou Plínio – como nós, e assim como nós, o trabalho serve ao mundo e serve a sua própria evolução, pois propicia o desenvolvimento da inteligência. Mas, de forma alguma, o trabalho exigido significa ceder a própria vida pela vida de outro, ou a exploração sem limites. Cabe-nos estimulá-los no desenvolvimento do amor e da inteligência, não submetê-los aos nossos caprichos.

– Observe Plínio – disse Zé –, que Alexandre compara o trabalho desenvolvido pelos animais ao trabalho desenvolvido por nós, seres humanos, não no sentido da complexidade, mas como forma de todos colaborarmos, nós e eles, com a nossa melhor parte no desenvolvimento do planeta:

*"... Claro que não desejamos criar um princípio de falsa proteção aos irracionais, obrigados, como nós outros,* **a cooperar com a melhor parte de suas forças e possibilidades no engrandecimento e na harmonia da vida..."**

– E observamos isso na prática – continuou Zé – quando os animais podem nos fornecer o alimento sem com isso perderem a vida, quando se trata do leite, dos ovos, do mel. Auxiliam-nos quanto ao frio, quando nos fornecem a lã. Trabalham como nós, e até mesmo no que tange a este trabalho, em que nos fornecem este tipo de alimento, devemos ter em nosso coração a gratidão e o amor para com eles.

– Queria mesmo completar – disse Ana Paula – que é importante que compreendamos que os animais não são nossos escravos, nem máquinas de produzir. É preciso mudarmos o paradigma em relação a eles. São nossos irmãos e, como nós, estão na Terra para evoluir, e têm sua parte na harmonia geral. Estes nossos irmãos também podem nos auxiliar, mas merecem nosso respeito e nosso amor. Assim é que, não é porque os animais são fornecedores de ovos, que nos servem de alimentos, que vamos escravizá-los grosseiramente e obrigá-los a produzir dia e noite, em regime de sofrimento toda a vida. Tal ato é tão miserável quanto matá-los. É urgente, por parte do homem, entender o objetivo da vida e da existência do animal, que não está no planeta em nossa função, mas que é filho do mesmo Deus que nós. Pode nos amparar quanto à alimentação, nos aquecer quanto ao frio, nos auxiliar em nossa defesa, mas não existe por isso, e é um tremendo egocentrismo, um ângulo míope de visão acreditá-los como nossas "máquinas"de produzir algo.

– Excelente colocação, Ana Paula – disse Manoela –, e podemos confirmá-la através de Emmanuel no livro O Consolador, veja:

*"Questão 128 – A vida do irracional está revestida igualmente das características missionárias?*
**Resposta: – A vida do animal não é propriamente missão, apresentando, porém, uma finalidade superior que constitui a do seu aperfeiçoamento próprio**, *através das experiências benfeitoras do trabalho e da aquisição, em longos e pacientes esforços, dos princípios sagrados da inteligência."*

– Vejam que belíssima colocação de Emmanuel – disse Manoela. – A vida do animal, como a nossa, tem uma finalidade superior, que não é nos servir. O trabalho que realizam não existe para que nossa vida fique melhor, mais confortável,

*O evangelho dos animais*

ou para que nos alimentemos de forma mais saudável. Seus corpos não foram criados em nossa função, mas para que eles, enquanto espíritos em evolução, através do trabalho que Deus lhes forneceu, de acordo com a capacidade de desenvolvê-lo e aprender com ele, evoluam e desenvolvam a inteligência. Nós, como diz a questão 136 do mesmo livro O Consolador, representamos Deus para eles, e nos cabe auxiliá-los na aquisição de novos elementos durante a vida. Quanto a nos auxiliar, como diz o texto da questão 540 de O Livro dos Espíritos:

*"Tudo serve na natureza"*

E André Luiz completa no texto que acabamos de ler:

*"Em todos os setores da Criação, Deus, nosso Pai, colocou os superiores e os inferiores para o trabalho de evolução, através da colaboração e do amor, da administração e da obediência...".*

– Creio que se encaixa muito bem aqui – disse Zé – a questão 62 do Livro O Consolador, já que estamos com ele:

*"Questão 62: O "não matarás" alcança o caçador que mata por divertimento e o carrasco que extermina por obrigação?*

**Resposta: – À medida que evolverdes no sentimento evangélico, compreendereis que todos os matadores se encontram em oposição ao texto sagrado.** *No grau de vossos conhecimentos atuais, entendeis que somente os assassinos que matam por perversidade estão contra a Lei Divina. Quando avançardes mais no caminho, aperfeiçoando o aparelho social, não tolerareis o carrasco, e,* **quando estiverdes mais espiritualizados, enxergando nos animais os irmãos inferiores de vossa vida,** *a classe dos caçadores não terá razão de ser.*

*Lendo os nossos conceitos, recordareis os animais daninhos e, no íntimo, haveis de ponderar sobre a necessidade de seu extermínio. É possível, porém, que não vos lembreis dos homens daninhos e ferozes. O caluniador não envenena mais que o toque de uma serpente? O armamentista, ou o político ambicioso, que montam com frieza a maquinaria de guerra incompreensível, não são mais impiedosos que o leão selvagem?...* **Ponderemos essas verdades e reconheceremos que o homem espiritual do futuro, com a luz do Evangelho na inteligência e no coração, terá modificado o seu ambiente de lutas, auxiliando igualmente os esforços evolutivos de seus companheiros do plano inferior na vida terrestre."**

Zé continuou:

– Estamos em plena Era do Espírito. Começamos agora a formar os homens de bem de nossa sociedade no futuro, que seremos nós mesmos e aqueles que nos cercam. Os homens de bem são os homens espiritualizados, com o Evangelho na inteligência e no coração, como nos diz Emmanuel. E estes homens, que devemos nos esforçar para formar a partir de agora, já trarão na alma a gratidão a tudo que existe, entenderão os animais como seus irmãos, parte de sua família universal. Este homem é o representante do Pai de luz, ele é o amor que se configura para aqueles que estão engatinhando no aprendizado da vida. Que irmão mais velho se configuraria no mundo como o verdugo, o algoz, as "figuras diabólicas" a que se referiu André Luiz? À belíssima Doutrina Espírita cabe a formação deste homem de bem, e a nós, espíritas, cabe sermos o exemplo ao mundo da Doutrina Espírita. Somos os representantes da luz da evolução e do amor. Guardamos em nossos corações o conhecimento acerca do futuro, mas o conhecimento sem a prática, sem o exemplo, não tem validade, nem para nós nem para o mundo.

– Finalmente – disse Manoela –, chegou a hora de mudarmos o paradigma em relação aos animais. Continuemos a leitura:

*Livro Missionários da Luz, cap. 4:*

*"... Todavia, devemos esclarecer que, no capítulo da indiferença para com a sorte dos animais, da qual*

*O evangelho dos animais*

*participamos no quadro das atividades humanas, nenhum de nós poderia, em sã consciência, atirar a primeira pedra..."*

– Alexandre – disse Zé – esclarece a André Luiz que também eles participaram dos atos cruéis praticados com os animais. Em geral, grande parte da humanidade ainda separa os animais em: animais para comer e dar ovos, leite, mel e lã e animais para amarmos. É primordial que entendamos, em primeiro lugar, que, repetindo, os corpos físicos que recebem os espíritos nesta fase de evolução, corpos de animais, não foram feitos para nossa alimentação, mas para servir à evolução desses espíritos. Segundo, no trabalho com o qual nos servem, os animais também merecem respeito, amor, consideração. Se assim não compreendermos, estaremos repetindo, como aliás temos feito, a relação que mantivemos com os escravos humanos durante milênios, culminando com a vergonha dos séculos passados no Brasil, passado do qual todos nos envergonhamos. Os animais, como os homens, são nossos irmãos, e perante os olhos de Deus, eu, Zé, e o Adamastor, nosso companheiro, não somos diferentes, somos irmãos de jornada evolutiva, filhos do mesmo Pai, apenas em fase diferente de evolução. A Doutrina Espírita é maravilhosamente esclarecedora neste sentido, e nos tira de um ponto acentuado de nosso orgulho enquanto seres humanos, disfarçado sob o nome de antropocentrismo e denunciado ao falarmos de especismo.

– Enquanto falava Zé – disse Amanda –, eu estava pensando. Quando do desencarne de minha cachorrinha Fifi, muito procurei saber acerca da alma dos animais, e busquei tanto que acabamos por culminar na formação do grupo de estudos que ora se reúne em sua casa. Senti grande alívio ao descobrir na Doutrina Espírita que Fifi tem alma, e que esta alma sobreviveu à morte do corpo. Que ela mantém a individualidade após a morte. Lembro-me de meu sincero desejo de que tudo não tivesse acabado com o corpo, e também da força que encontrei na Doutrina Espírita. Porém, minha mente desejava que a Fifi tivesse alma, sentimentos, inteligência, todos dados comprovados pela Doutrina. Mas, ao mesmo tempo, meu íntimo desejava que os animais que eu sempre entendi como feitos para nos alimentarmos, com seu próprio corpo, não tivessem alma, nem sentimentos, nem inteligência. É, no mínimo um contrassenso.

– Nossa! – disse Lúcia –, não tinha pensado nisso. Deixe-me esclarecer a minha mente, porque eu também via assim: Para mim, até hoje, a Linda, por exemplo, a gatinha de seu lar, Amanda, com quem tenho o prazer de conviver diariamente, sem duvida, tem alma, sentimentos, inteligência, consciência de si mesma e do mundo ao redor, e tudo isso eu noto nela, mas...

Os animais como vacas, porcos, galinhas, carneiros, enfim, aqueles que eu via como comida, esses não, jamais admitia a possibilidade de terem alma, sentimentos, inteligência, consciência de si mesmos e do meio ao redor. Porque, na verdade, se eu entender assim, deixarei de fazer piadas com o presunto à mesa e terei de admitir a necessidade urgente de, para estar condizente com meus sentimentos, para estar condizente com o amor que digo sentir pelos animais, para estar condizente com a própria Doutrina, e, principalmente, para estar condizente com as Leis Divinas, cujo maior mandamento refere-se ao amor ao próximo, terei, obrigatoriamente, que me tornar vegetariana.

– Podemos dar inúmeras desculpas – disse Zé –, podemos ficar procurando subterfúgios, mentir para nós mesmos, negar a Doutrina, dizer que neste ponto André Luiz e Emmanuel se enganaram, porque nos é conveniente, para que não tenhamos de ouvir nossa consciência, PARA QUE NÃO TENHAMOS DE MUDAR. Podemos dizer que não estamos tão evoluídos, podemos dizer muita coisa. Mas o movimento universal de amor continua além de nossos pacatos e miseráveis esforços de ir contra a Verdade. A luz de amor irá conduzir a humanidade à integração com a natureza. Jesus trabalha ativamente no estabelecimento da regeneração, a paz irá acontecer. Tomara não sejamos nós aqueles que atrasam o movimento geral, somente porque não temos humildade para admitir que erramos, que nos equivocamos, que interpretamos de forma infantil os textos, que não temos tanto conhecimento, e que precisamos, para nossa própria felicidade, enquanto Espíritos, evoluir, sermos humildes,

*O evangelho dos animais*

amarmos a tudo e a todos, e aprender, sempre aprender, viver o amor... Assim é que nos diz O Evangelho Segundo o Espiritismo:

> *Evangelho Segundo o Espiritismo, cap. XVIII, Muitos Os Chamados E Poucos Os Escolhidos, item 16, Reconhece-se O Cristão Pelas Suas Obras: "Abri, pois, os ouvidos e os corações, meus bem--amados! Cultivai esta árvore da vida, cujos frutos dão a vida eterna. Aquele que a plantou vos concita a trata-la com amor, que ainda a vereis dar com abundância os seus frutos divinos. Conservai-a tal como o Cristo vo--la entregou: não a mutileis. Ela quer estender a sua sombra imensa sobre o Universo: não lhe corteis os galhos..."*

– Nossa responsabilidade enquanto Espíritas – continuou Zé –, detentores da verdade do amor, é imensa. Nós, que temos o conhecimento da evolução do Espírito, precisamos estar alertas para o papel que nos cabe, de educadores da humanidade e de nós mesmos. Se admitimos como um dos primeiros passos para a evolução a humildade e o conhecimento, sejamos, então, os primeiros a exemplificar isso. Se compreendemos a Doutrina Espírita como progressiva, como a luz da esperança, como a volta do Cristo iluminando as consciências humanas como fruto da árvore iniciada há tantos séculos, agora adaptada a nossa nova fase de conhecimento, que não neguemos a Jesus e que aprendamos a humildade. Que não desprezemos os nossos irmãos menores e que vivamos segundo as Leis Divinas. Que nossa palavra represente a Doutrina e não a nós mesmos e nossas convenções. E se é difícil dizer ao mundo acerca das luzes da Doutrina, que nos lembremos dos grandes missionários que deixaram o exemplo de amor e bondade, coragem e fé, sendo todos, a iniciar pelo próprio Cristo, desprezados pelo orgulho humano. E nós, quão desejosos estamos de servir a Jesus? O que o Mestre espera de nós? Será que queremos ficar com as vãs convenções do mundo ou desejamos trabalhar com o Cristo, implantando o Evangelho, o amor e a harmonia? Será que desejamos nos sacrificar pela obra ou vamos ser aqueles que se interpõem frente ao progresso inevitável, traindo Jesus? O próprio Evangelho nos deixa importante texto para meditarmos, do qual já falamos a respeito:

*Evangelho Segundo o Espiritismo, Cap. XX, item 5, Trabalhadores do Senhor:*

*"Chegastes ao tempo em que se cumprirão as profecias referentes à transformação da Humanidade. Felizes serão os que tiverem trabalhado o campo do Senhor com desinteresse, e movidos apenas pela caridade! Suas jornadas de trabalho serão pagas ao cêntuplo do que tenham esperado.* **Felizes serão os que houverem dito a seus irmãos: "Trabalhemos juntos, e unamos os nossos esforços, a fim de que o Senhor, na sua vinda, encontre a obra acabada",** *porque a esses o Senhor dirá:* **"Vinde a mim, vós que sois os bons servidores, vós que soubestes calar os vossos melindres e as vossas discórdias, para que a obra não sofresse!"**

*Mas infelizes os que, por suas dissensões, houverem retardado a hora da colheita, porque a tempestade chegará e eles serão levados no turbilhão! Nessa hora clamarão: "Graça, Graça!" Mas o Senhor lhes dirá:* **"Por que pedis graça, se não tivestes piedade de vossos irmãos, se vos recusastes a lhes estender as mãos, e se esmagastes o fraco em vez de o socorrer? Por que pedis graças, se procurastes a recompensa nos prazeres da Terra e na satisfação do vosso orgulho?...**

*O Espírito da Verdade."*

– Emmanuel – disse Manoela –, no Livro Alvorada do Reino, nos alerta novamente para a mudança necessária e urgente em relação aos nossos irmãos animais, que são os mais fracos, oprimidos e marginalizados. Observemos a colocação de Emmanuel junto com a do Espírito da Verdade:

*"Lembra-te do mel que te angaria medicação, da lã que te oferece o agasalho, da tração que te garante a*

*O evangelho dos animais*

colheita farta e do estábulo que te assegura reconforto e sejamos mais humanos para com aqueles que aspiram a nossa posição dentro da Humanidade."

Manoela continuou:
– Mediante o conhecimento que temos da evolução, vejamos o texto do Espírito da Verdade junto com o texto de Emmanuel, depois de compreender a evolução conforme nos ensina a Doutrina Espírita:

**"Porque pedis graça, se não tivestes piedade de vossos irmãos, se vos recusastes a lhes estender as mãos, e se esmagastes o fraco em vez de o socorrer?**...Lembra-te do mel que te angaria medicação, da lã que te oferece o agasalho, da tração que lhe garante a colheita farta e do estábulo que te assegura reconforto e sejamos mais humanos para com aqueles que aspiram a nossa posição dentro da Humanidade."*

– Cada vez me fascino mais com a Doutrina Espírita – disse Ana Paula – e muito feliz estou por ver que todas as respostas encontram-se nesta magnífica e profunda lição de amor que se estende por todas as obras Espíritas. E meu coração tem se alegrado em perceber que, dentro do Consolador Prometido, não falta a luz da esperança e da paz para todas as formas de vida. Nunca imaginei que a Doutrina pudesse ser tão atual, tão contemporânea.

– Eu diria mais, querida amiga – afirmou Zé, sorrindo –, na Doutrina Espírita encontra-se a descrição do futuro, como vemos na questão dos animais. O vegetarianismo vem crescendo no mundo; muitos são aqueles que defendem os direitos dos animais, independente de qualquer crença religiosa. Pessoas se unem para dizer que estamos cometendo erros graves em relação aos animais, e isso precisa mudar. O que entristece, em se tratando de nós, espíritas, é que a Doutrina nos alerta e nos chama também a esta mudança, nos clama ao amor aos animais, nos esclarece que somos os educadores destes irmãos menores, nos fala acerca de nosso dever no amparo aos mesmos, nos estabelece os caminhos do futuro, mas nós ainda não assumimos nosso papel de espíritas neste quesito. Assim, o alerta quanto ao amor aos animais, quanto à mudança necessária, quanto à pratica essencial do vegetarianismo por amor aos animais vem se estabelecendo no mundo, inclusive através da ciência, e através de muitos que não têm religião, mas o espírita em nada tem contribuído para isso. A única religião que pode unir todos os argumentos daqueles que vêm defendendo os animais ao Evangelho de Jesus e ao maior mandamento, demonstrando que sim, a luz do amor, da esperança e da Verdade se estende também a eles e que Deus é Pai de amor e bondade, ama a todos os seus filhos, não faz distinção entre eles; a única religião que diz que os animais têm uma alma como a nossa, que são criaturas maravilhosas, inteligentes, sensíveis, conscientes, que são almas que gravitam indo ao encontro da humanidade é a Doutrina Espírita. A única religião que iguala tudo que existe no Universo, do átomo ao arcanjo, é a Doutrina Espírita. A Doutrina Espírita é ciência e antecipou-se às descobertas da ciência; é filosofia e respondeu os questionamentos quanto à aparente injustiça de Deus, e é religião, porque liga o homem a Deus através de sua própria iluminação. E os alertas, como temos visto, estão inseridos nela mesma.

Zé respirou, emocionado e continuou:

– A Doutrina Espírita é o futuro, é a luz do amor, é o ensinamento cristão em sua pureza, nos chama ao testemunho, nos solicita a representá-la nos esclarece quanto ao vegetarianismo! Mas nós nos acomodamos. O vegetarianismo cresce e continuará crescendo no mundo; o amor aos animais cresce e continuará crescendo no mundo, o entendimento da alimentação sem crueldade, compartilhando amor e aliviando sofrimentos ao invés de causá-los, cresce e continuará crescendo no mundo, porque este é o futuro, em que o amor se estenderá à todos os filhos do Senhor! Mas o Espírita ainda não elevou a Doutrina, sob este aspecto, como aquela que revela a universalidade de todas as criaturas; o vegetarianismo cresce e está condizente com o amor; eleva-se a visão humana sobre os animais, mas não pelas mãos do Consolador Prometido. E isso me deixa triste.

– Por quê? – Perguntou Lúcia.

*O evangelho dos animais*

– Porque a Doutrina Espírita – disse Zé – é o Consolador Prometido enviado por Jesus para impulsionar este futuro, impulsionar a lei de amor, impulsionar a universalidade, impulsionar a formação da família universal. A Doutrina Espírita pode esclarecer todos que amam os animais acerca da evolução do espírito e das belezas do Evangelho. Mas qual! Nós, Espíritas, não damos a oportunidade à Doutrina de elevar-se aos olhos do mundo como a que representa o amor a todas as formas de vida... Isso também precisa mudar!

– Então, vamos nos aprofundar mais no estudo e promover esta mudança, para que nos tornemos representantes destas maravilhosas verdades. Vamos lá?! – Disse Manoela:

*Livro Missionários da Luz, cap. 4:*

*Os seres inferiores e necessitados do Planeta **não nos encaram como superiores generosos e inteligentes, mas como verdugos cruéis.** Confiam na tempestade furiosa que perturba as forças da Natureza, **mas fogem, desesperados, à aproximação do homem de qualquer condição, excetuando-se os animais domésticos** que, por confiar em nossas palavras e atitudes, **aceitam o cutelo no matadouro, quase sempre com lágrimas de aflição,** incapazes de discernir com o raciocínio embrionário onde começa a nossa perversidade e onde termina a nossa compreensão."...*

Ana Paula e Amanda choravam... seus pensamentos vagueavam ao imaginar as vacas-mães que André Luiz citou anteriormente. Um momento de silêncio fez-se entre o grupo. Sérgio olhava para o texto de cabeça baixa. Seus olhos estavam marejados imaginando o horror pelo qual os animais passam. Sua tristeza era imensa ao pensar que se havia negado a compreender aquele texto por tanto tempo. Pensava o quanto era difícil mudar e seguir Jesus, e como ainda não havia compreendido o Evangelho. Sua dificuldade em aprofundar o que dizia André Luiz e Alexandre era tão grande que se sentiu pequenino. Viu-se, tal qual descrevia o texto, como um verdugo cruel. Tanto havia tido dificuldade de amar os obsessores, de entender-lhes os atos reticentes, de compreender-lhes as dificuldades de perdão! Tanto havia notado, em trabalhos de orientação aos Espíritos, as imensas dificuldades de irmãos sofredores desencarnados em adentrar nova faixa de entendimento e de vida! Tinha dificuldade de compreender o porquê de eles não aceitarem ou ainda tatearem o desejo de enxergar a luz, embora o imenso sofrimento em que estavam mergulhados, alguns, há quase mil anos ou mais. Mas agora, lendo o texto, viu-se em situação semelhante a deles quanto à questão do vegetarianismo. Embora compreendendo as palavras de Alexandre para André Luiz, ainda assim, procurava, em seu íntimo, negar a verdade, porque a verdade o retirava do comodismo e o fazia ver-se como era. Também ele, quanto a este comportamento, era um Espírito infeliz e distante do amor; se não mais obsediava irmãos em humanidade, quanto ainda não era o verdugo de irmãos em fase de animalidade!

Respirou fundo e disse:

– Desejo, no fundo, me ver à parte desta descrição. Desejo que não seja verdade. Sinto-me cruel e triste e queria que não fosse assim. Minha mente me diz: *"ora, comer um pedaço de carne nada tem a ver com isso..."*. Mas já não posso mais negar, porque meu coração me diz o contrário, minha consciência me alerta. Eu queria dizer que André Luiz se enganou, queria mesmo dizer que é tudo "viagem" da cabeça dele, mas teria de admitir, então, que ele se enganou em outras coisas, e aí estaria fazendo o que é mais fácil para mim, porque, para mim, é bom admitir os ensinamentos que ele traz sobre a vida no plano espiritual, é bom compreender tudo que ele fala sobre a mediunidade, é bom saber que existem colônias no plano espiritual, é bom saber como os amigos da espiritualidade trabalham, mas quando me atinge diretamente, e me chama à responsabilidade e à mudança, é difícil admitir quanto ao vegetarianismo. Porém, eu desejo o bem, quero aprender o amor, quero não mais causar sofrimentos, quero viver em paz, quero não ser verdugo ou "figura diabólica" para nenhum filho de Deus.

Então, Sérgio começou a chorar, e continuou, após alguns minutos, ainda com lágrimas nos olhos:

*O evangelho dos animais*

– Eu não quero fazer um irmão meu menor – um filho do mesmo Pai que eu, uma criatura que precisa de amor – chorar sem entender porque está sofrendo tanto pela crueldade humana. Não quero compactuar com a dor ou a tristeza deles, não quero ser responsável por atos e palavras que façam com que criaturas que Jesus ama, que Deus ama, e que eu deveria amar vivam em aflição, conforme nos recorda André Luiz no texto em estudo:

*"...por confiar em nossas palavras e atitudes, **aceitam o cutelo no matadouro, quase sempre com lágrimas de aflição,** incapazes de discernir com o raciocínio embrionário onde começa a nossa perversidade e onde termina a nossa compreensão."...*

Sérgio chorava como criança, porém continuou:
– Não quero ser perverso para seres indefesos, não quero obstar o progresso da humanidade, não quero ser cruel, não quero causar dano, não quero negar o Cristo, nem ser orgulhoso por me ver acima dos animais! Eu quero é viver com Jesus, eu quero é viver o Evangelho, quero secar lágrimas e não causá-las, quero que os animais, como filhos de Deus, me vejam como um amigo, um irmão, assim como eu vejo os mentores que nos auxiliam; eu não quero causar temor, não quero mais me sentir assim, e muito menos quero fazer com que outros se sintam assim...

O grupo todo se emocionava. Ana Paula e Amanda sentiam-se da mesma maneira. Lúcia chorava baixinho, pensando como era difícil compreender tão profundas lições. Que difícil caminhar para a mudança! Pensavam por onde começar. Não sabiam nem o que comer como vegetarianos. Mas, dentro dos sentimentos de tristeza, havia um ar de renovação. Junto à dor de ver-se como verdugo para criaturas de Deus, havia a luz da esperança. Embora a intensidade do arrependimento, acentuava-se o caminho da fé e do futuro. Tomados pelo desejo de mudança e de se integrar à coragem da fé, sentiam-se como que amparados pelo Cristo, quase podiam ouvir a mesma frase de Jesus para Zaqueu, contida em O Evangelho Segundo O Espiritismo, capítulo XVI, item 4:

*"... Sobre o que Jesus lhe disse: Hoje entrou a salvação nesta casa, porque este também é filho de Abraão. Porque o filho do Homem veio buscar e salvar o que tinha perecido. (Lucas, XIX, 1-10)."*

*Capítulo 33*

# TUDO QUE VIVE
# É TEU PRÓXIMO

Foi Zé quem veio em socorro dos amigos queridos:
– Caros amigos, tal sensação que hora experimentam é a mesma que experimentamos anos atrás. Quando cara a cara com a verdade, ou fugimos e negamos, encontrando artifícios ilusórios, ou aceitamos e provocamos a mudança, e isto é evoluir. Se assim nos sentimos, temos razão para a dor, uma vez que o texto é claro quanto a nosso papel de verdugos e quanto à dor dos animais em direção ao matadouro. Mas o texto também nos mostra, através de inúmeras colocações que já estudamos hoje, que é possível e necessário mudar. No futuro, a relação entre homens e animais será uma relação de amor e esperança, coragem e bondade, amparo e luz. Trabalhemos, nós que compreendemos a necessidade de vivenciar o amor, para que este futuro aconteça, e representemos a Doutrina Espírita com fé e coragem, redimindo-nos de nossos erros e esclarecendo a todos quanto às verdades aqui estudadas, conscientes de que a luz se fará.
Zé respirou um pouco e convidou.

– Eis a resposta para nossos questionamentos. André Luiz pergunta a Alexandre como é que a proteção divina não interfere quanto à questão do vampirismo, nos deixando a mercê de Espíritos que nos sugam as energias. A resposta está na continuidade do texto. Vamos ver?:

*"Se não protegemos nem educamos aqueles que o Pai nos confiou, como germens frágeis de racionalidade nos pesados vasos do instinto; se abusamos largamente de sua incapacidade de defesa e conservação, como exigir o amparo de superiores benevolentes e sábios, cujas instruções mais simples são para nós difíceis de suportar, pela nossa lastimável condição de infratores da lei de auxílios mútuos?..."*

– Assim – disse Edson – não temos como ser protegidos como desejamos, se praticamos atos semelhantes, como os dos vampiros espirituais, com nossos irmãos menores. O amparo divino não nos falta, mas como diz o próprio texto de Missionários da Luz, em colocação anterior, pela qual já passamos:

*"...E o vampirismo mantém considerável expressão, porque, se o Pai é sumamente misericordioso, é também infinitamente justo. **Ninguém lhe confundirá os desígnios...**"*

– É, caro amigo, – disse Zé –, é preciso observar o que estudamos. O texto é claro quando nos diz:

*"... como exigir o amparo de superiores benevolentes e sábios, cujas instruções mais simples são para nós difíceis de suportar, pela nossa lastimável condição de infratores da lei de auxílios mútuos?..."*

– Esclarecendo – continua Zé – que:

*"... não protegemos nem educamos aqueles que o Pai nos confiou, como germens frágeis de racionalidade*

*O evangelho dos animais*

*nos pesados vasos do instinto; se* **abusamos largamente de sua incapacidade de defesa e conservação...**"

Ana Paula respirou profundamente. Novamente, lembrou-se das tristes cenas que assistiu em matadouros: *os animais tentando fugir, sendo coibidos. Seus olhares de tristeza, desespero e abandono. Suplicavam auxílio, tentavam escapar, mas eram ignorados e submetidos à morte. Tudo para quê? Para que os seres humanos, assim como ela, dessem continuidade à alimentação tão próxima da animalidade. Não havia como compreender isto antes, porém, agora, é chegado o momento, são chegados os tempos, é hora de tudo isso acabar, o mundo caminha para isso e a Doutrina Espírita esclarece quanto aos rumos a tomar, é preciso que nos renovemos para que a regeneração aconteça.* Seus pensamentos foram interrompidos por Manoela, que deu continuidade ao estudo comentando:

– Para elucidar melhor, gostaria de completar com outro texto de André Luiz, desta vez do livro Os Mensageiros, psicografia de Francisco Cândido Xavier. Neste livro, o orientador de André Luiz recebe o nome de Aniceto. Vejamos:

*Livro Os Mensageiros, autoria espiritual de André Luiz, psicografia de Francisco Candido Xavier, capítulo 41, Entre Árvores:*

*"Observei, então, um quadro interessante: um homem jazia por terra, numa poça de sangue, ao lado de pequeno veículo sustentado por um muar impaciente, dando mostras de grande inquietação.*

*Dois companheiros encarnados prestavam socorro ao ferido, apressadamente. "É preciso conduzi-lo à fazenda sem perda de tempo", dizia um deles, aflito, "temo haja fraturado o crânio." O número de desencarnados que auxiliava o pequeno grupo, todavia, era muito grande.*

*Um amigo espiritual que me pareceu o chefe, naquela aglomeração, recebeu Aniceto e a nós com deferência e simpatia, explicou rapidamente a ocorrência. O carroceiro havia recebido a patada de um burro e era necessário socorrer o ferido.*

*Serenada a situação, vi o referido superior hierárquico chamar um guarda do caminho, interpelando:*

*— Glicério, como permitiu semelhante acontecimento? Este trecho da estrada está sob sua responsabilidade direta. O subordinado, respeitoso, considerou sensatamente:*

*— Fiz o possível por salvar este homem, que, aliás, é um pobre pai de família. Meus esforços foram improfícuos, pela imprudência dele. **Há muito procuro cercá-lo de cuidados, sempre que passa por aqui; entretanto, o infeliz não tem o mínimo respeito pelos dons naturais de Deus. É de uma grosseria inominável para com os animais que o auxiliam a ganhar o pão.** Não sabe senão gritar, encolerizar-se, surrar e ferir. Tem a mente fechada às sugestões do agradecimento. Não estima senão a praga e o chicote.*

*Hoje, tanto perturbou o pobre muar que o ajuda, tanto o castigou, que pareceu mais animalizado... Quando se tornou quase irracional, pelo excesso de fúria e ingratidão, meu auxílio espiritual se tornou ineficiente. Atormentado pelas descargas de cólera do condutor, o burro humilde o atacou com a pata. Que fazer? Minha obrigação foi cumprida... O Superior, que ouvia atenciosamente as alegações, respondeu sem hesitar:*

*— Tem razão.*

*E como dirigisse o olhar a Aniceto, desejando aprovação, nosso orientador afirmou:*

*— Auxiliemos o homem, quanto esteja em nossas mãos, cumpramos nosso dever com o bem, mas não desprezemos as lições. **Esse trabalhador imprudente foi punido por si mesmo. A cólera é punida por suas consequências. Ao mal segue-se o mal. Se os seres inferiores, nossos irmãos no grande lar da vida, nos fornecem os valores do serviço, devemos dar-lhes, por nossa vez, os valores da educação. Ora, ninguém pode educar odiando, nem edificar algo de útil com a fúria e a brutalidade.** E, indicando o grupo que conduzia o ferido a uma casa próxima, concluiu, imperturbável:*

*— Como homem comum, nosso pobre amigo sofrerá muitos dias, chumbado ao leito; entre as aflições*

*O evangelho dos animais*

dos familiares, demorar-se-á um tanto a restabelecer o equilíbrio orgânico; mas, como Espírito eterno, recebeu agora uma lição útil e necessária. *Altamente surpreendido, reparei na grande serenidade do nosso orientador e comecei a compreender que* **ninguém desrespeita a Natureza sem o doloroso choque de retorno, a todo tempo.**

– Meus amigos – disse Manoela –, como vemos, não há um único ato que vá contra as Leis Divinas que não fique sem a devida punição.Os amigos espirituais nos auxiliam, mas não têm como e não devem impedir aquilo que é o resultado de nossos atos. Vejam a frase:

*"... Ao mal segue-se o mal. Se os seres inferiores, nossos irmãos no grande lar da vida, nos fornecem os valores do serviço, devemos dar-lhes, por nossa vez, os valores da educação. Ora, ninguém pode educar odiando, nem edificar algo de útil com a fúria e a brutalidade... ninguém desrespeita a Natureza sem o doloroso choque de retorno, a todo tempo."*

Respirando fundo, Manoela perseguiu:
– Continuando o livro Missionários Luz, observaremos agora que André Luiz finalmente compreendeu as colocações de Alexandre, e admitiu a gravidade do assunto, compreendendo que a proteção dos mentores amigos não nos falta, mas eles exigem também a colaboração do próprio homem consigo mesmo e com as Leis Divinas, para que se efetue o concurso da extinção do vampirismo no mundo. Veremos que André Luiz, agora, procura a solução para o vampirismo, perguntando:

*"– Como solucionar tão dolorosos problemas?*
*– Os problemas são nossos – esclareceu o generoso amigo, tranquilamente –, não nos cabe condenar a ninguém..."*

– Observem, caros amigos – continuou Manoela –, Alexandre a ninguém condena, mas não deixa de esclarecer prontamente. A condenação está na consciência de cada um, como vocês mesmos perceberam. Mas, não podemos ser coniventes com o equívoco ou com a ignorância. Não esclarecer é permitir que outros continuem no erro, é deixar que se percam nos caminhos obscuros, como nós já nos perdemos e ainda continuamos a nos perder, em diversas situações. Alexandre não condena, mas, assim como Jesus o fez, e os Espíritos superiores o fazem, elucida, e deixa tudo muito claro. Sem agressão, fala lucidamente sobre o tema e não deixa nuances para trás. Não esclarecer é um erro de graves consequências, porque perpetua o mal, instiga o comodismo, impede a evolução, e, neste caso específico, compactua com o sofrimento de bilhões de animais. Condenar cabe à consciência, esclarecer cabe a quem já conhece. Continuemos:

*"... Abandonado as faixas de nosso primitivismo, devemos acordar a própria consciência para a responsabilidade coletiva..."*

– Então – disse Sérgio –, o primeiro passo é a renovação de nós mesmos. Antes de instruir, devemos estar condizentes com o que estamos aprendendo. Adotar o vegetarianismo, compreender o amor aos animais, vivenciar este amor estendendo-o a todos eles...

– É importante esclarecer – disse Zé – que o vegetarianismo vai além do não consumo de carne.

– Como assim? – Perguntou Lúcia.

– Lúcia – disse Zé –, se utilizamos produtos de couro, por exemplo, também não contribuímos com o sofrimento de um animal?

– Nossa! – disse Lúcia –, não havia pensado nisso. É verdade, pois o couro deriva da morte de um animal.

– Felizmente – disse Ana Paula –, temos o couro artificial.

– Sim – continuou Zé –, e não é somente isso. Se usamos produtos em que tenham sido feitos testes em animais, também contribuímos com o sofrimento deles, porque os testes são muito cruéis.

– Posso atestar, como veterinária, que você tem razão. – Disse Ana Paula.

*O evangelho dos animais*

– E há outros produtos que contêm alimentos derivados da morte de animais, que nós nem imaginamos, como a gelatina, a geleia de mocotó, etc.

– Gelatina também? – perguntou Amanda.

– Sim – disse Zé –, e também temos inúmeros sabonetes que usam gordura animal em sua composição. Os que não utilizam trazem a inscrição: base vegetal ou 100% vegetal.

– O vegetariano – perguntou Lúcia – não come nenhum tipo de carne?

– Existem vários tipos de vegetarianos. O mais comum é o ovo-lacto-vegetariano, que não come nem carne vermelha, nem carne branca, nem peixe. Consome apenas leite e derivados e ovos, que não necessitam da morte do animal. Ainda assim, é preciso prestar atenção. É preferível ingerir, por exemplo, somente ovo caipira e orgânico, pois as galinhas que os põem são criadas soltas. O mundo ainda vive na dependência dos animais, e os trata de forma cruel, mesmo em se tratando do fornecimento de leite, ovos, lã e mel. Por isso, os orgânicos ainda são a melhor alternativa, porque buscam um respeito melhor com a natureza. Há também o ovo-vegetariano, que, além de não consumir nenhum tipo de carne, também não consome leite e derivados. Temos também o lacto – vegetariano, que não consome nem carne nem ovos. Por fim, temos os veganos, que não consomem nenhum tipo de carne, nem leite, nem ovos, nem mel. Mas continuemos com o estudo do capítulo 4 de Missionários da Luz:

*"A missão do superior é a de amparar o inferior e educá-lo."*

– Aqui – disse Edson –, vejam como Alexandre esclarece André Luiz quanto a missão que nos cabe em amparar e educar os animais. Importantíssima esta colocação, acho que vale a pena repeti-la:

*"A missão do superior é a de amparar o inferior e educá-lo..."*

– Pois é – disse Zé –, fico feliz em vê-los já tão integrados ao entendimento das colocações tão importantes e esclarecedoras contidas neste capítulo de Missionários da Luz. Estamos chegando ao final do texto, e Alexandre termina brilhantemente esclarecendo o futuro de nossa relação com os animais. Cont nuemos:

> *"... E nossos abusos para com a Natureza estão cristalizados em todos os países, há muitos séculos. Não podemos renovar os sistemas econômicos dos povos, dum momento para outro, nem substituir os hábitos arraigados e viciosos de alimentação imprópria, de maneira repentina. Refletem eles, igualmente, nossos erros multimilenários..."*

– Como é essencial – disse Zé – que compreendamos o significado destas colocações! Porque podemos fazer delas a desculpa para não mudarmos, dizendo que não dá para mudar de uma hora para outra. Mas não é nesse sentido que Alexandre fala. Sabemos que no Planeta Terra há Espíritos em diversas fases evolutivas, e que nem todos estão aptos a compreender as verdades do Espírito. Para tanto, busquemos O Evangelho Segundo O Espiritismo:

> *O Evangelho Segundo o Espiritismo, cap. XVII, item 5, Parábola do Semeador:*

> *"Aquele que semeia saiu a semear. E quando semeava, uma parte das sementes caiu junto da estrada, e vieram as aves do céu, e comeram-na. Outra, porém, caiu em pedregulhos, onde não tinha muita terra, e logo nasceu porque não tinha altura de terra. Mas saindo o sol o queimou, e, não tinha raiz, se secou. Outra, igualmente, caiu sobre os espinhos, e cresceram os espinhos, e estes a sufocaram. Outra, enfim, caiu em boa terra, e dava fruto, havendo grãos que rendiam a cento por um, outros a sessenta, outros a trinta. O que tem ouvidos de ouvir, ouça. (Mateus, cap. XIII: 1-9.)*

– Que os ensinamentos que aqui temos estudado – continuou Zé – mudando profundamente nosso prisma acerca do amor ao próximo, signifiquem dentro de nós a semente

*O evangelho dos animais*

que cai em boa terra, a semente do conhecimento e da verdade nua e crua, pois é momento de não mais colocar o véu sobre o significado do amor aos animais e da evolução. O Espiritismo chegou na fase de falar sobre eles. Se antes ainda não era o momento, agora esse momento, na era do Espírito, em que caminhamos para a regeneração, é chegado. E as sementes são jogadas a mancheias, inundando nosso coração com o amor e a verdade, iluminando nossa mente com o futuro, demonstrando a importância – para nós mesmos enquanto Espíritos, para os animais, que também são espíritos em evolução, para o planeta como um todo – de mudarmos o paradigma em relação a interação homem-animal. Que sejamos nós a terra fértil do cristão, discípulo da verdade, humilde e comprometido com a tarefa do Evangelho, dando os frutos da mudança interior, da aplicação das lições, com a expansão da verdade, com a disseminação da luz Espírita em relação ao verdadeiro significado da caridade e do amor ao próximo.

Zé, feliz e empolgado, respirou e continuou:

– Que estejamos conscientes, porém, de que nem todos "serão a terra fértil", mas muitos serão os pedregulhos, os espinhos, por onde a semente da verdade cairá; buscaremos esclarecê-los a respeito dos animais e da vida, do espírito e do amor, e eles não darão frutos. Mas as sementes estarão plantadas, para florescer no futuro do Espírito em evolução. Por se a Terra povoada por espíritos em diversas faixas evolutivas é que os sistemas econômicos não vão se renovar de uma hora para outra, mas que sejamos nós, os Espíritas, os cristãos, aqueles que, como predisse o Evangelho, tomarão a iniciativa da mudança, e renovemos nossos hábitos, ensinando pelo exemplo o futuro da humanidade, o futuro dos animais, o futuro do Planeta Terra.

Manoela estava também feliz e seu sorriso demonstrava a alegria em ouvir o marido. Ela continuou:

– Aqui nos reunimos com a humildade dos cristãos, e não ouviremos outros senão o Cristo, "falando" através de Alexandre, esclarecendo André Luiz e a todos nós, porque todos aqueles que falam acerca das Leis Divinas, todos os que falam sobre a verdade, todos os que esclarecem as almas nos caminhos da evolução e todos os que contribuem com a evolução da Terra, falam em nome Daquele que é o governador de nosso planeta. Que sejamos também nós aqueles que falam em nome do Cristo e o representam; que sejamos os verdadeiros Espíritas e os verdadeiros cristãos, que defendamos os fracos e oprimidos da Terra, os nossos irmãos menores, os animais.

Amanda trazia os olhos brilhando. Um entusiasmo nascente lhe enchia o coração, o desejo de ser melhor, de evoluir, de estar condizente com as Leis Divinas lhe tomava a alma. Disse então:

– Não vejo a hora de saber o que vem depois. Vamos continuar o texto, estou curiosa. Nunca me senti tão desejosa de mudar, de crescer, de evoluir.

Foi Manoela quem continuou a leitura:

*Livro Missionários da Luz, cap. 4:*

*"...Mas, na qualidade de filhos endividados para com Deus e a Natureza, devemos prosseguir no trabalho educativo, acordando os companheiros encarnados, mais experientes e esclarecidos, para a nova era em que os homens cultivarão o solo da Terra por amor e utilizar-se-ão dos animais, com espírito de respeito, educação e entendimento..."*

Foi Sérgio quem falou, respirando fundamente:
– Vejam a importância da informação trazida por Alexandre:

**"...na qualidade de filhos endividados para com Deus e a Natureza..."**

– É importante – disse Sérgio – que tomemos posse desta informação: somos filhos endividados com Deus e com a Natureza. E é imprescindível que compreendamos duas coisas – cabe-nos mudar nossos hábitos imediatamente, para que tal dívida com o Pai misericordioso e com a natureza não aumente, porque Deus nos confia os irmãos menores no amparo e na educação com amor, e nós nos transformamos em seus mais cruéis inimigos. E a própria Natureza nos

*O evangelho dos animais*

aguarda o acordar para nossas responsabilidades. Imprescindível, portanto, que estejamos aptos a compreender que nos cabe a responsabilidade de educar, como somos educados pelos Espíritos superiores a nós, de amar, como somos amados pelos Espíritos superiores a nós, de amparar, como somos amparados pelos Espíritos superiores a nós. Imaginemos como seria caso eles nos tratassem como tratamos os animais. Imaginem se implorássemos amor, amparo, bondade, e eles nos ignorassem, nos maltratassem, nos desconsiderassem, nos matassem impiedosamente?! Como foi que não compreendemos isto?

– Gostaria – disse Manoela – de citar outro texto do Livro Os Mensageiros, de profunda significação para o trabalho que estamos efetivando, esclarecendo a urgente necessidade de educarmos os homens na sua relação com a natureza, pelos animais e pelos próprios homens. Observem:

*Livro Os Mensageiros, autoria espiritual de André Luiz, capítulo 42, Evangelho no Ambiente Rural:*

*Fixando a página escolhida (Aniceto), começou a meditar, enquanto sublimada luz lhe aureolava a fronte...* **Um rebanho bovino acercara-se de nós, atraído por forças magnéticas que não consegui compreender. Alguns muares humildes chegaram, igualmente, de longe. E as aves tranquilizaram-se nas frondes fartas, sem um pio...**
*...Há milênios, a Natureza espera a compreensão dos homens... Conheço-vos de perto os sacrifícios, abnegados trabalhadores espirituais do solo terrestre! Muitos de vós aqui permaneceis,como em múltiplas regiões do planeta, ajudando a companheiros encarnados, acorrentados às ilusões da ganância de ordem material. Quantas vezes, vosso auxílio é convertido em baixas explorações no campo dos negócios terrestres? A maioria dos cultivadores da terra tudo exige sem nada oferecer.* **"Enquanto zelais, cuidadosamente, pela manutenção das bases da vida, tendes visto a civilização funcionando qual vigorosa máquina de triturar, convertendo-se os homens, nossos irmãos,**

*em pequenos Moloques de pão, carne e vinho, absolutamente mergulhados na viciação dos sentimentos e nos excessos da alimentação, despreocupados do imenso débito para com a Natureza amorável e generosa. Eles oprimem as criaturas inferiores, ferem as forças benfeitoras da vida, são ingratos para com as fontes do bem, atendem às indústrias ruralistas, mais pela vaidade e ambição de ganhar, que lhes são próprias, que pelo espírito de amor e utilidade,* mas também não passam de infelizes servos das paixões desvairadas. Traçam programas de riqueza mentirosa, que lhes constituem a ruína; escrevem tratados de política econômica, que redundam em guerra destruidora; desenvolvem o comércio do ganho indébito, colhendo as complicações internacionais que dão curso à miséria; dominam os mais fracos e os exploram, acordando, porém, mais tarde, entre os monstros do ódio! "É para eles, nossos semelhantes encarnados na Crosta, que devemos voltar igualmente os olhos, com espírito de tolerância e fraternidade. Ajudemo-los ainda, agora e sempre! Não esqueçamos que o Senhor está esperando pelo futuro deles! **Escutemos os gemidos da criação, pedindo a luz do raciocínio humano, mas não olvidemos, também, a lágrima desses escravos da corrupção, em cujas fileiras permanecíamos até ontem, auxiliando-os a despertar a consciência divina para a vida eterna... Ajudemo-lo a compreender, para que se organize uma era nova. Auxiliemo-lo a amar a terra, antes de explorá-la no sentido inferior, a valer-se da cooperação dos animais, sem os recursos do extermínio..."*

Foi Edson quem continuou:

– Com tudo o que estamos aprendendo, temos duas coisas a fazer:

Inicialmente, mudar imediatamente nossos hábitos, para não nos comprometermos mais perante as leis divinas e, assim, não aumentarmos nossas expiações.

E em segundo lugar, esclarecer irmãos de caminhada evolutiva quanto a estas realidades, para que todos tenham

*O evangelho dos animais*

a oportunidade de mudar, e nos redimir em atos de amor e bondade para com nossos irmãos animais. Porque, se nossos cães e gatos têm alma, é verdade também que nossos irmãos aves, vacas, porcos, carneiros, cabritos, jacarés, iguanas, caranguejos, peixes, etc., também têm. E têm sistema nervoso, e sentem dor.
Lúcia foi quem levantou a questão;
– Os peixes também?
– Sim, Lúcia – disse Ana Paula –, eles têm as mesmas estruturas nervosas que nós para a resposta à dor. Estudos demonstram que o corpo deles reage à dor e ao sofrimento como o nosso, porém, eles não têm expressão facial ou sonora como nós neste sentido, e nós passamos a acreditar que não sentissem dor ou sofressem por isso, mas basta uma pesquisa sobre a dor em peixes para que nos surpreendamos.
Zé foi quem continuou:
– Outras partes do texto devem ser destacadas, tanto do livro Missionários da Luz quanto do livro Os Mensageiros. Vamos colocar os dois juntos e verificar:

*"... devemos prosseguir no trabalho educativo, acordando os companheiros encarnados, mais experientes e esclarecidos...* **Ajudemo-lo(s) a compreender, para que se organize uma era nova. Auxiliemo--lo(s) a amar a terra, antes de explorá-la no sentido inferior, a valer-se da cooperação dos animais, sem os recursos do extermínio...""**

– Quem são – continuou Zé – os companheiros encarnados mais experientes e esclarecidos senão os detentores das verdades do Consolador Prometido? Qual de nós, enquanto Espíritas, pode negar as luzes que recaem sobre nossas almas? Mas também não podemos negar a verdade de que quanto maior o esclarecimento, maior é nossa responsabilidade quanto a ele. A Doutrina Espírita é fonte de evolução. Ela não existe para que obtenhamos o conhecimento e nos orgulhemos dele, falando aos quatro ventos, sem a transformação. Ela é a fonte luminosa das verdades cristãs, e existe para promovermos a transformação de nós mesmos e daqueles que nos cercam. Existe para que nos regeneremos e auxiliemos na regeneração do planeta. A responsabilidade das casas espíritas, na formação da nova era e na formação do homem de bem, é imensa neste momento de transição. Caso não compreendamos isto, estaremos fazendo o que já se fez durante milênios com o Cristianismo, falando verdades, sem senti-las, criando teorias sem fazê-las realidade, e nos acomodaremos onde estamos, trazendo grandes prejuízos para o Planeta, para nós mesmos e para aqueles que nos cercam. E aqui estamos falando dos animais, porque, enquanto discutimos longamente sobre as teorias,

**Eles sofrem!!!**

**Enquanto pensamos sobre ser ou não verdade – estão desesperados nos matadouros aguardando que finalmente tomemos posse do que nos cabe enquanto seres humanos!**

**Enquanto nos reunimos, em torno das mesas, decidindo qual é a verdade de Jesus e acreditamos equivocadamente que detemos o poder sobre as mudanças do Mundo, e nos perdemos em nossas orgulhosas ilusões, os animais derramam lágrimas.**

**Nossos Irmãos menores imploram o Amor, e recebem a dor, imploram o amparo e recebem a ignorância. Os animais estão sofrendo desesperadamente, e esperam que, um dia, sejamos os seres humanos condizentes com as Leis Divinas, levando até eles a Luz do Cristo, a Verdade do Amor, a humildade da mudança, para que, finalmente, eles deixem de ser tratados, como objetos de nosso bel prazer, e sejam elevados à categoria que lhes pertence de fato: NOSSOS IRMÃOS.**

– E Alexandre – concluiu Zé – deixa muito claro no texto que estudamos:

*"...a nova era em que os homens cultivarão o solo da Terra por amor e utilizar-se-ão dos animais, com espírito de respeito, educação e entendimento..."*

*O evangelho dos animais*

– O que é a nova era senão a regeneração? – Disse Edson – e no Planeta de regeneração os homens terão mudado a relação com os animais. Tomara que estejamos juntos neste novo contexto de amor ao qual se elevará a Terra. E o melhor é que podemos escolher, agora, onde é que queremos estar. Podemos decidir livremente se mudaremos nossos hábitos em relação aos animais e exercitaremos o amor, condizentes com a nova era de paz, ou se nos manteremos em nosso orgulho, continuando a prática de atos cruéis e fechando os olhos para a realidade da luz, porém caminhando na contramão da regeneração. Que tenhamos coragem de ver a verdade e lutar pelo amor, que nos renovemos, que sejamos menos teóricos e mais práticos, que deixemos que nosso coração fale mais que nossa orgulhosa cabeça, que sigamos o Cristo e a Doutrina Espírita!

Plínio completou o comentário do amigo Edson:
– Como diz Paulo, e acho que nem precisamos comentar:

> *Evangelho Segundo O Espiritismo, cap. XV, item 10, Paulo:*

> *"Meus amigos, agradecei a Deus, que vos permitiu gozar a luz do Espiritismo. Não porque somente os que a possuem possam salvar-se, mas porque, ajudando-vos a melhor compreender os ensinamentos do Cristo, ela vos torna melhores cristãos. Fazei, pois, que, em vos vendo, se possa dizer que o verdadeiro Espírita e o verdadeiro cristão são uma e a mesma coisa...".*

– Bendito seja, Senhor – continuou Plínio –, pelos esclarecimentos que estamos tendo aqui esta tarde. Bendito seja pela Doutrina Espírita que nos faz rever nossa ignorância espiritual e nos promove a filhos de Deus conscientes de seu papel com o amor. Bendita Doutrina que nos esclarece e nos faz compreender a profundidade de nos dizermos cristãos!
Manoela tomou nas mãos o texto de Missionários da luz e continuou a leitura:

> *"...Depois de ligeiro intervalo, o instrutor observou:*

*– Semelhante realização é de importância essencial na vida humana ..".*

Observemos que Alexandre – comentou Manoela – deixa muito claro nesta colocação a importância da mudança de nossos hábitos alimentares, nos tornando vegetarianos, levando em consideração o amor aos animais, como nos incentiva todo o capítulo. Não é algo superficial e que podemos aguardar, mas fator essencial, como diz o próprio orientador, para que a vida humana se eleve para outro padrão vibratório. Há de se prestar atenção nisso e não desprezar ou colocar de lado tal informação, pois que nos cabe compreender profundamente o papel transformador, no momento de transição em que nos encontramos. Se desejamos viver a regeneração, se desejamos promovê-la, não podemos ignorar os caminhos que a ela levarão. Para a obra do Cristo, não há subterfúgios, nem meias maneiras, nem formas de "dar um jeitinho". Disse Jesus:

*Evangelho Segundo O Espiritismo, cap. I, item 3, Cristo:*
*"O céu e a terra não passarão, enquanto não se cumprir até o último jota", Jesus quis dizer que era necessário que a lei de Deus fosse cumprida, ou seja, que fosse praticada sobre toda a Terra, em toda sua pureza, com todos os seus desenvolvimentos e consequências..."*

– Vale nos lembrarmos – continuou Manoela – que a Lei Divina está contida no Evangelho, e que Jesus estabeleceu como maior mandamento o amor a Deus, o amor a si mesmo e o amor ao próximo. E quero repetir, somente para não perdermos a linha de raciocínio, a colocação do livro Mecanismos da Mediunidade, de autoria de André Luiz e psicografia de Francisco Cândido Xavier e Waldo Viera, nos lembrando o que é o Evangelho e até onde ele se estende:

*"**O Evangelho**, assim, não é o livro de um povo apenas, mas o Código de Princípios Morais do Universo, **adaptável** a todas as pátrias, a todas as comunidades, a todas as raças e a **todas as criaturas...**"*

*O evangelho dos animais*

Manoela continuou com alegria nos olhos:
– Unamos a colocação do Evangelho Segundo o Espiritismo com a do livro Mecanismos da Mediunidade e concluamos com a colocação do Livro Missionários da Luz que acabamos de ler e observemos claramente a conclusão da luz:

*"O céu e a terra não passarão, enquanto não se cumprir até o último jota", Jesus quis dizer que era necessário que a lei de Deus fosse cumprida, ou seja, que fosse praticada sobre toda a Terra, em toda sua pureza, com todos os seus desenvolvimentos e consequências...* **adaptável** *a todas as pátrias, a todas as comunidades, a todas as raças e a **todas as criaturas**... os homens cultivarão o solo da Terra por amor e utilizar-se-ão dos animais, com espírito de respeito, educação e entendimento... Semelhante realização é de importância essencial na vida humana..."*.

– Incrível – disse Ana Paula –, como as coisas ficaram claras com estas observações! Não podemos mais ignorar a importância de compreendermos as Leis Divinas. Não podemos ignorar a importância do capítulo que acabamos de estudar e de todos os seus desdobramentos. A Era do Espírito chegou. Junto com ela a necessidade da transformação para o amor e a paz, de forma que a vibração de nosso planeta se eleve, e possamos viver a nova era. Alexandre, nas orientações passadas a André Luiz, deixa muito claro, que a nova era inclui a mudança em relação aos animais. É preciso que tomemos isso como uma das principais mudanças a serem feitas. Inúmeros são aqueles que, em nosso planeta, dizem aos quatro cantos que a mudança em relação aos animais se faz necessária. Há inúmeros militantes esclarecendo que os animais têm o mesmo direito à vida, à família, ao amor, que eles têm sentimentos, consciência, vontade, e que não podemos nos colocar acima deles. A Doutrina Espírita, antecipadamente, no Livro Missionários da Luz, por exemplo, que data de 1945, e no próprio livro A Gênese, que é de 1868, alertando o homem quanto ao seu orgulho, já fala da mesma necessidade de mudança. A única religião que trata os animais de igual para igual e que os eleva a nossos irmãos, explicando logicamente isto é a Doutrina Espírita; não podemos ignorar, é preciso representá-la, e falar acerca da luz que o Espiritismo traz para todas as criaturas, tornando-se o Consolador para todos os filhos de Deus.

Ana Paula respirou e continuou:

– Que alegria em conhecer estes aspectos da Doutrina! Sempre me pareceu tão injusto que somente o homem tivesse direito às luzes do Consolador Prometido se estendendo sobre ele, e que o Cristianismo, que é o amor, a humildade, a bondade de Deus, ignorasse todos os outros filhos que não se encontram em humanidade. Que alegria sinto, agora, por saber que a verdade é bem outra, e que a Doutrina Espírita a esclarece em todas as suas nuances! Que bom sentir isso!

## Capítulo 34

# A GERAÇÃO DA REGENERAÇÃO

A alegria de Ana Paula era compartilhada por todos os outros. Manoela convidou para que continuassem os estudos de Missionários da Luz:

*"Semelhante realização é de importância essencial na vida humana, porque, sem amor para com os nossos inferiores, não podemos aguardar a proteção dos superiores, sem respeito para com os outros, não devemos esperar o respeito alheio. Se temos sido vampiros insaciáveis dos seres frágeis que nos cercam, entre as formas terrenas, abusando de nosso poder racional ante a fraqueza da inteligência deles, não é demais que, por força da animalidade que conserva desveladamente, venha a cair a maioria das criaturas em situações enfermiças pelo vampirismo das entidades que lhes são afins, na esfera invisível."*

Foi Zé quem levantou os olhos do livro em busca de analisar, com mais profundidade, as informações contidas no parágrafo. Via-se em seus olhos o brilho do entendimento, e ele comentou:

– Foi por isso que, findos alguns meses de estudo deste capítulo, em nossa residência, com relutância maior por parte de alguns e nenhuma ou menor por parte de outros, decidimos, enquanto família, buscar novos caminhos na alimentação. Um de nossos filhos permanecia preso à ideia de que se tratava de ser ou não vegetariano, de se alimentar ou não do cadáver de animais. Mas, com o passar do tempo, conseguimos em conjunto, através do estudo, perceber que a decisão em si era mais profunda, mais consciente, e com significado bem maior. Trata-se de decidir pelo amor ou pelas sombras, trata-se de decidir pela lucidez ou pela loucura do egocentrismo e do especismo. Conversamos sobre nossa evolução e sobre tudo o que nos cercava...

– Percebemos – disse Manoela – que estávamos diante de uma encruzilhada, em que se apresentavam para nós a porta estreita e a porta larga. Vimo-nos diante da decisão da vida ou da inoperância. Olhamos todos os aspectos, e enxergamos muito além do corpo. Talvez, pela primeira vez com real significância, nos vimos como Espíritos. A decisão pela mudança de alimentação foi um divisor de águas na maneira de viver a vida do Espírito em corpo, sem, no entanto, desprezar as necessidades do corpo.

– Pesquisamos profundamente – continuou Zé – e procuramos nutricionistas, decididos por uma vida mais saudável não somente do ponto de vista material, mas também do ponto de vista espiritual. Víamo-nos conectados, independente do que concluíssemos, a tudo que vive. É uma conexão tão profunda, tão feliz, tão perfeita! Percebemos, então, que, uma vez que estamos ligados a tudo que vive pela Lei de Amor, o melhor para cada um de nós seria viver estes laços de maneira consciente, e mergulhar na vida abundante que pulsa ao nosso redor, sem lesá-la, mas harmoniosamente, nos fazendo colaboradores do Universo. E a sensação de bem-estar espiritual experimentada é indescritível, tal a sutileza energética.

– Por que – perguntou Plínio – vocês fizeram tanta questão de que a decisão fosse tomada por toda a família? Afinal, os filhos, já praticamente adultos, tinham a capacidade de decidirem sozinhos. Por que, então, fizeram tanta questão de que a decisão fosse unânime?

– Bem – respondeu Manoela –, sabíamos disso, e eu e o Zé decidimos mais rapidamente pela alimentação vegetariana, a alimentação de respeito e amor aos animais e a nosso Senhor Jesus Cristo, em sua obra de amor e luz para com

*O evangelho dos animais*

o Planeta Terra; a alimentação da liberdade espiritual. Mas, estudando o capítulo de Missionários da Luz em questão, vimos nossa responsabilidade como pais, que, agora, lúcidos quanto a esta questão do ponto de vista espiritual, perceberam o quanto seus atos de ignorância espiritual tiveram influencia sobre os filhos. Então, decidimos trabalhar no intuito de localizar estes filhos que amamos no mesmo patamar de amor e mais do que isto, de corrigir o erro passado.

Amanda e Edson se entreolharam. Podiam perceber os pensamentos que fluíam em igual sorte, na direção do pequeno Gabriel. Amavam o filho. Amanda perguntou:
– Pode explicar melhor, Manoela?
– Sim – respondeu –, com prazer. Voltemos um pouco no texto e analisemos diversas de suas partes juntas:

*Livro Missionários da Luz, cap. 4, Vampirismo:*

*"... Os pais terrestres, com raríssimas exceções, são as primeiras sentinelas viciadas, agindo em prejuízo dos filhinhos... devemos afirmar a verdade,embora contra nós mesmos... Se **temos sido vampiros insaciáveis dos seres frágeis que nos cercam**, entre as formas terrenas, abusando de nosso poder racional ante a fraqueza da inteligência deles, não é demais que, por força da animalidade que conserva desveladamente, venha a cair a maioria das criaturas em situações enfermiças pelo vampirismo das entidades que lhes são afins, na esfera invisível."*

Amanda colocou, automaticamente, a mão na boca, horrorizada pela óbvia conclusão. Seus olhos se encheram de lágrimas ao pensar no filho querido. Olhou para Edson que se encontrava de cabeça baixa, perplexo. O silêncio se fez a tônica do momento. Amanda disse:
– Reforçando a conclusão passada, o texto diz que temos sido vampiros dos animais, é isso?
– Isso mesmo, querida – respondeu Edson –, vamos analisar a colocação separadamente:
*"... **temos sido vampiros insaciáveis dos seres frágeis que nos cercam...**"*

485

SANDRA DENISE CALADO DITADO POR EQUIPE ESPIRITUAL DA ASSEAMA

– Gostaria de fingir que não é isso, mas como fingir diante de texto tão óbvio e literal, em um capítulo que trata exclusivamente do tema vampirismo? Seria mentir para nós mesmos. Assim como somos vampirizados em imensa maioria na humanidade, também vampirizamos os animais.

Foi Zé quem continuou:
– Observemos outra parte do texto:

*"Por que tamanha estranheza? – perguntou o cuidadoso orientador – e nós outros... nossas mesas não se mantinham à custa das vísceras dos touros e das aves?... sugávamos os tecidos musculares, roíamos os ossos..."*

Amanda balançava a cabeça, inconformada. Olhou para todos na mesa e disse:
– Quer dizer que, infelizmente, além de vampirizar os animais, tenho ensinado meu filhinho querido do coração a fazer o mesmo?

Foi Edson quem falou:
– Meu amor, temos ensinado nosso querido Gabriel a ser vampiro dos animais, tal qual somos. E sem subterfúgios, devemos perceber a tempo o erro cometido e buscar corrigi-lo.

– Foi por isso – disse Manoela – que trabalhamos tanto para que a decisão acerca do vegetarianismo se fizesse em toda a família. Preocupados em direcionar as almas a nós confiadas nos processos do amor, decidimos que nos cabia incentivá-los no aprendizado do Evangelho de forma mais profunda, e queríamos que compreendessem o porquê. Assim, estudamos o capitulo 4 do livro Missionários da Luz em família, e conversamos longamente, até que eles, para nossa alegria, sentiram-se felizes diante da decisão.

Amanda, então, disse:
– Sabe o que mais? Gabriel nunca gostou de carne ou embutidos, Sempre o forçamos a comer, sob protestos dele. Parece-me um Espírito que já veio com esta tendência e, por ignorância espiritual, ao invés de incentivá-lo, estamos

*O evangelho dos animais*

forçando-o a voltar atrás nos caminhos por ele conquistados no processo de evolução.

– Sem dúvida – disse Zé –, sabemos que estão reencarnando Espíritos mais preparados para auxiliar na fase de transição do planeta para a regeneração. Mas nós ainda não nos encontramos preparados, em muitas situações, para recebê-los e auxiliá-los em suas tarefas especificas. São a nova geração a que se refere Kardec no livro A Gênese, Cap. XVII, São Chegados Os Tempos, item 28:

*"Têm ideias e pontos de vista opostos às duas gerações que se sucedem. Pela natureza das disposições morais, porém, sobretudo das disposições intuitivas e inatas, torna-se fácil distinguir à qual das duas pertence cada individuo.*

*Cabendo-lhe fundar a era do progresso moral, a nova geração se distingue por inteligência e razão geralmente precoces, juntas ao sentimento inato do bem e as crenças espiritualistas, o que constitui sinal indubitável de certo grau de adiantamento anterior. Não se comporá de Espíritos eminentemente superiores, mas dos que, já tendo progredido, se acham predispostos a assimilar todas as ideias progressistas e aptos a secundar o movimento de regeneração."*

Amanda lembrou-se de fatos da vida com Gabriel, e percebeu sua precocidade quando comparado a eles próprios, seus pais. Seu pensamento vagueou, lembrando-se do Evangelho no lar em sua casa:

*Então, Gabriel, que tinha na época 5 anos, perguntou, nos pegando de surpresa:*
*– Mamãe, quem é esse tal de próximo?*
*Sorri para ele, feliz por perceber que prestava atenção e até pensava a respeito, respondendo:*
*– Próximo são todas as pessoas do mundo, começando pela família; por exemplo, eu e o papai somos seus próximos, depois, a vovó, seus amiguinhos, a Lúcia, que é nossa secretária do lar, o tio Pedro, seu amiguinho Lucas, etc. Aí vêm todas as crianças que você não co-*

*nhece e, por fim, as pessoas do mundo todo e do universo.*

*Gabriel me olhou por alguns segundos, depois seu semblante traduziu indescritível tristeza, e, então, ele me perguntou:*
*– Então, a Fifi, que não é nem uma criança, nem uma pessoa, não é meu próximo?*
*Eu e o Edson nos entreolhamos surpresos. Não havíamos pensado nisso. Sempre que estudamos o Evangelho, o compreendemos para os seres humanos, nunca para os animais. Edson, então, sorriu, concluindo feliz:*
*– Sabe, Gabriel, você tem toda razão. Tudo que existe no mundo, toda a Natureza, todos os animais são coisas de Deus. Ele fez tudo isso, e podemos vê-lo nas mínimas coisas. Assim, isso me lembra Gandhi, que dizia, com seus amorosos exemplos: "Tudo que vive é teu próximo".*

*Eu então completei:*
*– Portanto, filho querido, os animais também são nossos próximos. Assim, o maior mandamento se aplica também a eles. Amar aos animais é também amar o próximo.*
*Gabriel sorriu satisfeito. Em sua observação infantil, acordou-nos para uma realidade adormecida e nos fez perceber que o Evangelho é muito mais profundo do que havíamos pensado até então. Partimos, então, para a vibração da tarde, próximo passo do Evangelho no lar. Como o Edson havia feito a prece inicial e a leitura, me candidatei para as vibrações e deixei a cargo dele a prece final. Antes que iniciasse, Gabriel de novo perguntou:*
*– Mamãe, você pode me explicar de novo o que são vibrações?*

*Eu então respondi:*
*– Vibrações, meu filho, é pedirmos para o papai do céu abençoar outros que não estão aqui e a nós mesmos, desejando com nosso coração que todos recebam o amor e fiquem felizes.*
*– Ah! mamãe, que bom, então, é desejar que todos os nossos próximos fiquem alegres, não é? Disse Gabriel.*
*Sorrindo com a colocação dele, continuei:*
*– Isto mesmo, meu filho, Quando fazemos vibrações treinamos amar a todos.*

# O evangelho dos animais

Gabriel então pediu:
– Mamãe, então não se esqueça dos animais, que também são nossos próximos.
Novamente ficamos surpresos, pois nunca nos lembrávamos deste fato em nossas preces. Assim, de olhos fechados, nos dirigimos a Deus:

> "Deus, Pai de amor. Que tua luz de esperança e paz cubra toda a terra. Abençoa Senhor, a todos os teus filhos, desde o pequeno grão de areia até o ser humano. Ampara o sofrimento de todos os seres, alcança com Tua misericórdia os seres humanos, os animais e toda a natureza. Transforma o Teu Evangelho em fonte de luz e esperança para a harmonia em toda a Terra; ensina-nos a sermos teus instrumentos na implantação do amor dentro de nós mesmos e ao nosso redor. Ampara-nos individualmente e abençoa-nos o lar."

Assim seja.
Edson, então, encerrou com a prece final:
– Obrigado, Deus, pelos ensinamentos desta noite. Obrigado por Teu Evangelho e pela vida. Senhor, acompanha-nos durante toda a semana. Com tua licença, damos por encerrado o Evangelho no lar desta tarde. Assim seja.
Ao terminarmos, abrimos os olhos e vimos Gabriel abraçando a Fifi, que também estava de olhosfechados, mediante o carinho do menino para com ela. Ele nos olhou com largo sorriso e nos disse algo que nunca mais esqueci:
– Que bom, mamãe, que o menino Jesus não se esqueceu dos animais. Tomara que a gente também não esqueça...
Soltou a Fifi e foi brincar.

> Esta frase me marcou profundamente; uma criança tão jovem me ensinou algo tão profundo sobre a responsabilidade do amor que Jesus no ensinou...

Amanda unia estes pequenos fatos à intolerância de Gabriel com a carne e seus protestos nunca ouvidos. Disse então:
– Meu Deus, como precisamos de preparo, prece, Evangelho e conhecimento, humildade e amor pela obra de Je-

sus, pela Doutrina Espírita e pela regeneração, para orientar estes Espíritos a nós confiados por Deus para impulsionar a regeneração!

– É isso mesmo – disse Manoela –, é preciso humildade em deixar que a Doutrina Espírita fale por si e eduque esses ouvidos mais propensos ao amor. Que aprendamos a diminuir, para que o Cristo e suas lições de paz surjam em esplendor.

– Digo-lhes, amigos – comentou Edson –, jamais pensei que esta tarde em tão simples lar, pudesse me fazer rever coisas tão importantes em minha vida. Sinto-me renovado com tal profusão de informações, e terei de meditar muito tempo. Mas sei de uma coisa: a partir de hoje, nunca mais serei o mesmo, e minha relação com meu filho também passará a ter outra dimensão.

Foi Zé quem respondeu feliz:

– Para que possamos concluir este aprendizado e promover nossa transformação, terminemos a análise do capítulo, repetindo uma parte importante do texto que estudamos há pouco, do Livro Missionários da Luz:

> *"Semelhante realização é de importância essencial na vida humana, porque, sem amor para com os nossos inferiores, não podemos aguardar a proteção dos superiores, sem respeito para com os outros, não devemos esperar o respeito alheio. Se temos sido vampiros insaciáveis dos seres frágeis que nos cercam entre as formas terrenas, abusando de nosso poder racional ante a fraqueza da inteligência deles, não é demais que, por força da animalidade que conserva desveladamente, venha a cair a maioria das criaturas em situações enfermiças pelo vampirismo das entidades que lhes são afins, na esfera invisível."*

Alexandre deixa a questão do vampirismo bem clara para André Luiz na colocação acima, que podemos completar com outra que estudamos há pouco.

> *"... sem amor para com os nossos inferiores, não podemos aguardar a proteção dos superiores, sem*

*O evangelho dos animais*

*respeito para com os outros, não devemos esperar o respeito alheio... **porque, se o Pai é sumamente misericordioso, é também infinitamente justo, Ninguém lhe confundirá os desígnios**... Se temos sido vampiros insaciáveis dos seres frágeis que nos cercam... não é demais que, **por força da animalidade que conserva desveladamente**, venha a cair a maioria das criaturas em situações enfermiças pelo vampirismo das entidades que lhes são afins, na esfera invisível."*

– Observem, caros amigos, – disse Zé –, reclamamos o amparo da espiritualidade superior para nos libertar dos vampiros invisíveis que nos sugam as energias devido à produção que nós mesmos promovemos de larvas psíquicas, como já estudamos há pouco. Porém, tais entidades nos são afins, devido aos atos de vampirismo que mantemos com nossos irmãos menores, nos tornando os maiores verdugos deles. Assim, os amigos superiores podem nos amparar, mas jamais nos isentar do aprendizado cristão. Se desejamos nos libertar dos vampiros, que aprendamos a transformação íntima e, principalmente, que não sejamos nós os vampiros de outros espíritos que se encontram, tal qual nós, no corpo de carne, promovendo-lhes sofrimentos infindáveis e injustificáveis na época em que vivemos. Porque se, como já estudamos, na época de Kardec, em 1857, era quase inacessível o alimento industrializado, o conhecimento da nutrição, as alternativas proteicas, hoje isto, em absoluto, não é verdade. As opções para o vegetariano são extensas, a ciência evoluiu sumamente e, como tiveram o prazer de saborear a feijoada em nossa casa hoje, é possível repetir praticamente todos os pratos da culinária comum através da culinária vegetariana. Em nossa casa, fazemos pratos mineiros, pratos baianos, comida do dia a dia, como bolinhos, saladas, soja refogada, soja cozida em diversos ensopados; já tivemos os churrascos vegetarianos, fazemos as festas de aniversário e outras comemorações com salgadinhos e bolos variados, sem nos utilizar, em absoluto, do vampirismo para tal. Abolimos em nossa casa o comportamento primitivo que nos tornava os algozes de nossos irmãos animais, e tudo do que nos alimentamos é baseado no respeito a eles. Se, antigamente, os víamos como nosso alimento, e nos alimentávamos literalmente de cadáveres, hoje, em nosso lar, eles são nossos irmãos, parte de nossa família espiritual, almas a nós confiadas no processo de educação e amor.

Foi Amanda quem falou, feliz:
– Quer dizer que podemos fazer as festinhas de aniversário do Gabriel com salgadinhos diversos, sem deixar nada a dever a uma festa convencional?
Manoela respondeu:
– Mais do que isto, todos vão adorar o sabor. Todos vão dizer: *"Nossa, como é bom! Jura que isto tudo é vegetariano?"*
Lúcia sorriu feliz:
– Ah, lá onde moro, os churrascos nas lajes, aos domingos, são comuns. Quero aprender este churrasco vegetariano e surpreender a vizinhança. Na vejo a hora!
Foi Plínio quem disse:
– Quanto aprendizado, e que boa sensação experimento em aprender tudo isso! Tenho estado cada vez mais pensativo nesta tarde, mas também cada vez mais feliz com as conclusões. Percebo que, sem sombra de dúvida, é impossível enquanto humanidade, adentrarmos a regeneração, o caminho de paz e esperança, sem uma mudança tão essencial. Confesso que sempre achei o estudo da alma dos animais secundário, algo que quando pudesse me informaria, mas hoje percebo, é essencial, repetindo novamente as colocações de Alexandre para André Luiz:

*"Semelhante realização é de importância essencial na vida humana...porque tempos virão, para a Humanidade terrestre, em que o estábulo, como o lar, será também sagrado."*

– Sinto-me como o próprio André Luiz no final do capítulo – disse Plínio –, e faço questão de ler sua colocação:

*"Os esclarecimentos de Alexandre, ministrados sem presunção e sem crítica, penetravam-me fundo. Algo de novo despertava-me o ser. Era o espírito de veneração por todas as coisas, o reconhecimento efetivo*

*O evangelho dos animais*

do Paternal Poder do Senhor do Universo."

– Caro amigo Plínio – disse Zé –, vale também completarmos com a colocação de Joanna de Ângelis, no Livro Iluminação Interior, capítulo I:

*"...o amor é chamado a compartilhar desta saga extraordinária, unindo todas as criaturas no mesmo nível de sentimento e afeição, maneira apropriada de demonstrar gratidão ao Pai misericordioso."*

– E não podemos deixar de fora Emmanuel – continuou Zé – que, em sublime colocação do Livro Alvorada do Reino, como já vimos tantas vezes até agora, nos clama por atenção ao amor aos animais, e em O Evangelho Segundo O Espiritismo, cap. VI, item 7, encontramos um trecho do próprio Espírito da Verdade, nos alertando quanto ao futuro. Colocaremos todos os trechos juntos, e completaremos com os outros dois que estudamos agora, e veremos a luz do amor a iluminar nossos caminhos, e a guiar o homem para a nova era de paz, amor e esperança, a serviço do Pai Criador, e de si mesmo, na própria evolução, evoluindo do ser egocêntrico e perdido, para o representante de Deus em sua bondade infinita, estendendo a mão em amor e caridade, luz e educação aos irmãos menores:

*"... Algo de novo despertava-me o ser. Era o espírito de veneração por todas as coisas, o reconhecimento efetivo do Paternal Poder do Senhor do Universo... Para o homem, o anjo é o gênio que representa a providência Divina e para o animal, o homem é a força que representa a Divina Bondade... o amor é chamado a compartilhar desta saga extraordinária, unindo todas as criaturas no mesmo nível de sentimento e afeição, maneira apropriada de demonstrar gratidão ao Pai misericordioso... Que no futuro, humildes e submissos ao Criador, pratiqueis sua divina lei. Amai e orai. Sede dóceis aos Espíritos do Senhor...".*

Zé respirou profundamente e todos se alegraram. Os amigos estavam mais conscientes e gratos pela oportunidade de aprendizado. Aguardavam as considerações finais que Zé parecia ter. E ele assim falou:

– Caros amigos, nova geração de Espíritos mais iluminados penetra o Planeta Terra para alavancar a regeneração. Jesus nos enviou o Consolador Prometido, a Doutrina Espírita, para corrigir os erros humanos colocados em sua Doutrina santa, o Cristianismo, e para desdobrar o entendimento desta lei, de forma a promover a transformação humana e do planeta para a nova era. Cabe-nos a humildade de ouvi-lo. Cabe-nos o desejo de aprender e evoluir. Cabe-nos a vontade de realizar. Cabe-nos a transformação para a construção da paz e a orientação acertada destes novos irmãos que vêm à terra com a inteligência mais desenvolvida e o coração mais voltado à espiritualização e ao aprendizado do amor. Sejamos conscientes de que somos Espíritas, e de que o Espiritismo representa o Evangelho em todas as suas nuances e desdobramentos. Estejamos conscientes de que nós não determinamos a Verdade, mas ela existe e sempre existirá, sendo nosso dever, enquanto Espíritos, o cumprimento das Leis Divinas, de forma a nos tornarmos os discípulos do Senhor. Preparemo-nos, pois que somos os pais que educarão a futura geração, somos os avós que os receberão, somos os condutores da verdade do Cristo junto ao Consolador Prometido, somos aqueles que conhecem a evolução, somos aqueles que trabalham para a implantação do Evangelho. Representamos a humanidade do futuro com a Doutrina Espírita; então, devemos aprender a viver os postulados espíritas, porque, bem o sabemos, acabaram os tempos de muito falar e teorizar, sem nada fazer. A verdade está escrita em nossas consciências, e perceberemos que nossa alma clama por viver a paz e a harmonia. Não afastemos a chama da sabedoria e do amor por orgulho ou acomodação, lutemos para nos libertar e sigamos o Cristo, como Ele disse em suas sublimes palavras em O Evangelho Segundo o Espiritismo, cap. II, item 1:

*"...Eu não nasci nem vim a este mundo senão para dar testemunho da verdade; todo aquele que é da verdade ouve a minha voz." (João, cap. XVIII, 33-37)*

Zé continuou, emocionado:

– O Espiritismo é a Verdade de Jesus esclarecida a nossa

*O evangelho dos animais*

frente e o reino dos céus encontra-se dentro de nós. O Planeta Terra encontra-se em fase sublime de transição para o amor, para a regeneração, e é mais do que lógico que aprendamos a nos regenerar e a amar, a viver a consciência cósmica e a fraternidade universal, para que a regeneração se faça. Não obstemos os caminhos do Cristo acreditando que sabemos mais que os Espíritos que coordenam os processos da transição e nos esclarecem a alma, trabalhemos junto ao Senhor, e aprendamos a viver, desde já, a paz, promovendo a paz, acolhendo nossos irmãos, independente do tipo de corpo que ocupam, se um corpo humano ou um corpo animal, e criemos dentro de nós as vibrações da fase de regeneração. Que Jesus nos abençoes em nosso desejo de servir e amar! Aprendamos a ser os pobres de espírito e abandonemos, desde já, o pensamento de que os seres humanos são mais importantes. Ah, caros amigos, que equívoco de nosso orgulho! Equívoco esse que podemos corrigir desde já, graças à Doutrina Espírita.

Manoela, emocionada, falou:

– Quantos esclarecimentos, quantas dádivas, quanta luz! Gostaria de trazer para vocês, querido amigos, um texto que se encontra no livro Alvorada Cristã. Creio que os auxiliará e muito nos cuidados de seu pequeno filho e na preparação do mesmo para o futuro. Nele, o Espírito Neio Lúcio, através das mãos de Francisco Cândido Xavier, torna-se um representante do amor e fala pelos animais às crianças, porque elas são moldáveis por nós até determinada fase, e aprendem conosco o que é amar, para, depois de alguns anos vivenciar o que já são como Espíritos e o que aprenderão conosco. Temos a imensa responsabilidade de formar a geração da regeneração. Observemos:

*Livro Alvorada Cristã, Espírito Neio Lúcio, psicografia de Francisco Candido Xavier, Capítulo Dos animais aos meninos*

*"Meu pequeno amigo:*
*Ouça.*
*Não nos faça mal, nem nos suponha seus adversários.*

*Somos imensa classe de servidores da Natureza e criaturas igualmente de Deus.*

*Cuidamos da sementeira para que não lhe falte o pão, ainda que muitos de nossa família, por ignorância, ataquem os grelos tenros das verduras e das árvores, devorando germens e flores. Somos nós, porém, que, na maioria das vezes, garantimos o adubo às plantações e defendemo-las contra os companheiros daninhos.*

*Se você perseguir-nos, sem comiseração por nossas fraquezas, quem lhe suprirá o lar de leite e ovos?*

*Não temos paz em nossas furnas e ninhos, obrigados que estamos a socorrer as necessidades dos homens.*

*Você já notou o pastor orientando-nos cuidadosamente? Julgávamo-lo, noutro tempo, um protetor incondicional que nos salvava do perigo por amor e lambíamos-lhe as mãos, reconhecidamente. Descobrimos, afinal, que sempre nos guiava, ao fim de algum tempo, até o matadouro, entregando-nos a impiedosos carrascos. Às vezes, conseguíamos escapar por momentos, tornando até ele, suplicando ajuda, e víamos, desiludidos, que ele mesmo auxiliava o verdugo a enterrar-nos o cutelo pela garganta adentro.*

*A princípio, revoltamo-nos. Compreendemos, depois, que os homens exigiam nossa carne e resignamo-nos, esperando no Supremo Criador, que tudo vê.*

*As donas-de-casa que comumente nos chamam, através de currais, pocilgas e galinheiros, conquistam-nos a amizade e a confiança, para, em seguida, nos decretarem a morte, arrastando-nos espantados e semivivos à água fervente.*

*Não nos rebelamos. Sabemos que há um Pai bondoso e justo, observando-nos decerto, os padecimentos e humilhações, apreciando-nos os sacrifícios.*

*De qualquer modo, todavia, estamos inseguros em toda parte. Ignoramos se hoje mesmo seremos compelidos a abandonar nossos filhinhos em lágrimas ou a separar-nos dos pais queridos, a fim de atendermos à refeição de alguém.*

*Por que motivo, então, se lembrará você de apredejar-nos sem piedade?*

*O evangelho dos animais*

*Não nos maltrate, bom amigo.*
*Ajude-nos a produzir para o bem.*
*Você ainda é pequeno e, por isso mesmo, ainda*
*não pode haver adquirido o gosto de matar. Não é*
*justo, assim, colocarmo-nos de mãos postas, ante o*
*seu olhar bondoso, esperando de seu coração aquele*
*amor sublime que Jesus nos ensinou?"*

Amanda pensava em Gabriel e chorava, copiosamente.
Enquanto as belas lições da Doutrina Espírita lhe ilumina-
vam o coração de mãe, implorou mentalmente à Maria de
Nazaré o auxilio e à intuição necessária para educar a alma
que compartilhava o lar com ela, que havia lhe ocupado o
ventre durante nove meses e por quem tinha o mais imenso
amor. E no silêncio dos pensamentos ouviu:

*"Minha filha, o homem ainda não compreendeu que*
*a maternidade, mesmo quando partindo do instinto*
*ainda inferior dos nossos irmãos animais, é fonte de*
*sublime aprendizado do amor. Qual de nós suportaria*
*ver seu filhinho querido na direção do matadouro, em*
*situação de tortura e dor, sem nada poder fazer? Ainda*
*que presas ao jugo do instinto e iniciando o despertar*
*do significado dos sentimentos, as vacas-mães, as por-*
*cas-mães, as cabras-mães, as galinhas-mães amam,*
*cuidam e sofrem. Em seus sentimentos embrionários,*
*não podem conceber de bom grado o afastamento dos*
*filhos em situação de desespero, e não podem assistir*
*à dor sem nada conseguir fazer. É preciso educar a ge-*
*ração de crianças que está sob nossa responsabilida-*
*de, para que não se tornem também vampiros infelizes*
*dos mais fracos, ensinando-lhes, enquanto aprende-*
*mos, o amor do Evangelho de Jesus. Confie na luz do*
*Espiritismo, leia com atenção os textos, e direcione seu*
*filho para a luz do Espírito, exemplificando para outras*
*mães, sem medo de represálias, o verdadeiro amor!"*

Olhou em silêncio e emocionada para Manoela. Os olhos
de ambas se encontraram. Sem dizer palavra, entenderam-

-se no sentimento de mãe, e ouviram, no fundo do coração, a mensagem de Neio Lúcio, a chamar-lhes à responsabilidade:

*"Dos animais aos meninos:*
*Não nos maltrate, bom amigo.*
*Ajude-nos a produzir para o bem.*
*Você ainda é pequeno e, por isso mesmo, ainda não pode haver adquirido o gosto de matar. Não é justo, assim, colocarmo-nos de mãos postas, ante o seu olhar bondoso, esperando de seu coração aquele amor sublime que Jesus nos ensinou?"*

*Capítulo 35*

# SÃO CHEGADOS OS TEMPOS

Amanda respirava profundamente. Em sua mente, se passava tudo o que havia vivido desde a época do desencarne de Fifi até agora. Foram tantos aprendizados que tinha a impressão de que vivera toda uma vida em concentrados dias. Percebia, agora, o quanto o desencarne da companheira de anos lhe abrira possibilidades inimagináveis. Pensava, com o coração agradecido, em todas as luzes que agora faziam parte de seu caminho.

Edson olhava a mulher, enternecido e agradecido por ter ela, com seu desejo de saber, saído da conformação e buscado fontes novas de conhecimento acerca dos animais. Pegou de leve a mão da esposa, e sorriu para ela. Seus olhares se encontraram, e a tônica do amor de companheiros de luta se fez entre eles. Muito mais do que um homem e uma mulher sentiam-se companheiros, amigos, irmãos. Ela sorriu de volta, por compreender o que o querido esposo lhe dizia em seus gestos de carinho.

Lúcia se encontrava entre um sentimento de perplexidade e de alegria. Eram tantas informações novas e profundas, que sua mente exigia mais estudo e conhecimento. Olhou para Ana Paula, com quem passou a ter mais intimidade quando estudaram juntas. Ambas pareciam felizes. Uma calma tomou conta da alma e uma paz pareceu encontrar seus corações.

Sérgio e Plínio levantaram-se quase que juntos, e Plínio tomou a palavra:

– Caro Zé, quando pensei em virmos até aqui, jamais imaginei que esta tarde pudesse me preencher tanto o coração. Infelizmente, o dia começa a findar, e temos de tomar o rumo de casa, abandonar este paraíso e voltar para a cidade.

– Plínio – disse Zé –, amigos de jornada, foi um grande prazer recebê-los aqui. Sei que falo por mim e por Manoela. A tarde não foi somente rica para vocês, mas também para nós. A troca, a alegria de compartilhar, o prazer de servi-los... não temos como agradecer. Esperamos sinceramente que possam voltar a nosso lar; as portas estarão abertas para vocês, será sempre uma alegria.

Plínio e Zé se abraçaram. Neste instante, Adamastor, que permanecera deitado a maior parte do tempo, levantou-se e buscou os amigos. Percebeu o nobre animal que o grupo se despedia. Junto com ele, todos se levantaram. Em conversação alegre, foram se encaminhando até a porta de saída.

Ao pisar o solo do cuintal, Amanda percebeu os amigos animais se reunindo, como que em uma despedida.

Sansão e Dalila se aproximaram, solicitando carinho. Leôncio e a família estavam no cercado, e o grande bovino olhava nos olhos de todos.

Sorrindo, Amanda se aproximou de cada animal, e afagou suas faces, seus pêlos. Antes de entrar na casa, embora impressionada com a consciência que eles demonstravam, sentia-se de uma forma, mas, após o estudo, reunindo-se novamente com eles, parecia que podia sentir o que sentiam. E a esperança era a tônica que envolvia a todos. Sentia a esperança, mesmo sem saber por quê, dos animais ali presentes, sentia a esperança de Manoela e Zé, e a esperança do grupo de amigos que agora faziam parte de seus domingos. Mas, acima de tudo, sentia a esperança no ar.

Amanda não podia ver, mas um grupo de Espíritos pertencentes à Fraternidade de Francisco de Assis, os acompanhavam e cantarolavam a Oração de Francisco de Assis. Um grupo de cerca de 100 irmãos reuniam-se junto dos encarnados, como que a fazer o prenúncio de novas realizações. À parte dos ouvidos daquele grupo modesto e dedica-

*O evangelho dos animais*

do a entender a Doutrina Espírita, um Frei Franciscano, cujo brilho intenso escapava do peito e das mãos, aproximava-se de cada animalzinho, beijando-lhes a face. Os animais lhe percebiam a presença pela vibração de amor, e sentiam-se aconchegados. Depois, o mesmo frei, respeitosamente, aproximou-se de Zé, beijou-lhe as mãos com o coração cheio de gratidão.

Dirigiu-se este mentor ao grupo de Franciscanos presentes, e elevando as mãos aos céus, assim disse:

– Caros irmãos, agradeçamos a Nosso Senhor Jesus Cristo pela nova fase que se inicia no Planeta Terra. Graças às luzes da verdade contidas na Doutrina Espírita, a religião se une à ciência no que tange ao entendimento dos animais. A filosofia espiritual abre caminhos para o pensamento da regeneração, e as luzes da paz começam a ganhar formato no plano físico. São chegados os tempos meus filhos, são chegados os tempos!

Continuou o Frei e, à medida que falava, sua figura se iluminava e de suas mãos escapavam luzes que iam na direção de todos. Em seu peito, o brilho era tão intenso que quase não se podia perceber a expressão de seu rosto:

– Até agora, o homem pôde ler e reler, pensar, se adaptar, mas a transição se faz presente com mais intensidade, exigindo a transformação até o momento adiada. Não é mais tempo de esperar a próxima reencarnação. O tempo urge e uma mudança se faz necessária. É preciso a coragem da abnegação, em prol de nossos irmãos, independente da faixa evolutiva em que se encontrem. É preciso que o mundo respire o processo da luz e os alicerces da regeneração devem ser plantados e consolidados no planeta neste século. Muito trabalho nos aguarda nas frentes de amor do Cristo de Deus, e tenhamos a consciência de que Jesus vai à frente. Enquanto buscamos os trabalhos de regeneração de nós mesmos, antes de tudo, o Cristo segue qual General que comanda o exército na luta pela regeneração, aguardando de nós a obediência às suas leis de amor.

Os freis que o ouviam se imantavam de alegria, e trocavam sorrisos e olhares de contentamento. O frei continuava sua fala iluminada:

– São chegados os tempos de o homem despertar para sua realidade cósmica. São chegados os tempos de a Terra viver a fraternidade. Com a Lei de Jesus se fazendo a Lei na Terra, mais nenhuma criatura será discriminada. Durante a história humana, o homem sempre escravizou os mais fracos, e os animais têm sido vítimas da ignorância humana por muito tempo. Primeiro, porém, o homem precisava compreender que entre aqueles de sua própria espécie não havia diferença e, que além de corpo, ele, o ser humano, é Espírito, e um Espírito que galgou longos caminhos e muitos corpos até chegar à fase histórica em que hoje se encontra, albergando a vida do Espírito. É o momento de se fazer humano, e humanizar-se é aprender a viver com Deus. Já diz a questão 592 de O Livro dos Espíritos:

*"... Reconhecei o homem pelo pensamento de Deus".*

E nos completa a bela colocação da questão 610 do mesmo livro:

*"... A espécie humana é a que Deus escolheu para a encarnação dos seres que O podem conhecer."*

Tornar-se humano não é apenas compreender que existe Deus, mas fazer-se um representante de Deus na Terra. É preciso despertar para a regeneração. Não mais se aproximam os tempos, estamos neles, e é uma honra concedida por Deus que, nos tempos chegados, estejamos ao lado do Consolador Prometido e buscando praticar a Doutrina do amor. O bem se fará realidade para todos os filhos de Deus e a vontade do Pai se fará. Que sejamos aqueles que a vivem sem mesclas, com o desejo de aprender. Assim nos orienta O Evangelho Segundo o Espiritismo, no capítulo XX, item 4, Missão dos Espíritas:

*"... Ide, e agradecei a Deus pela tarefa gloriosa que vos confiou; mas meditai que entre os chamados ao Espiritismo, muitos se extraviaram; olhai a vossa rota e segui o caminho da verdade.*
*Pergunta: Se muitos dos chamados ao Espiritismo*

*O evangelho dos animais*

*se extraviaram, por qual sinal se reconhece aqueles que estão no bom caminho? Resposta: Vós os reconhecereis pelos princípios de verdadeira caridade que eles professarão e praticarão; vós os reconhecereis pelo número das aflições às quais eles terão levado consolações; vós os reconhecereis pelo seu amor ao próximo, pela sua abnegação, pelo seu desinteresse pessoal; vós os reconhecereis, enfim, pelo triunfo dos seus princípios, porque Deus quer o triunfo da sua lei; aqueles que seguem sua lei são seus eleitos, e ele lhes dará a vitória, mas esmagará aqueles que falseiam o espírito dessa lei e fazem dela um meio para satisfazer sua vaidade e sua ambição. (Erasto)."*

O frei, com alegria no olhar e veneração nos gestos, continuou:

– Caros amigos, esta tarde representa bem mais do que a simples conversa de um grupo de amigos acerca do vegetarianismo. Ouvimos aqui as recomendações dos Espíritos, representantes do amor, acordando os homens para a verdade das relações que regem o Universo, das quais a interação entre o homem e tudo que vive faz parte. Ouvimos aqui hoje o futuro glorioso de amor entre muitas espécies, a união entre os filhos de Deus, e o aprendizado de uma das mais sublimes lições que nos deixou o Mestre e nosso querido Francisco de Assis: a humildade

Deus deseja que seus filhos sejam felizes. Jesus veio até nós nos mostrar o que é a verdadeira felicidade e como conquistá-la. O Espiritismo desdobra estes caminhos em todas as suas nuances. Optemos por nossa felicidade, mas aprendamos que ela não se fará presente sem a felicidade de nossos irmãos. Louvado seja Deus, por sua misericórdia, por seu amor.

Neste momento, uma luz de coloração safirina se derramou do mais alto. Uma voz profunda e mansa, acolhedora e macia, se fez aos ouvidos de todos, fazendo com que muitos dos freis ali presentes, inclusive o frei que até o momento falava, se ajoelhassem, por não conterem a emoção:

*– Caros filhos, a Verdade é uma só, somente uma lei rege o Universo inteiro: a Lei de Amor. E a Terra chegou ao tempo de seguir esta Lei. O homem se encontra preparado para cumprir os desígnios do Senhor. Trabalhemos juntos, com afinco e coragem, para que este futuro comece agora. Sem medo de dizermo-nos os seguidores de Jesus, façamo-nos os servidores de tudo o que vive. Se buscarmos o Cristo, o encontraremos sempre junto aos mais sofridos e oprimidos. Finalmente, meus filhos, o homem pode compreender que tudo que vive é nosso próximo. Se mergulharmos o coração na Lei de amor, sentiremos a conexão que nos liga a tudo. Aprendamos o respeito a Deus, o respeito ao Cristo, o respeito a nós mesmos, enquanto Espíritos, respeitando nossos irmãos. Jesus nos abençoe.*

Os freis, emocionados e felizes, voltaram a cantarolar. Os encarnados sentiam uma paz indescritível, sem poderem identificar por quê. Os animais estavam tomados de esperança e paz e, do alto, se pudessem todos observar, veriam os olhos do Cristo de Deus, em intensa alegria, pelo porvir.

Porque os tempos são chegados, está determinado...

Os tempos da luz, os tempos da paz...

A REGENERAÇÃO SE APROXIMA, O PLANETA MUDA SUA VIBRAÇÃO, E AO HOMEM... CABE O APRENDIZADO DO AMOR...

SÃO TEMPOS DE SE ENCERRAR A CRUELDADE NA TERRA, TEMPOS DE TODOS OS FILHOS DE DEUS UNIREM-SE NUM MESMO AFETO, NUM MESMO CAMINHO, E DE MÃOS MAIORES AUXILIAREM PEQUENAS MÃOS, PEQUENAS PATAS, PEQUENOS PÉS. SÃO TEMPOS DE ESQUECERMOS O CORPO E VERMOS O ESPÍRITO, ESQUECERMOS AS DIFERENÇAS EVOLUTIVAS, E VIVERMOS O AMOR, SIMPLESMENTE...

*O evangelho dos animais*

Milênios vivemos como se fôssemos melhores que todos, que tudo, sem compreender que somos iguais, somos todos irmãos; se nos separa a diferença evolutiva, isto deve nos fazer mais responsáveis e amorosos, não mais orgulhosos.. Enquanto isso, os animais esperam que compreendamos finalmente que tudo o que vive é nosso próximo... Alcançaremos a consciência cósmica, porque chegamos ao momento de vivermos a paz!

*O Evangelho Segundo O Espiritismo, prefácio:*

*"Eu vos digo, em verdade, são chegados os tempos em que todas as coisas devem ser restabelecidas em seu verdadeiro sentido, para dissipar as trevas, confundir os orgulhosos e glorificar os justos."*

*Espírito da Verdade.*

FIM

## *Anexo 1*

# A FEIJOADA DO ZÉ

O telefone toca insistentemente. Zé adentra a casa correndo e, esbaforido, assim responde:

– Zé na linha a seu dispor.
– Zé – fala Amanda do outro lado –, que prazer ouvi-lo! Sou eu, Amanda.
– Amanda querida, como vai? Pergunta Zé, feliz de ouvir a amiga.
– Muito bem, Zé. A visita a vocês foi crucial para que ampliássemos nossa consciência. Todos nós que tivemos o prazer de estar com vocês nos tornamos vegetarianos. Novo campo de aprendizado sobre o amor se abriu para nós. Neste final de semana, eu e Edson receberemos um grupo de amigos, e quero cozinhar para eles aquela deliciosa feijoada vegetariana , com torresmo e tudo, que degustamos prazerosamente em sua casa. Tomei a liberdade de ligar para você e pedir a receita.
– Meu coração está em júbilo – respondeu Zé. – Ah! querida Amanda, a cada vez que alguém se propõe ao vegetarianismo, tenho certeza de que os céus rendem graças por mais um passo em favor do amor. Com prazer, lhe passarei a receita e darei também algumas dicas sobre a hidratação da proteína de soja. Você está com papel e caneta em mãos?
– Prontíssima! – respondeu Amanda. – As dicas serão muito bem-vindas, pois confesso que ainda estou apanhando um pouco para aprender a lidar com a proteína de soja.
– Então, vamos lá – completou Zé –, vou ditar:

## FEIJOADA VEGETARIANA

*O evangelho dos animais*

## Ingredientes:

*1 kg de feijão preto*
*2 cenouras grandes*
*1 nabo pequeno*
*1 chuchu grande*
*4 inhames*
*1 berinjela grande*
*200 g. de tofu defumado*
*200 g. de proteína texturizada de soja em pedaços grandes*
*2 latas de salsicha de soja*
*1 pimenta vermelha grande*
*01 cebola grande*
*02 dentes de alho*

Modo de fazer:

Deixe o feijão de molho por 6 horas. Cozinhe na panela de pressão por 30 minutos. Reserve. Corte os legumes em cubos. Separe. Corte a pimenta em pedaços pequenos e separe. Corte a salsicha de soja em rodelas médias e separe. Corte o tofú defumado em cubos e reserve em um recipiente fechado.

Coloque em uma panela 3 colheres de sopa de óleo. Frite 1/2 cebola e 1 dente de alho. Misture no feijão.

Faça o mesmo processo com a outra metade da cebola, o outro dente de alho, a pimenta e um pouco de sal e refogue o nabo, o chuchu, o inhame e a cenoura, cortados em cubos. Deixe cozinhar um pouco até estar al dente. Misture no feijão.

Coloque 1 litro e meio de água para ferver. Quando começar o ponto de fervura acrescente a água no feijão. Coloque tudo no fogo alto. Acrescente a proteína de soja crua, depois a berinjela, em seguida a salsicha. Quando atingir o ponto de fervura, baixe o fogo. Acrescente então o tofu defumado. Ferva até engrossar em fogo baixo. Experimente o sal e acrescente a gosto se achar necessário.

Está pronta a feijoada de respeito e amor aos animais.

– Amanda – continuou Zé –, queria somente orientar para que jamais deixe o tofu defumado cortado de um dia para outro, porque ele perde parte das propriedades. Deixe sempre ele por último para cortar, e em um recipiente fechado.

– Nossa, que interessante – disse Amanda –, achei que era mais difícil! Também achava que a proteína de soja deveria ser hidratada antes.

– Eu a hidratava separada no começo – disse Zé – mas depois notei que a proteína texturizada de soja, independente de ser moída ou em pedaços, absorve melhor o tempero se for hidratada junto com o cozimento. Por isso acrescentamos 1 litro e meio de água fervendo no feijão, de forma que a proteína de soja tenha como se hidratar no cozimento e fique bem saborosa, ganhando o sabor do defumado e do feijão. É assim que vocês nem notaram a diferença.

– Dicas interessantes – disse Amanda –, você faz o mesmo quando se trata de outros pratos ensopados, como um ensopado de legumes com a proteína texturizada de soja e batatas?

– Sim – disse Zé – Você também deve ter notado que acrescento o tempero aos poucos e refogo separados os legumes e o tempero do feijão. Faço o mesmo em outros pratos, refogando separados os legumes mais duros. Isto dá mais sabor ao prato. É imprescindível compreender que tempero em comida vegetariana é tudo.

– E onde encontro o tofu defumado para comprar? – Perguntou Amanda.

– Em grandes supermercados ou no mercado municipal – respondeu Zé –; você pode comprá-lo também pela Internet. Lojas especializadas em produtos naturais também podem ter.

– E aquele torresmo vegetariano delicioso – disse Amanda –, você vai dar a receita?

– Com alegria, cara amiga. Anote tudo – respondeu Zé – desta vez iremos hidratar a proteína de soja antes.

– Por quê? – Perguntou Amanda.

– Porque vamos fritar. Sempre que fizer a proteína de soja em um prato que seja frito ou refogado, deve hidratá-la antes. Quando fizer um ensopado, pode hidratá-la junto com o cozimento, lembrando que deve ser tudo muito bem temperado.

*O evangelho dos animais*

# HIDRATAÇÃO DA PROTEÍNA DE SOJA

**Ingredientes:**

*2 xícaras de chá de proteína texturizada de soja em pedaços*
*1/2 litro de água*
*½ colher de sopa de sal*
*1 dente de alho amassado*
*1 colher de chá de manjerona*
*1 colher de sopa de shoyo*

**Modo de fazer:**

Misture todos os ingredientes na água e em seguida coloque a proteína de soja. Deixe ficar por 30 minutos.

# TORRESMO VEGETARIANO

**Ingredientes:**

*A proteína texturizada de soja, já hidratada*

*4 colheres de sopa de óleo*
*1 colher de sopa de azeite*

**Modo de fazer:**

Em uma panela, coloque as 4 colheres de sopa de óleo e a colher de sopa de azeite. Esprema a soja com a mão para tirar o excesso de água e vá fritando-a aos poucos. Mexa e deixe fritar bem. Se necessário, acrescente um pouco mais de óleo enquanto estiver fritando. Vá tirando da panela, escorrendo bem e colocando em um recipiente com papel toalha. Após fritar tudo, sirva em seguida.

– Você pode usar esta hidratação para qualquer prato em que for utilizar a proteína de soja – disse Zé – sempre a hidrate com tempero, deixe de molho o tempo necessário e, quando espremer, tire somente o excesso de água, porque se tirar tudo, irá também tirar todo o tempero.

– Zé – perguntou Amanda –, há determinadas proteínas de soja que são escuras. Lendo os ingredientes, descobri que são escuras por conter shoyo. Neste caso, quando hidratá-las, devo ainda assim usar o shoyo?

– Pode usar sem problemas – continuou Zé – não se preocupe, não ficará forte, ficará mais acentuado o tempero, só isso.

– E – continuou Amanda – quantos tipos de proteína de soja texturizada encontramos?

– Hoje, há uma variedade enorme – respondeu Zé –, você pode encontrá-la em forma de bife, em tiras para estrogonofe, granulada, em pedaços médios ou grandes, clara ou escura, que é a que tem shoyo.

– Nossa – disse Amanda – quantas! Onde acho para comprar?

– Nos grandes supermercados, no mercado municipal, em lojas especializadas ou pela internet.

– Então – continuou Amanda –, sempre que hidratar a proteína de soja, devo espremer tirando o excesso de água antes de usar, certo?

– Certo – respondeu Zé – lembre-se, ela pode ser a base para inúmeros pratos. Com a proteína texturizada de soja faço estrogonofe, dobradinha, ensopados diversos, churrasco vegetariano, pratos árabes, feijoada, bife a milanesa, bife acebolado, vatapá, caruru, acarajé, etc. Com o tofu defumado, faço feijão tropeiro, recheios para salgados e vários pratos em que preciso de sabor de defumado. Você pode encontrar também o tofu defumado com temperos, como sabor pizza, ervas finas, tomate seco ou pimentão. Na feijoada, eu prefiro o sabor natural. Costumo também acrescentar o tofu no feijão do dia a dia, fica uma delícia e continua sendo um alimento de amor ao próximo.

– E o bife de soja – perguntou Amanda –, hidrato da mesma forma?

*O evangelho dos animais*

– Sim – disse Zé –, e fica muito bom.

– Zé – disse Amanda –, nem sei como agradecer.

– Bem – respondeu Zé – agradeça dizendo ao máximo de pessoas que podemos ter uma alimentação saudável e saborosa sem causar dor e sofrimento a nenhum ser vivo. Agradeça servindo a todos que estiverem em seu lar o alimento vegetariano, o alimento da regeneração. Agradeça promovendo o amor aos animais. Agradeça pensando no quanto eles precisam que o homem compreenda o vegetarianismo como uma forma de amor ao próximo. E aí, minha querida, quem diz obrigado sou eu.

Amanda, com os olhos cheios de emoção, do outro lado da linha disse:

– Pode deixar. Farei a minha parte. Deus o abençoe, meu amigo. Tchau!

– Deus lhe ilumine as mãos, querida Amanda. Bom almoço. Tchau.

Industria de Alimentos Asseama: especializada na produção de alimentos veganos

Empório Asseama: especializado na venda de produtos veganos

Santuário Asseama: localizado na cidade de Atibaia, abriga 175 animais de várias espécies

Para saber mais entre em nosso site: **www.asseama.org.br**

Contato: **faleconosco@asseama.org.br**

Ao adquirir este livro você está colaborando com as obras sociais da Asseama